Connaissance de l'Inconscient

Collection

dirigée par J.-B. Pontalis

SÉRIE : LA PSYCHANALYSE DANS SON HISTOIRE

JEAN-PAUL SARTRE

LE SCÉNARIO
FREUD

Préface
de J.-B. Pontalis

GALLIMARD

PRÉFACE

Scénario Freud, scénario Sartre

> Je me souviens que Sartre a tra-
> vaillé au scénario du *Freud* de Huston.
>
> Georges Perec,
> *Je me souviens*, 1980

Circonstances

Dans le courant de l'année 1958, le réalisateur américain John Huston demande à Jean-Paul Sartre d'écrire un scénario sur Freud, plus précisément, selon une tradition assez hollywoodienne, sur le temps « héroïque » de la découverte, ce temps fort où Freud, renonçant à l'hypnose, invente progressivement, douloureusement, la psychanalyse [1]. « L'idée de base, celle de Freud aventurier, dira plus tard Huston, vient de moi. Je voulais me concentrer sur cet épisode à la manière d'une intrigue policière [2]. » Sartre accepte aussitôt la proposition : la somme offerte est importante, dit-on, et il a besoin d'argent. Travail de circonstance donc, travail de commande et même « alimentaire » mais dont il va s'emparer très vite et auquel il se consacrera pendant quelques mois avec autant d'amusement que de passion. À la fin de 1958, Sartre fait parvenir à Huston un synopsis intitulé simplement « Freud » et qui compte 95 pages dactylographiées double interligne. Ce « premier travail », daté du 15 décembre, est accepté. L'année suivante, il écrit le scénario. On connaît la suite, ou du moins elle se raconte généralement ainsi : le

---

1. Selon Huston, qui avait déjà mis en scène *Huis clos* au théâtre à New York en 1946 et songé à porter à l'écran *Le Diable et le Bon Dieu*, Sartre était « l'auteur idéal » : « Il connaissait à fond l'œuvre de Freud et saurait la traiter avec objectivité et lucidité. » (*An open book*, Vaybrama, 1980 ; trad. fr. *John Huston* par John Huston, éd. Pygmalion, 1982, p. 275.)

2. Interview de John Huston par Robert Benayoun, *Positif*, nº 70, juin 1965.

metteur en scène demande à Sartre des remaniements, des coupures;
Sartre fait des concessions, élague, modifie, puis se lasse. Finalement,
le scénario sera considérablement réduit et transformé par des pro-
fessionnels du cinéma, Charles Kaufmann et Wolfgang Reinhardt,
proches de Huston, et Sartre exigera que son nom ne figure pas sur
le générique. Le film est tourné en 1961 et sort l'année suivante sur
les écrans sous le titre Freud, *rapidement transformé, pour mieux*
appâter, en Freud, the secret Passion *(en français :* Freud, Désirs*
inavoués). Il ne rencontre guère de succès. Montgomery Clift tient*
le rôle de Freud [1] : par sa seule physionomie, par son visage à la
fois pur et ravagé, par son regard clair presque halluciné [2], par
son jeu constamment pathétique, ce grand acteur accentue les traits
tourmentés, la tension et la souffrance de son personnage. Malgré
— certains diront : à cause de — cette interprétation, le film paraît
à plusieurs n'échapper ni au ridicule ni à l'outrance.

On reconnaît dans l'histoire de ce scénario un comportement fami-
lier de Sartre. Au départ, une simple commande. Puis la mise au
travail, travail dont il se saisit, dans l'allégresse, et qui le saisit,
mais plus comme un jeu, un défi, que comme une œuvre. Aucun
souci réaliste de la mesure : si le scénario original avait été accepté
tel quel (« gros comme ma cuisse », dira Huston), il eût donné un
film d'environ sept heures (« on peut faire un film de quatre heures
s'il s'agit de Ben Hur *mais le public du Texas ne supporterait pas*
quatre heures de complexes », dira Sartre [3]). Enfin, renoncement
voulu à tout droit de « paternité » et désintérêt total quant au résultat
final : Sartre a-t-il seulement vu le film ?

En fait, comme nous l'a révélé notre enquête, les choses se sont
déroulées de façon un peu plus compliquée et encore plus « sar-
trienne ». Après que Huston a reçu le scénario terminé et émis des
objections dont nous ne connaissons pas l'exacte teneur, Sartre se
remet au travail, rouvre le chantier; mais, loin de faire plus court,
comme il lui a été demandé, il fait plus long! Certes il coupe de
nombreuses séquences, il élimine même certains personnages qui
occupaient une place importante dans la première version, notam-
ment Fliess, l'ami berlinois de Freud, mais il ajoute de nouvelles
scènes, de nouveaux personnages, amplifie les exposés théoriques et

1. Huston dans son autobiographie *(op. cit)* dit avoir pensé à engager Marylin Monroe pour le rôle de Cecily qui sera finalement tenu par Susannah York. Anna Freud se serait opposée à ce projet. Montgomery Clift et Marylin Monroe avaient tourné ensemble dans le précédent film de Huston *The Misfits (Les Désaxés,* 1960).
2. Il souffrait à l'époque, selon son biographe, d'une double cataracte.
3. Dans un entretien avec Kenneth Tynan in *The Observer,* 18 et 25 juin 1961, partiellement repris en français dans Jean-Paul Sartre, *Un théâtre de situations,* Gallimard, coll. « Idées », 1973.

didactiques et, tout compte fait, il écrit un **autre** *scénario. Il semble
bien, d'après les manuscrits et transcriptions dactylographiées que
nous avons pu consulter grâce à l'obligeance sans défaut d'Arlette
El Kaïm-Sartre, qu'il ne mène pas tout à fait à son terme cette
seconde version. Pourtant, à coup sûr, elle parvint à Huston: plusieurs séquences qui ne figurent que dans cette version (par exemple,
le « rêve de la montagne ») seront reprises, plus ou moins simplifiées,
dans le film.*

*Que s'est-il passé au juste entre Sartre et Huston? Des infor-
mations précises manquent. Mais nous disposons des témoignages
des deux intéressés qu'il est amusant de mettre en parallèle. En
octobre 1959 Sartre passe quelques semaines dans la maison que
possède Huston à St Clerans en Irlande pour, en principe, travailler sur le scénario. Nous renvoyons le lecteur à la lettre, féroce
et gaie, qu'il adresse de là à Simone de Beauvoir* [1]. *Un régal!
Citons seulement ceci: « Quelle affaire! oh! quelle affaire! Que de
mentisme ici. Tout le monde a ses complexes, ça va du masochisme
à la férocité. Ne croyez pas, cependant, que nous soyons en Enfer.
Plutôt dans un très grand cimetière. Tout le monde est mort, avec
des complexes congelés. Ça vit peu, peu, peu. » Et encore: « Huston
a eu un drôle de mot pour parler de son " inconscient " à propos
de Freud: " Dans le mien, il n'y a rien. " Et le ton indiquait le
sens:* plus *rien, même plus de vieux désirs inavouables. Une grosse
lacune. Vous imaginez comme il est facile de le faire travailler.
Il fuit la pensée parce qu'elle l'attriste. Nous sommes tous réunis
dans un fumoir, nous parlons tous et puis tout à coup, en pleine
discussion, il disparaît. Bien heureux, si on le revoit avant le
déjeuner ou le dîner. »*

*Huston, de son côté, garde de ce même séjour un souvenir plus
amer: « Je n'ai jamais travaillé avec quelqu'un d'aussi entêté et
catégorique que Sartre. Impossible d'avoir avec lui une conversation.
Impossible de l'interrompre. Sans reprendre souffle, il me noyait
sous un torrent de paroles (...). Il m'arrivait, épuisé par l'effort, de
quitter la pièce. Le bourdonnement de sa voix me suivait un moment
et lorsque je revenais, il n'avait pas même remarqué que j'étais
sorti* [2]. *» D'ailleurs, dans le chapitre de son autobiographie consacrée
au* **Freud,** *l'amertume transparaît à chaque page, les remarques*

---

1. Cf. *Lettres au Castor*, Gallimard, 1983, vol. 2, p. 358.
2. Malgré son ton constamment fielleux, le chapitre tout entier est à lire. Il semble
bien que le sujet du film n'ait pas été sans effet sur toute cette affaire, plus encore
pendant le tournage, si l'on en croit le récit détaillé qu'en donne Robert LaGuardia
dans sa biographie de Montgomery Clift, Avon Books, 1978, chap. IX. « Passions
secrètes » et ravageantes...

*désobligeantes n'épargnent personne : collaborateurs et interprètes.
Après la projection d'un court métrage (Let there be Light) qu'il
avait réalisé en 1945 sur le traitement par hypnose des névrosés
traumatiques de guerre, Huston, durant le séjour à St Clerans,
entreprend d'hypnotiser Sartre! Échec total. « Il y a ainsi des individus rétifs », conclut Huston* [1].

Manuscrits

*Problème pour l'éditeur : quel texte retenir? À supposer que Sartre
eût, de son vivant, consenti à publier son scénario, quelle version
eût-il choisie? Peut-être — qui sait? — eût-il produit une nouvelle
mouture sensiblement différente des deux premières : Sartre n'aimait
pas se recopier. On en a ici une preuve, entre mille autres : quand
il entreprend de refondre le scénario critiqué, il commence par utiliser
le manuscrit premier, supprimant ici, ajoutant là, modifiant un
dialogue sur la colonne de droite, apportant, sur la colonne de
gauche, des commentaires ou précisant les indications de lieux, de
gestes. Mais, très vite, il n'utilise plus le texte dactylographié et, sur
le fameux papier quadrillé, ce sont de nouvelles pages qui
s'accumulent.*

*Une solution éditoriale eût été de publier tout ce qui nous est
parvenu. À savoir :*

*1. le synopsis dont les différents exemplaires que nous avons
consultés sont semblables;*

*2. le scénario remis à Huston en 1959 (que nous appellerons
désormais version I);*

*3. le scénario réécrit dont le manuscrit à notre disposition est
lacunaire et inachevé (version II);*

4. divers fragments retrouvés.

*Une telle solution avait l'avantage de rendre accessibles au lecteur
tous les matériaux actuellement recueillis. Je dis : actuellement, car
rien n'assure que d'autres fragments, d'autres états du scénario ne
soient pas un jour disponibles. Tout même assure du contraire. On
sait en effet que Sartre se souciait comme d'une guigne du sort de ses
manuscrits, qu'il les distribuait généreusement ou les égarait ou
encore les laissait accaparer par tel ou telle. En outre, tous ceux qui
connaissent, même de très loin comme moi, le monde de l'industrie
cinématographique savent qu'un scénario passe presque toujours,
entre le moment où il est conçu et celui où il est réalisé, par toute une*

---

1. *Op. cit.*, p. 276.

série d'étapes et de refontes, qu'il se voit modifié au gré des exigences du producteur, du réalisateur, voire des interprètes, exigences auxquelles il arrive que son auteur, bon gré mal gré, se rallie. Il est bien difficile dans ces conditions – impossible quand l'édition est posthume – de décider de ce qui constitue la version authentique, le texte original. D'ailleurs, s'agissant d'un scénario, où l'auteur se doit d'indiquer des mouvements, des sentiments, des décors, dans l'attente où il est de l'image, peut-on parler d'un texte?

Il nous a semblé aussi qu'en publiant en vrac le tout, nous ne courions d'autre risque que celui de décourager le lecteur de bonne volonté, d'une part en lui présentant un énorme volume (celui-ci n'est déjà pas mince...), d'autre part en le confrontant à une série de documents épars et largement répétitifs. Enfin, dans l'état actuel de l'édition des œuvres de Sartre, il eût été abusif, selon nous, de prétendre hausser jusqu'à l'éminent statut d'« édition savante », avec appareil critique et inventaire des variantes, une œuvre que son auteur considérait à coup sûr comme mineure.

On ne trouvera donc pas ici une édition savante du « scénario Freud ». Nous laissons aux spécialistes de Sartre le soin de l'établir plus tard, s'ils la jugent nécessaire. Pour notre part nous avons délibérément adopté un parti moins ambitieux mais que nous espérons justifié.

Nous avons retenu comme texte de base la version I. Le scénario est alors sans lacune (pagination suivie, aucun feuillet manquant) et achevé (il comporte le mot : Fin). On peut sans grand risque faire l'hypothèse que, si Huston et ses collaborateurs n'avaient pas trouvé à y redire, Sartre s'en serait tenu là : son « produit » une fois livré, il serait passé à autre chose.

À ce scénario, publié ici pour la première fois, nous joignons un certain nombre de séquences de la version II [1]. Nous n'échappons pas là à l'arbitraire de toute anthologie. Le critère du choix a été le suivant : élimination des séquences qui figuraient déjà, même sous une forme assez différente, dans la version I; sélection des scènes qui nous ont paru les plus fortes ou les plus démonstratives du changement de style intervenu d'une version à l'autre.

Afin que le lecteur puisse se faire une idée relativement précise de la différence entre les deux versions, nous en donnons en appendice un bref tableau comparatif. On trouvera également en appendice le synopsis de 1958 qui permet de voir que, si Sartre avait trouvé d'emblée son fil conducteur, il n'a cessé de lui faire subir les torsions nécessaires à son propos.

1. De larges passages de cette version ont été publiés en 1981 dans *Obliques* par les soins de Michel Sicard (« Sartre et les arts », pp. 93-136).

Sources

Quelles ont été les « sources » de Sartre? Les hasards de l'édition font parfois bien les choses. En 1958 précisément, paraît en traduction française le premier volume de la grande biographie de Freud par Ernest Jones; ce volume porte sur la période qui intéresse Huston et Sartre, celle qui concerne le « jeune Freud » et s'achève avec la publication, consécutive à la mort du père, de L'Interprétation des rêves [1]. Deux ans plus tôt ont été publiés sous le titre La Naissance de la psychanalyse les lettres retrouvées de Freud à Wilhelm Fliess et les manuscrits annexés à la correspondance, qui sont, même pour les spécialistes, une révélation. Ce sont là deux documents essentiels dont on mesure mal, vingt-cinq ans après, maintenant que se sont multipliés jusqu'à l'excès études et témoignages sur Freud, la somme d'informations neuves qu'ils apportaient. Jusqu'alors on ignorait presque tout de la personne et de l'histoire de Freud, comme lui-même très tôt l'avait souhaité, voulant, disait-il avec un mélange d'ironie et d'orgueil, « rendre la tâche ardue à ses biographes futurs », voulant surtout, me semble-t-il, confondre son destin avec celui de la « cause » psychanalytique. C'est qu'il redoutait, sans doute avec raison, que les vérités, tenues par lui pour à la fois singulières et universelles, de la science qu'il avait fondée ne soient compromises, une fois mis à nu les déterminants personnels, familiaux, culturels qui avaient rendu possible leur découverte.

Or, même s'il s'agit pour une part d'une biographie « officielle », édifiée par un gardien de l'orthodoxie et un disciple vigilant (même les ombres sont destinées à faire ressortir la lumière du héros), Jones apporte sur l'homme Freud des données alors insoupçonnées [2]. Quant à la correspondance avec Fliess, elle témoigne, entre autres, de l'intensité du lien qui unit les deux hommes, et surtout Freud à Fliess; sans cette passion-là, sans ce transfert encore innomé, la psychanalyse eût-elle jamais vu le jour?

Nul doute que ces lectures transformèrent radicalement l'image que Sartre se faisait de Freud. Elles lui montrèrent une personnalité

---

1. En fait j'ai probablement tort d'invoquer les hasards de l'édition. Il est vraisemblable en effet que c'est la biographie de Jones parue aux États-Unis en 1953 qui a donné à Huston l'idée de faire un film sur Freud.

2. La partialité parfois vengeresse de Jones apparaît surtout quand, avec la constitution du « mouvement », les rivaux entrent en scène. Mais dans l'ensemble on peut accorder foi au premier volume qui retrace les années de formation de Freud. La « horde » n'existait pas encore, il n'y a ni père primitif ni frères ennemis.

contradictoire, violente et retenue, en lutte permanente avec elle-même et l'entourage, têtue et déchirée ; elles faisaient de l'invention de la psychanalyse le produit d'un long travail mené sur soi-même et surtout — ce qui avait beaucoup plus de prix aux yeux de Sartre — contre soi-même, avec des percées, des impasses, des retours en arrière [1] ; elles permettaient enfin à Sartre, ces lectures, de voir dans la succession des hypothèses avancées, dans la modification parfois drastique de la théorie (que l'on songe à l'abandon de la théorie de la séduction) tout autre chose qu'un exercice purement intellectuel ou que le résultat empirique d'une recension minutieuse des faits : bien plutôt le mouvement même d'une cure dont Freud, tout autant que les névrosés qu'il traitait comme il pouvait, et seulement comme il pouvait, était l'enjeu. Freud, médecin malade, aurait presque contre son gré découvert la psychanalyse — à la fois la méthode et ses objets — pour se guérir lui-même, pour résoudre ses propres conflits. Le Freud révélé à Sartre cette année-là annonce son **Idiot de la famille** : névrose et création ont partie liée et elles l'ont parce que la névrose est déjà une création, mais privée, et privée de sens pour son auteur parce que écrite dans une langue dont il n'a pas la clé (et comment ouvrir un coffre-fort dont la clé est à l'intérieur ?). Névrose et création : sujet de dissertation tant qu'on oppose des entités mais chemin toujours à rouvrir dans son « universel singulier », chemin en tout cas sans cesse réouvert par Sartre, de Baudelaire à Flaubert, en passant par **Saint Genet** et **Les Mots**.

L'idée que Sartre avait auparavant de Freud — celle d'un chef d'école doctrinaire et un peu borné, d'un médiocre philosophe dont aucun concept ne résiste à l'examen et Dieu sait que celui de Sartre pouvait être dévastateur —, cette idée-là ne tient plus. Et Sartre prenait un plaisir extrême à voir ses idées bousculées, à condition que ce soit lui qui en tire les conséquences... L'intransigeance de Freud, ce qu'il y a en lui d'intraitable quand il s'agirait de céder sur ce qu'exige le vrai, son opposition tenace à la médecine et à la psychiatrie régnantes là où elles ne se parent que de leurs titres, l'antisémitisme sournois dont il est l'objet, sa solitude ou plutôt ce qu'il lui faut vivre comme solitude, sa pauvreté aussi et son long dédain des honneurs, c'est peu dire que tous ces traits séduisent Sartre. Pour une part, il s'y reconnaît. Je gagerais même qu'il pardonne à Freud sa passion exclusive pour Martha, sa sombre

---

1. Il fallait, dit Sartre dans l'entretien avec Kenneth Tynan, « montrer Freud non pas quand ses théories l'avaient déjà rendu célèbre mais à l'époque où, vers l'âge de trente ans, il se trompait complètement et où ses idées l'avaient conduit dans une impasse désespérée » *(loc. cit.)*.

jalousie, lui qui a pu écrire qu'« on ne peut pas demander à la fois de plaire et d'aimer [1] ».

Je me souviens l'avoir entendu dire, tandis qu'il lisait le livre de Jones, et avec délectation : « Mais, dites-moi, votre Freud, il était névrosé jusqu'à la moelle. » Du coup, il peut comprendre, sinon admettre, des notions qu'il avait auparavant, comme philosophe resté plus cartésien qu'il ne croyait, mises en pièces, telles celles de pensée inconsciente et de refoulement. Si j'en crois un témoin, Sartre, parlant d'Huston, disait : « Ce qu'il y a d'ennuyeux avec lui, c'est qu'il ne croit pas à l'inconscient. » Savoureux retournement ou projection méconnue ? En tant que lecteur du scénario, je penche pour la première hypothèse car il me paraît incontestable que Sartre a su rendre sensibles, et donc d'abord se rendre sensibles à lui, un certain nombre de phénomènes dont la notion de mauvaise foi qu'il avait longtemps promue pour « contrer » Freud ne suffit plus à rendre compte.

Autre chose a dû l'aider à modifier ainsi ses vues premières : c'est son intérêt, maintenu tout au long de son œuvre, pour l'hystérie. Cet intérêt, allant jusqu'à la fascination, trouve selon moi chez Sartre un double motif. S'il est vrai qu'une coïncidence absolue avec soi est impossible et que, partant, nous sommes tous **acteurs,** *pourquoi l'hystérique l'est-il (elle) plus que d'autres ? D'autre part, l'hystérie pose à une philosophie de la liberté un problème irritant : comment une liberté supposée, par principe, arrachement, peut-elle se laisser captiver par l'imaginaire jusqu'à s'y perdre, corps et biens ? On conçoit qu'en de brefs moments et dans des conditions particulières (sommeil, émotion) elle se fasse, comme disait le « jeune » Sartre, conscience « imageante » ou « magique », mais comment comprendre qu'une existence soit tout entière animée par l'imaginaire sans pouvoir jamais se ressaisir ? Qu'est-ce donc qu'un hystérique, une fois écartée l'hypothèse de la simulation et celle du traumatisme ? En un sens la folie paraissait à Sartre moins étrange car il y voyait une forme de lucidité retorse mais supérieure (pensons au personnage de* La Chambre, *au Franz des* Séquestrés d'Altona). *D'où la boutade qu'il a pu lâcher un jour : « Je tiens les fous pour des menteurs. » Mais peut-on tenir les troubles hystériques pour des mensonges, surtout quand ils atteignent des fonctions vitales (cécité, anorexie, paralysie, astasie-abasie, asthme) comme c'était le cas chez les patientes traitées par Breuer et Freud. Le psychanalyste qualifiait de mystérieux le saut du psychique dans le somatique. Bien plus mystérieux encore pour le philosophe le saut de la conscience dans*

1. Dans *Les Mots,* p. 20.

l'inertie : comment diable la transparence peut-elle « choisir » l'opacité? Comment un acteur-agent peut-il choir (dé-choir) dans la passivité originelle [1]*?*

On remarquera que ce sont surtout des cas d'hystérie qui ont retenu ici l'attention de Sartre et plus spécialement des cas d'hystérie féminine. Certes l'époque considérée se prêtait à ce choix mais on sent Sartre en sympathie avec ces femmes-à-histoires (dans les deux sens du mot), avec ces Viennoises toutes en nerfs et en fantasmes qui, d'un même mouvement, attirent, défient, tournent en dérision l'homme-médecin, tout engoncé dans son habit de cérémonie et un savoir qu'il veut sans faille. Sans doute, lui qui n'a jamais caché qu'il préférait la compagnie des femmes à celle des hommes, eût-il apprécié, s'il les avait connus, ces mots de Lacan (je cite de mémoire) : « Il y a dans toute femme quelque chose d'égaré... et dans tout homme quelque chose de ridicule. » Quelle aisance en effet de la part de Sartre à mettre en évidence dans ce scénario le ridicule et l'odieux masculin. Seul Freud y échappe, sans doute parce que Sartre a su percevoir chez celui qui, quoique excellent époux et bon père de famille, a su le premier écouter les jeunes femmes — et non pour les séduire mais pour leur permettre de parler leur souffrance et leur plaisir — quelque chose de féminin. Avec la reconnaissance de la bisexualité, la ligne de partage masculin/féminin n'est plus ce qu'elle était.

Mais revenons aux sources : Jones donc, en premier lieu, les lettres à Fliess, les Études sur l'hystérie *et le cas Dora des* Cinq psychanalyses *pour y puiser du matériel clinique et en extraire des « figures composites »; une lecture enfin, que j'imagine assez cursive, de* L'Interprétation des rêves, *pour y prélever quelques rêves de Freud. Ajoutons, au titre anecdotique, qu'afin d'éclairer le passage de Freud à la Salpêtrière, Sartre recueille quelques informations sur Charcot, par lectrice interposée. Les esprits sérieux ou chagrins — ce sont souvent les mêmes — en concluront que son travail de documentation ne fut pas considérable ni très précis. Soit. Mais d'abord le propos de Sartre n'est pas de faire un film rigoureusement conforme à la réalité des faits; on en aura ici des preuves à chaque page et c'est bien pourquoi nous avons vite renoncé au projet absurde d'indiquer par des notes, au cas où un lecteur crédule confondrait ce scénario avec un document d'histoire, les modifications que Sartre fait subir à ladite réalité. Ensuite les inventions de Sartre sont parfois d'une force telle que même*

---

1. Cf. dans *L'Idiot de la famille* les pages (1854-1861) que Sartre consacre à ce qu'il nomme « l'engagement hystérique ».

*celui qui croit connaître sur le bout du doigt la saga freudienne
n'en croit plus sa mémoire, s'en va compulser sa bibliothèque
dans le souci de vérifier le fait, de repérer la déformation, la pure
invention, avant de redevenir sans doute plus freudien et de reconnaître que, souvenir et fiction étant indémêlables, la question du
vrai et du faux ne se pose plus! Je pense, par exemple, à la scène
du coiffeur (3ᵉ partie, version I, pp. 356-360) ou à l'étonnant portrait du professeur Meynert (2ᵉ partie, version I, pp. 154-159).
Plus vrais que nature! La langue commune le dit bien : « Où
a-t-il été chercher ça? On jurerait qu'il y était. » Plus tard, Sartre
« inventera » de la même manière les parents, l'enfance de Flaubert.
On dirait qu'il s'est fait la main avec son « Freud ».*

Enfin – et là encore une comparaison avec L'Idiot de la famille
*serait justifiée – le projet de Sartre n'échappait pas à la visée
« totale » qui crut trouver sa pleine réalisation avec le « Flaubert ».
La tentative grandiose et, je le crains, proprement insensée de savoir
et surtout de comprendre* tout *d'un homme – tentative qui s'affirme
explicitement dans cette « somme » – est assurément un pari ancien
de Sartre (un défi à Dieu dont ce serait le tour de devenir une
« passion inutile »). Mais je croirais volontiers que le « Freud » a
rendu possible le « Flaubert ». Avec* L'Idiot de la famille, *le pari
est (presque) tenu. Avec le scénario, le pari reste ouvert dans la
mesure même où il échoue. C'est que Sartre entend y saisir plusieurs
fils à la fois et n'en lâcher aucun. En fait ce sont des milliers et des
milliers de pages qu'il lui aurait fallu, dans la perspective totalisante
qui est la sienne, pour rendre tout ensemble* intelligible *le Freud
juif et le Freud bourgeois, le Freud-fils et le Freud-Fliess, le Freud
neurologue et le Freud « névrosé », le Freud civilisateur et le Freud
pulsionnel, le Freud de « Vienne fin de siècle » et le Freud sans
frontières... Comment surtout rendre visible la réalité psychique qui
est le seul objet de la psychanalyse? La* réalité psychique *– et non
pas le « psychisme », ce ventre mou – faite de représentations dis-
tribuées en réseaux, comme des nerfs avec leurs synapses, des rails
avec leurs aiguillages, soumise à des lois, régie par des mécanismes.
L'ennui est qu'à la question abrupte, lancinante de Sartre : « Que
peut-on savoir d'un homme? » – à cette question qui n'est pas la
sienne – la psychanalyse ne peut apporter qu'une réponse décevante :
non pas : « Rien » mais : « Ce que cet homme a toujours su. » Premier
et peut-être unique obstacle : l'amnésie. Quant à la levée de l'amnésie, elle consiste moins à exhumer, à la manière de l'archéologue,
des souvenirs enfouis qu'à permettre à la mémoire de faire sienne
ce qui n'a pas été. L'événement, en psychanalyse, n'est pas rémi-
niscence du vécu.*

Le lien de paternité

Qui ne se souvient de cette formule des Mots : « Il n'y a pas de bon père, c'est la règle; qu'on n'en tienne pas grief aux hommes mais au lien de paternité qui est pourri. » C'est autour de ce lien pourtant que Sartre va ordonner son scénario, selon une vue assez classique pour nous mais sans doute neuve pour lui : Freud aux prises avec la figure du père, reparcourant sans cesse, avec ses maîtres, Brücke, Meynert, Breuer, ce trajet d'attachement, de rejet et de rupture, retrouvant sans cesse chez ses malades ou le père séducteur (Cecily) ou le père castrateur (Karl) jusqu'à la libération finale qui, avec la mort de Jakob, le fait père de la psychanalyse. Vraisemblablement, Sartre qui se voulait sans père et qui même dans son travail d'écrivain répugnait à se considérer comme « père de son œuvre », a trouvé dans ce destin du jeune Freud de quoi sinon détruire, du moins ébranler sa conviction. En axant, comme il le fait ici, la recherche et la découverte freudiennes sur le rapport au père [1], il montre du même coup que ce rapport n'est pas nécessairement voué à l'alternance épuisante de la soumission et de la révolte, à l'opposition tranchée de la passivité et de l'acte pur; peut-être même aperçoit-il qu'à vouloir se passer de père, on risque fort de n'être, sa vie durant, qu'un enfant des mots... L'avantage et le malheur des mots, c'est qu'ils ne se lient qu'entre eux. Celui qui se refuse à recevoir et à transmettre redoutera toujours d'être un truqueur, un être verbal, un faiseur de gestes.

Je ne pense pas — le lecteur jugera — que Sartre propose avec son scénario une « interprétation » personnelle, originale, de Freud. En revanche, j'aimerais croire que Freud, même si, comme c'est le cas ici, il se voit découpé à grands traits (« découpage » cinématographique oblige), a interprété Sartre. N'est-ce pas après sa fréquentation de Freud que Sartre entreprend une autobiographie dont nous ne connaissons pour l'instant que le titre (Jean sans terre, Jean sans père...). De ce projet, une fois encore inachevé, dériveront Les Mots puis, par une voie plus indirecte, L'Idiot de la famille. Je me souviens que, pour mener à bien l'autobiographie qui tournait à l'« auto-analyse », Sartre décida de noter ses rêves, lui, l'homme du jour, de passer des tests projectifs, lui, l'homme du « projet »; qu'il envisagea même, pendant le temps, il est vrai, d'une très brève conversation, de commencer une analyse. Que représentait pour lui

---

1. « Le Père! Toujours le Père », p. 564.

la psychanalyse? Un instrument de connaissance utile, indispensable sans doute, mais un instrument *qu'il réussirait, une fois qu'il se serait mis à l'ouvrage, à s'approprier. Transfert, connais pas! Le transfert, c'est-à-dire la nécessité, pour laisser venir en soi l'inconnu, de s'adresser à un destinataire inconnu à cette adresse, définitivement absent, presque introuvable.*

Sans vouloir forcer la note, on peut faire l'hypothèse que le scénario sur Freud fut aussi pour Sartre un scénario Freud *où il tint son rôle (jamais il ne déprécie Freud, il expose honnêtement ses premières conceptions); que, d'abord envisagé comme un divertissement par rapport au travail dans lequel il allait s'engager tout entier –* La Critique, L'Idiot *– le scénario le divertit aussi de son propre programme. Peut-être, un temps, consentit-il, mais en riant sous cape, à s'accepter, comme nous tous, fils de Freud. Mais un fils infatigable et bien résolu à ne pas porter trop longtemps cet Anchise-là sur son dos.*

Si la chose psychanalytique se refusait à l'image?

Une fois dans sa vie, Freud aurait pu, lui aussi, se laisser séduire par le cinéma, par le projet, effectivement tentant, de mettre la psychanalyse en images. En 1925, Karl Abraham, le bon *disciple, le pousse à accepter une proposition sérieuse : « Le projet, lui écrit-il, est conforme à l'esprit de notre temps et il sera certainement exécuté. » Freud d'emblée est réticent. L'argument traditionnel « si cela ne se fait pas avec nous, cela se fera sans nous, par des incompétents et cela sera bien pire » n'a aucune prise sur lui. Abraham insiste. Freud se fâche, prétend qu'on le brusque* [1]. *Le motif qui fonde son refus est d'ordre théorique, il est de principe, porte sur l'essence même de la chose. Freud le formule ainsi : « Ma principale objection reste qu'il ne me paraît pas possible de faire de nos abstractions une présentation plastique qui se respecte tant soit peu* [2]. *Nous n'allons tout de même pas donner notre accord à quelque chose d'insipide (...). Le petit exemple que vous mentionnez, la pré-*

---

1. Le film se fera finalement, avec la collaboration d'Abraham et de Sachs mais sans celle de Freud : *Gemheimnisse einer Seele* (Secrets d'une âme), réalisé par Pabst. Voir sur cet épisode la *Correspondance Freud-Abraham*, Gallimard, 1960, notamment pp. 388-391. Voir aussi l'étude « Chambre à part » (in *Nouvelle Revue de Psychanalyse*, n° 29, 1984) de Patrick Lacoste qui m'a remis en mémoire l'échange de lettres auquel je me réfère ici.

2. Qu'eût dit Freud à Einsenstein qui rêvait de filmer *Le Capital*?

sentation du refoulement par le biais de ma comparaison de Worcester [1] apparaîtrait plus ridicule qu'instructif. »

Qu'entend au juste Freud ici par « abstraction »? Les grandes instances topiques, Moi, Ça, Surmoi? Les opérations psychiques comme le refoulement ou la projection? Certainement, mais je crois qu'il faut étendre la portée du mot — et donc de l'objection — jusqu'à l'ensemble de la « chose » psychanalytique : rien de la vie mentale ne peut être sans falsification rendu par l'image. La fin de non-recevoir qu'oppose Freud à Abraham ne ferait qu'énoncer une fin de non-recevoir primordiale : l'image ne reçoit pas l'inconscient.

Comment se fait-il qu'un rêve, qui pourtant apparaît au rêveur comme une mise en images, voire comme un film dont il serait le spectateur et qui se déroulerait sur un écran [2], oui, pourquoi un rêve, une fois transcrit au cinéma, cesse-t-il d'être un rêve, alors même qu'il arrive que tout un film, dit réaliste, puisse être perçu comme onirique?

Il y a là un paradoxe. En un sens, la psychanalyse a libéré l'imaginaire, elle a étendu, au-delà du champ de la perception, le domaine du visible et repéré son emprise tant dans la vie personnelle que collective : rêves, rêveries, fantasmes, scènes visuelles, théâtre privé, cités idéales de visionnaires ne cessent de nous accompagner. Mais, en un autre sens, elle le discrédite, ce visible, en le destituant du statut auquel il prétend : l'inconscient, comme l'être des philosophes, ne se donne pas à voir.

Prenons un exemple : quand Freud dégage par l'analyse les différents procédés du travail du rêve — condensation, déplacement, surdétermination, élaboration secondaire — il en rencontre un qu'il nomme **Darstellbarkeit**, à savoir la nécessité où se trouve le rêveur, du fait de l'impossibilité où le place le sommeil de recourir à l'activité motrice, de figurer en images visuelles, d'« halluciner » son **Wunsch**, son vœu inconscient [3]. C'est là une contrainte imposée au rêve, rien de plus, et qui ne se retrouve pas dans d'autres

1. Il s'agit d'une comparaison, avancée par Freud dans une des conférences qu'il prononça en 1909 à Worcester (les *Cinq leçons*), entre le désir refoulé qui insiste pour faire retour et un personnage intrusif du type : « On le met à la porte, il rentre par la fenêtre. »
2. Confusion, plutôt que lapsus, souvent opérée par celui qui rapporte un rêve : « À ce moment-là du film... » Voir aussi les travaux de Bertram Lewin sur l'*écran du rêve*.
3. Cette contrainte peut entraîner de longs détours par l'image pour que le message passe. Par exemple, pour que le mot *court* puisse, avec toute sa charge sémantique et ses références sexuelles, franchir à coup sûr le seuil de la conscience, il sera visualisé sous formes d'images de *court* de tennis, de *cour*, de *course*; un personnage s'appellera M. *Courtat*... L'insistance ici n'apparaîtra que dans le *récit* du rêve, seul offert à l'interprétation.

formations de l'inconscient comme le symptôme ou l'acte manqué. Autrement dit, l'image est moins expression que figuration, présentation plastique, *comme dit Freud dans sa réponse à Abraham que nous citions à l'instant. Or le cinéma comme le rêve est voué à ce mode de présentation* (Darstellung) : *tout ce que le scénariste inscrit en mots dans la colonne de gauche de ses feuillets — gestes, mouvements, émotions, intonations, description de lieux, d'objets, etc. — doit, idéalement, passer à l'image. Autrement, c'est pure perte. La « présentation plastique », la figurabilité, de simple condition, devient loi. Le « non-figuratif » (les « abstractions ») se soumet alors au « figuratif » : tout doit, sans qu'on s'en aperçoive, se rabattre dans l'image. Tout ce qui fait l'investigation analytique, à savoir le jeu étagé de la pulsion et de ce à quoi elle délègue ses pouvoirs : affects et signes, le plus souvent ponctuels, « insignifiants », hors contexte et hors texte. La pulsion opère et, au terme de ses opérations de pensée, elle* traverse *l'image; elle fait signe, elle ne* fait *pas image. De là bien des incompréhensions dont le relatif échec du « cinéma psychanalytique » n'est qu'une manifestation d'ailleurs bénigne. Le malentendu ne cessera pas — et faut-il qu'il cesse? — quand on aura dit et montré cent fois que la chose sexuelle freudienne n'est pas réductible aux choses du sexe et qu'elle vit de cet écart; que l'Œdipe n'est pas ce qui nous lie à père et mère; que l'horreur de l'inceste naît d'une représentation insoutenable, non d'une prescription sociale.*

Ce malentendu n'a pas échappé à l'auteur du scénario qu'on va lire. Il me semble que, plus libre à l'égard du « genre » qui lui était imposé, il eût réussi à faire passer, si je puis dire, plus *d'inconscient. Je le sens, curieusement, davantage freudien quand il met en scène, avec son audace, son efficacité de dramaturge, les relations passionnelles entre ses personnages que lors de ses incursions forcées dans la fantasmagorie de Cecily ou dans des rêves dont le symbolisme œdipien — mais seulement le symbolisme, jamais le trajet singulier de « représentations » électives — saute aux yeux.*

Une dernière remarque : on pourra s'étonner de voir paraître le scénario de Sartre dans une collection, « La psychanalyse dans son histoire », *jusqu'alors faite pour accueillir des documents bruts ou des enquêtes minutieuses dont le principal souci est de véracité. Pourtant, c'est bien un document que nous publions ici : une pièce importante à verser au dossier des rapports de Sartre avec Freud. Or la longue et complexe histoire de ces rapports fait incontestable-*

ment partie à la fois de l'histoire de Sartre et de celle de la psycha-nalyse (au moins en France où il n'est guère d'esprit qui n'eut à se définir par rapport à Freud) : elle appartient à l'histoire des idées, donc à notre histoire.

J.-B. Pontalis

PREMIÈRE VERSION

(1959)

PREMIÈRE PARTIE

[1]

Septembre 1885.

Sept heures du matin. Un couloir d'hôpital. La lumière (bec Auer) s'éteint; un peu de jour filtre par les fenêtres. Une grande porte ouvre sur une salle qu'on entrevoit vaguement: des infirmières s'agitent, au fond de cette salle; c'est le réveil: elles refont les pansements, soignent et lavent des malades (uniquement des femmes). Cette salle délabrée, éclairée au gaz, semble sinistre. Au-dessus de la porte, un écriteau: Salle d'Ophtalmologie. Service du docteur Heinz.

Deux brancardiers paraissent, dans le couloir, portant sur une civière une vieille femme dont les yeux fixes semblent ne plus voir. Ils s'arrêtent devant la porte et posent la civière pour reprendre haleine. Ils sont âgés tous les deux, avec des moustaches grises. Ils s'épongent le front.

Une infirmière – quarante ans, les traits durs, des lunettes – paraît à la porte, venant de l'intérieur de la salle. Elle regarde la vieille et les brancardiers d'un air maussade et pressé. Ils baissent les yeux, résignés d'avance.

L'infirmière regarde la malade.

L'INFIRMIÈRE : Qu'est-ce que c'est?

Elle la reconnaît.

Encore! Ah, non!
1ᵉʳ BRANCARDIER : Mais qu'est-ce que vous voulez qu'on en fasse?

L'INFIRMIÈRE : Je vous l'ai dit : salle de psychia-trie.

Elle se touche le front.

C'est ça qui ne va pas.
2ᵉ BRANCARDIER : Ils n'en veulent pas.
L'INFIRMIÈRE : Les psychiatres?
2ᵉ BRANCARDIER : Ils disent qu'elle n'a rien.
L'INFIRMIÈRE : Eh bien, renvoyez-la chez elle.

La vieille se redresse un peu; elle a l'air traqué.

LA MALADE : Je suis aveugle.

Elle parle sans s'adresser à personne.

L'INFIRMIÈRE, *rire sec et désagréable :* Je voudrais y voir aussi bien que vous, ma bonne femme! *(Aux brancardiers :)* Le docteur Heinz l'a examinée hier; tous les organes sont sains. C'est une comédienne, voilà!
1ᵉʳ BRANCARDIER : Comédienne ou pas, dites, elle est lourde. Il y a des lits chez vous.

L'infirmière leur claque la porte au nez. Ils se regardent déconfits.

2ᵉ BRANCARDIER, *à la vieille :* Quel poison! Tu pourrais pas être aveugle pour de bon?
LA VIEILLE, *monotone :* Je suis aveugle.

Le premier brancardier la regarde et prend brusquement sur lui de tambouriner à la porte. Celle-ci se rouvre. L'infirmière paraît, furieuse.

L'INFIRMIÈRE : Je vous ai dit...

Elle les voit, vieux et fatigués, elle a pitié d'eux.

1ᵉʳ BRANCARDIER, *piteusement :* Ça fait deux heures qu'on la trimballe.
L'INFIRMIÈRE : Adressez-vous au docteur Freud. En l'absence du professeur Scholz, c'est lui qui s'occupe de l'administration.
1ᵉʳ BRANCARDIER : Où est-il?
L'INFIRMIÈRE : Chez lui, je suppose. Chambre 120, Section de Neurologie.
2ᵉ BRANCARDIER, *tristement :* C'est loin!

L'infirmière hausse les épaules et lui ferme la porte au nez pour
la seconde fois. Le premier brancardier se gratte le crâne.

> 1ᵉʳ BRANCARDIER, *à la vieille :* Tu pourrais pas
> marcher, non?
>
> LA VIEILLE, *effrayée :* Non!
>
> 1ᵉʳ BRANCARDIER, *écœuré :* C'est vrai! Il y a sa
> jambe, par-dessus le marché!
>
> 2ᵉ BRANCARDIER, *sur le même ton :* Sa jambe, tu
> parles!
>
> LA VIEILLE, *criant :* Je suis paralysée!
>
> 1ᵉʳ BRANCARDIER : Et moi, je suis cul-de-jatte!

Ils crachent dans leurs mains et soulèvent de nouveau la civière.
Un autre couloir. Une porte. Un numéro : 120. Il commence à
faire jour. Une épaisse fumée passe sous la porte. Paraissent les
brancardiers, avec leur fardeau, éreintés. Ils posent la civière. Le
premier brancardier s'éponge le front. Le second se met à tousser.
Le premier brancardier le regarde avec surprise et renifle.

> 1ᵉʳ BRANCARDIER : Eh dis! Y a le feu!

Ils regardent autour d'eux et voient la fumée qui sort de la
chambre. Le second brancardier frappe à la porte. Pas de réponse.
Il se tourne vers son camarade d'un air interrogateur.

> 1ᵉʳ BRANCARDIER : Frappe plus fort.

Le deuxième brancardier frappe plus fort.

On passe dans une chambre assez vaste mais très misérable. Un
lit de fer défait (même type que les lits de malades), cuvette et pot à
eau sur une tablette, une étagère chargée de livres médicaux, une
table de travail. Une malle ouverte, près du lit; une valise fermée,
une autre ouverte (pleine de vêtements et de linge).

Au milieu de la pièce, un poêle de fonte avec un long tuyau qui
traverse le plafond. Un homme, vu de dos, est accroupi devant le
poêle, d'où sortent des tourbillons de fumée.

Sur le sol, près de lui, des liasses de papiers, de cahiers, qu'il
prend méthodiquement pour les enfoncer dans le poêle où ils prennent
feu. La fenêtre est rigoureusement close et les volets tirés; c'est la
flamme du poêle qui éclaire la chambre.

Freud finit par entendre frapper, se lève et va vers la porte. On
s'aperçoit qu'il fume un cigare.

C'est Freud : vingt-neuf ans, épaisse barbe noire, épais sourcils.
Beaux yeux sombres et durs, enfoncés dans les orbites. Il a l'air de
sortir du sommeil. Air hébété. Visage noirci par les cendres. Les

mains, soignées pourtant, sont noires aussi. Il est entièrement habillé. Soigneusement, mais pauvrement.

Il va à la porte, tourne la clé et tire le verrou. Les brancardiers apparaissent dans la fumée; ils toussent tous les deux.

Ils regardent Freud avec ahurissement. Freud, sorti de son hébétude, les considère d'un air dur et fermé.

> 1ᵉʳ BRANCARDIER, *pour s'excuser :* On croyait que ça brûlait.
> FREUD : Ça ne brûle pas.
> 2ᵉ BRANCARDIER : Non?
> FREUD, *ironique et sec :* Non.

Il va pour refermer la porte. Les brancardiers lui montrent la malade d'un air implorant.

> Ah! c'est l'hystérique. Eh bien?
> 1ᵉʳ BRANCARDIER : Personne n'en veut.
> FREUD : Je m'en doute bien.

Il jette son cigare et s'approche de l'hystérique : elle regarde, fascinée.

> LA VIEILLE : Je suis aveugle.

Il s'approche et regarde ses yeux.

> FREUD, *doucement :* Non, Madame, vous ne voyez pas mais vous n'êtes pas aveugle.

Il repousse la couverture de la vieille. Celle-ci est en chemise. La jambe gauche est paralysée; les orteils sont serrés et comme repliés contre la plante du pied. Il palpe la jambe sans que la malade semble s'en apercevoir.

Il se relève et rabat la couverture sur les jambes de la malade.

> Portez-la dans la salle de neurologie. Il y a un lit vacant.
> 2ᵉ BRANCARDIER : Le professeur Meynert a défendu...
> FREUD : J'irai lui parler tout à l'heure. Allez!

Il referme la porte; se dirige vers le poêle, s'accroupit et reprend son étrange travail avec une sorte de rage acharnée.

[2]

Le même hôpital. Un autre couloir, pareillement délabré. Au mur, des bouffissures, des cloques, des lézardes; des morceaux de plâtre se détachent du plafond. Peu de fenêtres; il commence à faire jour.
Des étudiants sont groupés devant une porte. (Redingotes. Gibus. D'autres, des internes ou des docteurs qui logent à l'hôpital, portent des blouses. Presque tous sont barbus. Âge moyen : vingt-cinq à trente ans.)

Brouhaha de voix.

À la porte (fermée) un écriteau : « Salle de Neurologie. Service du professeur Meynert. *La leçon du professeur Meynert a lieu les lundi, mercredi, jeudi et samedi à 7 h 15.* »
Les brancardiers, portant la vieille hystérique, apparaissent dans le couloir, ivres de fatigue. Les étudiants se serrent contre le mur pour les laisser passer. Un des brancardiers frappe à la porte. Les brancardiers ont posé la civière sur le sol. Les étudiants regardent la vieille avec curiosité.

UN ÉTUDIANT : Qu'est-ce qu'elle a?

Les brancardiers haussent les épaules.

LA VIEILLE : Je suis aveugle.

La porte s'ouvre. Les brancardiers reprennent la civière et entrent.

UN ÉTUDIANT, *avec autorité, aux autres :* Lésion du nerf optique. Ou des centres optiques du cerveau.

La porte s'est refermée. À cet instant paraît, à l'autre bout du couloir, le professeur Meynert. Une cinquantaine d'années.
Les étudiants cessent de parler. Silence respectueux.
Silhouette très jeune. Visage très beau, mais ravagé. Longue barbe rousse, long corps gracieux et souple malgré une très légère claudication. Haut-de-forme et gants noirs, redingote, faux col dur, de haute taille, cravate plastron, gilet de fantaisie. Il s'appuie légèrement sur une canne à pommeau rond.
Les étudiants se figent dans une attitude respectueuse. Ceux qui

*portent des chapeaux se découvrent. Meynert, très majestueux, très
sûr de lui, soulève son haut-de-forme avec désinvolture et le remet
aussitôt. Il porte des gants.*

MEYNERT : Messieurs...

*La porte s'est ouverte. On voit la salle de neurologie (section des
femmes). Infirmiers et infirmières au garde-à-vous entre les lits.*

Entrons!

*L'infirmière en chef se porte au-devant de lui. Il la salue de deux
doigts de la main gauche. Elle le suivra, à distance respectueuse.*

*Il entre, le chapeau sur la tête. Longue salle triste et presque
sombre. Pas de lumière artificielle. Un peu de soleil entre par deux
fenêtres ouvertes.*

*Le groupe des étudiants, en général pauvrement vêtus, de conte-
nance maladroite et sans grâce particulière, suit respectueusement
(comme un corps de ballet) ce personnage gracieux et presque dansant
(malgré sa claudication ou peut-être à cause d'elle), qui ressemble
à un danseur étoile plus qu'à un professeur de médecine.*

*Des infirmiers et des infirmières sont debout entre les lits, presque
au garde-à-vous, eux aussi. Meynert désigne de la canne les malades
qui le regardent, assises dans leurs lits (quand elles le peuvent). De
temps en temps il frappe légèrement le montant de fer des lits avec
le bout de sa canne.*

*Devant les deux premières malades il s'arrête un instant très
court. Une des deux malades — c'est une jeune femme — le salue.
Meynert la regarde sans lui rendre son salut.*

LA MALADE : Bonjour, monsieur le professeur.
MEYNERT : Comment te sens-tu?
LA MALADE : Toujours pareil.

*Il hoche la tête puis il reprend sa marche. La troisième malade
est une femme d'une quarantaine d'années. La mâchoire inférieure
est déportée vers la droite. Elle dort. Meynert frappe du bout de sa
canne sur le montant de fer du lit.*

MEYNERT : Mastoïdite double. Intervention
chirurgicale. Au cours de la trépanation, le nerf
facial a été touché. Nous l'avons vue hier. On a
recours aux massages; j'envisage un traitement par
l'électricité.

*Il reprend sa marche. La malade, réveillée par les coups de canne,
le suit des yeux.*

MEYNERT : Rien de bien neuf, aujourd'hui. Sauf une hémiplégique... *(À l'infirmière :)* Hospitalisée hier?

Signe de tête respectueux de l'infirmière.

Bien. Nous allons l'examiner.

Il reprend sa marche. Quelques pas plus loin, les brancardiers qui ont enfin déposé la vieille aveugle sur un lit, se tiennent au garde-à-vous, très raides, de chaque côté du lit. Meynert s'arrête et la regarde.

Une nouvelle entrée?

Les deux infirmiers se regardent très inquiets.

1er INFIRMIER : Elle... vient du service psychia-trique.

Meynert, autoritaire et désagréable :

MEYNERT : Eh bien? Qu'est-ce qu'elle fait ici?

Silence des infirmiers.

Remportez-la.

Tapant sur le lit avec sa canne.

Combien de fois vous l'ai-je dit : chacun chez soi. Nous n'avons pas assez de lits...
1er INFIRMIER, *piteux :* C'est que...

Meynert le foudroie du regard.

MEYNERT : Quoi?
1er INFIRMIER : Le docteur Mannheim n'en veut pas.
MEYNERT : Parce que?
1er BRANCARDIER : Il dit que c'est une hy... une hy...

Meynert change de visage. Blanc de colère avec des yeux étince-lants.

MEYNERT : Une hystérique? Pas de ça, ici.
LA VIEILLE, *piteusement :* Je suis aveugle.
MEYNERT : On lui a examiné les yeux?
1er BRANCARDIER : Oui. Elle n'a rien.

LA VIEILLE, *avec angoisse :* Je suis aveugle.

(Murmure des étudiants.)

MEYNERT : Vous êtes une menteuse, ma bonne dame. Une comédienne. Vous voyez comme tout le monde et vous me faites perdre mon temps.

LA VIEILLE : Je suis aveugle, j'ai une jambe paralysée...

Freud vient d'entrer par la porte restée ouverte et il se hâte pour arriver près de Meynert. Il a gardé une tache de suie sur le visage et ses mains sont encore noircies. Au moment où il rejoint le groupe d'étudiants qui s'écartent avec respect pour lui faire place, Meynert s'est tourné vers l'infirmière en chef et lui demande avec une autorité souveraine et un mépris écrasant :

MEYNERT : Quel est l'imbécile qui l'a mise dans mon service ?

L'infirmière le regarde sans oser répondre et regarde Freud qui s'approche enfin de Meynert. Freud a l'air sombre et reçoit en pleine figure les derniers mots de Meynert. Il répond pourtant avec un peu d'ironie et beaucoup de douceur :

FREUD : L'imbécile, c'est moi, Monsieur.

Meynert le regarde, déconcerté. Tout d'un coup, il éclate de rire.

MEYNERT, *amicalement :* J'aurais dû m'en douter. Excusez-moi, Freud : les mots ont dépassé ma pensée.

Sa colère le reprend peu à peu mais, visiblement, il tente de se dominer :

Je ne comprendrai jamais pourquoi les hystériques vous intéressent. *(Violemment :)* Vous savez bien que ce sont des simulatrices.

Freud, doux mais entêté, avec un profond respect :

FREUD : Je ne sais rien, Monsieur. Je ne sais rien encore.

Meynert, définitif :

MEYNERT : Vous le savez puisque je vous le dis.

Aux brancardiers effondrés :

Emportez-la.
1ᵉʳ BRANCARDIER : Où?
MEYNERT : Cela ne me regarde pas.

*Il se tourne vers les étudiants terrorisés et montre un lit au bout
de la salle.*

MEYNERT : Allons voir mon hémiplégique.

*Le groupe se remet en marche. Meynert a pris le bras de Freud,
pour effacer la pénible impression que sa violence a faite sur celui-
ci. Il lui parle à mi-voix :*

Vous partez toujours demain?
FREUD : Oui, Monsieur.

*Au même instant, on entend des cris perçants. Les étudiants se
retournent. Meynert et Freud se retournent aussi. La vieille aveugle
lutte contre les deux brancardiers. Cris, soubresauts violents, elle
arrache les draps et bombe le ventre. Ses jambes s'agitent convul-
sivement. Meynert prend brusquement une décision.*

MEYNERT, *autoritaire et brusque* : Messieurs, je vous
ferai ce matin mon cours sur l'hystérie.

*Il rebrousse chemin, suivi par Freud, l'infirmière et les étudiants.
Il s'arrête devant le lit de la vieille. Aux brancardiers :*

Lâchez-la.
Les psychiatres distinguent deux sortes de maladies mentales : les psychoses et les névroses. Les
premières sont les plus graves : elles se caracté-
risent par des troubles profonds intéressant la personnalité des malades et leur sens de la réalité;
leur origine doit être recherchée dans les centres
cérébraux. Les névroses, elles, n'affectent que les
sentiments – comme la neurasthénie ou névrose
d'angoisse – ou leurs conduites – comme les
névroses d'obsession.

*Désignant du bout de sa canne la vieille qui continue à se débattre
dans tous les sens :*

Quant à l'hystérie, dont vous voyez un fort bel
exemple, on a tenté vainement de la faire entrer
dans l'une ou l'autre de ces catégories. En réalité,
cette prétendue maladie n'existe pas : dans la
névrose d'obsession, il est *vrai* que le malade est

obsédé; dans la neurasthénie, le malade est *vraiment* anxieux. Ici, tout est faux, tout est mensonge.

Allongeant sa canne, il touche légèrement les deux jambes de la vieille malade.

Une jambe paralysée? Où est-elle?

Rires des étudiants. La vieille continue à s'agiter; ses gestes ont tous un sens : terreur, refus, pitié, imploration, etc.

Crise épileptique? Crise épileptiforme? *(Il rit.)* Les épileptiques jettent leurs membres dans tous les sens. Dans l'épilepsie, on note des secousses cloniques, brèves, à courtes oscillations.

Mimant d'une main gantée les secousses cloniques.

Où sont-elles, ici? Où sont-elles? Vous voyez une mauvaise actrice, dont tous les mouvements sont intentionnels.

Il mime très discrètement les mouvements de la vieille; les étudiants regardent en riant tantôt Meynert et tantôt la vieille. Les mouvements de Meynert s'accentuent légèrement comme si, bientôt, il allait en perdre le contrôle. Il s'en aperçoit et s'arrête à temps. Aux brancardiers :

Tenez-la. Non : seulement la tête.

Aux étudiants :

Une allumette.

Un étudiant se fouille et avec un empressement presque servile tend une allumette à Meynert. Celui-ci pose sa canne sur le lit voisin. Il se dégante posément. À l'étudiant :

Allumée, voyons!

L'étudiant enflamme l'allumette.

(Du ton d'un professeur qui fait un cours :) Que voyez-vous?

Les yeux de la femme : rétrécissement des pupilles à la lumière.

VOIX OFF D'UN ÉTUDIANT : Ses pupilles. Elles se rétrécissent.

MEYNERT : Croyez-vous qu'un aveugle présen-

terait un rétrécissement des pupilles sous l'action
de la lumière?

Beaucoup d'étudiants répondent à la fois.

LES ÉTUDIANTS : Non.

MEYNERT : La cause est entendue. Assez, la
vieille : nous ne marchons pas.

*La vieille se calme peu à peu. Elle ne bouge plus mais sa jambe
gauche en redevenant immobile reprend son aspect de contracture
paralytique.*

Ah non! Plus maintenant!

(*Rires.*)

*La chemise, relevée jusqu'au genou, permet de le constater. Mey-
nert triomphe.*

Eh bien, Freud, savez-vous, à présent, ce que
c'est qu'une simulatrice?

*Freud hésite. Tous les yeux sont fixés sur lui. Il est pris entre la
colère et la timidité. Finalement il dit d'une voix toujours respectueuse mais où l'on sent percer la colère :*

FREUD : Monsieur, est-ce que je puis me permettre?

*Meynert le regarde en feignant la stupeur, pour l'intimider. Freud
reste poli mais on devine son entêtement.*

J'ai étudié moi-même la malade, hier, au service
de psychiatrie.

*Il s'approche d'un étudiant, qui a une épingle d'or à sa cravate.
Ôtant l'épingle avec un sourire :*

Pardon.

*Il s'approche d'une petite table située entre les deux rangées de
lits. Sur la table un réchaud allumé, sur le réchaud une bouilloire
pleine d'eau. Il écarte la bouilloire et fait chauffer le bout de l'épingle
à la flamme pour la stériliser. Meynert et les étudiants le regardent
avec curiosité. Meynert fronce les sourcils.*
*Freud revient avec l'épingle près de la malade. À voix presque
basse et persuasive :*

FREUD : Madame! Madame! Vous allez rester ici. Je suis sûr que le professeur Meynert vous permettra de rester.

La malade se détend un peu. Elle a les yeux grands ouverts mais toujours fixes.

Observez son visage.

Freud prend la jambe « paralysée » par le pied et la soulève. Le corps entier se soulève en même temps. Le visage reste indifférent.

MEYNERT : Une preuve de plus : dans une paralysie authentique, on ne parviendrait pas à soulever le corps en levant le membre paralysé.
FREUD : Bien sûr, Monsieur.

Il pique la malade au mollet avec l'épingle de l'étudiant. D'abord très légèrement, puis plus fort, pour finir il enfonce l'épingle et la lâche. Celle-ci reste fichée dans la jambe. Le visage de la malade reste tout à fait calme. Son corps est immobile.

Pas de réaction.

Il ôte l'épingle, repose la jambe de la malade sur le lit, va à la tablette, essuie l'épingle avec un morceau de coton.

FREUD : Elle ne sent rien. Anesthésie du membre qu'elle prétend paralysé.

Il stérilise l'épingle de nouveau, remet la bouilloire sur le feu et tend l'épingle à l'étudiant. Celui-ci la considère avec perplexité et, au lieu de la remettre à sa cravate, par un mouvement de dégoût la pique au revers de son veston.
Tous les regards se sont fixés sur Meynert qui réussit à se contenir et même à sourire.

MEYNERT, *beau joueur :* Bravo, Freud. *(Aux autres :)* Cette expérience prouve que la malade présente une hémianesthésie légère, très probablement consécutive à des troubles de la circulation coronaire.

Il va prendre son gant et sa canne sur le lit où il les a posés.

Cela, c'est la vérité. L'humble vérité, Messieurs. Quant au reste, cette vieille n'est ni paralytique ni aveugle. Sa vraie maladie, c'est le mensonge, comme je vous l'ai prouvé. *(À l'infirmière :)* Qu'elle reste ici, je l'examinerai.

Sourires soulagés des brancardiers.

Allons voir l'hémiplégique.

Il s'éloigne. Freud va pour le suivre. Il l'arrête amicalement.

MEYNERT : Sauvez-vous, Freud, vous partez demain, vous devez avoir mille choses à faire. *(Aimablement :)* Et puis, à vous, monsieur le privat-dozent, je n'ai plus rien à enseigner.

Freud, brusquement ému, mais se contenant :

FREUD : J'aurais voulu vous remercier.

MEYNERT : Je serai dans une demi-heure au laboratoire. Venez si vous avez le temps : j'ai une proposition à vous faire.

Freud s'incline et s'en va. Le visage de Meynert se durcit légèrement pendant qu'il regarde son assistant qui sort de la salle. Puis il se détourne et va vers le lit de l'hémiplégique, suivi par les étudiants.

Sur les brancardiers qui reprennent leur brancard. Le premier brancardier fait un signe de la main à la malade.

1ᵉʳ BRANCARDIER : Sans rancune. Et Dieu te bénisse.

La vieille, épuisée, la bouche tordue par un rictus douloureux, a les yeux fixes et vides.

2ᵉ BRANCARDIER, *regardant la vieille avec rancune :* Dis pas ça : c'est une possédée.

Le deuxième brancardier fait un signe de conjuration. Ils s'éloignent.

[3]

Un laboratoire (Anatomie du système nerveux) dans le même hôpital. Salle claire et propre. Étudiants et médecins (en blouses) groupés autour de différentes tables, dont chacune comporte (outre

différents accessoires : instruments, lamelles de verre, éprou-
vettes, etc.) un microscope.
Freud est penché sur un microscope et regarde la préparation de
deux étudiants qui sont derrière lui et semblent étrangers.

FREUD : Cela part bien.

Il se redresse et les regarde avec sympathie.

Bonne chance!

Un des étudiants — grand garçon blond d'allure irlandaise —
souriant à Freud :

L'ÉTUDIANT : Notre meilleure chance, ce serait
de vous revoir bientôt.
FREUD : Nous nous reverrons au début de l'année prochaine : je n'ai qu'une bourse de trois mois.
L'ÉTUDIANT : Nous serons rentrés à Boston.
FREUD : Si tôt?
L'ÉTUDIANT : Quand vous ne serez plus là, nous
perdrons notre temps : autant retourner chez nous
pour la Noël.
2e ÉTUDIANT : Docteur Freud, quoi qu'il m'arrive par la suite, je considérerai toujours comme
un honneur d'avoir travaillé avec vous.

Depuis un moment le concierge de l'hôpital est entré, il tourne
autour du groupe sans oser aborder Freud.
Freud et les étudiants se serrent la main, le concierge s'approche.

LE CONCIERGE : Y a votre fiancée qui dit qu'elle
a rendez-vous avec vous.
FREUD : Où est-elle?

Le concierge désigne la fenêtre.

LE CONCIERGE : Dans la cour.

Freud s'approche de la fenêtre. (Le laboratoire est au deuxième
étage.) Il voit, dans la cour, en bas, une jeune fille avec une ombrelle
et un grand chapeau de paille, qui lui tourne le dos.

FREUD : Priez-la de m'attendre un peu : j'ai rendez-vous avec le professeur Meynert.

Meynert vient d'entrer. Toutes les têtes se tournent vers lui. Il se
découvre largement.

MEYNERT : Bonjour, Messieurs.

Il cherche Freud du regard. Freud vient vers lui. Meynert prend Freud par le bras et l'entraîne.

Nous serons mieux dans mon bureau.

Au fond du laboratoire une porte « Bureau du professeur Meynert ». Meynert tire une clé de sa poche, ouvre la porte et fait passer Freud devant lui.

Freud entre dans une pièce confortable et bien éclairée. Une grande table chargée de livres, une bibliothèque vitrée, des fauteuils. Il aperçoit avec une très légère surprise un carafon de schnaps et un petit verre sur un plateau. Le plateau est posé sur la table-bureau, bien en évidence.

Meynert, qui n'a pas vu le plateau, entre avec aisance et désigne à Freud une chaise en face du bureau. Assis en face de lui, dans son fauteuil de cuir, il découvre le plateau et le carafon. Un instant de gêne. Meynert hésite un instant puis, tranquillement, il pousse le plateau de côté. Freud va parler.

FREUD : Monsieur, je voudrais vous remercier...

Freud parle amicalement. Meynert reste majestueux et impénétrable. Un geste de la main pour repousser.

MEYNERT : Ne me remerciez pas : je n'ai pas voté pour vous.

Freud veut parler. Geste majestueux de Meynert. À cet instant Meynert est encore maître de lui, ses expressions et ses mouvements sont composés.

La bourse, c'est grâce à Brücke que vous l'avez eue. Pourtant je vous tiens pour mon disciple, pour le meilleur des assistants et je suis profondément convaincu que vous méritez cette récompense. J'ai voté non parce que vous allez faire une folie.

Sa main, dès qu'il a prononcé le mot de folie va, tâtonnante, vers le carafon. Il se reprend juste à temps et se met à fourrager dans sa barbe (geste du Moïse de Michel-Ange).

À Berlin, il y a des physiologistes éminents. À Londres aussi.

Freud s'est raidi mais il reste extrêmement poli. Simplement son visage s'est assombri; il est devenu défiant.

Et vous allez où? À Paris! Pour suivre les cours
d'un charlatan.

La main de Meynert est revenue prendre le petit verre. Elle joue
avec lui.
Freud veut parler. La main quitte la barbe pour se tendre vers
lui, majestueuse, et lui imposer silence.

Un charlatan! Freud! Qu'est-ce que la choroï-
dale?
FREUD : Une petite branche de la carotide
interne.
MEYNERT : Parfait. Eh bien Charcot l'ignore!

Il prend une brochure sur la table et la jette à Freud.

MEYNERT : Lisez cela : vous verrez bien qu'il ne
la connaît pas.

La main revient à la barbe et fourrage dans le poil roux.

Et voilà votre maître futur!

Nouveau tic : la main quitte de temps en temps la barbe et l'index
gauche va frapper contre le côté gauche du nez.

Un charlatan qui traite les névroses par l'hypnotisme.

Freud très poliment :

FREUD : Pas toutes, Monsieur : l'hystérie.

Il s'arrête, stupéfait du résultat inattendu de ses paroles. Au mot
d'hystérie, la main gauche a quitté brusquement le nez.

MEYNERT : Une charlatanerie de plus.

Elle prend — avec aisance mais sans que Meynert paraisse y
prendre garde — le carafon et verse avec décision le schnaps dans
le petit verre. Elle repose le carafon et lève le petit verre pendant
que Meynert parle. Mais tout cela affecte si peu le visage majestueux
de Meynert (il ne l'a même pas regardée quand elle versait l'alcool
— ne fût-ce que pour contrôler l'opération) qu'on dirait cette main
parfaitement distincte de la personne du professeur.
Avec la plus grande autoriré :

MEYNERT : La maladie dont vous parlez n'existe
pas. Les étudiants de Charcot ramassent des filles

sur le trottoir et les envoient à la Salpêtrière pour qu'elles lui fassent sa « grande crise ». C'est la risée du corps médical.

Il boit d'un coup le petit verre de schnaps.

L'hypnotisme! Un numéro de café-concert.

Il repose le verre. Il se frappe le nez de l'index gauche.

Votre travail de l'an dernier sur l'anatomie du cervelet, je tiens qu'il a fait avancer la science. Et, maintenant, l'hypnotisme! Quelle dégradation. Vous ne croyez plus à la physiologie.

Freud : un simple signe de tête pour indiquer qu'il y croit toujours.

Et cela? Vous n'y croyez plus?

Meynert montre une pancarte sur le mur du fond, imprimée en gros caractères :

« *L'organisme vivant est une partie du monde physique; il est constitué par des systèmes d'atomes mus par des forces attractives et répulsives, suivant le principe de la conservation de l'énergie. Helmholtz.* »

Très sincère :

C'est mon Credo, à moi.

Freud répond brièvement, courtoisement et sèchement :

FREUD : Je crois à la science.

MEYNERT, *montrant la pancarte :* La Science, c'est cela.

Meynert s'est versé un petit verre de schnaps. Tout aussitôt il le reverse dans le carafon et pose les deux mains à plat sur son sous-main. Il désigne d'un mouvement de tête la pancarte.

FREUD : C'est l'expérience et la Raison.

Meynert se verse franchement à boire et boit.

MEYNERT : Charcot, c'est peut-être l'expérience mais ce n'est sûrement pas la Raison.

Il boit et se reverse à boire.

Si les maladies mentales vous intéressent, allez étudier la psychiatrie à Berlin.

Freud a l'air hypnotisé par les mains de Meynert. Pour s'arracher à la fascination, il regarde ses propres mains qui sont encore noires de suie.

FREUD : Je voudrais...

Désolé :

Oh! pardon.
Je... j'ai brûlé des papiers ce matin.
MEYNERT, *avec indifférence :* Cela ne me gêne pas.
Mais si cela doit vous gêner...

Il désigne d'un coup de tête un lavabo contre le mur de gauche. Freud se lève et va se laver les mains. Freud, pendant qu'il a le dos tourné et qu'il ne voit pas Meynert, trouve le courage de parler.

Meynert, lui, profite de ce que Freud ne le voit pas pour se verser un troisième petit verre qu'il boit furtivement.

FREUD : La psychiatrie n'est pas sortie de l'enfance. On guérira peut-être un jour la folie en agissant directement sur les cellules du cerveau. Nous n'en sommes pas là : il y a des forces en nous qui ne sont pas aujourd'hui réductibles aux forces physiques.

Il montre la pancarte :

J'étouffe dans ce carcan.

Avec une sorte de violence :

Je voudrais...

Il a peur de sa violence, se détourne de la pancarte et regarde ses mains qu'il savonne vigoureusement.

Je voudrais me laver.

Meynert sursaute.

MEYNERT, *stupéfait :* Hein?

Freud tressaille très légèrement puis reprend d'une voix trop naturelle :

FREUD : Je dis que je voudrais me connaître.

Il essuie ses mains avec une serviette.

MEYNERT : Pour quoi faire? *(Un temps.)* Vous êtes médecin et vous n'avez pas de temps à perdre. Pourquoi me connaîtrais-je? J'étudie le système nerveux et non pas mes humeurs.

Tics de la main gauche, rapides et nombreux.

MEYNERT : D'ailleurs, je me connais; je suis clair comme de l'eau de roche.

Freud est revenu s'asseoir. Il regarde Meynert avec une sorte de colère désolée. Avec courtoisie, sans la moindre ironie :

FREUD : Vous avez beaucoup de chance, Monsieur.

MEYNERT : Si vous ne vous comprenez pas, croyez-vous que les hystériques vous apprendront ce que vous êtes?

FREUD : Pourquoi pas?

MEYNERT : Quel rapport y a-t-il entre un privat-dozent de la Faculté et le vieux déchet de ce matin?

FREUD : Je ne sais pas.

Meynert pose les mains à plat sur la table et retrouve toute son autorité.

MEYNERT : Assez là-dessus. Voici ce que je vous propose : j'ai besoin de repos. Si vous renoncez à cette bourse, je vous ferai nommer mon suppléant; à partir de demain, vous ferez à ma place un cours sur l'anatomie du cerveau.

Freud semble profondément ému par cette proposition.

Réfléchissez. Dans dix ans vous serez Monsieur le professeur Freud et vous vous assiérez à ce bureau.

Freud, avec un véritable élan de reconnaissance :

FREUD : Je... je vous remercie.

MEYNERT, *glacé :* Mais?

FREUD, *sincèrement :* Je... je ne suis pas digne...

Meynert balaie l'objection de la main.

MEYNERT, *même ton :* Et puis?

FREUD, *avec une sorte de passion :* J'ai besoin d'aller là-bas...

Meynert se lève. Très sec :

MEYNERT : Très bien. Si vous changez d'avis, faites-le-moi savoir. Et si vous préférez partir, à bientôt.

Il serre la main de Freud et le conduit à la porte sans boiter. Quand Freud est sorti, Meynert ferme la porte à clé et tire le verrou. Puis il se retourne et gagne la table-bureau en boitant bas. Il se verse une rasade de schnaps et l'avale debout. Son visage s'est affaissé, ses yeux sont traqués.

[4]

Freud dans la cour. Il cherche Martha. La cour est vide. Il s'impatiente.

FREUD : Monsieur Muller!

Le concierge ouvre la porte de sa loge.

Où est la jeune fille...

Le concierge montre du doigt le deuxième étage. Freud rentre en courant dans l'hôpital.

Les escaliers. Freud les gravit en courant.

Un couloir. Freud en regagnant sa chambre butte contre une boîte à ordures, s'arrête net et la regarde : elle est remplie de papiers en cendres et de cahiers à demi consumés. Il a l'air inquiet, prend un des cahiers, l'ouvre, constate que certains mots sont encore lisibles, prend la boîte après y avoir rejeté le cahier et se dirige vers sa chambre en emportant la boîte avec lui.

Nouvelle surprise : la porte de la chambre 120 est ouverte. À l'intérieur, par les fenêtres largement ouvertes, le jour entre à flots : c'est une belle matinée d'automne.

La chambre – que nous avions vue pleine de détritus, de cendres et de fumée – est parfaitement propre; le poêle est éteint.

Près de la fenêtre une jeune fille achève de balayer. Elle a posé son chapeau de paille et son ombrelle sur le lit et enfilé une blouse de Freud, beaucoup trop grande pour elle. Martha n'est pas véritablement jolie mais très gracieuse : chevelure noire, très beaux yeux, air sérieux mais vif et gai.

Freud la regarde, joyeusement surpris puis se jette sur elle avec fougue, la soulève de terre, la repose sur le sol et lui couvre le visage de baisers. Elle se laisse faire en riant mais se détourne habilement quand il veut l'embrasser sur la bouche.

Brusquement il s'arrête, la regarde avec un peu de défiance et s'écarte d'elle.

FREUD : Qu'est-ce que tu fais ici avec ce balai?
MARTHA : Et toi, avec cette boîte à ordures?
FREUD : Nous avions rendez-vous dans la cour.
MARTHA : Oui, mais il fallait y arriver à l'heure.

Il est brusque et ombrageux; elle lui tient tête avec tendresse mais en se moquant gentiment de lui.

FREUD, *soupçonneux :* Qui t'a montré le chemin? Qui t'a ouvert cette porte?
MARTHA : Un homme charmant.

Freud fronce les sourcils. Elle éclate de rire.

Le concierge!

Freud, très sévèrement :

FREUD : Martha, tu ne dois pas entrer dans la chambre d'un homme. Même si cet homme est ton fiancé.

Brusquement, il se met à rire. Un rire brutal et bref, sans gaieté mais plein d'ironie.

FREUD : Et la blouse? C'est le concierge qui te l'a prêtée?

Martha se débarrasse de la blouse d'un air de coquetterie dépitée. Elle apparaît dans un costume modeste mais élégant et charmant.

MARTHA : M'aimes-tu mieux ainsi?

Il se jette sur elle à nouveau et l'embrasse avec fougue. Elle le repousse et se dégage.

Laisse-moi respirer.

Elle désigne la boîte à ordures.

Tu as voulu mettre le feu à l'hôpital?

Freud regarde la boîte et redevient morose.

FREUD : J'ai brûlé des papiers.

MARTHA : Quels papiers?

FREUD : Tous!

MARTHA, *soudain furieuse* : Mes lettres?

FREUD, *sérieusement mais pour se moquer d'elle* :
D'abord.

*Elle n'a pas le temps de protester : il est allé à la valise ouverte
et en a retiré une liasse de lettres.*

Tes lettres, je les emporte.

MARTHA : Ton journal?

*Freud se penche sur la boîte à ordures; il en retire des cahiers
aux trois quarts carbonisés.*

FREUD : Le voilà.

Il se relève en riant.

Quatorze ans de journal intime. J'y notais jusqu'à mes rêves nocturnes.

Il laisse retomber les cahiers dans la boîte à ordures.

Plus de passé. Martha tu épouseras un homme
tout nu.

MARTHA : Fi!

FREUD : Ton fiancé n'a pas plus de souvenirs
qu'un nourrisson.

Il prend, par plaisanterie, une pose avantageuse.

MARTHA : Mon fiancé est un nègre. J'adore les
noirs, mais puisque j'épouse un blanc, je veux qu'il
reste blanc.

Elle trempe une serviette dans le pot à eau.

Viens ici.

Elle le débarbouille vigoureusement.

Que dirait ta mère si tu venais lui faire tes adieux
dans cet état?

En frottant, elle désigne de la main gauche la boîte à ordures.

Qu'est-ce qui t'a pris?

FREUD : Je m'en vais, j'efface tout : il ne faut
jamais laisser de traces.

MARTHA : Alors, efface-moi!
FREUD : Toi, tu es mon avenir.

Il l'embrasse. Elle se dégage.

MARTHA : Ne dilapide pas ton avenir.

Elle prend son chapeau et va le mettre devant la glace, au-dessus du lavabo.
Une épingle à chapeau entre les dents :

Que veux-tu effacer? Tu as tué? Tu as eu des maîtresses?

Ôtant l'épingle :

Réponds! Tu as eu des maîtresses?

Freud, très sincère :

FREUD : Tu sais bien que non.
MARTHA : Alors? Tu n'as rien à cacher.

Freud plaisante mais sur un fond de conviction profonde.

FREUD : Je veux donner du mal à mes biographes futurs. Ils pleureront du sang.

Martha se regarde dans la glace et tout d'un coup entend le bruit d'une explosion (ou presque).
Elle se retourne, brusquement Freud a versé du pétrole sur les papiers de la boîte à ordures, il les a mis dans le poêle et a tout enflammé.

MARTHA, *indignée :* Qu'est-ce que tu fais?

Freud s'est mis à rire d'un air légèrement égaré.

FREUD : Des cendres! Des cendres! Ils ne trouveront que des cendres!

Martha, indignée, le prend par le bras et l'entraîne hors de la chambre.
Il prend au passage son chapeau et la suit docilement.

La Cour.

Martha et Freud la traversent et franchissent le portail de l'hôpital.

MARTHA, *continuant la conversation; rieuse, mais, au fond, agacée :* D'abord tu n'auras pas de biographes.

FREUD : Si.

MARTHA : Non.

FREUD, *avec un sourire qui dissimule mal son profond sérieux :* Les grands hommes ont toujours des biographes.

MARTHA : Tu n'as pas besoin d'être un grand homme puisque je t'aime.

Freud rit avec tendresse mais non sans amertume.

Dans une rue.

*Ils marchent côte à côte, bien sagement, sans se donner le bras.
Ils ne se parlent pas. Au bout d'un moment, Freud tire son étui à cigares de sa poche avec une boîte d'allumettes.
Elle s'en aperçoit et lui tape sur la manche avec le pommeau de son ombrelle. Il sursaute.*

FREUD : Excuse-moi.

Il remet son étui dans sa poche.

Je suis... agacé.

Elle le regarde d'un air interrogatif.

Meynert me blâme de partir...

Elle se referme. Ce départ lui déplaît visiblement.

MARTHA, *très sèche :* Moi aussi, je te blâme.

Freud rit sans vouloir la comprendre.

FREUD : Toi, c'est parce que tu m'aimes.
(*Il s'assombrit.*)

La rue est déserte.

Lui, je crois qu'il ne m'aime plus.

*Un silence. Brusquement il se reprend, sourit et fait signe à un fiacre qui passe.
Le cocher n'a pas vu le signe de Freud.*

MARTHA, *stupéfaite :* Tu es fou!

FREUD : Non. Je suis riche.

Il fait sonner des pièces dans sa poche et sort un étui à pièces d'or.

MARTHA : C'est le produit d'un vol?

FREUD : C'est le montant de ma bourse : je l'ai touchée hier soir, 2 000 florins.

Le fiacre s'approche.
Freud fait signe au cocher :

Cocher!

MARTHA, *indignée :* Ta bourse, c'est pour Paris. Tu auras à peine de quoi vivre.

FREUD : Je peux tout de même dépenser un kreutzer.

MARTHA : Rien du tout.

Le fiacre s'est arrêté devant eux. Martha entraîne Freud d'une main ferme.
Au cocher :

C'était une erreur.

Le cocher hausse les épaules, fouette son cheval et le fiacre repart.
Freud le regarde avec mélancolie :

FREUD, *s'amusant de lui-même :* pour une fois que j'avais de l'argent.

MARTHA : Tes parents nous attendent pour déjeuner?

Il fait un signe d'acquiescement.

Eh bien, nous irons par le Ring, en nous promenant.

Le Ring.

Un édifice en construction. Martha le considère avec admiration. Sur le fronton, en gros caractères : « SKATING — Ouverture le 10 Novembre »

MARTHA : Quelle chance!

À Freud qui la regarde en fronçant les sourcils :

Je pourrai patiner.

Freud, furieux, la tire par le bras. Elle résiste.

FREUD : Tu ne patineras pas.

MARTHA : Mais tu ne seras pas là!

FREUD : Justement!

MARTHA : Tu m'assommes! Je vais m'ennuyer.

FREUD : Je ne veux pas qu'un homme te prenne dans ses bras.

MARTHA, *avec humeur :* Tu n'as qu'à ne pas partir.

FREUD, *de très mauvaise foi :* Si tu me le demandais, je ne partirais pas. Est-ce que tu me le demandes?

Elle ne répond pas. Mais on sent qu'elle lui en veut un peu.

Tu vois, je pourrais te sacrifier ma carrière et toi tu ne me sacrifies même pas le plaisir le plus vulgaire. Jure-moi que tu ne patineras pas.

MARTHA : Je ne veux rien jurer du tout.

Elle lui tourne le dos. Ils boudent et marchent en silence au milieu des passants. Ceux-ci deviennent de plus en plus nombreux.

Un attroupement devant un camelot. Sur le trottoir, deux minuscules petits lutteurs de carton s'agitent, ils sont reliés par les poignets et semblent se mouvoir spontanément.

Martha s'arrête et les regarde avec amusement. On entend vaguement des voix plus lointaines.

VOIX OFF, *assez indistinctes :* Demandez le Protocole de Sion, les Mille et une histoires juives. Achetez l'histoire du Juif et du Cochon.

Freud n'entend pas ces voix : il regarde les deux lutteurs, d'un air si sombre qu'il en devient presque comique.

Il est agacé de l'intérêt que prend Martha à ces petits personnages de carton. En même temps, il veut se réconcilier avec elle.

Il lui touche le bras maladroitement, il essaie de lui prendre la main. Mais Martha reste insensible.

Finalement, il explique d'une voix conciliante :

FREUD : Il y a un truc. Le camelot les tient par le bout d'un fil et l'autre bout est entre les mains d'un compère.

Il ne réussit qu'à l'agacer davantage.

MARTHA : Tais-toi donc : on le verrait.

*Freud semble croire qu'il est rentré en grâce. Mais il ne trompe
pas sa fiancée qui distingue sous ses explications volubiles le désir
qu'il a – par jalousie – de* désenchanter *le spectacle.*

FREUD : Il doit être mince comme un cheveu.
Attends : je vais chercher le compère. On doit le
reconnaître à sa physionomie. Il aura l'air de cacher
quelque chose.

*Il regarde les visages des passants; ce sont des figures banales
mais plus ou moins « détendues » par des airs ouverts ou sérieux.*

FREUD, *découragé :* Ils ont tous l'air de cacher
quelque chose.

*Il repère tout à coup un visage qui retient son attention.
Quelqu'un sur sa gauche a l'air de* jouer le badaud innocent.

Le voilà. À gauche. Il a mis ses mains dans ses
poches pour qu'on ne les voie pas remuer.
MARTHA, *furieuse :* Laisse-moi.

Il la regarde avec surprise.

Tu gâches toujours tout.

Il aggrave son cas en insistant :

FREUD : Mais regarde-le.
MARTHA : Expliquer! Expliquer! Tu cherches des
raisons à tout. Mais je m'amuse moi; laisse-moi
donc tranquille.

*Elle est en fait désenchantée mais, par bouderie, elle feint de se
replonger avec extase dans la contemplation des petits bonshommes
de carton.*
*Freud, décontenancé, désœuvré, s'éloigne un peu de l'attroupe-
ment; des nouveaux arrivants le repoussent et il se trouve tout à
coup porté au milieu d'un autre attroupement. Un camelot vend
des libelles et des chansons.*

LE CAMELOT : Achetez le Protocole de Sion.
Comment les Juifs veulent s'emparer de l'univers.
Complainte de l'enfant qui fut mangé par un
rabbin.

Demandez l'histoire du Juif et du Cochon.

Il est parfaitement indifférent à ce qu'il fait. Il ne songe qu'à les vendre et ne comprend même pas ce qu'il dit.

Freud regarde les badauds : mêmes visages à la fois curieux et fermés que dans l'autre groupe. Pourtant Freud a pâli de colère. Ses yeux étincellent, il a serré les poings.

Justement un gros homme réjoui le bouscule pour se faire un chemin vers le camelot.

Il tient une pièce de monnaie dans sa main.

LE GROS HOMME : Donnez-moi l'Histoire du Juif et du Cochon.

Le camelot lui donne un des petits libelles qu'il tient dans sa main. Le gros homme lui donne la pièce qu'il tient dans sa main.

Freud, écœuré, tourne le dos aux badauds. Il est sorti de l'attroupement et s'arrête pour chercher des yeux Martha. Mais le gros homme sort de la foule, à son tour.

Il a ouvert le petit livre et lit – en riant d'avance – l'Histoire du Juif et du Cochon, ce qui le conduit à bousculer Freud pour la deuxième fois. Freud sursaute et le regarde. Il le reconnaît et voit ce qu'il lit.

Ses yeux étincellent. Il lui arrache le libelle et le déchire en mille morceaux.

Le gros homme ne comprend pas ce qui lui arrive; il regarde Freud d'un air égaré.

Freud le domine de sa taille. Il lui dit avec un mépris écrasant :

FREUD : Imbécile.

Les badauds commencent à se retourner.

Une main se pose sur son bras, Martha le tire énergiquement en arrière.

Il se retourne furieux, la reconnaît et se laisse faire.

Elle le pousse et avant de se reconnaître il se trouve assis dans un fiacre qui part aussitôt.

MARTHA : 66 Sturmgasse.

Les curieux se sont presque tous retournés. Le fiacre s'en va.

FREUD, *ironique :* Comment, Martha, c'est toi qui dilapides mon pauvre argent?

MARTHA : Tu es trop nerveux, ce matin. Je préfère te mettre en cage.

Je déteste les scandales!

Le fiacre (une calèche découverte) roule doucement le long du Ring.

FREUD, *sincère :* Moi aussi!

MARTHA : Peut-être. Mais tu en fais tout le temps.

Elle le regarde. Avec une grande tendresse à peine railleuse.

Tu es aussi fou que tes malades.

Il a l'air en effet d'un fou : il se tient raide et sombre, hérissé, les cheveux en bataille.

Il n'avait pourtant pas l'air bien méchant, ce pauvre homme.

FREUD : Tu le crois bon parce qu'il est gros. Sais-tu ce qu'il avait acheté?

Martha hausse les épaules.

MARTHA : Il passait là par hasard. Il a voulu se rendre compte... Cela n'avait pas d'importance.

Freud parle avec beaucoup de force et d'autorité. On comprend qu'il a mûrement réfléchi à tout ce qu'il dit :

FREUD : Tout est important. Et rien n'arrive par hasard.

Le Ring.

Les deux fiancés voient, en causant, défiler les cafés, les édifices et surtout les gens. Officiers, belles dames — et beaux messieurs en redingote.

Regarde.

Avec autorité :

L'ennemi.

Martha sursaute et regarde tous ces élégants personnages qui paradent les uns devant les autres et qui n'ont pas l'air féroce du tout.

FREUD : Quand le moment sera venu, ils nous traqueront sans pitié et nous égorgeront. Si nous nous laissons faire.

Martha est agacée, inquiète mais quand il parle avec cette autorité, elle a l'habitude de lui céder.

MARTHA : Qui cela, nous? Toi et moi?

FREUD : Toi, moi et les autres. Nous, les Juifs.

La foule vue du fiacre.
On entend la voix de Freud.

VOIX OFF, *de Freud :* Ne laisse rien derrière toi. Tout ce que les goys découvriront de nos vies, ils s'en serviront contre nous.

Martha revient à son thème favori.

MARTHA : Si tu le crois, ne te mets pas en avant; sois un médecin comme tout le monde, ne cherche pas à te faire connaître.

FREUD, *sombre :* Un Juif ne peut pas se permettre d'être comme tout le monde.

MARTHA : Pourquoi?

FREUD : Parce que, tout le monde, c'est les goys. Si les Juifs ne prouvent pas qu'ils sont parmi les meilleurs, on dira qu'ils sont les pires.

La voiture s'est engagée dans une rue assez pauvre et très populeuse.
Des gosses jouent dans la rue et regardent le fiacre avec étonnement.

FREUD, *avec soulagement :* Nous sommes chez nous?

L'un d'eux court derrière la voiture et veut s'accrocher à elle. Martha le menace du doigt en souriant.
Ce quartier pauvre est une sorte de ghetto.
Nombreux Juifs devant des magasins juifs (inscriptions en yiddish).

Quand j'avais l'âge de ce gosse, les goys, je les appelais des Romains; nous, les Juifs, nous étions des Carthaginois. Il y avait une image dans un livre de prix. Je l'ai arrachée du livre et je l'ai gardée. Hamilcar, l'homme de Carthage, faisait jurer à son fils Hannibal de tirer vengeance de Rome. Hannibal, c'était moi.

MARTHE, *ironique :* Et ton père c'était Hamilcar?

Une grimace volontaire crispe les traits de Freud.

> FREUD, *avec plus de force que de conviction :* Oui.
> MARTHA, *toujours moqueuse :* Le plus doux des hommes! Il t'a fait jurer de le venger?

Le visage de Freud s'assombrit encore. Il a l'air d'autant plus ferme et volontaire qu'il est plus conscient de mentir.
Malgré l'autorité de la voix, ses paroles sonnent faux.

> FREUD : De *nous* venger. Oui. En devenant le meilleur médecin de Vienne.

Elle le regarde, stupéfaite.

> MARTHA : Tu ne me l'as jamais dit.
> FREUD : Tu sais bien que j'ai du mal à parler de moi.

[5]

Le fiacre s'arrête devant une grande bâtisse misérable. Cet immeuble d'habitation ressemble à une caserne. Du linge qui sèche aux fenêtres. Devant la porte d'entrée, de la marmaille qui crie.
Freud lève la tête machinalement. Une femme de cinquante ans, grande et encore très belle, se penche à une fenêtre du premier étage. Elle lui fait un signe charmant et non dépourvu de coquetterie.
Elle a jeté un châle sur ses beaux bras nus. Le visage de Freud se transforme : il exprime une passion profonde et contenue.
La mère et le fils échangent un long sourire muet. Pour la première fois, on a l'impression que Freud se trouve à l'aise dans l'instant et dans le lieu même où il est.
Il oublie même de payer le cocher qui le regarde avec surprise. Martha s'en aperçoit et elle en profite pour payer elle-même le cocher en lui glissant un kreutzer dans la main.
Puis elle tire Freud par le bras et le réveille.

> MARTHA : Viens!

Le palier du premier étage.
Plusieurs portes, assez misérables. Un gosse sale et croûteux est assis sur les marches de l'escalier. Une femme lave son linge à un robinet qui semble commun à l'étage entier.

*Mais une des portes s'est ouverte et la mère de Freud attend,
radieuse, son fils et la fiancée de celui-ci.*

*Freud et Martha montent — en courant presque — les dernières
marches. Martha évite l'enfant qui s'est assis sur les marches et
embrasse affectueusement sa future belle-mère.*

*Freud la suit. Il n'embrasse pas sa mère : il lui prend la main
et la baise. Puis il relève la tête et lui sourit.*

> FREUD : Maman...

*Son attitude est profondément différente de celle qu'il a adoptée
envers Martha (fougue, jalousie, violence). Il a l'air d'un amoureux
plus que d'un fils. Mais d'un amoureux discret et cérémonieux.*

*Entre elle et lui on sent un accord intime et profond qui ne
s'exprime jamais par des mots, à peine par des gestes.*

Le sourire de sa mère est grave et inquiet.

> Qu'est-ce qu'il y a? Mon père est malade?
> LA MÈRE : Non. Entrez, Martha.

*Elle s'efface. Ils entrent dans une antichambre minuscule. Elle
referme la porte. Ils sont dans la pénombre tous les trois.*

> LA MÈRE : Sigmund, je te le dis parce que le père
> ne te le dira pas : nous sommes aux abois.
> Cette affaire de tissus...

Le visage de Freud se durcit.

> FREUD : Eh bien?
> LA MÈRE : Ton père a finalement décidé de s'as-
> socier à Gerstem.
> FREUD : Je lui ai dit cent fois...
> LA MÈRE, *avec autorité* : Il avait ses raisons,
> Sigmund, rappelle-toi! *(Comme récitant un proverbe :)*
> Ce que le père fait est toujours bien fait.

Un temps.

> L'industrie de la laine est en crise. Ils ont déposé
> le bilan.
> FREUD : Quand?

*La mère parle avec une véritable noblesse. Elle ne donne pas un
instant l'impression qu'elle cherche à excuser le père. Autoritaire et
ferme, elle semble penser, au contraire, qu'un père n'a jamais besoin
d'excuses devant ses enfants.*

LA MÈRE : Le mois dernier.

FREUD : Pourquoi ne me l'a-t-on pas dit?

LA MÈRE : Nous savions que tu allais partir.

Freud est dominé.

FREUD : Je comprends. Le père n'a jamais eu de chance.

LA MÈRE : Il faut faire face aux échéances, à présent. Nous n'avons pas trouvé d'argent.

Freud prend la main de sa mère et la serre.

FREUD, *chaleureusement* : N'aie pas peur, maman. Je ferai ce qu'il faut. *(Elle veut parler, il lui met un doigt sur les lèvres.)* Le reste, c'est à mon père de me le dire.

Il entre presque brusquement dans la pièce à côté où Jakob Freud (un homme de plus de soixante-dix ans) qui paraît plus vieux que son âge, très doux, un peu affaibli mentalement...
(Il y aurait avantage à faire jouer le rôle par le même acteur non pour marquer les ressemblances mais les différences.)
Il est assis dans un fauteuil.

JAKOB : Mon fils!

Il veut se lever, réellement heureux de voir son fils. Le fils se précipite pour l'en empêcher.

Embrasse-moi!

Freud l'embrasse, gauche et contraint. Le vieillard est tendre comme une femme :

Bonjour Martha. Bonjour heureuse Martha!

Martha vient embrasser le père en lui souriant tendrement.

MARTHA : Pourquoi dis-tu si heureuse...

JAKOB : Parce que vous aurez le meilleur des maris : Monsieur le privat-dozent Freud. Son pauvre père vendait de la laine et lui, c'est un savant.

Freud écoute, raide et sombre. Le vieillard babille; ce qui frappe c'est son extrême douceur jointe à une tristesse profonde de vieillard. Sigmund et Martha s'asseyent à côté de lui.
La mère reste debout.

Asseyez-vous, tous les deux.

Freud est raide et muet. Très respectueux. Mais visiblement l'admiration très sincère du père ne lui fait pas plaisir.

Écoutez cela, Martha.

Quand mon Sigmund avait huit ans, je rencontre le petit Menuhin qui querellait son père.

FREUD : Tu le lui as raconté, papa.

JAKOB : Je vous l'ai raconté. Alors, vous savez ce que je lui ai dit : « Il y a plus d'intelligence dans un orteil de mon Sigmund que dans toute ma personne et il me respecte autant que si j'étais le grand rabbin... »

Freud attend la fin de l'histoire puis il interroge avec sérieux.

FREUD : Mon père...

La mère s'arrête au fond de la pièce et les regarde, inquiète :

Vous avez des ennuis?

Jakob, à la mère, avec reproche :

JAKOB : Il fallait le laisser partir tranquille.

LA MÈRE : Non. C'est mon fils. S'il ne partage pas mes soucis, qui les partagera?

Dans l'exigence de la mère envers Freud, on doit sentir une passion beaucoup plus forte encore que dans le tendre babillage du père.

FREUD : Vous avez une échéance.

Le père reste accablé et ne répond pas. La mère répond du ton net et sans concessions qu'elle a depuis le début.

LA MÈRE : Lundi.

FREUD : Combien?

LA MÈRE : Deux mille gulden.

Freud tire de sa poche les étuis à pièces d'or.

MARTHA, *inquiète :* Mais, Sigmund, c'est...

LE PÈRE : Qu'est-ce que c'est ?

Freud fait les gros yeux à Martha.

FREUD : Rien, mon père. Rien.

Martha se tourne vers la mère.

> LA MÈRE : Martha? *(Un temps.)* C'est ce qu'on lui a donné pour vivre à Paris?

Signe de Martha. Le père se tasse dans son fauteuil, le visage décomposé.

> Donne-nous la moitié de ce que tu as. Nous nous arrangerons.
> FREUD : Je donnerai tout. Tout.

Il prend les étuis et des piles de pièces d'or et les dépose sur la table.
Comptant :

> Cinq cents. Mille. Deux mille.
> MARTHA : Mais puisqu'on te dit...
> LA MÈRE : Laissez-le faire. S'il ne donnait pas tout, il ne se le pardonnerait pas.
> MARTHA, *désespérée :* C'est l'argent de son voyage.

La mère ne répond rien. Freud entasse d'un air maniaque les pièces d'or sur la table. Brusquement, le père éclate en sanglots.

> JAKOB : Je suis un incapable! un incapable! Je n'ai pas su gagner le pain de mes enfants et voilà que mes enfants me nourrissent.

Longs sanglots séniles. Freud ne veut pas regarder son père, il reste cloué sur sa chaise (qu'il a tournée de côté pour empiler les pièces d'or sur la table), raide et blême. Il se met à parler, brusquement, en inventant à mesure, avec une gaieté fausse et pénible.

> FREUD : Mais cela ne me gêne pas. Cela ne me gêne pas du tout.

Il se retourne un peu, en parlant.

> Je ferai des cours à Paris. On me l'a promis : j'aurai deux fois trop d'argent.

Le père pleure toujours. Freud avance la main pour la poser sur sa tête (comme on fait à un enfant qui pleure) et il la retire brusquement, horrifié.
Un long silence. Il s'est de nouveau raidi. Une main se pose sur son épaule; il lève la tête et voit sa mère debout près de lui, qui lui

sourit. Un beau sourire d'amour calme et reconnaissant. Il se calme un peu et lui rend son sourire. Le père s'est calmé. Martha se penche sur lui.

MARTHA : À table, père.

Elle l'aide à se lever. Jakob se lève avec difficulté. En se dirigeant vers la table il demande à son fils qui s'efface devant lui :

JAKOB, *presque humblement :* Tu pars tout de même demain?

FREUD, *gaiement :* Bien sûr. Demain matin à huit heures cinq.

[6]

Dans l'après-midi. Freud et Martha sortent de la maison des parents. Ils marchent en silence. Freud a l'air irrité et nerveux. La rue donne sur un petit square désert. Ils y entrent. Martha, sombre, elle aussi, regarde Freud d'un air inquiet.

FREUD, *éclatant brusquement :* Vous avez gagné. Je ne partirai pas.

Stupeur et colère de Martha.

MARTHA, *d'une voix blanche :* Qui a gagné?

FREUD : Vous tous! Tu voulais que je reste ici, n'est-ce pas?

Martha ne répond pas, mais on sent qu'elle est profondément blessée.

FREUD : Eh bien sois heureuse : Meynert m'offre de faire des cours à sa place. J'accepte. Qu'en distu?

MARTHA, *très sèche :* Fais comme tu voudras.

Il fait quelques pas encore, avec difficulté puis il se laisse tomber sur un banc. Il est pâle et respire mal. Martha le rejoint, sans hâte, partagée entre sa propre irritation et l'inquiétude que lui inspire l'état de son fiancé.

FREUD : C'est l'arrêt du Ciel. Fini. Défense de toucher à l'Arbre de la Science.

Parfait. Je n'y toucherai pas. Je serai n'importe
qui, comme un goy. Pas de biographes.
Pas le moindre. C'est toujours ça de gagné.

Brusquement soucieux :

Il faudra rembourser l'argent à l'Université.
Meynert interviendra. Ils me donneront des délais.

Il lui saisit le poignet avec violence.

Nous aurons des enfants, Martha, beaucoup
d'enfants. Mais je ne pleurerai jamais devant eux.
N'y compte pas. Un père, c'est la Loi, Moïse. *(Riant.)*
Si Moïse pleure!

Il se reprend.
*Froid et courtois, il parle avec assurance mais il ne croit pas à
ce qu'il dit.*

Il faut excuser mon père, Martha. Il était fort
et sévère. Voilà ce que les Romains ont fait de lui.
MARTHA, *outrée :* Tu n'as pas besoin d'excuser
ton père devant moi. C'est un homme bon, je le
respecte et j'aurai beaucoup de chance si tu es
comme lui.

Freud se lève brusquement.

FREUD, *avec violence :* Je ne serai jamais comme
lui, jamais! Tant pis pour toi, si c'est lui que tu
préfères. *(Il se domine encore une fois.)* Ce n'est pas
ma faute : je n'ai pas eu de jeunesse. À vingt-neuf
ans, je travaille douze heures par jour, je devrais
soutenir ma famille et je fais des dettes pour vivre.

Un temps.

Tu ne comprends donc rien : j'avais *besoin* d'aller
là-bas.

Martha, pâle de colère, se lève à son tour.

MARTHA, *en colère :* Eh bien pars! Pars donc! Tu
as ton billet.
FREUD : Oui. Je vais le rendre.
MARTHA, *toujours en colère :* Pourquoi?
FREUD : Comment vivrai-je? Je n'ai plus un sou.
MARTHA : N'importe comment.

Freud réfléchit un instant et prend sa décision.

> FREUD : Tu as raison. Je me ferai domestique.
> Sais-tu que ma sœur était bonne à tout faire? Oui,
> Rosa. Pendant deux ans. Elle envoyait son salaire
> à la famille. Le frère d'une bonne peut être valet
> de pied.

Il se calme un peu. Il s'approche de Martha comme pour la prendre dans ses bras.

> FREUD : Martha, mon amour...

Martha recule, ses yeux brillent de colère.

> MARTHA : Laisse-moi tranquille! *(Riant :)* Et ne
> viens plus me raconter que tu préfères mon petit
> doigt à la Science tout entière.

Il la regarde, maussade et dépité. Elle s'est dominée.

> *(Froidement :)* Il faut que je rentre. Ne m'accom-
> pagne pas.
> FREUD : Tu viendras à la gare?
> MARTHA : Je ne sais pas. Je verrai.

Elle s'en va sans qu'il cherche à la retenir.
Il reste seul, perdu dans ses pensées puis, machinalement, tire de sa poche un étui à cigares, sort un cigare et l'allume. Dès la première bouffée, il tousse.
Il continue à fumer et à tousser, mais il presse sa main gauche contre son cœur et se laisse tomber sur le banc qu'ils viennent de quitter; il a l'air de souffrir mais il s'acharne à fumer.

[7]

La porte d'entrée d'un très bel appartement au deuxième étage d'une maison cossue.
Martha sonne. Un valet vient ouvrir.

> MARTHA : Je voudrais parler à Madame Breuer.
> LE VALET : Bonjour, Mademoiselle Bernays. Je
> suis désolé : Madame est sortie.

Un silence.

MARTHA : Alors demandez au docteur Breuer
s'il peut m'accorder cinq minutes d'entretien.

LE VALET : Le Docteur est sorti avec Madame.
Ils rentreront ce soir après dîner.

Martha semble très ennuyée par ce contretemps.

MARTHA : Après-dîner! *(Un temps.)* Bon. Voulez-
vous dire à Madame Breuer que je passerai dans
la soirée.

[8]

*Quelque chose s'efforce de sortir de la boîte. On ne distingue pas
ce que c'est mais on devine un grouillement inquiétant et répugnant.*
*Sur le siège arrière, une table de pierre (comme la table de la
Loi) est posée en équilibre. Elle se rabat brusquement sur le couvercle
de la poubelle qui se referme. Tout disparaît. La nuit.*
*Brusquement la chambre s'éclaire. Freud est couché sur son lit,
en redingote. Il se lève, prend son chapeau haut de forme, met une
fleur à sa boutonnière et prend sa canne.*
*Il ressemble, en cet accoutrement, à l'élégant professeur Meynert.
Mais, bien qu'il soit brusquement affecté de la même claudication,
nul doute que ce ne soit Freud en personne.*
*Il traverse la pièce, ouvre la porte qui donne directement sur le
Ring et sort. Le Ring est entièrement désert, sous une lumière crue
et glacée. À chaque porte une poubelle. Quand Freud passe devant
l'une d'elles, le couvercle se soulève très légèrement et retombe, avec
un bruit mou. Dans l'une, un rat montre le nez.*
*Sur le Ring, un homme marche seul, en costume militaire, il
s'approche de Freud, ils vont se croiser bientôt.*

Bruits off de foule.

UNE VOIX DE STENTOR, *dominant les autres :* Voici
l'Empereur.
Le père de la Patrie.
Le Père Éternel.
VOIX *plus nombreuses mais brouillées et moins fortes :*
L'Éternel féminin.
Le Couple Éternel.

Freud se retourne brusquement.

FREUD, *hurlant :* Non!

Un soldat carthaginois qui ressemble à Hannibal (tel que nous l'avons vu sur la gravure) vise soigneusement l'Empereur avec son arbalète. Il a l'air brutal et méchant.
La flèche part.

(Plus fort :) Non!

Tout s'éteint.
Freud allume sa bougie. Il est en chemise de nuit, l'air anxieux. Il sort du lit, fouille dans sa valise, prend un cahier blanc et un crayon, regarde sa montre et commence à écrire :
« Nuit du 15 au 16 septembre 85.
Rêve sur l'empereur François-Joseph. »

[9]

Six heures du matin. La nuit. Le quai d'une grande gare, vide.
Très loin, sur un autre quai, des voyageurs attendent un train. Il arrive, tout éclairé; ils montent dans des compartiments; sifflet, le train s'ébranle et part.
Pendant ce temps, sur le premier quai, un employé passe en poussant un diable. Il découvre un homme pâle et nerveux. C'est Freud, assis sur un banc entre deux valises bourrées. Freud fume un cigare et tousse.

L'EMPLOYÉ : Qu'est-ce que vous faites là?
FREUD : J'attends le train.

L'employé désigne la voie vide et l'horloge de la gare qui marque six heures.

L'EMPLOYÉ : Je vous conseille de vous allonger. Vous en avez pour un bout de temps.

Freud tousse.

L'EMPLOYÉ : Le cigare du matin, hein? ça tue l'homme.
FREUD, *ironique et sombre :* Parbleu! C'est ce qui lui donne du goût.

L'employé s'éloigne. Freud reste seul. Il a l'air de souffrir. Il tire sa montre, la pose sur ses genoux et prend son pouls. Il la remet

*dans son gousset et va pour porter son cigare à sa bouche. Une main
se pose sur sa manche, il se retourne brusquement : c'est Martha.
Il se lève, jette son cigare et embrasse sa fiancée fougueusement.*

>FREUD : Martha!

Elle se débat en riant.

>Quelle chance!
>MARTHA : Je ne veux pas! Tu sens le cigare.
>FREUD : Qui t'a donné cette idée merveilleuse?
>MARTHA : Laquelle?
>FREUD : Celle de venir si tôt.
>MARTHA : Toi. Plus le voyage est long, plus tu arrives en avance.
>FREUD : Plains-toi! Autrefois, quand je partais j'avais peur de mourir; à présent, j'ai peur de manquer le train. C'est un progrès.

Il se rassied brusquement, très pâle. Il essaye de rire.

>MARTHA, *très inquiète :* Qu'est-ce que tu as?
>FREUD, *riant péniblement :* Eh bien, j'ai encore un tout petit peu peur de mourir.

Martha s'est assise à côté de lui. Elle le regarde.

>MARTHA : Tu prenais ton pouls, tout à l'heure.

Il veut nier.

>Je t'ai vu. Pourquoi?

*Freud ne répond pas. Il a l'air oppressé; on sent qu'il ne peut
pas parler.*

>C'est le cœur?

*Il fait un signe de tête : oui, c'est le cœur.
Elle se lève. Il la retient par la main.*

>FREUD, *péniblement :* Où vas-tu?
>MARTHA : Il y a bien un médecin de service dans cette gare.

Il la retient toujours.

>Tu ne partiras pas si tu ne vois pas un médecin.
>FREUD, *brusquement :* Martha! Ne me torture pas!

Elle le regarde avec surprise.

Les médecins n'y peuvent rien.

Elle veut parler.

> FREUD : Chut!
> Le cœur est bon. Le mal est ailleurs.
> MARTHA, *furieuse :* Oui. Là!

Elle pose l'index contre le front de Freud. Il sourit, un peu soulagé.

> FREUD, *souriant :* Exactement. Là.

Il l'oblige à se rasseoir près de lui et il l'enlace.

> Attends.
> Reste contre moi.
> Tu me fais du bien, Martha.
> Beaucoup de bien.
> Il n'y a que toi qui puisses me guérir.

Comme une promesse :

> Tu me guériras!

Un moment plus tard. Le jour s'est levé. Un train de banlieue vient d'arriver sur une autre voie. Les gens descendent, vifs et pressés. L'horloge marque sept heures.
Freud semble moins oppressé. Il tient toujours Martha contre lui. Non loin de lui, un balayeur remplit une poubelle du même type que celle du rêve.

> FREUD : Je voulais te dire... pour hier... pardonne-moi.
> MARTHA, *tendrement :* Il y a longtemps que je t'ai pardonné.

Il l'embrasse.

> FREUD : Écoute un peu. Je ne suis pas fou. Je me sens... insolite.

Le balayeur remet le couvercle sur la poubelle et l'emporte. Freud se désigne lui-même.

> Un couvercle. Et, dessous, je ne sais quoi...
> MARTHA, *moqueuse :* Des diables.
> FREUD : Peut-être. Des forces, en tout cas. Si le couvercle se soulevait... Hier, je ne me contrôlais plus : j'aurais fait sauter la Terre, y compris toi et moi.

MARTHA, *redevenant sérieuse, inquiète :* Pourquoi es-tu comme cela?

FREUD : Je ne sais pas. La pauvreté, peut-être.

Il lui caresse la joue tendrement. Avec un peu d'ironie.

Ou des fiançailles trop longues. Quand je reviendrai, nous nous marierons et tout changera.

Elle a l'air d'espérer ce changement sans trop y croire. Freud, avec force :

Je te jure que tout changera.

Un peu plus tard.
Le train se forme sous leurs yeux. Il monte avec elle dans un wagon de troisième en portant ses lourdes valises et en met une dans le filet, une autre pour marquer sa place.

FREUD : Tu m'en veux de partir?
MARTHA : Non, si tu m'aimes.
FREUD : Je t'aime plus que tout.

Sept heures quarante-cinq.
Elle le prend par la main et l'oblige à descendre.

Qu'est-ce que tu fais? Nous avons vingt minutes.

Elle regarde les gens qui viennent et qui commencent à monter dans les wagons. Tournée vers le portillon d'entrée.

Je te dis que je t'aime et tu regardes la tête des gens.

Elle regarde toujours. Il la plaque contre lui mais elle tourne la tête et cherche dans la foule.

MARTHA : J'ai un rendez-vous.
FREUD : Martha!
MARTHA : Pourquoi pas? Tu me laisses toute seule.
FREUD : Tu ne dois pas plaisanter...

Elle se dégage et fait signe à un homme de haute taille, d'une élégance très discrète, quarante ans – cheveux et barbe châtains, l'air fin, sceptique et surtout très bon qui cherche de wagon en wagon.

Breuer!

Il court à Breuer avec une joie manifeste. Mais, comme toujours, il se raidit en arrivant vers lui. Il dit comme malgré lui :

FREUD : Vous vous êtes dérangé pour me dire adieu!

Breuer en voyant Freud s'éclaire; il lui serre la main avec une véritable effusion. Puis, avec une autorité aimable mais réelle :

BREUER : Pour cela d'abord.

Il tient un paquet et le lui tend.

Et aussi pour...

Freud se recule et s'assombrit.

FREUD, *avec une sorte de crainte :* Non!
BREUER : Écoutez-moi, Freud : Je sais que vous partez sans un sou. Vous êtes jeune et vous trouverez facilement un emploi mais si vous devez travailler dix heures par jour pour gagner votre pain, vous perdrez le bénéfice de la bourse et des leçons de Charcot.
FREUD : Je vous dois déjà beaucoup.
BREUER, *souriant :* Vous me devrez 2 000 guldens de plus.

Freud hésite.

Freud, vous partez pour Paris en mission officielle. C'est votre devoir d'accepter cet argent. Acceptez-le comme s'il venait d'un frère aîné ou d'un père. Vous me le rendrez quand vous pourrez.

Aux mots « comme s'il venait d'un père », le visage de Freud s'éclaire. Il se détend.

FREUD : J'accepte.

Il regarde Breuer en silence mais avec une affection profonde. Il rit brusquement.

Savez-vous que je pars sous la malédiction de Meynert?
L'enfant prodigue! Le fils maudit!

Serrant la main de Breuer :

Eh bien, le fils change de père.

Avec une émotion contenue :

Merci.

BREUER, *gêné, très vite :* Je vous laisse. Martha,
Mathilde voudrait vous voir. Venez quand vous
voudrez.

*Freud le suit des yeux pendant qu'il s'éloigne. Avec une sorte de
tendresse calme et respectueuse. Puis il se détourne et revient vers
Martha.*

FREUD : Comment savait-il...

Martha sourit.

Tu le lui as dit?

*Elle lui rit au nez. Il semble un instant prêt à se fâcher et puis
il sourit.*

FREUD : Tant mieux. Ce voyage ne te plaît guère
et pourtant c'est toi qui me permets de le faire. Je
t'aime.

*Il jette un dernier coup d'œil vers Breuer et son visage s'assombrit
légèrement.*

J'aurais tout de même été plus heureux s'il était
venu tout simplement pour me serrer la main.

Sifflet.

VOIX OFF : Munich, Bâle, Paris, en voiture.

Freud se retourne vers Martha.

FREUD : Tu penseras à moi.
MARTHA : Tout le temps. Et toi?
FREUD : Tout le temps.
MARTHA : Pendant les leçons de Charcot? Men-
teur!
FREUD : Même pendant les leçons de Charcot.
Tu ne patineras pas?
MARTHA, *légèrement agacée :* Mais non.
FREUD : Tu me le jures?
MARTHA : Tu m'ennuies.

Nouveaux coups de sifflet.

VOIX OFF : **En voiture! En voiture!**

Le train s'ébranle.

FREUD : **Si tu ne jures pas, le train partira sans moi.**

MARTHA, *voyant le train s'ébranler :* **Cours! Cours! Mais oui, je te le jure! Va donc, tu vas le manquer.**

Freud court le long du train qui prend de la vitesse et monte dans un compartiment de queue.

[10]

Paris – Janvier 1886.

Une chambre misérable dans un hôtel. Freud, prêt à sortir, remet un manuscrit à l'intérieur d'une de ses valises, ferme l'une et l'autre valise avec deux petites clés d'un trousseau qu'il remet ensuite dans sa poche. Il tire un cigare de son étui, le coupe avec ses dents, l'allume, sort et referme la porte de sa chambre avec une clé qu'il glisse dans sa poche.

Une patronne à la caisse de l'hôtel. Elle regarde Freud sans amitié. Un garçon d'étage à côté d'elle, balayant.

LA PATRONNE : **Monsieur Freud!**

Freud a fait quelques pas vers la porte, il se retourne.

Vous seriez bien aimable de mettre votre clé au tableau quand vous sortez.

Freud hésite.

Voilà dix fois au moins que je vous le demande.

Freud sort à regret sa clé de sa poche et l'accroche à regret au tableau. Il sort. La patronne le suit des yeux.
Au garçon d'étage :

LA PATRONNE : **Qu'est-ce qu'il y a dans ses valises?**
LE GARÇON, *dégoûté :* **Je n'en sais rien : il les ferme au cadenas.**

La patronne regarde d'un air écœuré le dos de Freud qui sort de l'hôtel.

LA PATRONNE : Ça n'a pas le sou et c'est aussi
méfiant qu'un riche.

*Une rue de Paris. Au fond, l'hôpital. On lit de loin, en grosses
lettres dorées : Hôpital de la Salpêtrière.*

*Des jeunes gens, étudiants et médecins, se hâtent sous la neige.
Sur plusieurs maisons – à droite et à gauche – on lit le mot « Hôtel ».
Ce sont des hôtels misérables.*

*À l'entrée de chacun d'eux, un peu en retrait, pour se garantir
de la neige, il y a des femmes, pauvrement vêtues mais à la façon
classique et voyante des prostituées. Visages prématurément vieillis,
en général assez laids mais outrageusement fardés. Elles font des
sourires et des signes aux étudiants, elles les appellent.*

*Ceux-ci, qui ne paraissent nullement gênés, plaisantent avec elles
au passage en leur prenant la taille en riant, mais sans s'arrêter.
L'un d'eux, cependant, se laisse tenter : abordé par une fille un
peu moins laide que les autres, il hésite puis entre avec elle dans
l'hôtel.*

*Freud paraît, un cigare éteint à la bouche. Il a l'air particuliè-
rement frileux sous son léger paletot. Au lieu de prendre le chemin
direct – la rue que nous venons de voir – il s'engage dans la rue
voisine qui, visiblement, conduit dans une tout autre direction.*

*À peine a-t-il fait quelques pas dans cette rue (rue d'habitations
et de magasins sans le moindre « hôtel de passe ») qu'un jeune
Anglais, chaudement et confortablement vêtu, sort brusquement d'un
porche sous lequel il s'abritait et lui met la main sur l'épaule.*

*Freud sursaute comme s'il croyait être en butte aux avances d'une
prostituée. Il sourit en reconnaissant l'Anglais qui lui tend la main
d'un geste large.*

WILKIE : Docteur Freud, bonjour. Je vous attendais. Permettez-moi de vous assurer de mon estime.
FREUD : Bonjour, Monsieur Wilkie.

*Ils reprennent leur chemin. Freud répond avec ironie aux propos
de Wilkie. Il est évident qu'il le trouve ridicule mais il n'est pas
sans sympathie pour lui. Il reste cependant distant et fermé.*

FREUD : Je suis heureux d'avoir votre estime mais
je ne sais pas si je la mérite.
WILKIE : Vous la méritez, docteur Freud, parce
que vous êtes le seul à faire le même détour que
moi.
Vous n'aimez pas les prostituées, Docteur?
FREUD, *distant mais sincère :* Pas particulièrement.

WILKIE : Mon père m'a toujours dit : la luxure c'est l'Enfer. Êtes-vous d'accord?

FREUD, *souriant :* Oui, si vous mettez l'Enfer dans ce monde.

WILKIE : Dans ce monde et dans l'autre. Le Ciel est notre destination.

Ils marchent un moment en silence. Freud a froid; il frissonne. Wilkie s'en aperçoit.

WILKIE : Docteur Freud, vous avez froid.

Freud sursaute et regarde Wilkie d'un air distant.

FREUD : Non, Monsieur.

Wilkie montre les alentours d'un geste large.

WILKIE, *avec blâme :* Il neige.

Freud reste fermé et presque imperceptiblement ironique.

FREUD : Oui.

WILKIE, *en confidence :* Je déteste Paris.

FREUD : Ah!

Ironie plus marquée.
Au bout d'un instant (ils marchent côte à côte), Wilkie retire les mains gantées des poches de sa pelisse fourrée et les frappe l'une contre l'autre avec irritation. Freud le regarde du coin de l'œil.

FREUD, *imitant le ton de Wilkie :* Monsieur Wilkie, vous êtes en colère.

WILKIE : Oui, Monsieur.

Je suis en colère parce que je vais perdre mon temps.

Ce matin, le professeur Charcot va hypnotiser des hystériques.

Or je ne crois ni à l'hystérie ni à l'hypnotisme.

FREUD : En ce cas, pourquoi suivre ses cours?

WILKIE : Docteur Freud, c'est ce que je me demande.

Ils ont traversé la cour de l'hôpital. Ils entrent dans un grand bâtiment. Le hall — triste et sombre.

Je suis fils de clergyman et je veux guérir les hommes pour l'amour de Dieu.

Des groupes d'étudiants. Freud et Wilkie s'arrêtent et battent la semelle en secouant leurs manteaux.

WILKIE, *après un silence, brusquement :* J'ai vu des hypnotiseurs à Manchester : c'était truqué.

Freud ôte de ses lèvres son cigare éteint et le jette.

FREUD : Tout est toujours truqué, Monsieur Wilkie.

Wilkie le regarde à son tour d'un air défiant. Un ami de Wilkie tire celui-ci par le bras. Il se retourne.

WILKIE, *à son ami :* Daugin!

Freud en profite pour s'éloigner. Il a l'air ironique et satisfait, presque gai. Il suit machinalement un couloir et, visiblement distrait, tire un cigare de son étui et l'allume pensivement. Aussitôt il se met à tousser. Plus il tire sur son cigare, plus il tousse et rougit.
Un petit homme chauve et replet sort d'une pièce qui donne sur le couloir (un écriteau : Cabinet du Docteur Charcot), le considère d'un air amusé et lui donne une petite tape sur la manche.

CHARCOT : On ne fume pas ici, Monsieur.

Freud sursaute en reconnaissant Charcot.

FREUD, *en toussant :* Oh! pardon.

Charcot le regarde en souriant.

CHARCOT : Vous toussez comme un damné! Combien de cigares par jour?

Freud est ouvert et confiant.

FREUD : Je... *(Confus :)* Vingt-cinq.

Il ne sait que faire de son cigare.

CHARCOT : Malheureux! *(Un temps.)* Pourquoi?
FREUD : Je ne sais pas. C'est une envie qui me prend.
CHARCOT : Qui vous prend à la gorge. C'est vous qui m'avez écrit pour me demander un entretien?
FREUD : C'est moi.

Roide. Claquant des talons.

Docteur Sigmund Freud.

Désignant le bureau d'où il vient de sortir.

CHARCOT : Venez me voir à la fin de ma leçon.

Il s'éloigne, Freud le voit entrer dans une salle de cours qui s'ouvre un peu plus loin sur le même couloir.
Freud regarde son cigare d'un air indécis. Il va pour le jeter, puis se ravise, l'éteint contre un mur et le remet dans son étui.
Il entre à son tour dans la salle (qui est exactement semblable à celle du fameux tableau Charcot à la Salpêtrière*).*

[11]

Tout le monde est debout.
Nombreux étudiants. Charcot est debout lui-même. Une table qui supporte deux bouteilles. Deux chaises et un lit de sangle contre les grandes fenêtres du fond.
Freud se met au premier rang de l'assistance. Wilkie et son camarade Daugin entrent à leur tour et se placent à côté de lui.
Charcot se promène dans la salle en parlant. Très sûr de lui, très à l'aise et très comédien.

CHARCOT : Mardi dernier je vous ai parlé des symptômes classiques de l'hystérie : paralysies ou, pour user d'un mot que je préfère, contractures, hémianesthésies, petites et grandes attaques, etc., etc. Nous ne pourrons pénétrer plus avant dans ce domaine sans recourir à un procédé d'investigation fort ancien mais qu'on n'utilise que depuis peu dans les sciences positives. Je veux parler de l'hypnotisme. L'expérience montre en effet que les hystériques sont particulièrement sensibles à la suggestion et qu'on peut facilement les plonger dans l'hypnose.

Des internes et des infirmiers font entrer deux malades.
L'une est une jeune femme qui présente une contracture du bras droit (replié et serré contre sa poitrine), l'autre, une vieille femme qui ressemble à la vieille aveugle de Vienne, marche péniblement

en s'appuyant sur des béquilles (paralysie hystérique de la jambe gauche).

L'une et l'autre semblent intimidées et misérables. Il les montre d'un grand geste (dans toute la scène qui suit, il ressemble à un prestidigitateur) pendant qu'elles s'approchent de lui.

> CHARCOT : Voici deux cas splendides.
> Jeanne et Paulette.

Il sourit aux deux femmes.
Sourire d'ogre.

> Étendez-vous, Jeanne.

Deux de ses assistants font étendre la vieille femme sur le lit de sangle.

> Asseyez-vous, Paulette.

La jeune femme s'assied sur une des deux chaises qu'un assistant vient de transporter au milieu de la salle.
Charcot se dirige d'abord vers Paulette.

> CHARCOT, *faussement paternel :*
> Eh bien, Paulette, qu'est-ce qui ne va pas?
> PAULETTE : C'est mon bras.

Elle le montre.

> CHARCOT : Fermez les yeux.

Elle les ferme. Il fait un clin d'œil complice à son auditoire et pince violemment le bras contracturé.

> Qu'est-ce que je vous ai fait?
> PAULETTE, *les yeux fermés :* Rien.

Charcot : nouveau clin d'œil.

> CHARCOT : Contracture du bras droit avec hémianesthésie. Classique. Classique.

Il va vers Jeanne.

> Et vous, la vieille mère?

Il se penche sur le lit de sangle.

> JEANNE, *un peu pleurarde :* Moi, c'est la jambe.
> CHARCOT : Depuis quand?
> JEANNE : 1880.

CHARCOT, *indifférence affairée :* Six ans. Parfait!
Parfait!
Eh bien nous allons voir cela.

Il retrousse la blouse de la malade jusqu'à mi-cuisses. Jeanne a
les jambes nues. La jambe gauche est semblable à celle de la vieille
hystérique de Vienne.
Charcot la palpe et fait la leçon.

Forte contracture des muscles adducteurs de la
cuisse.
Jointures rigides. Le membre inférieur semble
une barre inflexible.

Il soulève par le pied la jambe gauche. Le bassin suit et se soulève.

Voyez.

Il repose la jambe.

CHARCOT : Symptôme hystérique qui ne se rencontre presque jamais dans les paralysies organiques.

Il redresse fortement la pointe du pied gauche. La jambe gauche
tout entière se met à trépider. Il lâche le pied de Jeanne. La trépi-
dation continue longtemps après que les membres ont repris leur
position première.

(Riant :) Classique! Classique!

Il regarde l'auditoire. Freud est fasciné. L'Anglais a l'air pro-
fondément dégoûté. Daugin s'amuse : il se croit au théâtre. Les
auditeurs, d'une façon ou d'une autre, réagissent vivement.

Mes collaborateurs vont mettre ces deux femmes
en état d'hypnose.

Deux médecins vont vers Jeanne, deux autres vers Paulette. Dans
les deux groupes, un des assistants tient derrière son dos une lampe
à pétrole allumée, semblable à une lanterne. Mais la face antérieure
de chacune des deux lanternes est entièrement opaque, sauf un trou
minuscule et rond qui laisse filtrer la lumière.

UN MÉDECIN, *à Jeanne :* Regardez. Ça brille.
Regardez bien.

Le médecin se penche sur Jeanne.
Un médecin, devant Paulette, démasque la lanterne.

AUTRE MÉDECIN : Paulette, fixez bien le point brillant.

Paulette sursaute.

Allons!

Paulette regarde docilement.
Charcot se promène de long en large, les mains derrière le dos.

Vous allez dormir!

Charcot se plante devant le grand Anglais (Wilkie) et le regarde de bas en haut.
Wilkie lui rend, de haut en bas, un regard désabusé, accompagné d'une moue dégoûtée.

Dormez! Dormez!

Paulette, docile, les yeux grands ouverts, un peu raidie, s'endort.

VOIX OFF DU MÉDECIN *qui parle à Jeanne :* Vous dormez, Jeanne. Vous dormez.

Freud regarde passionnément chacune des deux malades. Son regard va de l'une à l'autre, comme s'il suivait un match de tennis.
Charcot tourne le dos à Wilkie, s'approche de Paulette, la regarde de près, les yeux dans les yeux.

CHARCOT : Celle-ci dort.

(Aux assistants qui sont autour de l'autre :) Et l'autre?

Un moment. Puis les assistants penchés sur Jeanne se relèvent.

UN ASSISTANT : Ça y est.

Charcot reprend sa marche.

CHARCOT, *ton professoral comme s'il parlait d'une chaire :* L'état où se trouvent nos deux malades pourrait se définir comme un somnambulisme provoqué.
Elles sont accessibles à toutes les suggestions.
Attention!

Il s'approche de Paulette en souriant, très « illusionniste ». Il l'appelle en se plaçant derrière elle.

Paulette! Paulette!

Elle frissonne.

PAULETTE : Hein?

CHARCOT : Il est guéri. Il est guéri, Paulette.

(Très comédien. Jouant la stupeur :)

Votre bras droit!... Il bouge!... Essayez de le faire remuer.

Paulette fait remuer le bras gauche.

Pas celui-ci. L'autre.

Paulette regarde sa main gauche qui remue. Peu à peu son bras droit se décontracte : elle observe les mouvements de la main gauche et les imite avec sa main droite.

(Pendant cette scène :)

VOIX OFF DES ASSISTANTS, *qui s'occupent de Jeanne :* Jeanne! Jeanne! Vous êtes guérie...

Vous êtes guérie.

Vous êtes guérie.

Peu à peu les mouvements de la main droite deviennent plus souples.
Finalement les deux bras se meuvent en même temps.
Charcot quitte Paulette et va voir Jeanne toujours étendue sur son lit.

CHARCOT, *dominateur, presque comique dans son cabotinage :* Lève-toi et marche.

Jeanne s'assied sur le lit avec effort, puis aidée des assistants, se lève et se tient droite, sans béquilles.

Marche! Marche.

Jeanne se dirige en chancelant vers la chaise vide, près de Paulette, et s'y laisse tomber plus qu'elle ne s'y assoit.
Paulette continue, avec les deux mains, à faire d'étranges mouvements, qui ressemblent à des conjurations magiques.

Premier effet de la suggestion : suppression des symptômes hystériques. Il va de soi que l'hypnotisme est inopérant quand il s'agit de paralysies organiques.

Montrant les deux malades :

Deuxième effet : nous amenons les malades par suggestion à reproduire leurs grandes crises.

Il s'approche de Jeanne.

Jeanne!... Jeanne!...

Sur Jeanne qui semble écouter sans voir.

VOIX OFF D'UN ASSISTANT : Paulette!... Paulette!

Charcot se penche sur Jeanne et lui glisse les mots dans l'oreille.

CHARCOT : Pauvre Jeanne! Tu vas avoir ton attaque.
VOIX OFF : La crise, Paulette, la crise.
CHARCOT : Jeanne! Attention! Prends garde à toi, c'est la crise. Prends garde!

Jeanne se lève et commence à marcher. Elle mime avec violence et maladresse l'effroi, le refus, la colère.

(Avec un peu de cynisme :)

Et d'une!
VOIX *off et murmurante :* Paulette! Pauvre Paulette!

Charcot suit la vieille Jeanne qui tourne en rond et, très comédien, il imite ses attitudes les plus significatives en les exagérant.

Celle-ci ne parlera guère.
Mimiques émotives – peur – irritation – refus.

Imitation.

(Rire off de Paulette.)

À ce moment on entend un éclat de rire de femme.
Ce rire d'abord bref et heurté, s'enfle et devient incoercible et presque douloureux.
Charcot s'illumine.

Et de deux!

Il traverse la salle, abandonnant Jeanne qui commence à trépigner et à jeter les bras en l'air pour revenir à Paulette.

PAULETTE, *riant, comme chatouillée :* Mais non, Monsieur Paul. Non, non! Ne faites pas cela! Ha! Ha! Je suis très chatouilleuse.

Elle se tord comme chatouillée.

Non, Robert! Tu ne me laisseras plus seule avec
ton ami.

Charcot semble indifférent et agacé.

CHARCOT : Le contenu du délire n'a aucune
importance.

*Freud — qui écoutait passionnément — sursaute à ces mots et fronce
les sourcils.*
*Charcot, attentif à son auditoire, ne manque pas de remarquer
cette résistance.*
C'est à Freud qu'il déclare :

La preuve, c'est qu'on peut changer à volonté
le cours de ses pensées.

*Il s'approche de la table, prend une bouteille d'eau de Cologne,
la débouche, hume l'odeur avec satisfaction.*
Épanoui :

Eau de Cologne.

*Il en envoie quelques gouttes d'un geste rapide et gracieux sur
Wilkie qui renifle d'un air dégoûté et, d'une pirouette, va jusqu'à
Paulette, qui se tord de rire, en évitant de justesse la vieille qui
tourne toujours à l'intérieur du cercle des auditeurs et qui jette les
bras en l'air en imitant une sorte de danse.*
*Il met la bouteille débouchée sous le nez de la malade. Paulette
cesse de rire et devient minaudière et*

PAULETTE : Vous avez un jardin qui embaume.
Tous les matins, le cheval dans le parc. Mon père
sur sa jument, moi sur mon poney. Les glycines
étaient adorables.

Pendant qu'elle parle, Charcot a fait un signe.
Un assistant lui apporte l'autre bouteille et la débouche.
Charcot la respire.

CHARCOT : Sulfure de carbone.

Clin d'œil amusé à l'auditoire.
*Il change brusquement les bouteilles et met la seconde sous le nez
de Paulette en tendant le flacon d'eau de Cologne à l'assistant qui
le remporte.*

PAULETTE, *avec dégoût :* Infects! Je vous dis qu'ils
sont pourris. Comme tout ce que touche Madame.

Ce sont des rats crevés. J'ai promis à mon père de
ne pas me tuer.

*Charcot fait un signe. Un assistant sort d'un étui des lunettes
rouges qu'il montre au public et qu'il met sur le nez de Paulette.
Celle-ci se met à hurler.*

PAULETTE : Mon père n'est pas rouge! L'enfant
ne pourrait pas vivre. Il a saigné, il saigne, il saigne.
Mes mains l'ont pourri.

*L'assistant lui ôte rapidement les lunettes et Charcot retire la
bouteille de sulfure de carbone qu'il va poser sur la table.*
*Mais déjà Paulette se tord sur sa chaise, avec des mouvements
spasmodiques des bras et des mains pour écarter une vision.*
Charcot la regarde, appuyé à la table.
Jeanne passe devant lui, tournant sur elle-même, mais tranquille.
*Charcot ne lui prête aucune attention : il regarde Paulette, froid
et guetteur comme un savant dans un laboratoire.*

CHARCOT : Jeanne réagit mal ce matin. Mais
regardez Paulette, Messieurs. Nous aurons la
grande crise.

Paulette se laisse tomber sur le plancher.
*Elle se met à hurler et jette les bras et les jambes dans tous les
sens.*
*Elle renverse les deux chaises. Deux assistants veulent s'élancer
pour éviter qu'elle se blesse.*
Charcot les retient du geste.

CHARCOT : Laissez. *(Au public :)* Elle ne se bles-
sera pas. Les hystériques se blessent très rarement
au cours de leurs attaques; c'est ce qui permet à
première vue de différencier la crise d'hystérie de
la crise épileptique.

Il s'approche de Paulette et lui appuie les mains sur le front.

(Voix persuasive :) La crise est finie, Paulette. Finie.
Finie.

Paulette se calme peu à peu.

(Même voix :) Debout!
Relevez les chaises!

Paulette obéit.

Asseyez-vous.

Elle s'assied.
Charcot attrape Jeanne au passage et la conduit à la chaise vide.

Jeanne! Asseyez-vous. Allons! Asseyez-vous.

Jeanne s'assied.
Les deux malades sont côte à côte, comme au début de la scène.
Les yeux ouverts et fixes. Elles ont l'air épuisé.
Charcot revient vers l'auditoire.

Monsieur Daugin! Dans une première phase, la suggestion hypnotique a fait disparaître les contractures hystériques. De quoi souffrait Paulette?

DAUGIN : Le bras droit.

Daugin replie le bras pour mimer la contracture.

CHARCOT : Et Jeanne?
DAUGIN : La jambe gauche.

Il désigne sa propre jambe avec l'index de la main gauche.

CHARCOT : Regardez bien.

Il frappe un coup léger sur l'épaule droite de Jeanne. Celle-ci tressaille; son bras droit se replie et se contracte.

Ce léger traumatisme suffit chez un sujet nerveux, spécialement prédisposé, à produire dans toute l'étendue du membre un sentiment d'engourdissement et une esquisse de paralysie.

Il va à Paulette et lui frappe sur la cuisse et sur le mollet.

Par le mécanisme de l'autosuggestion, cette paralysie rudimentaire est devenue une paralysie réelle.

C'est dans le siège des opérations psychiques, dans l'écorce cérébrale que le phénomène se passe. L'idée du mouvement c'est déjà le mouvement en voie d'exécution; l'idée de l'absence du mouvement, c'est déjà, si elle est forte, la paralysie motrice réalisée.

Cette paralysie, appelez-la idéale, psychique : elle est tout ce que vous voudrez, sauf imaginaire.

En prestidigitateur satisfait :

Paulette et Jeanne ont échangé leurs contractures.

Daugin qui depuis un moment suivait l'expérience bouche bée, avec la passion d'un spectateur au music-hall, frappe malgré lui ses mains l'une contre l'autre.
Il s'aperçoit qu'il applaudit, rougit, met les mains dans ses poches. Mais déjà Charcot l'a foudroyé du regard.

CHARCOT, *superbe et convaincu. Très noble :* Où vous croyez-vous, Monsieur ? Ici c'est la Science.

À ses assistants :

Emmenez les malades.

Jeanne se lève sans difficulté; on apporte les béquilles à Paulette. On la soulève et elle marche en s'appuyant sur elles.
Pendant que les deux malades traversent la salle :

La production de paralysies psychiques par l'hypnotisme est le résultat d'un rêve que nous avons provoqué. Rêve intense qui s'est en quelque sorte réalisé.
Ce que l'hypnotiseur a fait, il peut le défaire. Mes assistants vont réveiller nos deux amies. Ils les libéreront ainsi des maux que je leur ai infligés. Elles retrouveront malheureusement ceux dont elles s'affligent elles-mêmes : Paulette perdra l'usage du bras droit au moment même où elle retrouvera l'usage de sa jambe gauche. Pour Jeanne, ce sera l'inverse.
L'hypnotisme peut reproduire les symptômes mais non pas les guérir.

À l'auditoire :

CHARCOT : La leçon est finie. Pas de question ?

Coup d'œil circulaire.
Freud paraît enthousiaste — comme la majorité des auditeurs —, l'Anglais Wilkie garde son expression dégoûtée. Piqué, Charcot s'approche de lui.

... Vous semblez écœuré, Monsieur.

Wilkie prend l'air buté.

WILKIE : Ce sont des menteuses.

Il se monte peu à peu.

... Des simulatrices!
... Des comédiennes!...
... Tout est faux.

Charcot :
Il désigne une des chaises vides.

CHARCOT : Voulez-vous une contre-épreuve?...
Docteur Freud, voulez-vous vous asseoir sur l'une
de ces chaises?

Freud, malgré son respect, a un mouvement de recul farouche.

FREUD, *avec force :* Non.

Charcot s'approche de Freud et le regarde dans les yeux.

CHARCOT : Bien. *(Un temps.)* D'ailleurs on ne
pourrait sans doute pas vous endormir. *(À tous :)*
Il ne faudrait pas croire que tout le monde soit
sensible à la suggestion. *(Brusquement, fondant sur
Wilkie comme la foudre :)*

Vous, Monsieur, vous êtes suggestible.
WILKIE, *avec une sorte de faiblesse :* Non.
CHARCOT : Allez vous asseoir.

Wilkie paraît terrorisé et fasciné.
Charcot le prend par la main, l'assoit sur une chaise et s'éloigne
de lui.

Berryer!

Un des assistants s'approche de Wilkie, il porte une lanterne
allumée (face antérieure opaque, point brillant).

BERRYER, *à Wilkie :* Regardez le point brillant.
WILKIE : Non.

Il le regarde à l'instant.

BERRYER, *voix monotone :* Dormez. Vous dormez.

Berryer, stupéfait, à Charcot.

Ça y est! Sans faire ouf! Comme un poulet!

*Un silence tendu dans l'auditoire. Freud est si absorbé qu'il a
machinalement sorti son étui à cigares.*

*Charcot tend l'eau de Cologne à Berryer qui met le flacon sous
le nez de l'Anglais.*

> WILKIE : Maman!

Berryer ôte le flacon.

*Tout le monde se met à rire, même Charcot. Sauf Freud. Charcot
s'approche de Wilkie.*

> CHARCOT, *feignant de réfléchir :* Que faire pour
> le convaincre? *(Feignant de découvrir ce qu'il cher-
> chait :)* Je vais lui donner un ordre auquel il devra
> obéir après son réveil.

Il s'approche de Wilkie.

> Vous fumez?

Wilkie lui répond sans le voir.

> WILKIE : Jamais.
> CHARCOT : Pourquoi?
> WILKIE, *presque mécaniquement :* Le tabac est une
> plante immonde et la fumée me fait tousser.
> CHARCOT : Quand vous serez réveillé, vous irez
> droit au docteur Freud, vous lui demanderez un
> cigare et vous l'allumerez. Berryer!

*Il s'éloigne et va vers Freud pendant que Berryer réveille Wilkie.
Charcot rit au nez de Freud qui sourit d'un air embarrassé.*

> *(À Freud :)* Un cigare de moins! C'est toujours
> cela de gagné pour vos bronches.

*Wilkie, réveillé, seul, assis sur la chaise, regarde l'auditoire avec
stupeur.*

*Il se lève et cherche Freud des yeux, puis se dirige vers lui sans
hésiter.*

> WILKIE : Docteur Freud.

Il a l'air surpris. Il se passe la main sur le front d'un air égaré.

> WILKIE : Je voudrais un cigare.
> FREUD : Vous fumeriez ici? Devant le professeur
> Charcot?

Wilkie se retourne avec stupeur, regarde Charcot, puis revient à Freud.

WILKIE, *d'un air à la fois stupéfait et buté :* Oui.

Charcot fait un signe d'acquiescement.

CHARCOT, *débonnaire :* Je vous le permets, Monsieur.

L'Anglais prend avec stupeur le cigare que lui tend Freud. Il va le mettre dans sa bouche par le mauvais bout. Freud le lui reprend, l'allume et le lui tend.
L'Anglais fume et tousse, comme Freud un moment plus tôt. Charcot s'approche.

... Vous fumez? Mais cela vous fait tousser. Malheureux. (*Très gentiment, comme à Freud, tout à l'heure :*) Pourquoi fumez-vous?

WILKIE : Je ne sais pas. C'est une envie qui m'a pris.

CHARCOT, *comme à Freud :* Qui vous a pris à la gorge?

L'Anglais tousse.
Charcot regarde Freud en souriant.
Il se tourne vers Wilkie.

(*À Wilkie :*) Jetez ce cigare.

WILKIE : C'est plus fort que moi.

CHARCOT : Jetez ce cigare, Monsieur. On vous a endormi et je vous ai commandé de fumer.

Wilkie jette le cigare avec horreur et colère.
Tout l'auditoire éclate de rire pendant qu'il le piétine.

WILKIE : Pouah!

Charcot rit à son tour.
Geste large de prestidigitateur pour présenter Wilkie à l'entourage.

CHARCOT : Et voilà!

[12]

Un couloir.

Freud marche de long en large, devant la porte fermée du cabinet de Charcot.
Les étudiants passent devant lui, rient.
Wilkie le dépasse et revient sur ses pas.
Il tend la main, attend avec solennité.

WILKIE, *décidé et solennel :* Docteur Freud, adieu!

Freud, absorbé dans ses pensées, l'écoute distraitement et lui serre rapidement la main.

FREUD : À demain.

WILKIE : Non; je vous dis : adieu! Je rentre à Manchester.

Comme la première fois sans relever la tête :

FREUD, *avec un brusque intérêt :* Pourquoi?

WILKIE : Je suis fils de clergyman et je veux soigner les hommes.

FREUD : Et alors?

WILKIE : Si l'hypnotisme est une comédie, je perds mon temps. Si c'est une diablerie, je perds mon âme.

Il veut l'entraîner dehors.

Vous restez ici? Venez!

FREUD : J'attends le professeur Charcot.

WILKIE : Attention au Diable!

Il s'en va d'un air indigné qui masque sa terreur.
Freud le regarde pensivement et tire distraitement de sa poche son étui à cigares.
Il finit par l'ouvrir et par en tirer un cigare.
Au moment où il le porte à sa bouche, un infirmier qui passe lui frappe sur la manche (comme Charcot).

L'INFIRMIER, *en passant :* Défense de fumer!

Freud sursaute.

FREUD : Oh! pardon.

Il regarde le cigare avec étonnement, presque avec stupeur.
Et puis ses yeux se plissent et ses lèvres ébauchent un sourire comme si la vue du cigare entre ses doigts lui suggérait quelque chose.
Charcot, cependant a ouvert la porte de son bureau et le regarde.

Dans le bureau de Charcot.

Celui-ci est assis dans un confortable fauteuil.
Il écoute Freud, enthousiaste et pourtant toujours sobre dans ses manifestations — et un peu raide — qui s'est assis sans quitter son pardessus, tout droit sur une chaise.

FREUD : J'espérais tout de vous, Monsieur et je n'ai pas été déçu. Vous m'avez découvert un monde. Je... je pourrais travailler, à présent.

Freud a l'air confiant et beaucoup plus jeune que dans les scènes précédentes.
Charcot l'écoute avec un sourire, flatté, mais sceptique.

CHARCOT : Un monde! Lequel?
FREUD : Wilkie croyait qu'il avait envie de fumer. Et ce n'était pas vrai : il a pris un cigare parce que vous lui en aviez donné l'ordre. Et moi? Est-ce que je sais pourquoi je fume? Je crois que j'en ai envie. Mais qu'est-ce qui se cache derrière mon envie?... Quel motif secret? Quel ordre? Qu'est-ce qu'il y a derrière *toutes* les envies, *toutes* les craintes? Un monde invisible. Des forces.

Charcot, d'abord bienveillant et protecteur, s'effraye peu à peu.

CHARCOT, *effrayé :* N'allons pas si vite, Monsieur, n'allons pas si vite.
FREUD : Mais, Monsieur le Professeur, c'est évident. Vous avez eu l'idée — permettez-moi de le dire — géniale de reproduire les symptômes de l'hystérie par la suggestion. Cela prouve que les malades les produisent en se suggestionnant elles-mêmes sous l'empire de souvenirs, d'idées et de

sentiments qu'elles ont oubliés ou qu'elles ont toujours ignorés.

CHARCOT : Mais je n'en sais rien. Aucune expérience ne permet de l'affirmer.

*Pour une fois Freud cède à l'enthousiasme, il se lève et marche
de long en large.*
Charcot le regarde avec stupeur et un peu d'irritation.

FREUD : Mais si, Monsieur. *Votre* expérience de
ce matin.

Nos motifs conscients ne sont pas les vrais. J'arrive à la gare deux heures d'avance. Je prétends
que j'ai peur de manquer le train, c'est faux. Il y
a autre chose. Une peur plus profonde et que je
ne connais pas. Ou que je ne veux pas connaître...

*Brusquement il s'aperçoit de son agitation, il regarde Charcot
avec hésitation. Il a peur. Son visage se ferme; il reprend son attitude
sombre et dure.*
Un silence.

Excusez-moi.

Il va s'asseoir sur sa chaise, en face de Charcot éberlué.
*Très courtois, mais entièrement muré en lui-même, ayant perdu
tout contact avec Charcot.*

FREUD : J'étais venu vous demander l'autorisa-
tion de traduire vos œuvres en langue allemande.

[13]

Vienne – Octobre 1886.

Chez les Freud. *Quelques jours après le mariage. Il fait encore
jour mais le soir tombe.*
*Assez grande salle à manger. Deux fenêtres. Meubles rares et
modestes qui semblent un peu perdus dans cette vaste pièce.*
*Sur la table, l'argenterie et la verrerie : Martha compte les pièces
(couteaux, fourchettes, assiettes, verres : cadeaux de mariage en général) et elle les range ensuite dans les tiroirs d'un buffet ou dans des
placards.*

(Coups de marteau off.)

La voix off de Freud semble tomber du ciel.

> VOIX OFF DE FREUD : Je crois qu'il ne comprenait pas lui-même le sens de son expérience. Puisque Wilkie lui a obéi *après* le réveil, c'est qu'on peut guérir par l'hypnotisme.

Elle enchaîne, tout naturellement, sur l'entretien qui a eu lieu quelques mois auparavant et qui termine la scène précédente.
Martha, peu convaincue et très affairée, transporte une pile d'assiettes.

> FREUD : Tu m'entends?
> MARTHA : Oui.
> FREUD, *impérieux :* Martha!

Elle lève les yeux et Freud lui apparaît debout sur une échelle, un tableau dans une main, un marteau et des clous dans l'autre. Il s'apprête à suspendre au mur un « sous-verre » : la gravure qui représente le Serment d'Hannibal; il a l'air jeune et gai, plein de force et de vie. Martha le plaisante mais elle s'est épanouie; le bonheur lui va bien.

> *(Reproche souriant :)* As-tu pris un appartement pour y mettre ton mari ou bien un mari pour le mettre dans ton appartement? Écoute-moi!

Il laisse tomber le marteau sur le parquet.

> MARTHA, *sursautant :* J'entends!

Freud descend lentement de l'échelle pour ramasser le marteau. Puis il se place devant Martha (qui a encore la pile d'assiettes dans les bras) et il l'empêche d'avancer vers le placard.

> FREUD, *prenant par jeu un air terrible :* On peut guérir par l'hypnotisme.
> MARTHA, *riant :* En ordonnant aux malades de retrouver la santé?
> FREUD : Exactement.
> MARTHA : C'est ce que tu vas leur dire à ta conférence de ce soir?
> FREUD : Oui.

Elle cherche à passer; il l'en empêche par jeu.

MARTHA, *très sceptique et moqueuse :* Et cela va te rapporter des clients?

FREUD : Cela m'en rapportera énormément.

MARTHA : Laisse-moi passer! Tu me fais perdre mon temps.

FREUD : Je te fais un pari.

Il va poser le marteau sur la table. Elle tente d'en profiter pour passer mais il se retourne, la retient par les épaules et revient se placer devant elle, les mains libres.

(Avec une feinte solennité :) Connais-tu le docteur Sigmund Freud, spécialiste des maladies nerveuses et des maladies mentales?

MARTHA, *entrant dans le jeu :* Je ne le connais que trop : c'est mon mari.

FREUD : Nous sommes le 15 octobre 1886. Combien le docteur Freud a-t-il de malades?

MARTHA : Pas un.

FREUD : Dans un an, le 15 octobre 1887, il en aura cinquante.

MARTHA : Par jour?

FREUD, *réfléchissant :* C'est un peu beaucoup. Mettons : par semaine. Tiens-tu le pari? Si je perds, je te donne un collier d'or.

MARTHA : Si tu perds, tu n'auras pas un sou pour me l'acheter.

FREUD : Je gagnerai. Écoute bien.

MARTHA : Laisse-moi passer.

Depuis un moment Martha donne des signes de fatigue. Ses bras ont de la peine à supporter la pile des assiettes.

Laisse-moi passer ou je lâche les assiettes.

Freud les prend, imperturbablement et les repose sur la table.

FREUD : Martha, le docteur Sigmund Freud va faire...

Il tire sa montre de sa poche et la consulte.

...d'ici une heure, une communication à la Société médicale devant les médecins les plus illustres. Il parlera des hystériques mâles et proposera une thérapeutique nouvelle.

D'ici deux heures il saluera, au milieu des accla-

mations − tu entends? je dis : des accla-ma-tions.
Demain le bruit de son triomphe aura fait le tour
de la ville. Après-demain les malades se ruent dans
son cabinet.

MARTHA, *ironique :* Et le jour suivant les journaux
publient en première page que le docteur Freud
a usé de l'hypnotisme pour guérir douze jambes
cassées et trois fractures du bassin.

*Elle se moque de lui mais il est clair qu'elle sait fort bien ce qu'il
veut dire.*

FREUD, *jouant toujours :* Tu n'as rien compris.

*Il fait semblant d'abandonner la partie, remonte sur l'échelle et
frappe sur l'un des clous.*

Ce sont les névroses qu'on traite par l'hypnotisme. Il y a des malades qui ont des crises d'angoisse sans raison apparente. C'est qu'ils sont tra-
vaillés par des forces psychiques dont ils n'ont pas
conscience; il s'agit de faire naître en eux, par la
suggestion, des forces contraires mais tout aussi
inconscientes pour neutraliser les premières.

*Martha frappe du pied, agacée. Freud s'arrête, se retourne et la
regarde du haut de l'échelle.*

MARTHA, *sincèrement agacée :* Je l'attendais! Tu
n'as plus que ce mot à la bouche!

FREUD : Quel mot?

MARTHA, *mi-ironique, mi-désagréable :* En tout cas,
je te préviens, si jamais je tombe malade, n'essaie
pas de me soigner par suggestion.
Je suis une femme honnête, moi. Et je n'ai pas
d'inconscient.

*Freud descend de l'échelle : il a accroché le tableau; il fait
semblant de le regarder, avec beaucoup de calme, pour voir s'il est
accroché verticalement. Il sifflote d'un air indifférent et amusé.
Martha est furieuse mais demeure très gaie.*

Tu m'entends?

Freud lui répond sans cesser de regarder le tableau.

FREUD, *tranquillité ironique, négligemment :* Si tu
en avais un, tu n'en aurais pas conscience.

Il tire machinalement son étui à cigares de sa poche. Martha lui tape sur les doigts.

MARTHA : Encore! Si tu veux fumer, va dans ton cabinet!

Freud s'aperçoit brusquement qu'il a l'étui dans les mains. Il le remet précipitamment dans sa poche.

Tu vois. C'est toi qui es inconscient. Tu ne savais même pas que tu voulais fumer. Quel plaisir y prends-tu? C'est dégoûtant, ça sent mauvais, ça brûle tout.

D'un ton plaisamment inquisiteur :

Qu'est-ce qui se cache là-dessous?

FREUD : Je ne sais pas.

MARTHA, *jouant :* Tu vois. Moi, je sais toujours ce que je fais.

FREUD, *jouant :* Toujours?

MARTHA, *jouant :* Toujours.

FREUD, *jouant :* Et ton dégoût du tabac? Je me demande si ce n'est pas une névrose.

MARTHA, *id. :* Vraiment? Et mon goût pour toi?

Freud joue toujours. Mais, sous la comédie, perce une conviction profonde.

FREUD, *jouant :* Ça, c'est la névrose la plus grave : il faut que tu sois folle pour m'aimer!

Martha se plante devant lui, très décidée, et le regarde avec défi. On sent, sous ses paroles, une sorte de défi sexuel. Mais nous ne quittons pas le terrain de jeu.

MARTHA : Eh bien guéris-moi! Guéris-moi donc! Essaie un peu de m'hypnotiser.

Ils se regardent dans les yeux. Freud se détourne le premier; il est réellement gêné.

FREUD, *avec une sorte de sécheresse qui doit paraître inexplicable :* On n'hypnotise pas sa femme. C'est un traitement, ce n'est pas un jeu de société.

MARTHA, *provocante :* On ne l'hypnotise pas? Vraiment? Alors, qu'est-ce qu'on fait d'elle?

Freud est troublé : Martha est contre lui et elle attend.

FREUD : Tu veux le savoir? Tu veux le savoir?

Il referme ses bras sur elle. Pour la première fois nous sentons qu'il la désire. Sa passion — avant le voyage à Paris — paraissait plus violente et plus impérieuse, que proprement sexuelle.
On sonne. Il s'écarte d'elle.
Il se dirige vers la porte.

C'est Breuer : il vient me chercher.

En sortant, avec gaieté et sur un ton de complicité sexuelle :

Tu sauras ce soir ce que je compte faire de toi.

Martha a repris tout son calme.

[14]

Dans le coupé de Breuer.

Élégante voiture, cocher en livrée et en haut-de-forme. Breuer et Freud causent entre eux.
Breuer regarde Freud avec beaucoup d'amitié. Freud est animé, joyeux et un peu anxieux. Ils fument tous les deux. Breuer a allumé une cigarette d'Orient. Freud tire de son cigare des bouffées précipitées.

BREUER, *paternel et légèrement inquiet :* Vous aurez un public difficile. Ne les attaquez pas de front.

Breuer insiste.

La Société médicale est assez conservatrice et puis vos anciens maîtres seront là. S'ils peuvent s'imaginer que vous leur faites la leçon...
FREUD : Je ménagerai toutes les susceptibilités.

Breuer le considère avec un scepticisme souriant et une certaine inquiétude.

(*Très amicalement :*) C'est promis.
(*Avec force :*) Mais je ne ferai aucune concession.

Breuer hoche la tête.

BREUER : C'est bien ce qui m'inquiète.
FREUD : Quand on dit la vérité, il faut aller jusqu'au bout.

Breuer hoche la tête.

BREUER : La vérité...
FREUD, *chaleureux et inquiet :* Breuer, est-ce que je ne vous ai pas convaincu?

Breuer hésite.
Freud, pressant :

Le seul avis qui compte pour moi, c'est le vôtre.
BREUER, *éludant la question :* En tout cas je n'ai pas d'opposition de principe contre la thérapeutique par l'hypnotisme.
Seulement, la Vérité, voyez-vous...

Il sourit d'un air affectueux mais désabusé.

Il y a *des* vérités : elles courent partout, comme des lézards, et je ne suis pas sûr qu'elles s'accordent entre elles. Pour en attraper une – une toute petite – ça n'est pas trop de toute une vie.

Freud lui sourit à son tour. Mais, visiblement, ces considérations lui sont trop étrangères pour le convaincre. Breuer renonce, d'ailleurs, à discuter autant par discrétion que par une claire conscience de son impuissance.

(*Après un soupir :*) Enfin! Tâchez d'être prudent.

[15]

La Société médicale.

Un amphithéâtre. Sur l'estrade un président, un secrétaire et Freud qui lit son manuscrit.
Dans l'assistance – qui est nombreuse – pas une femme.
Au deuxième rang, Meynert. Un peu plus haut, Breuer. Auditoire sérieux (l'âge moyen est proche de la cinquantaine); visages cultivés et moroses. Beaucoup de lorgnons. Tout le monde porte la barbe.
Freud est debout devant une table recouverte d'un tapis vert.

*Carafe, verre. Il termine sa lecture sur un ton dont l'agressivité est
à la fois frappante pour l'auditoire et involontaire.*

*De toute manière l'autorité d'un si jeune homme doit sembler
déplaisante à tant d'hommes âgés ou, en tout cas, très mûrs. Il n'y
a pas de sympathie entre l'orateur et le public, bien que celui-ci
demeure sérieux et profondément attentif.*

> FREUD : Ces observations cliniques, effectuées par
> le docteur Charcot lui-même, sur une centaine de
> malades mâles, permettent de rejeter définitive-
> ment une thèse que j'ai entendu trop souvent
> défendre dans les milieux médicaux de Vienne et
> selon laquelle l'hystérie n'apparaîtrait jamais que
> chez les femmes et serait le résultat de troubles
> ovariens.

*Pendant que Freud parle, Meynert écoute, impénétrable, et sa
main gauche ne cesse de tirailler sa barbe.*

*Breuer jette des regards furtifs à droite et à gauche : il guette les
réactions du public. Le reste du temps, il écoute avec attention, en
souriant un peu pour encourager Freud — qui, d'ailleurs, n'a nul
besoin d'encouragement.*

> FREUD : Il va de soi qu'il n'est plus possible, après
> ces expériences magistrales, de conserver le
> moindre doute sur la réalité névrotique du
> comportement hystérique. L'hystérie a droit de
> cité parmi les maladies mentales et, quels que
> puissent être les mérites de certains grands esprits,
> il faut les inviter respectueusement à s'incliner
> devant l'Expérience : l'hystérie n'est pas une simu-
> lation de maladie, pas même une maladie de simu-
> lation. Elle se caractérise, dans ses symptômes
> somatiques, par une certaine *complaisance du corps*
> qui procure aux conflits psychiques une issue cor-
> porelle.
>
> Cette suggestibilité — qui différencie l'hystérie
> de toutes les autres psychonévroses — m'a permis
> de vous montrer à quel point les méthodes thé-
> rapeutiques en vigueur sont inefficaces.

Avec un dédain proprement offensant :

> On ne guérit pas une hystérie par des massages,
> des douches et un traitement à l'électricité. Qu'il

me soit permis, en terminant, de souhaiter qu'on recoure enfin à l'hypnotisme et qu'on profite de l'extrême suggestibilité des malades pour les délivrer par la suggestion des maux qu'ils ont installés en eux par l'autosuggestion.

Il a terminé. Il s'incline. Faibles applaudissements dont la plupart s'arrêtent presque aussitôt. Seul, Breuer applaudit longuement.

Meynert n'applaudit pas. Il a posé les mains bien en évidence sur le dossier du fauteuil vide qui est devant lui.

Freud semble embarrassé de sa personne. Il ne sait s'il doit s'asseoir ou rester debout. Il gagne du temps en rangeant ses feuillets dans sa serviette. Cette opération a lieu dans un silence profond. Ayant épuisé toutes ses ressources, il va pour s'asseoir, mais le Président de la Séance l'en empêche.

LE PRÉSIDENT, *glacé :* Docteur Freud, je vous remercie de votre communication. Mais je suis sûr que nos confrères ont des observations à faire et des objections à vous présenter.
Qui demande la parole?

Trois médecins lèvent le doigt.

(Inscrivant :)
Docteur Rosenthal.
Docteur Bomberg.
Docteur Stein.

Meynert parle sans lever le doigt. Visiblement il règne sur cette assemblée.

MEYNERT : J'ajouterai quelques mots.
LE PRÉSIDENT, *inscrivant :* Docteur Meynert.
(Un temps.)
La parole est au docteur Rosenthal.

Le docteur Rosenthal se lève.

DOCTEUR ROSENTHAL : Je sais que je partage sur ces questions l'avis de mon éminent confrère.

Il désigne Meynert.

DOCTEUR ROSENTHAL : Je suis convaincu qu'il exprimera mieux que moi ce que je comptais dire. Je renonce à parler.

Le docteur Stein et le docteur Bomberg se sont levés.

> STEIN ET BOMBERG : Nous sommes d'accord avec
> le docteur Rosenthal.
> LE PRÉSIDENT : Vous renoncez à la parole en
> faveur du docteur Meynert?
> LES TROIS MÉDECINS : Oui.

*Ils se rasseyent, le public applaudit. Meynert s'agrippe des deux
mains au dossier du fauteuil vide mais il ne se lève pas. Il parle
avec autorité et avec une ironie acerbe.*

> MEYNERT : Je remercie mes collègues de leur
> confiance. Je tâcherai de m'en rendre digne. Dans
> l'honneur qu'ils me font je vois surtout un avan-
> tage : nous en aurons plus vite fini. Je ne pense
> pas, en effet — et je le regrette — que la commu-
> nication du docteur Freud doive retenir très long-
> temps notre attention.

*Toutes les têtes se tournent vers Meynert. Quand il plaisante, ses
confrères rient d'aise avec une sorte de servilité. Seul, Breuer semble
désolé et indigné.*

> Dans son exposé, j'ai trouvé beaucoup d'idées
> neuves et beaucoup d'idées vraies. Malheureuse-
> ment les idées vraies ne sont pas neuves et les idées
> neuves ne sont pas vraies.

*Freud, debout, impassible et sombre, écoute la mercuriale sans
broncher.*

> Il est vrai, par exemple, que certains malades
> présentent des troubles nerveux analogues à ceux
> que notre confrère a décrits. Mais j'en appelle ici
> à ceux de mes confrères qui ont mon âge ou
> quelques années de plus que moi : est-ce que ces
> symptômes n'étaient pas connus depuis longtemps
> à l'époque où nous avons franchi pour la première
> fois le seuil de la Faculté de médecine?
> Ce qui est neuf, par contre, c'est que le docteur
> Freud les a rassemblés de force pour donner un
> contenu à cette maladie fabuleuse qu'il appelle
> l'hystérie.
> Nous savons tous, mes chers confrères, qu'un
> malade, après un traumatisme violent — par

exemple un accident de chemin de fer – peut présenter passagèrement tel ou tel de ces symptômes. Le choc émotionnel, la peur provoquent des lésions nerveuses d'une finesse exquise qui échappent encore à nos microscopes. Mais ces troubles, – qui s'effacent bien vite – hémianopsie, surdité psychique, attaques épileptiformes, délire hallucinatoire et *même* paralysies, ressortissent de la neurologie et se présentent en général comme les suites d'accès de confusion mentale consécutifs à l'accident.

Je ne crois pas nécessaire de discuter davantage : je n'ai jamais rencontré d'hystériques mâles, Messieurs, mais je dois vous avouer que – si l'hystérie est une maladie – je n'ai pas eu la chance de notre jeune orateur et je n'ai pas rencontré non plus d'hystériques femelles, à moins d'appeler par ce nom les malheureuses qui tentent d'attirer l'attention des médecins par des mensonges et par d'absurdes comédies. L'hystérie n'e-xis-te pas.

Applaudissements. Seul, Breuer n'applaudit pas.

Un mot pour finir. Je ne conteste pas l'existence de l'hypnotisme, bien au contraire. Mais je considère l'hypnotiseur et l'hypnotisé comme un couple de malades dans lequel le plus gravement atteint n'est pas l'hypnotisé. Et je plains les confrères qui, peut-être par altruisme, s'abaissent jusqu'à jouer le rôle de bonnes d'enfants.

Messieurs et chers confrères, revenons à notre métier – le plus beau des métiers. Tant que nos recherches en physiologie ne nous auront pas découvert de nouvelles propriétés du système nerveux, restons-en aux méthodes éprouvées. Massage, bains, électricité : ces traitements peuvent faire sourire notre jeune confrère et pourtant l'expérience montre qu'il n'y a pas de guérison possible en dehors d'eux. Soyons patients et surtout soyons modestes : c'est le premier devoir des médecins et des savants.

Vifs applaudissements. Le Président se tourne vers Freud.

LE PRÉSIDENT : Docteur Freud, désirez-vous répondre au docteur Meynert?

Freud a repris le visage sombre que nous lui avons connu avant son départ pour Paris.

FREUD, *d'une voix dure et assurée :* Le docteur Meynert a condamné sans discuter. Il n'a même pas daigné présenter une objection de caractère scientifique. Dans ces conditions je ne vois rien à lui répondre. Et, comme son âge et ses grands mérites me font un devoir de le respecter, je préfère me taire.

Il prend brusquement sa serviette et s'en va, sans saluer, par une petite porte située derrière l'estrade et au fond de la salle.

Devant ce départ rapide, beaucoup de visages se dérident, un rire léger parcourt la salle pendant que les auditeurs se lèvent. Certains vont à Meynert la main tendue, avec un air d'approbation enthousiaste.

Autour de Meynert, brouhaha de voix :

VOIX :
— Vous l'avez bien remis à sa place.
— Gros-Jean, qui veut en remontrer à son curé.
— Ce blanc-bec... Etc. etc.

Meynert serre les mains, impassible, un peu condescendant; il ne répond que par un sourire un peu négligent.

Derrière Meynert, deux médecins discutent entre eux.

1ᵉʳ MÉDECIN : Qu'est-ce que vous voulez : c'est un Juif!

2ᵐᵉ MÉDECIN, *agréablement scandalisé :* Oh!

1ᵉʳ MÉDECIN : Ah! mais je ne suis pas antisémite. Je dis seulement qu'il faut être juif pour aller chercher à Paris des théories que tout le monde connaît à Vienne et qui sont abandonnées depuis longtemps.

2ᵐᵉ MÉDECIN, *secouant tristement la tête :* Je sais! Ces gens-là n'ont pas de patrie.

[16]

La nuit. Une rue déserte.

Freud marche seul, les yeux étincelants, profondément irrité. Il fume le cigare.

Dans la même rue, une prostituée qui fait le trottoir.

Elle s'approche de Freud.

Freud la voit venir; il traverse pour l'éviter. À peine est-il sur l'autre trottoir, qu'une femme sort de l'ombre et lui prend le bras.

LA PROSTITUÉE : Tu viens?

FREUD, *outragé :* Non!

Il se dégage par un saut de côté, reprend son air digne et terrible et regarde devant lui, en pressant le pas.

Pas de chance : tous les cinquante mètres, sous les réverbères, on voit des prostituées qui attendent le client. Une sorte d'affolement (léger) saisit Freud. Et comme il voit une de ces femmes se diriger vers lui, il avise un café et va pour y entrer.

Comme il va pousser la porte vitrée, une face hilare et grotesque de prostituée se colle à la vitre (de l'autre côté de la porte) et lui sourit avec un clin d'œil ignoble. Il se détourne vivement, renonce à son projet et reprend sa marche, mais c'est pour s'apercevoir que la prostituée qui le guettait n'est plus qu'à dix mètres de lui. Déjà elle lui fait le même clin d'œil.

Freud se retourne avec angoisse. Pour un peu, il prendrait la fuite. Au même instant, un coupé s'arrête contre le trottoir et à côté de Freud. Et Freud sursaute en entendant la voix de Breuer.

VOIX OFF DE BREUER : Freud!

Breuer se montre à la portière du coupé.

BREUER : Montez! Montez donc! Il y a une heure que je vous cherche. Pourquoi avez-vous pris ce chemin?

Freud, après une hésitation, monte dans le fiacre. Il s'assied à côté de Breuer. Visiblement, il est soulagé; il paraît reconnaissant et l'on sent sa gratitude. Mais il a retrouvé son air sombre et toutes ses inhibitions : il a du mal à communiquer.

De temps à autre son visage s'éclaire mais – lorsqu'il parle de l'échec subi – son visage se ferme.
Dans la voiture de Breuer.

> FREUD, *s'asseyant à côté de Breuer :* Je voulais rentrer à pied.

Un geste vers les prostituées. Avec humeur :

> J'avais oublié que toutes ces rues sont impossibles, le soir.
> Je vous remercie.

Une femme sur le trottoir leur fait un signe. Freud relève la vitre de la portière, d'un geste brusque et impulsif. Puis, pris d'un remords, il se retourne vers Breuer :

> Je m'excuse. Vous vouliez peut-être de l'air ?
> BREUER : Je vais baisser l'autre vitre.

Breuer lui sourit. La fumée du cigare de Freud a déjà rempli la voiture.
Un moment de silence. Breuer se tourne paternellement vers Freud.

> J'ai trouvé Meynert très déplaisant.

Freud tire sur son cigare sans répondre. Breuer continue sans se laisser décourager.

> BREUER : Il y avait des choses excellentes dans votre exposé.

Freud lance un jet de fumée. Il chasse la fumée vers la fenêtre ouverte en agitant la main. Mais il a l'air de chasser, par ce geste, le souvenir désagréable de la conférence. Il s'efforce de sourire.

> FREUD, *voix maîtrisée plutôt que calme :* Il n'est pire sourd que celui qui ne veut pas entendre.
> BREUER, *doucement :* J'ai peur que vous ne les ayez braqués contre vous dès le commencement.

Freud hausse les épaules.

> Je vous avais conseillé la prudence.

Freud le regarde en souriant plus franchement.

> FREUD : J'ai suivi votre conseil : j'étais doux comme un agneau.

Il rit.

La résistance ne vient pas de là.

(Un temps.)

Je suis juif, voilà tout.

BREUER, *indigné :* Qu'est-ce que vous racontez? Je suis juif, moi aussi, et je n'ai jamais senti d'hostilité ni chez mes confrères, ni chez mes malades.

L'antisémitisme, c'est bon pour les gens incultes, pour les basses classes...

Freud écoute avec malaise.
Breuer reprend tout doucement :

Ne vous butez pas contre moi : je suis avec vous.

FREUD, *avec une sorte de rancune :* Vous ne m'avez pas cru. Pas plus que les autres.

BREUER : Je ne crois *pas encore* à votre théorie. Mais je crois en vous.

À ces mots, Freud se détend un peu. Il regarde Breuer avec une tendresse profonde, presque féminine qui contraste étrangement avec sa dureté antérieure.

Il faut vous donner les moyens de confirmer vos idées par des expériences.

Il y a des malades que je ne peux pas traiter : la psychiatrie et la neurologie sont impuissantes. Vous les verrez, ce seront vos premiers clients. Peut-être que vous les guérirez. En tout cas, au point où ils sont arrivés, vous ne risquez pas de leur nuire.

Il tire un carnet de sa poche, avec un crayon. Il griffonne une adresse sur une des pages, l'arrache et la remet à Freud.

Celui-là, j'ai renoncé depuis quelques jours à le soigner. Voici l'adresse. Allez-y demain matin, j'aurai fait prévenir son père.

Freud prend l'adresse avec une reconnaissance visible. Il la lit attentivement et la met dans sa poche. Son visage se durcit tout d'un coup et il regarde droit devant lui. Sa colère semble l'avoir repris. Breuer le considère avec inquiétude.

BREUER : Qu'est-ce qu'il y a?

FREUD, *d'une voix contenue :* Rien. Mais, si vous le permettez, j'irai le voir dans l'après-midi. Demain matin, il faut que je m'explique avec Meynert.

Un temps. Son visage change de nouveau et il se tourne vers Breuer. Il a l'air enfantin, confiant et un peu embarrassé.

> Est-ce que vous pouvez me prêter cinq cents gulden? L'installation nous a coûté cher et je n'ai pas un seul client.

[17]

Dans le bureau de Meynert (à son domicile), le lendemain matin. *Grande pièce claire, meublée avec beaucoup de goût. Visiblement Meynert est très riche.*

Derrière une grande et belle table de travail à laquelle Meynert est assis, il y a dans une sorte de niche, une reproduction réduite (en plâtre blanc) du Moïse *de Michel-Ange.*

Meynert, assis à la table, boit rageusement des verres de schnaps. Freud se tient debout en face de lui. Il parle d'une voix blanche de colère mais il a tourné la tête vers la fenêtre et il évite de regarder son interlocuteur.

> FREUD, *poursuivant un dialogue qui paraît commencé depuis longtemps :* Je vous ai toujours témoigné le plus grand respect, Monsieur, et je n'ai pas mérité que vous m'insultiez en public.
>
> MEYNERT, *brutalement :* Je n'ai pas dit le quart de ce que je pensais.

Freud, visiblement blessé, fait un effort douloureux pour retrouver la dignité qu'on lui conteste.

> FREUD : Je suis un homme de science, Monsieur. Je n'oserais pas me donner ce nom si vous ne me l'aviez donné vous-même, autrefois; j'ai travaillé dix ans avec Brücke et avec vous; vous m'estimiez assez, l'an dernier, pour m'offrir votre chaire.

Meynert est en proie à tous ses tics; il ne cherche même plus à les dissimuler.

> Si vous pensez que je suis dans l'erreur, il me semble que j'ai droit à des égards.
>
> MEYNERT, *brutal :* Non!

Il se lève et se place derrière son fauteuil et devant la statue de Moïse.

Freud — qui évite le regard de Meynert — se fascine sur la statue; il ne voit plus que cette tête de plâtre majestueuse et féroce, sans prunelles, qui semble porter condamnation.

VOIX OFF DE MEYNERT : Vous êtes un déserteur!

Freud, pour la première fois, ivre de colère, ose regarder Meynert en face. La belle bouche sinueuse de celui-ci est tordue par un sourire mauvais.

Vous avez repoussé mon offre! Vous m'avez préféré Charcot. La pauvreté des savants vous fait peur : vous lui préférez le charlatanisme et l'Argent.

Freud paraît stupéfait.

FREUD : L'Argent?

Avec colère :

Regardez-moi, Monsieur. Et regardez-vous.

MEYNERT : Qu'est-ce que cela prouve? Je suis riche parce que mon père avait du bien; en tant que savant, je suis pauvre.

Vous, Freud, vous mourrez millionnaire!

Le scandale paye.

FREUD, *ulcéré :* Je ne vous laisserai pas dire cela, Monsieur. Je ne vous laisserai pas dire cela. Je suis un médecin honnête.

MEYNERT : Un médecin honnête cherche à guérir ses clients.

FREUD : Je ne cherche rien d'autre.

MEYNERT : Les guérir, vous? Et par l'hypnotisme?

Il fait le tour de la table en boitant bas. Il se rapproche de Freud qui a, instinctivement, un mouvement de recul.

Il se plante devant lui et tient serré dans sa main gauche son verre de schnaps.

Imitant un officier donnant des ordres :

À mon commandement! Dormez tous! Garde-à-vous, les aveugles : ordre aux écailles de vous tom-

ber des yeux. Demi-tour à droite, les paralytiques,
en avant, marche, une deux! une deux!

Il éclate de rire.

Vous serez dictateur! Le monarque de la névrose.

*Il cesse de rire, boit puis revenant à Freud lui pousse l'index
droit contre le sternum. Brusquement :*

Et s'ils aiment leur mal?
Savez-vous ce que c'est qu'une névrose? Un
moyen de vivre.
Vous les tuerez.

Freud sourit avec beaucoup d'amertume.

FREUD, *dur :* Si je ne suis qu'un charlatan, je ne
pourrai pas leur faire grand mal.
MEYNERT : Vous n'êtes qu'un charlatan et vous
deviendrez un criminel.
L'hypnotisme, c'est un viol. Vous tyranniserez
vos malades. Si j'avais à choisir j'aimerais cent fois,
mille fois mieux la folie que l'esclavage.

*Tics. Battements de paupières. Freud le regarde avec surprise et
défiance, presque avec horreur. Un silence.*

MEYNERT : Comme vous aimeriez que je sois
malade! Une bonne petite hystérie à la Charcot!
Comme vous le soigneriez, votre vieux maître!

(Presque péniblement :)

Pas de chance! Je suis sain comme l'œil.

Il marche en boitant, à travers la pièce.

Pauvres névrosés! Qui sait ce que vous leur met-
trez dans la tête?
FREUD : Je n'y mettrai rien. J'ôterai les folies
qu'ils y ont mises.

Meynert s'arrête brusquement et l'observe.

MEYNERT : Comment?
FREUD : On *parle* en état d'hypnose : je connaîtrai les raisons de leurs angoisses et de tous les
troubles...

Il s'arrête de parler, interrompu par un éclat de rire.

MEYNERT, *riant :* La guérison par la lumière! Vous ferez le jour dans nos pauvres âmes obscures et nos vampires s'envoleront au chant du coq!

Il s'approche d'un rayon de la bibliothèque. Sur ce rayon sont disposées des boîtes de chocolat comme on en vend chez les confiseurs (gravure en couleur sur le couvercle, rubans de couleur tendre). Il y en a une douzaine, environ. Les rayons du dessus et du dessous sont entièrement garnis d'ouvrages scientifiques.

Meynert prend une boîte (il l'a choisie avec soin).

MEYNERT : Regardez!

Il ouvre la boîte. Freud découvre avec stupeur un grouillement d'insectes hideux (myriapodes, arachnides – parmi ceux-ci des scorpions).

Les charmantes petites bêtes! Pauvres mignonnes, voici l'épreuve du soleil.

(Un temps.)

Eh bien, Freud, est-ce que la lumière tue les vampires?

VOIX OFF DE MEYNERT : Je crois plutôt qu'elle les ressuscite.

On voit les insectes, d'abord abrutis, se mettre à remuer, bientôt ce sera un grouillement insupportable.

MEYNERT : Si la boîte reste ouverte, ils en sortiront, ils courront partout, la chambre en sera pleine.

Meynert regarde les insectes avec complaisance. Il fait tomber, d'une pichenette, l'un d'eux qui tentait de grimper le long de la paroi interne.

Un scorpion s'est échappé. Meynert l'aperçoit, immobile sur une boîte voisine.

Amusé :

MEYNERT : Oh! le scorpion.

Il prend une pince sur le même rayon et remet l'insecte dans la boîte. Fermant la boîte :

Rentrez dans les ténèbres!

Il se retourne vers Freud et s'aperçoit de la stupeur qu'il a provoquée. Il reprend son sérieux et dit avec une sèche autorité :

Ces animaux servent à mes expériences.

(Faussement paternel :)

Allons, Freud! Laissez à la nuit ce qui revient à la nuit. Pour sonder les âmes, sans se corrompre, il faudrait la pureté des anges.

Ses yeux brillent. Il a l'air méchant : il sait qu'il va toucher Freud à l'endroit sensible. De nouveau, l'index de Meynert va frapper le sternum de Freud.

Êtes-vous si sûr d'être sain?

Freud le regarde avec une profonde tristesse mêlée de colère mais il répond sincèrement :

FREUD : Non.

Meynert triomphe.

MEYNERT : Et voilà! Vous ferez la chasse aux monstres qui se cachent chez les autres et ce sont vos propres vampires que vous découvrirez.

Il revient à sa table de travail et se verse à boire. Freud le regarde avec dureté. Sa colère lui donne enfin le courage de parler. Mais sa voix reste étranglée : il s'effraye de ce qu'il va dire.

FREUD : Je ne bois pas.

Meynert se retourne, étonné.

MEYNERT : Je le sais. Après?

Meynert va boire.

FREUD, *même voix :* Si je prenais au piège les vampires d'un alcoolique, je suis sûr qu'ils ne ressembleraient pas aux miens.

Meynert l'écoute, comprend l'allusion et jette son verre contre le mur dans un geste de colère. Puis il revient sur Freud, majestueux et terrible.

MEYNERT, *avec force :* Freud, vous avez voulu m'insulter.

Ils sont face à face.
Un silence.

Je vous pardonne. Savez-vous pourquoi? Parce
que je vous observe de longue date.

Freud veut parler. Il l'interrompt.

De longue date! Et j'ai acquis la certitude que la
névrose vous guette. Vous ne buvez pas, oh! non :
vous auriez trop peur de vous laisser aller. Qu'est-
ce que vous diriez dans l'ivresse? Qu'est-ce que vous
laisseriez échapper? Je vous connais depuis dix ans et
vous n'avez pas changé : vous êtes toujours sombre,
tendu, ascétique et secret. Je comprends que la folie
des autres vous attire : vous croyez oublier la vôtre
et vous la retrouvez en eux. Arrêtez-vous s'il en est
encore temps : vous y laisserez votre raison.

Il se remet à marcher. Il ne boite presque plus.

C'est le contraire qu'il vous faut : un travail net
et précis, rigoureux, objectif. Je vous donne une
chance : désavouez publiquement vos théories
imbéciles et revenez travailler chez moi : anatomie,
histologie, physiologie, voilà votre salut. D'accord?

*Freud a repris sa maîtrise de lui-même. Il parle d'une voix
respectueuse mais glacée.*

FREUD : Le docteur Breuer a bien voulu me
confier un de ses malades, je vais le voir aujour-
d'hui même et je le traiterai par l'hypnotisme.

*Meynert s'est placé de nouveau derrière sa table (devant la statue
de Moïse).*

MEYNERT : Parfait.

*Un temps. D'une voix coupante et glacée, il insiste sur le « Mon-
sieur » (pour signifier que Freud n'est plus médecin).*

MEYNERT : Monsieur Freud, vous n'êtes plus des
nôtres. Dans ces conditions, je vous interdis l'accès
de mon laboratoire et de l'hôpital où je professe.

Freud le regarde avec des yeux traqués. Mais il se reprend aussitôt.

FREUD, *d'une voix calme :* C'est bien. Au revoir,
Monsieur le Professeur.

MEYNERT : Adieu.

Freud s'incline et sort.

[18]

Un salon, grande pièce austère et presque nue. Dans un
fauteuil un grand vieillard entièrement vêtu de noir, ascétique. Pas
de barbe, une moustache blanche; des traits émaciés. Il porte une
couverture sur les genoux. Il est pâle et nerveux.

On entend sonner. Sa nervosité s'accentue mais son visage reste
immobile et glacé. Un domestique ouvre la porte.

LE DOMESTIQUE : Le docteur Freud.

Freud entre. Le vieillard le salue d'un signe de tête.

LE VIEILLARD : Bonjour Docteur; excusez-moi de
ne pas me lever. Je suis cloué à ce fauteuil par une
crise de rhumatismes articulaires. Asseyez-vous.

Freud salue et s'assied en face du vieillard.

LE VIEILLARD : Vous êtes bien jeune.

Geste de Freud.

Ne vous fâchez pas. Je constate que mon fils est
plus âgé que vous. C'est sans importance.

Il regarde Freud avec attention.

Vous avez de l'autorité.

Il lui montre une lettre ouverte et posée sur une petite table à
portée de sa main.

Mon ami Breuer m'écrit que vous usez d'une
méthode nouvelle.
FREUD : Nouvelle, non. Je voudrais tenter...
LE VIEILLARD : Peu importe.

Il secoue la tête tristement.

Mon fils est un grand malade. Il s'agirait d'une
névrose obsessionnelle. Essayez votre méthode.
Personnellement, je ne pense pas que vous le
guérirez mais vous ne pouvez pas lui faire grand
mal : c'est un incurable.

Freud sourit avec une très légère amertume.

FREUD : Quel âge a-t-il?

LE VIEILLARD : Près de quarante ans.

FREUD : À quand remontent les premiers troubles?

LE VIEILLARD : Voyons... Ma femme est morte en 1880. Le mal s'est déclaré six mois plus tard, en février 1881.

Il y a six ans qu'il n'a pas quitté sa chambre.

FREUD : Il s'y enferme?

Le vieillard prend une clé sur la tablette et la montre à Freud.

LE VIEILLARD : Il exige que nous l'enfermions.

Freud se lève.

FREUD : Je voudrais le voir.

Le vieillard appuie sur un timbre.

(Sonnerie de timbre.)

Un domestique paraît.

LE VIEILLARD : Conduisez le Docteur chez Monsieur Charles.

Le vieillard tend la clé.

Le domestique la prend en silence; il se dirige vers une autre porte située au fond de la pièce. Freud le suit.

Docteur Freud, j'aimerais vous revoir quelques instants avant votre départ.

[19]

Une grande pièce servant de bureau et de chambre à coucher. *Elle contraste avec celle que Freud vient de quitter par le goût discret et sûr qui a présidé au choix de l'ameublement (rococo allemand).*

Une immense bibliothèque vitrée, pleine de livres. Au fond de la pièce, le plus loin possible de la fenêtre, un homme d'une quarantaine d'années, vêtu de noir, mais avec élégance, se rencogne contre le mur. Il est assis sur un petit escabeau de cuisine dont la rusticité s'oppose étrangement au luxe des autres meubles.

Physique avenant. Le visage serait presque beau si le malade n'avait l'air traqué. Il croise et décroise les bras nerveusement. Une très mince ficelle rouge s'enroule autour de ses jambes et semble les ligoter.

> *(Une clé qui tourne. Bruit off d'une porte qui s'ouvre :)*
> VOIX OFF DU DOMESTIQUE : Le docteur Freud.

Le malade ne réagit même pas. Freud s'approche de lui, prend une chaise et s'assied.

> LE DOMESTIQUE : Quand Monsieur le Docteur voudra sortir, Monsieur le Docteur n'aura qu'à sonner.

Freud regarde le malade en silence.

> *(Bruit off d'une porte qui se ferme et d'une clé qui tourne.)*

Freud a un air calme et bon, ouvert, attentif. Sa nervosité a disparu. Son autorité (très marquée dans la scène précédente) est compensée par une réelle douceur. C'est un médecin au travail, un professionnel plein de maîtrise.

Cet homme — qui a tant de peine à communiquer avec les « normaux » — sympathise immédiatement avec ses malades.

Charles fait un violent effort sur lui-même. Il salue de la tête. Son air traqué fait place à une réelle politesse qui dissimule mal une profonde tristesse.

> CHARLES, *se présentant :* Charles von Schroeh.
> FREUD : Docteur Sigmund Freud.
> CHARLES : Vous excuserez mon père, Docteur. Il vous a dérangé pour rien.

Freud regarde les ficelles rouges sans répondre.

> Mon père m'adore, voyez-vous. Il préfère croire que je suis fou.
> Je ne suis pas fou, je suis mauvais. Pourri jusqu'au fond de l'âme.

Silence de Freud : il écoute sans un mot, avec un air attentif et sympathique.

> Vous ne croyez pas au Mal?
> FREUD : Si.
> CHARLES : Et au Diable?
> FREUD : Non.
> CHARLES : Moi non plus. En principe.

Son visage s'affaisse. Il reprend l'air traqué. Il croise et décroise
les bras.

Freud se lève, regarde les jambes de Charles et touche la ficelle
qui s'enroule autour des jambes de celui-ci.

FREUD : Qu'est-ce que c'est?

Charles marmotte d'un air maussade, sans le regarder.

CHARLES: Vous le voyez bien : ficelle de sûreté.

Un temps. Il se détend un peu.

Elle me protège.
FREUD : Contre qui?
CHARLES, *sans répondre directement :* Je ne dois pas
sortir.
FREUD : Vous ne le *pouvez pas :* on vous enferme.
CHARLES, *marmottant :* Il y a la fenêtre.

Freud ne semble pas réagir. Il regarde la ficelle.

FREUD, *après un silence :* Où sont les nœuds?
CHARLES, *marmottant vite :* Dans mon dos.

Il se courbe légèrement. Freud, penché sur lui, voit les nœuds (des
boucles très faciles à dénouer).

FREUD : Pourquoi?
CHARLES : Plus difficiles à défaire.
FREUD : Qui les a faites?
CHARLES : Moi.
FREUD : Qui les défera?
CHARLES : Moi.
FREUD : Quand?
CHARLES : Ce soir. Quand les rues seront désertes.

Freud dénoue du bout des doigts les nœuds. Le malade ne paraît
pas s'en apercevoir.

FREUD : Si vous n'étiez pas attaché, qu'arriverait-
il?
CHARLES : Je sortirais.
FREUD : Et?

Il fait doucement glisser la ficelle le long des jambes de Charles.

CHARLES, *même marmottement mécanique :* Je tue-
rais.
FREUD : Qui?
CHARLES : N'importe qui.

FREUD : Quand le domestique vous apporte le dîner, vous avez envie de le tuer?

CHARLES : Non.

FREUD : Pourquoi?

CHARLES : Parce que je le connais.

FREUD : Il faut que ce soit un inconnu?

CHARLES, *voix mécanique :* Un passant. Dehors. Dans la rue.

La ficelle tombe aux pieds de Charles. Freud désigne la ficelle.

FREUD : Regardez.

Vous êtes libre, Monsieur von Schroeh.

Charles regarde la ficelle et se met à trembler.

Qu'allez-vous faire?

Un silence. Charles se lève. Il fait quelques pas vers la fenêtre. Freud ne s'est même pas retourné. Il attend.

Le visage de Charles s'est décomposé : il exprime tout à coup une sorte de haine. Freud attend.

Charles semble lutter contre lui-même. Tout à coup il fait demi-tour, revient vers Freud qui lui tourne le dos et va se rasseoir sur l'escabeau. Il a l'air surpris et inquiet mais un peu détendu.

Freud ramasse la ficelle rouge, l'enroule sur elle-même et la met dans sa poche.

FREUD : Donnez-la-moi, Monsieur : vous voyez que vous n'en avez pas besoin.

J'ai le regret de vous dire que vous ne tuerez jamais personne.

Charles l'écoute avec défiance et politesse.

CHARLES : Je voudrais vous croire, Docteur. Malheureusement, je me connais.

Un temps. Se prenant la nuque de la main gauche comme s'il voulait la courber.

Cela me prend tout d'un coup. Par la nuque. Et je vois rouge.

(Dans un marmottement presque inintelligible :)

Je suis le Mal.

(Un bref silence.)

FREUD : Avez-vous entendu parler de la thérapie hypnotique?

CHARLES, *avec indifférence :* Oui. Par le docteur Breuer.

Il a cessé de regarder son interlocuteur et serre les jambes l'une contre l'autre comme si elles étaient encore attachées.

FREUD : Accepterez-vous de vous y soumettre? Surtout n'attendez pas une guérison miraculeuse : le traitement peut durer des mois.

CHARLES : Vous m'endormirez? Et, pendant mon sommeil, vous m'enfoncerez le Bien dans la tête à coups de marteau?

Je n'y crois pas. Le Mal mangera le Bien.

Un temps.

Essayez tout de même. Je voudrais tellement dormir.

Freud le prend par le bras et le conduit jusqu'au lit-divan. Il l'assied sur le lit. Charles a l'air subjugué depuis qu'il espère dormir. On sent son consentement profond dans les mots qu'il murmure.

Si je pouvais ne plus me réveiller.

Freud a posé son index droit le long du nez de Charles, entre les deux yeux.

FREUD : Regardez mon index.

Charles regarde le doigt de Freud. Strabisme convergent.

(*Avec une conviction communicative :*)

Vous dormirez.
Vous allez dormir.

Charles se laisse aller avec confiance.

Dormez!

Déjà son visage exprime l'abandon le plus total.

Dormez!

(*Voix insinuante et douce :*)

Vous dormez.
Vous êtes endormi.

Les yeux de Charles se renversent. Il fait les yeux blancs, il se laisse aller en arrière, Freud le soutient et l'aide à s'étendre sur le divan. Il reste étendu, les yeux clos, les bras allongés contre le corps, le souffle tranquille.

Freud prend une chaise, la porte près du lit et s'y assoit avec un sourire de triomphe. Après un moment de silence :

Vous m'écoutez?

Charles répond sans ouvrir les yeux.

CHARLES : Oui.
FREUD : Vous êtes dans la rue.

Charles se raidit.

FREUD : Vous m'entendez? Vous êtes dans la rue au milieu des passants.

Vive agitation de Charles qui, sans ouvrir les yeux, lève les deux mains et esquisse des gestes de conjuration.

CHARLES : Ramenez-moi à la maison. Je vous en supplie.
FREUD : Pourquoi?
CHARLES : J'ai envie de tuer.
FREUD : Qui?
CHARLES : Je ne sais pas. Les gens qui passent.
FREUD : Les hommes ou les femmes?
CHARLES : Les gens.
FREUD : Pourquoi?
(Bredouillement inintelligible de Charles.)

FREUD : Pourquoi?
CHARLES : Ils sont dehors.
FREUD : Comment sont-ils habillés?
CHARLES : Je ne les vois pas.
FREUD : Pas du tout?
CHARLES : Pas du tout.
FREUD : Peut-être qu'il n'y a personne?
CHARLES : Il y a des gens. Je le sais. Je vous en supplie! Je vous en supplie! Je veux rentrer chez moi. Je vous dis que je vais tuer.
FREUD : Comment?

Charles, désorienté et brusquement calmé, répète la question :

CHARLES : Comment?

FREUD : Avec quelle arme?

CHARLES : Je n'ai pas d'armes!

FREUD : Avec les mains nues?

CHARLES : Quelle horreur!

(Petit rire nerveux.)

Je ne pourrais pas, j'ai des mains de femme.

FREUD : Vous n'avez jamais rencontré vos futures victimes. Vous ne connaissez ni leur âge ni leur sexe; sur le moment même, vous vous promenez au milieu d'elles et vous n'arrivez pas à les voir; voilà six ans que vous prétendez vouloir commettre un crime et pas un instant vous ne vous êtes demandé comment vous vous y prendrez.

Vous êtes dans votre chambre, Monsieur von Schroeh. Couché sur votre lit. Vous n'avez pas envie de tuer, Monsieur.

Vous avez peur d'en avoir envie.

(Un très bref silence.)

Et vous avez envie d'en avoir peur.

(Avec autorité :) Vous n'aurez plus peur. Je vous l'interdis. Vous entendez?

CHARLES : Oui.

FREUD : Vous m'obéirez?

CHARLES : Oui.

FREUD : Levez-vous!

Charles se lève.
Freud lui touche légèrement les paupières.

Allez à la fenêtre.

Charles se crispe. Il essaye de résister.
Freud le frappe légèrement de l'index entre les omoplates.

Allez!

Charles va jusqu'à la fenêtre.

Regardez les gens qui passent!

Charles les regarde, comme halluciné.

Ils sont faits de chair et d'os, ils ont des visages. Vous ne penserez plus jamais à les tuer, je vous l'interdis.

Charles regarde toujours les passants; son visage s'éclaire, un sourire s'esquisse sur ses lèvres.

Et puis, tout à coup, ses traits se convulsent; il fait un grand geste pathétique et manquerait de tomber si Freud ne le retenait.

Freud le tient vigoureusement et le reconduit à son lit.

À peine Charles s'y est-il laissé tomber, qu'il se tord dans de violentes convulsions.

(Hurlements de Charles.)

Freud tente de le calmer en appuyant sur son front. Il y réussit en partie; les soubresauts se font moins violents mais Charles semble souffrir.

Freud, stupéfait, s'assied sur la chaise au chevet du malade.

> FREUD, *entre ses dents avec une stupeur accablée :* Je n'y comprends rien. *(Un temps.)* Qu'avez-vous? Répondez!

Charles se met à parler brusquement. De temps en temps sa voix se transforme en bredouillement, mais, la plupart du temps, elle garde sa violence, et sa force.

Il a les yeux ouverts et fixes.

> CHARLES : C'était le moindre mal.
> FREUD : Qu'est-ce qui était le moindre mal?
> CHARLES : Les gens du dehors. Toutes les fois que j'avais envie de l'étrangler, je me mettais à penser très fort que je voulais tuer les passants.
> Je n'y penserai plus jamais, je l'ai juré. Je ne penserai qu'à lui.

Freud, brusquement passionné, se penche en avant.

(Bredouillements inintelligibles.)

> FREUD : Qui est-ce, *lui*? Répondez! Je vous l'ordonne.
> CHARLES, *riant :* Quelqu'un du dedans.

Charles semble halluciné.

Il lève les bras et ses mains se crispent puis se rejoignent et se serrent l'une contre l'autre.

> CHARLES : Mes mains me guident, elles me tirent, je les suis; il est dans son fauteuil, j'arrive par-derrière, les mains se referment et ça claque.

Non. J'ai ma ficelle rouge, je la glisse sous sa barbe. Il dort. C'est le fil à couper le cou.

Freud a compris.
Il a l'air inquiet. Il veut lui mettre la main sur le front. Charles se débat et le repousse.

FREUD : Assez pour aujourd'hui.
CHARLES : Laissez-moi parler. Je vous dis que je suis le Mal.

(Du ton impératif de l'homme qui dit la Loi :)

Les parricides auront le poing tranché, la tête coupée.

Freud se recule brusquement à ces mots. Il n'essaye même plus de réveiller Charles ou de le faire taire; il écoute avec une sorte de terreur.

On trouve suspecte ma présence sur terre.
Je suis le Monstre.
Dieu défend au fils de mépriser son père.
Regardez sa bouche sous la moustache blanche. Elle est veule.
VOIX OFF DE CHARLES : Encore! Je te vois!

(À un interlocuteur qui peut être Freud :)

Il pleure comme un enfant!

Freud a pâli. Il n'essaye même plus de réveiller Charles, il est droit et raidi.

(S'adressant à son père qu'il voit dans une hallucination :)

Tu n'as pas le droit!
Tes père et mère honoreras.

Freud transpire. Des gouttes de sueur roulent sur son front.

J'ai toujours honoré ma mère et tu l'as fait mourir de chagrin.
Ne pleure pas! Si Dieu veut que je te respecte, donne-moi les moyens de te respecter.

(À l'interlocuteur invisible :)

C'est un vieux salaud, Monsieur. Je l'étrangle parce que je n'en peux plus. Mieux vaut tuer que mépriser.

Charles crispe les mains l'une contre l'autre.
Freud, très pâle, et très sombre, s'est ressaisi. Il met la main droite
sur le front de Charles avec un mélange d'autorité et de répulsion.

FREUD, *impérieusement :* Taisez-vous à l'instant!

Charles veut parler.

Vous dites des sottises.
Des sottises, vous entendez!
Calmez-vous!
Calmez-vous!
Oubliez tout.
Je vous ordonne de n'y plus penser.
Plus du tout!
Plus jamais!
Vous entendez!

Charles se calme peu à peu.

CHARLES : *(Bredouillements inintelligibles.)*

On ne sait si Freud est lui-même convaincu de ce qu'il dit ou s'il
veut en convaincre son malade.

FREUD, *avec autorité :* Vous n'avez jamais méprisé
votre père! Vous n'avez jamais songé à le tuer!
Il n'y a pas un enfant sur toute la terre qui soit
assez dénaturé pour ne pas respecter ses parents.

Charles s'est détendu. Ses yeux se sont fermés, il a laissé retomber
les bras le long de ses flancs.
Sa respiration devient régulière en demeurant un peu trop forte.
Freud lui masse le front et la nuque.

Réveillez-vous.
Réveillez-vous.

Un moment d'attente.
Les yeux de Charles s'entrouvrent.

Vous êtes réveillé.

Freud s'éloigne brusquement de Charles (comme s'il avait lutté
contre le dégoût jusque-là et comme si, sa tâche accomplie, il ne se
contenait plus).
En reculant, il renverse la chaise qu'il occupait précédemment.
Charles se met sur son séant et le regarde avec surprise. Freud
a repris son visage sombre et dur; il regarde le malade avec hostilité.

Charles regarde la chambre et la reconnaît.

> CHARLES, *mi-affirmation, mi-interrogation :* Vous êtes le docteur Freud.
> Qu'est-ce que vous m'avez fait?

Freud ne répond pas.
Charles prend conscience d'être assis sur son lit.

> Vous vouliez m'endormir. Est-ce que vous avez...?

Signe affirmatif de Freud.

> Qu'est-ce que j'ai dit?
> FREUD : Rien.

Charles parle avec douceur. Il ne demanderait qu'à manifester sa gratitude.

> CHARLES : Je me sens mieux, vous savez.
> *(Un temps.)*

Il se lève, il marche jusqu'à la fenêtre. Il regarde les passants. Il revient avec un sourire étonné. Freud, immobile et sombre, ne le regarde même pas.

> Est-ce que je suis guéri?
> FREUD, *brutalement :* Non.
> CHARLES, *avec une sorte de confiance :* Je sais. Vous m'avez dit que la cure serait longue.
> Quand reviendrez-vous, Docteur?

Freud va presser sur un bouton de sonnette qui se trouve à droite du lit (entre le lit et la porte).

(Un silence.)

Au bout d'un instant, on entend des pas précipités.

> FREUD, *très sec, très distant :* Je ne sais pas.

Le domestique tourne la clé. La porte s'ouvre.
Charles regarde le domestique avec gaieté.

> CHARLES, *joyeusement :* Je vais mieux, Maxime.
> À bientôt, Docteur.
> FREUD, *compassé, à peine poli :* Au revoir, Monsieur.

Ils sortent.

CHARLES, *sur leur sortie :* Je vais mieux. Pas besoin de m'enfermer.

Dans le couloir, le domestique hésite devant la porte.

FREUD, *avec une violence à peine contenue, comme s'il voulait faire disparaître Charles à jamais :* À double tour! À double tour!

Le domestique, éberlué, introduit la clé dans la serrure.

On entend encore le bruit de la clé qui tourne quand nous retrouvons le père de Charles, immobile, l'air dur et qui semble n'avoir pas changé d'attitude depuis que nous l'avons quitté.

VOIX OFF DE MAXIME : Le docteur Freud.

[20]

Le vieillard regarde Freud avec un mélange de scepticisme et d'espoir.

LE VIEILLARD : Asseyez-vous, Docteur.

FREUD, *nerveux et tendu :* Merci Monsieur : c'est inutile. Je suis malheureusement très pressé.

LE VIEILLARD : Alors?

FREUD : Monsieur, votre fils vous aime-t-il?

LE VIEILLARD, *étonné :* Naturellement.

FREUD : Vous témoigne-t-il beaucoup de déférence?

LE VIEILLARD, *avec conviction :* C'est le plus respectueux de mes enfants.

FREUD : Le voyez-vous souvent depuis sa maladie?

LE VIEILLARD : Quand mes rhumatismes me laissent tranquille, je passe tous les après-midi avec lui.

À mesure que M. von Schroeh répond à ses questions, Freud se détend.

À la fin de cet interrogatoire, son énervement a disparu mais il reste sombre.

FREUD : A-t-il confiance en vous? Vous fait-il part de ses obsessions?

LE VIEILLARD : Il me dit tout.

Il finit par se passer la main sur le front, avec une sorte d'hé-bétude.

FREUD : Monsieur, votre fils est réfractaire à l'hypnotisme.

LE VIEILLARD : Vous n'avez pas pu l'endormir.

FREUD : Si, mais je n'ai réussi qu'à le plonger dans un absurde délire sans aucun rapport avec ses véritables soucis.

Le vieillard le regarde avec étonnement.

(Un silence.)

Freud, le regard perdu, semble plongé dans l'hypnose.
Il reprend d'une voix lointaine, comme pour lui-même :

FREUD : Et si la personnalité de l'hypnotiseur s'emparait tout à coup des malades hypnotisés? Nous leur prêterions nos vampires.

Il se réveille brusquement. Mais il reste sombre et frappé.

(D'une voix normale :)
En toute honnêteté, Monsieur, je ne peux rien pour votre fils.

[21]

Ce même jour, chez les Freud. La nuit tombe. Une lampe à pétrole, posée sur la table, éclaire la salle à manger.
Martha, assise près de la lampe, est en train de coudre. Elle lève la tête : Freud est entré. Elle laisse son ouvrage et va joyeusement se pendre à son cou.
Il l'embrasse machinalement. Elle se rejette en arrière, surprise, le considère avec attention et constate qu'il a l'air égaré.

MARTHA : Qu'est-ce que tu as?

Il lui sourit d'un air appliqué, qui masque à peine une distraction profonde.

C'est Meynert?

Il fait un signe de tête rapide qu'elle prend pour un acquiescement.

Je t'avais bien dit de ne pas te mettre en colère.

Il ne répond pas. Il a détourné les yeux et contemple la gravure qu'il a suspendue à la paroi. (Hamilcar et Hannibal.)

MARTHA : Vous êtes fâchés?

(Avec force :)

Cela s'arrangera! Ce n'est pas possible que cela ne s'arrange pas.

Freud ne répond toujours pas. Il va vers la porte du fond en écartant doucement Martha.

Tu me fais peur! Qu'est-ce que tu cherches?
FREUD : Un escabeau.
MARTHA : Pourquoi?
FREUD : Pour te faire une bonne surprise.
MARTHA, *toujours effrayée :* Bon. Bon. Je vais le chercher moi-même.

Elle sort rapidement. Freud reste seul et plonge la main dans la poche de son veston. Il en retire son étui à cigares. La ficelle rouge qui attachait les jambes de Charles s'est accrochée à l'étui; il la tire de sa poche et la regarde avec surprise puis avec une sorte d'horreur, va à la fenêtre, l'ouvre et jette dans la rue la ficelle et l'étui.
Il referme vivement la fenêtre en entendant les pas de Martha, se retourne et s'adosse à la fenêtre d'un air faussement détaché.
Une voix furieuse monte de la rue. On l'entend mal.

VOIX OFF : Qu'est-ce qui a jeté ça? Pourriez pas faire attention, là-haut?

Martha entre en portant l'escabeau.

MARTHA, *indignée et stupéfaite :* Tu as jeté quelque chose dans la rue. Tu es fou? Qu'est-ce que tu as jeté?
FREUD, *humour noir :* L'arme du crime.
MARTHA : Quoi?

Freud lui prend l'escabeau des mains et le place sous la gravure.

FREUD : Une ficelle.
La surprise, Martha! Regarde bien.

Il monte sur l'escabeau, décroche la gravure et la jette par terre. Bruit de verre cassé.

MARTHA, *presque terrorisée :* Arrête! Je te dis que tu me fais peur!

Freud sur l'escabeau avec une emphase volontairement comique qui cherche à dissimuler son désespoir.

FREUD : Martha, les Carthaginois se sont rendus sans combattre.
Vive les Romains!

Il descend de l'escabeau et la prend dans ses bras.

Je n'étais pas Hannibal, figure-toi!

Un silence. Martha le regarde, lève une main et lui caresse timidement la joue.

MARTHA, *très tendrement :* Tu as de la peine?
FREUD *souriant, mais verrouillé :* C'est ma mère qui en aura. Quand j'étais au berceau elle croyait déjà que je finirais premier ministre.
Je vais te faire plaisir, Martha : j'abandonne l'hypnotisme.

Avec une fausse gaieté :

Nous prescrirons des bains, des massages et surtout l'é-lec-tri-ci-té.
MARTHA : Mais pourquoi?
FREUD : Ce n'est pas au point. J'ai fait dire à mon malade des sottises grosses comme lui.

(Avec horreur :)

Il était répugnant.

Avec la même fausse gaieté mais péniblement :

Je renonce à tout; je m'offre ce luxe de goy : être n'importe qui.
Tu seras la femme d'un médecin de quartier.

Martha lui parle avec une très grande tendresse.
Mais elle est trompée par son ton enjoué et ne pense pas qu'il a vraiment horreur de renoncer à ses ambitions.

MARTHA : Je serai *ta* femme quoi que tu deviennes.

Et je préfère les médecins de quartier aux spécialistes. Sigmund, ça doit être si seul un grand
homme. Qu'est-ce que je serais devenue moi?
L'épouse de l'illustre docteur Freud.

(Feignant de frissonner :)

Brr... C'est froid, la gloire. Cela doit tuer l'amour.

*Freud la serre dans ses bras. Martha, la tête contre l'épaule de
Freud, ne voit pas pendant qu'il parle son visage douloureux,
craintif, et presque halluciné.*

FREUD : La gloire est mort-née.
Je n'ai plus rien.

*Il lui caresse les cheveux doucement. Mais c'est plus qu'un geste
de tendresse... une ruse pour l'empêcher de lever la tête.*

Il faudra que tu me sois *tout.*

*Il caresse toujours la tête de Martha, mais il ne la regarde pas.
Il est droit et tendu, son regard se perd dans le vide.
Peu à peu son expression de souffrance disparaît, il reprend son
air sombre, dur et fermé.
En lui, quelque chose vient de mourir.
Il répète d'une voix changée, comme pour lui-même :*

Tout.

DEUXIÈME PARTIE

[1]

1892 – Six ans plus tard. Le cabinet du docteur Freud.

Nous découvrirons plus tard qu'il est meublé d'une table-bureau couverte de papiers et de livres, d'un certain nombre de chaises sans style particulier et d'un canapé-divan situé contre le mur, face au bureau.

En outre, un paravent déployé cache une partie du mur de gauche face à la fenêtre; devant la fenêtre, une étrange chaise reliée par des fils et des prises électriques ressemble plus à un instrument de supplice moyenâgeux qu'à un appareil thérapeutique – elle rappelle vaguement la « chaise électrique » des exécutions capitales aux U.S.A.

Pour l'instant nous ne voyons que le docteur Freud qui fume un cigare, avec une moue profondément dégoûtée.

Il est planté au-dessus du divan et nous devinons qu'il se livre à une opération manuelle.

Mais il ne regarde pas ce qu'il fait.

Son regard s'est fixé sur le mur de gauche, à hauteur d'homme.

La caméra découvre enfin ses bras et ses manchettes dures; les mains, sortant des manchettes, massent à travers des serviettes en tissu-éponge les reins, les fesses et les cuisses d'une personne couchée à plat ventre sur le canapé.

C'est une jeune et jolie fille au visage plaisant et un peu comique.

Son corps, à part les jambes – la malade a gardé ses bas – est nu sous les serviettes.

Ses bras nus reposent sur le canapé le long de ses flancs.

Son visage, détendu, abandonné, semble indiquer qu'elle ne déteste pas les séances de massage.

FREUD : Un instant, s'il vous plaît.

Il va secouer la cendre du cigare dans un cendrier placé sur un petit guéridon, à côté du divan.

Il remet le cigare dans sa bouche, veut en tirer une bouffée et constate qu'il s'est éteint. Il le met dans le cendrier avec dépit.

Il voulait continuer le massage, mais ce léger incident suffit à le faire changer d'avis.

FREUD : Cela suffit. Rhabillez-vous.

DORA, *d'un air innocent :* Les massages sont de moins en moins longs.

FREUD, *agacé :* Mais non.

Il lui tourne le dos et va vers la fenêtre.

DORA, *voix off :* Il n'y a que cela qui me fait du bien.

Freud est morose et grognon.

FREUD : Ne discutez pas.

On entend Dora qui se lève et s'en va derrière le paravent.

Freud s'approche d'une chaise et la regarde : contre la chaise, Dora a posé son ombrelle; sur le siège, elle a posé son sac à main et un livre.

Freud regarde le titre du livre et fronce les sourcils.

Il se retourne vers le paravent.

Qu'est-ce que c'est que ce livre?

VOIX OFF DE DORA : *Madame Bovary.*

FREUD : Je le vois bien : qu'est-ce que vous en faites?

DORA, *voix off :* Qu'est-ce qu'on peut faire d'un livre? Je le lis.

FREUD : Vous ne le lirez plus.

DORA : Quoi?

Freud va à son bureau en tenant le livre à la main. Dora sort la tête et la moitié du corps : elle est en combinaison.

Freud ne la voit pas : il met le livre dans un tiroir et ferme le tiroir à clé.

FREUD : C'est dégoûtant.

Dora sort en combinaison de sa cachette. Elle tape du pied.

DORA : Vous m'agacez!

Freud s'est retourné machinalement, il la regarde en fronçant les
sourcils. Il est scandalisé mais nullement troublé.

> FREUD, *avec autorité :* Vous n'avez pas honte? Vous
> lisez des romans français et vous osez vous présen-
> ter devant moi en cette tenue! Prenez garde, mon
> enfant : si vous continuez, vous ne guérirez jamais.

Elle retourne, terrorisée, derrière le paravent.
Freud va à la chaise électrique et met les contacts.
Les pieds de la chaise sont en verre.
Il prend une sorte de brosse ronde, au bout d'un fil et fait passer
le courant. Elle crépite. Étincelle. En entendant le crépitement, Dora
sort brusquement de derrière le paravent, tout habillée, cette fois.

> DORA : Non. Pas ça!

Freud se tourne vers elle en feignant l'étonnement indigné.

> FREUD : Pourquoi?
> DORA, *déjà vaincue :* Je déteste votre machine; je
> vous l'ai dit cent fois.

Freud va la chercher et la conduit à la chaise électrique, douce-
ment, mais impérieusement.

> FREUD *toujours morose, mais un peu plus doux :*
> Vous savez bien que je ne vous ferai pas de mal.
> DORA : Je sais que vous me ferez peur.
> FREUD : La peur est salutaire.

Il l'assied sur la chaise, lui fixe les jambes avec une sangle, de
façon qu'elles reposent sur un marchepied isolant, il lui étend les
bras sur les bras de la chaise.

> Voilà.

Il approche la brosse électrique qui se met à crépiter, il la lui pose
sur le visage et le long de la nuque. Elle a peur.
Il lui parle avec force et douceur, comme à une enfant.

> L'électrothérapie vous est beaucoup plus utile
> que les massages.

Elle n'ose pas parler mais d'un léger signe, elle refuse cette
conclusion.
Freud reprend avec force :

Vos obsessions sont moins contraignantes. Il y
en a même qui ont disparu.

Dora se risque à parler, toute raide; débit très rapide.

DORA : Il y en a d'autres, qui sont revenues.
FREUD : Dora, vous mentez! Vous savez très bien
que vous allez mieux.

Il promène consciencieusement la brosse sur le corps de la patiente.

Et puis ce fameux tic...

*Il l'imite : c'est une grimace qui lui relève la commissure gauche
des lèvres, tire la joue vers l'oreille et lui ferme un œil.*

Voilà trois semaines qu'il n'est pas revenu.

Elle a l'air mécontente.

Vous ne pouvez pas dire le contraire.
DORA *de mauvaise grâce :* Non.

*Un temps. Elle a repris un peu d'assurance depuis que la brosse
s'est éloignée de son visage.*
Brusquement :

Je voudrais qu'on m'hypnotise.

*Le visage de Freud se durcit brusquement. Il se redresse et garde
la brosse à la main sans la diriger vers Dora.*

FREUD : Quoi?

Dora est boudeuse et morose à son tour.

DORA : Il paraît que cela guérit.
FREUD : Qui est-ce qui vous a raconté ces bêtises?
DORA : Tout le monde en parle.
FREUD : Et si tout le monde disait que la terre
est un œuf d'autruche, vous le croiriez?

*Il arrête le courant, coupe les contacts et se baisse pour ôter les
sangles qui la retiennent prisonnière.*

Les hypnotiseurs sont des charlatans.
DORA : Ce n'est pas ce que dit le docteur Breuer.

Elle se lève.

FREUD : Breuer?

DORA : Il hypnotise tous les jours une amie de ma cousine.

Freud se met à rire franchement.

FREUD : Breuer! Vous tombez mal, Dora : le docteur Breuer est mon meilleur ami; je connais ses patients et je peux vous garantir qu'il ne perd pas son temps à les hypnotiser.

On frappe à une porte du fond. Il répond sans se retourner :

Oui!

À Dora, pendant que Martha entre :

C'est Martha qui veut vous dire bonjour. Je lui ai dit que vous étiez guérie, mais elle ne croit que ce qu'elle voit.

[2]

Martha se dirige vers Dora.
Elles s'embrassent.

MARTHA : Dora, comment vas-tu? *(Désignant Freud avec une ironie affectueuse :)* C'est vrai que cet homme-là t'a guérie?

Dora lance un petit coup d'œil sournois vers Freud.

DORA : Tout à fait guérie, Martha.

Elle fait brusquement la grimace que Freud imitait précédemment.

(D'un air cancre :)
Enfin presque tout à fait.

Freud est furieux. Il prend Dora par le bras.

FREUD : Vous le faites exprès!

Dora fait de nouveau son « tic ».

DORA, *navrée :* Oh non, Docteur, je ne le fais pas du tout exprès.

Freud pousse Dora vers la porte avec précipitation.

FREUD, *hâtivement :* Nous verrons cela mardi prochain. Je vous attends à cinq heures.

Dora se débattant un peu, crie à Martha de la porte d'entrée :

DORA : Au revoir, Martha, viens chez moi
demain ; je ne te vois plus.
MARTHA, *affectueusement :* Au revoir, ma chérie.
Je tâcherai de me rendre libre.

Freud a ouvert la porte. Il s'efface pour laisser passer Dora.

DORA : À mardi...

*Elle fait sa grimace qui l'empêche de parler un instant, puis elle
enchaîne :*

...Docteur!

*Freud et Martha restent seuls. Freud a l'air irrité et sombre. Il
va rejoindre Martha devant le fauteuil électrique et donne, en
passant, un coup de pied dans l'appareil.*

MARTHA, *étonnée :* Qu'est-ce qu'il y a?

Il grommelle sans la regarder.

FREUD : On ne devrait à aucun prix soigner les
amies de sa femme.

*Il range avec humeur les serviettes qui sont sur le divan, il en
fait un tas qu'il transporte sur une chaise. Il se baisse et ramasse
deux serviettes que Dora a dû faire tomber en se relevant.*

Elle ne plie même pas ses serviettes.
L'autre jour elle m'en a volé une.
MARTHA, *stupéfaite :* Quoi?
FREUD : Elle m'en a volé une.
MARTHA : Pourquoi?
FREUD : Je n'en sais rien. Gaminerie.

Il dépose les serviettes sur la chaise et se relève.

Un cas classique : névrose obsessionnelle. Des
idées fixes. Des phobies. Des impulsions. Elle est
en voie de guérison.

Il regarde sa montre.

Il faut nous habiller. Sans quoi nous serons encore en retard. *(En se dirigeant vers la porte. Martha le suit.)*

Dans une petite chambre d'enfant.

La petite Mathilde – cinq ans – joue, au pied de son lit avec une poupée.

Freud et Martha la regardent tendrement, debout, la tête inclinée vers elle.

Elle lève les yeux et leur sourit. Martha lui sourit tendrement. Freud sourit aussi, avec beaucoup de tendresse, mais ses yeux restent sombres. La petite, confiante, heureuse d'être regardée, se remet à jouer avec la poupée – elle est en train de la déshabiller, elle recouvrira ensuite le petit corps de porcelaine tout nu d'un superbe manteau rouge. Le sourire de Freud disparaît, il reprend son visage sombre et prématurément vieilli. Visiblement il pense à tout autre chose. Sans même y prendre garde, il enfonce l'index droit dans sa narine droite.

Martha ne s'en aperçoit pas d'abord. Mais Mathilde qui a relevé les yeux se met à rire.

MATHILDE : Papa qui met son doigt dans son nez!

Martha jette un regard agacé sur Freud. Elle lui donne une petite tape sur l'avant-bras. Freud a l'air contrarié mais il ôte son doigt de sa narine et met la main dans sa poche.

MARTHA, *à Mathilde :* C'est pour se moquer de toi. On ne se met pas le doigt dans le nez. Ni dans la bouche : c'est défendu.

MATHILDE : Pourquoi c'est défendu?

FREUD, *autoritaire et désagréable :* Parce que c'est très sale!

Quelques minutes plus tard. La chambre à coucher des Freud.

Martha se coiffe devant un miroir.

Freud, en bras de chemise – chemise à plastron empesé – essaie de fixer des manchettes dures à la chemise par des boutons de manchette en or.

Il a réussi pour la manchette droite. Mais avec la manchette gauche, il semble en difficulté. Finalement le bouton de manchette lui échappe et tombe; il roule sous le lit. Freud se baisse, furieux.

Il regarde sous le lit et ne le trouve pas. Il se relève profondément irrité. Martha le regarde dans la glace et voit son visage contracté mais elle ne dit rien.

Nous voyons : Martha de dos mettant des épingles dans ses cheveux, la glace, dans la glace l'image de Martha et derrière elle, celle de Freud.

VOIX OFF DE FREUD : Tu iras sans moi chez les Breuer.

Après cette phrase définitive Martha, les sourcils haussés par la surprise, les bras en l'air mais immobilisés, regarde son mari d'un air inquiet mais en silence.

Tu leur diras que j'ai été appelé par un malade.

Elle ne répond pas.

Tu entends?

Martha se retourne et le regarde avec un calme qui cache difficilement sa profonde inquiétude.

MARTHA : Qu'est-ce qu'il y a? C'est ton bouton de manchette?

Il hausse les épaules.

Elle se lève, va vers lui, examine la situation comme un général qui inspecte un futur champ de bataille, regarde le parquet, se baisse, ramasse le bouton de manchette sous la table de nuit et le tend à Sigmund qui le prend sans quitter son air furieux.

MARTHA, *elle parle tendrement mais on sent que c'est une épreuve, elle veut apprécier l'état d'esprit de Sigmund :* Embrasse-moi pour la peine.

Freud l'embrasse sur le front, gentiment.
Ce n'est pas elle qui est l'objet de sa colère.
Il reste distrait : le baiser a quelque chose de machinal.

FREUD, *un peu distraitement :* Merci, mon amour.
MARTHA, *le singeant :* Merci mon amour... Merci mon amour... (Brusquement :) Où es-tu?

Freud brusquement réveillé la regarde avec surprise, un peu confus.

FREUD : Où je suis? Où veux-tu que je sois?

Il essaye de nouveau de faire entrer le bouton de manchette dans la boutonnière de la manchette.

Au moment où il va s'agacer, Martha lui prend doucement le poignet gauche et fait le travail elle-même. Il la regarde.

> Voilà! Des mains de fée : juste ce qu'il faut pour faire des expériences.

Elle le regarde sans comprendre.

> Oui. Dans un laboratoire. Moi j'avais des mains de beurre.

Riant désagréablement :

> Bon théoricien. Mauvais expérimentateur.
> De toute façon, mes mains ne comptent plus. Il y a six ans que Meynert me les a coupées.

La manchette est enfin fixée à la chemise.

> À propos : il va mourir.

Martha tressaille et relève la tête. Elle le regarde pour la première fois depuis le début de la scène, sans agacement, avec une compréhension réelle et inquiète.

MARTHA : Meynert! Qu'est-ce que...
FREUD : Angine de poitrine.
MARTHA : Cela te fait de la peine?

Freud se dégage et va chercher son veston.

> FREUD : Je m'en moque! Il me déteste; il m'a fait tout le mal qu'il pouvait.

Il regarde dans le vide, la main posée sur le col de son veston — qu'il a mis sur le dossier d'une chaise.
Brusquement :

> Il mourra sans que je l'aie revu.

Elle le regarde mais ne dit rien, par prudence.

> C'était un grand homme, tu sais. Un vrai.

Rire amer.

> Il doit être bien étonné de mourir : il se prenait pour Dieu le père!

Martha écarte doucement la main de Freud pour dégager le veston, elle prend le veston et le lui tend pour qu'il l'enfile.

FREUD : Quoi?

Il voit qu'elle lui tend le veston.

Pas la peine. Je n'irai pas dîner chez les Breuer.

MARTHA : Mais tu es fou! Tu les adores! Tu n'es à l'aise que chez eux.

FREUD : Quand ils sont seuls, oui. Mais ils ont invité un imbécile.

MARTHA : Qui?

FREUD : Un certain docteur Fliess que je n'ai jamais vu.

MARTHA : Si tu ne l'as jamais vu, comment sais-tu que c'est un imbécile?

FREUD : Parce qu'il vient de Berlin pour suivre mes cours. Tu comprends cela, toi? Un médecin de Berlin, un homme de mon âge : il paraît même qu'il a très bien réussi là-bas.

MARTHA : Eh bien?

Freud avec violence :

FREUD : Je ne lui apprendrai rien! Rien! Rien! Je suis un fruit sec, je n'ai rien à apprendre à personne et ceux qui viennent m'écouter sont des crétins.

Il traverse la chambre.
Elle le suit avec le veston.

MARTHA : S'il vient pour toi, raison de plus pour aller à ce dîner.

FREUD, *avec violence, mais sans méchanceté :* Ah! tu ne comprends rien!

Il se retourne, vers elle, met son index dans sa narine et la regarde d'un air vague, presque imbécile.

J'ai les nerfs à bout.

Massages! Électrothérapie! Électrothérapie! Massages! Et pas un sou!...

Je quitterai la médecine. Autant vendre du drap.

MARTHA, *tendrement :* Tu m'avais juré que tu serais heureux...

FREUD, *rire sec, presque insultant :* Heureux ?

MARTHA, *avec tristesse :* Oui, dès que nous vivrions ensemble.

Freud est ému. Il lui met les mains sur les épaules et la regarde avec une affection profonde.

FREUD : Mon pauvre amour, je te gâche la vie. Ah! je n'aurais jamais dû t'épouser!

Martha fait un pas en arrière, profondément blessée. Il avance vers elle et lui explique :

Cela ne se marie pas, un raté.

Il lui prend le veston des mains et l'enfile.

Pardonne-moi. C'est à cause de Meynert. Quand j'ai su qu'il était malade, tous les souvenirs ont ressuscité.

Elle lui sourit avec un peu de tristesse et retourne vers le miroir. Freud, brusquement, s'impatiente.

Eh bien? Tu es prête?

Martha a pris son chapeau et le fixe sur sa tête avec des épingles.

Presse-toi. Je déteste arriver le dernier.

Dans la chambre d'enfant. *Mathilde est debout, elle entend une porte qui s'ouvre; elle se précipite en courant dans le vestibule. Freud et Martha vont partir. Freud est en jaquette noire et pantalon rayé, un haut-de-forme sur la tête. Il enlève Mathilde à bout de bras et la serre contre lui à l'étouffer. À Martha :*

FREUD, *désignant Mathilde :* Tout ce que j'ai fait de bien dans ma vie.

MARTHA, *sourire agacé :* Et encore! Je t'ai beaucoup aidé.

Elle lui prend l'enfant des mains et l'embrasse. Elle la repose sur le sol au moment où il ouvre la porte. Ils sortent.

On entend la voix off de Martha pendant que la porte se referme.

VOIX OFF DE MARTHA : Tu n'as pas oublié tes clés?

Mathilde, restée seule, suit le couloir jusqu'au fond. Elle entre à la cuisine. Une jeune bonne est assise devant une table de bois blanc, elle mange. Mathilde s'approche.

LA PETITE MATHILDE : Dis! Où c'est qu'ils vont?
LA BONNE : Chez ta marraine.

On entend sonner. Une sonnerie impérieuse et prolongée. La jeune bonne regarde Mathilde avec un peu d'inquiétude.

LA PETITE MATHILDE : C'est papa qui a oublié ses clés.

La bonne se lève et s'essuie la bouche avec son tablier.

LA BONNE : Mais non. C'est à la porte de service.

À la porte de service. La jeune bonne vient de l'ouvrir. Un homme en livrée se tient sur le seuil.

LE DOMESTIQUE : Le docteur Freud, c'est ici?
LA BONNE : Oui, mais il vient de sortir.
LE DOMESTIQUE : Le docteur Meynert veut le voir.
LA BONNE : C'est un malade?
LE DOMESTIQUE : Non, c'est un médecin.

[3]

Dans un fiacre découvert.

C'est une belle soirée d'été. Les deux époux Freud très droits et silencieux sur la banquette arrière.
Rues élégantes. Une charrette à deux chevaux traverse la rue principale devant le fiacre. Un cheval glisse et s'abat. Le cocher du fiacre tire sur les rênes et arrête le fiacre. Le charretier descend et entreprend de relever le cheval.
Martha a été projetée en arrière quand le fiacre s'est arrêté. Elle a étouffé un cri et ses yeux se sont embués de larmes.
Freud, qui n'avait pas bronché, malgré la secousse, se retourne vers elle et la considère avec inquiétude. Elle se reprend aussitôt :

MARTHA : C'est la secousse : je ne m'y attendais pas.

Il lui prend la main sans cesser de la regarder. Elle se force à sourire mais deux larmes en suspens dans ses yeux roulent sur ses joues.

Que veux-tu? Moi aussi, j'ai mes nerfs.

Depuis un moment un homme de haute taille (environ trente-quatre ans), mise très élégante, beau visage démoniaque (barbe et cheveux noirs, gros yeux brillants et impérieux, bouche petite et rouge, avec une moue de mépris — cette moue tient à la structure du visage plus qu'à l'expression mimique), canne à pommeau d'or, gants de chamois gris perle, erre sur le trottoir de droite, à la recherche d'une plaque indicatrice qui lui donnerait le nom de la rue.

Ses recherches sont vaines. Il s'approche du fiacre qui s'est arrêté contre le trottoir, s'incline et se découvre. C'est le docteur Fliess. Il claque des talons. Son mouvement de tête a quelque chose de précis et de mécanique; il y a dans son long corps maigre et qui pourrait être gracieux, une sorte de raideur prussienne.

FLIESS : Madame, Monsieur, excusez-moi. Pouvez-vous m'indiquer la Nathangasse?

FREUD : Quel numéro?

FLIESS : Je vais au 15.

Martha le regarde, comme suffoquée. Elle profite du moment où il incline la tête pour essuyer furtivement les deux larmes. Freud est très aimable, d'un empressement inaccoutumé.

FREUD : Alors c'est à gauche : la quatrième rue après celle-ci.

Fliess relève la tête, claque les talons.

FLIESS : Je vous remercie infiniment.

Demi-tour presque militaire. Freud le suit des yeux, amusé et séduit.

FREUD, *à Martha :* Quelle tête extraordinaire.

MARTHA : Il a l'air du Diable. Et puis je le déteste : il m'a vue pleurer.

FREUD, *avec un certain respect :* C'est un Prussien.

Le charretier a relevé à coups de fouet le cheval qui s'est abattu. La charrette repart. Le fiacre s'ébranle.

MARTHA : Bien sûr : il est raide comme un piquet.

(Brusquement :)

Un Prussien! Et qui va comme nous 15, Nathangasse. Pourvu que ce ne soit pas l'invité des Breuer.

Le fiacre dépasse Fliess au moment où celui-ci s'apprête à traverser la rue. Nouveau coup de chapeau de Fliess; Freud se découvre et sourit largement. Freud se retourne vers Martha en remettant son chapeau.

FREUD : Penses-tu! Je n'aurai pas cette chance.

Chez les Breuer.

Un grand salon cossu, confortable et assez laid. La fenêtre est ouverte.

Mathilde Breuer, une assez jolie femme d'une trentaine d'années se penche à la fenêtre. Une femme de chambre attend, debout près de la porte vitrée qui donne sur le couloir.

Mathilde se retourne et vient vers elle, visiblement contrariée. Mathilde est petite, rondelette et vive; du charme et de la gaieté. Mais, pour l'instant, son visage est soucieux et sa voix peu agréable.

MATHILDE BREUER : Les voilà. Vous êtes sûre que Monsieur n'est pas dans son cabinet?

LA FEMME DE CHAMBRE : J'en viens, Madame.

MATHILDE BREUER : Et dans le fumoir? Vous y avez été?

Mathilde prend un éventail sur un guéridon, l'ouvre et s'évente nerveusement.

Que c'est agaçant! Il aurait pu...

(On sonne.)

Allez ouvrir.

La femme de chambre sort. Mathilde s'évente, va à la glace, se tapote les cheveux et se compose un visage.

Martha et Freud entrent, elle sourit et embrasse Martha sur les deux joues.

MATHILDE : Bonjour ma chérie, bonjour Sigmund.

Très vite :

Joseph est incorrigible, je lui avais bien dit d'être à l'heure. Et naturellement il n'est pas rentré.

Le visage de Freud s'est éclairé dès qu'il est entré dans le salon. On sent qu'il aime l'appartement des Breuer et qu'il s'y trouve à son aise.

> FREUD, *gentiment :* Voyons, Mathilde : entre médecins!

Mathilde est volubile par habitude et surtout par agacement. Elle parle avec de petits gestes nerveux, charmants et mièvres, tout en s'éventant.

> MATHILDE : S'il ne s'agissait que de vous deux, je me ferais une raison : c'est la famille. Mais il y a ce Monsieur Fliess, que je ne connais pas. Ces gens de Berlin sont toujours si susceptibles...
> *(Très agacée :)* Il m'avait promis d'être à l'heure! Après tout, c'est son invité.
> *(Sur le même ton :)* Martha, ma chérie, voulez-vous un éventail, il fait si chaud, nous sommes tous énervés, c'est l'orage.
> *(Bruit off d'une voiture dans la rue.)*
> Le voilà!

Elle se redresse, avec une hâte que le simple retard de Breuer ne suffit pas à justifier.

> *(Bruit décroissant de la voiture.)*
> Non.
> C'est insupportable.
> FREUD, *agacé :* Mais, Mathilde, il a été retenu par un malade, cela se produit tous les jours.
> MATHILDE : Tous les jours, vous avez raison. Mais c'est par *une* malade qu'il est retenu. Et toujours la même. Cette Körtner, vous savez.
> FREUD, *stupéfait :* Körtner, non, je ne sais pas.
> MATHILDE : Mais si, voyons! Vous connaissez tous ses patients. La Cecily, vous savez. Il y va deux fois par jour à présent. Il paraît *(rire sec)* que c'est un cas merveilleux.

Freud a blêmi. Son visage se durcit.

> FREUD, *très sec :* Deux fois par jour? Cecily Körtner? Connais pas.

Une sorte de gêne et d'inquiétude s'empare des trois personnages.

MATHILDE, *stupéfaite :* Il vous dit tout, voyons!

FREUD, *du même ton :* Il faut croire que non.

MATHILDE, *après un silence :* Il ne vous a pas parlé d'elle!

Elle paraît plus accablée encore que stupéfaite.
Elle referme son éventail d'un geste sec et le jette sur le guéridon.

Eh bien tant pis pour nous deux!

Freud ne répond pas. Il reste sur le fauteuil, les sourcils froncés, sans même tenter de cacher sa contrariété.

(Sonnerie off.)

MATHILDE : Et naturellement voilà l'invité!

Un valet de chambre ouvre la porte.

LE VALET : Le docteur Fliess.

Il s'efface pour laisser passer Fliess, qui entre et s'incline, de plus en plus démoniaque et prussien.
Mathilde s'est levée, elle lui tend la main.

MATHILDE : Bonjour, Docteur.

Fliess joint les talons, s'incline et lui baise la main.

FLIESS : Mes hommages, Madame.

MATHILDE : Mon mari s'est attardé au chevet d'une de ses clientes...

[4]

Dans la vaste chambre qui sert de living-room à Cecily et qu'on décrira plus loin.
Pour l'instant, le soir tombe, la pièce est presque dans la pénombre.
Breuer est assis près du lit de Cecily.

BREUER, *en se levant :* Eh bien! Cecily, nous avons fait du bon travail.

Nous distinguons à peine la tête et les cheveux blonds de Cecily.
Ses bras reposent sur la couverture. Elle louche (strabisme convergent).

CECILY, *voix faible :* Vous allez partir?

*Ses mains s'affolent, à droite et à gauche, elles semblent courir
sur le lit.*

BREUER : Cecily! Calmez-vous. Je serai là demain
matin.

Elle donne des signes d'agitation croissante.

CECILY : Et jusqu'à demain, il n'y aura rien. *Rien!*

Elle se met à tousser : toux sèche et déchirante.

(Quintes de toux.)

Entre les quintes :

Et cette nuit à passer! Dans la crainte d'ouvrir
les yeux... Si je les ouvre, je vois la mort.

*Elle tâtonne maladroitement pour prendre la main de Breuer,
posée sur sa main. Breuer devine son désir et lui donne sa main.
Elle la prend et l'élève jusqu'à ses yeux. Avec une sorte de passion :*

Fermez-les-moi. Ordonnez-moi de ne pas les
ouvrir avant demain.

*Breuer hésite puis se penche sur ce beau visage défiguré par le
strabisme. Avec beaucoup de tendresse et d'autorité :*

BREUER : Fermez les yeux, Cecily.

*Il ferme les deux yeux avec les pouces. Les autres doigts s'allongent
et se posent contre les tempes de Cecily.*

BREUER : Ne les ouvrez pas avant demain.
CECILY : C'est vous qui me les ouvrirez.

(Toux.)

Il ne répond pas; elle s'agite. Pressante :

Dites que vous viendrez me les ouvrir. Demain
matin, avec vos deux pouces. Sans cela, je ne dor-
mirai pas.

(Quinte de toux.)

BREUER : Je vous ouvrirai les yeux. Dormez,
Cecily.

(La quinte de toux s'arrête net.)

*Dans cette scène rapide, on doit avoir le sentiment que ces deux
personnes — malade et médecin — forment un couple plus fortement*

uni que les couples ordinaires de cette espèce et que, de façon assez singulière, c'est la malade qui se fait donner par son médecin les ordres auxquels elle a envie d'obéir.

Breuer paraît avoir une grande autorité sur elle et, en même temps, il lui cède avec une tendre faiblesse.

Pourtant le souhait de Cecily (« Fermez-moi les yeux ») n'est pas un simple caprice amoureux et ne doit pas sembler uniquement tel : c'est aussi et cela doit paraître la brusque invention d'un malade qui a peur d'une nuit sans sommeil et qui trouve un moyen de se calmer.

Cecily s'est laissée aller en arrière, sur l'oreiller, les yeux clos, calmée, un vague sourire sur les lèvres.

Breuer s'éloigne sur la pointe des pieds, reprend son haut-de-forme sur une chaise, ouvre la porte-fenêtre, et sort. Il se trouve dans un parc, son coupé l'attend devant la porte, il se hâte d'y monter.

BREUER, *au cocher :* À la maison, Karl. Vite, vite! J'ai trois quarts d'heure de retard.

[5]

Dans le salon des Breuer.

Les deux femmes sont assises et parlent entre elles.

VOIX OFF DES DEUX FEMMES : Mais non, c'est très bon marché.
Une cretonne : vous pouvez tendre les murs d'une pièce...

On entend des mots de leur conversation, quand il y a un silence entre Freud et Fliess.

Mathilde et Martha ont chacune un éventail, elles s'éventent en causant.

Dans l'embrasure d'une fenêtre, Freud et Fliess parlent ensemble : Fliess se tourne rarement tout à fait vers Freud : on dirait qu'il contemple l'immeuble d'en face. Mais quand il veut affirmer ou convaincre, il regarde son interlocuteur — moins pour observer que pour fasciner.

Dans ces moments-là, l'éclat de ses gros yeux semble presque insoutenable.

Freud est nerveux, agité, toujours sombre; de temps en temps, il se penche au balcon dans l'espoir que le coupé de Breuer vient d'arriver (chaque fois qu'une voiture passe — ce qui est relativement peu fréquent dans ce « quartier résidentiel »). Mais en même temps, on sent que Fliess le subjugue et l'intimide.

Il lui parle avec une douceur et une amabilité qu'il ne réservait jusqu'ici qu'à Breuer et à Charcot. Il l'écoute avec passion et, de temps à autre, repris par son tic, il s'enfonce l'index dans la narine.

FREUD, *amabilité presque servile, mais la sévérité qu'il montre envers soi-même est parfaitement sincère, avec des racines profondes :* Je ne puis arriver à comprendre qu'un homme de votre valeur, qu'un spécialiste de Berlin se soit dérangé pour entendre mes leçons. Vous savez que je ne suis même pas Professeur. Un chargé de cours : c'est tout.

FLIESS, *aimable mais distant :* Si je viens à vous, c'est que votre réputation est venue à moi.

FREUD : J'enseigne l'anatomie du cerveau : n'importe qui fait cela mieux que moi.

FLIESS : Vous savez bien que non. Les vieux fossiles qui sont en place découpent le cerveau en milliers de petites cases. Chacune correspond à un de nos gestes, à une de nos sensations, à un de nos mots. Vous êtes un des seuls en Europe à enseigner que ces petits casiers n'existent pas, que tout est affaire de liaisons et de mouvement.

Freud a baissé la tête pour dissimuler un sourire presque enfantin de satisfaction.

FLIESS : Je vais vous confier un secret.

Fliess se tourne brusquement vers Freud et le regarde fixement.

Breuer vous l'a dit : je suis oto-rhino-laryngologiste. J'ai pu isoler une névrose. La névrose nasale, si vous voulez. Il y a une connexion nerveuse du nez à tous les autres organes.

Freud écoute intensément. Il s'oublie jusqu'à mettre son doigt dans son nez.

En insensibilisant la région nasale, j'ai fait disparaître des troubles intestinaux. Naturellement ils renaissaient quand le nez retrouvait sa sensibilité normale.

Une voiture passe dans la rue. Freud, malgré l'intérêt passionné dont il fait preuve, ne peut se retenir de jeter un coup d'œil dans la rue. Un coupé à deux chevaux passe et disparaît.

Fliess, agacé par ce moment de distraction, met la main sur l'épaule de Freud. Avec beaucoup d'autorité :

FLIESS : Écoutez-moi, cher ami.

Freud se retourne vers lui, subjugué.

Je pourrais aller plus loin si je connaissais plus à fond la neurologie. Vous pouvez m'aider.

FREUD : Je ne suis pas...

Il remet son index droit dans sa narine.

Je ne suis pas...

FLIESS, *sans l'écouter :* Tout se tient, Freud. Le nez et les nerfs du nez ne sont qu'un relais.

En plongeant son regard terrifiant dans les yeux de Freud :

Tout est sous la domination du sexe.

FREUD : Du sexe?

Freud fait une grimace de surprise. Il ôte précipitamment le doigt de son nez.

Pendant qu'il parle, une voiture s'est arrêtée sous la fenêtre mais il est trop absorbé, cette fois, pour y prêter attention.

FLIESS : Le développement biologique de l'individu s'opère sous le contrôle et la direction de ses organes sexuels.

(Avec force :)

Je le sais mais je ne peux pas le prouver. Vous m'aiderez.

Freud semble en plein désarroi. Son visage, d'ordinaire si dur, semble adouci par une sorte d'anxiété.

FREUD : Je voudrais vous aider...

(Un temps.)

Il faut tant de courage pour oser remettre en question...

(Un temps. Sombrement :) J'en manque.

La porte du salon s'ouvre brusquement. Entre Breuer, cachant sa confusion sous une jovialité embarrassée.

> BREUER, *de la porte :* Chers amis, je me jette à vos genoux, je sais que je suis impardonnable.
> MATHILDE, *sèchement :* Impardonnable, en effet.

Breuer s'incline et baise la main de Martha.

> BREUER, *à Martha :* Impardonnable?
> MARTHA, *affectueusement :* Impardonnable mais on vous pardonne.

Fliess et Freud sont remontés vers Breuer. Fliess indifférent et cordial, Freud irrité et sombre.

> BREUER : Fliess et Freud savent ce que sont les obligations professionnelles.
> Une malade m'a retenu.
> FLIESS : Ce sont les inconvénients du métier.

Freud se tait : son silence et le visage de bois qu'il oppose aux sourires de Breuer montrent son intention arrêtée de manifester son mécontentement.

> MATHILDE : Eh bien passons vite à table.
> Tout sera brûlé.

Les deux femmes se lèvent. Mathilde est entre Freud et Breuer.

> *(À Breuer :)* Comment se fait-il que tu n'aies jamais parlé à Freud de ta Cecily?

Le visage de Breuer se décompose un peu. Il regarde d'un air timide Freud toujours irrité.
Mathilde les quitte pour prendre le bras de Fliess pendant que la femme de chambre ouvre à deux battants la porte de la salle à manger.

Dans la salle à manger, quelques instants plus tard.

Les convives sont assis autour d'une table ronde dans l'ordre suivant : Mathilde; à la droite de Mathilde, Fliess; à la droite de Fliess, Martha; à la droite de Martha, Breuer qui se trouve ainsi

à côté de Freud. Freud ferme le cercle : il est à la gauche de Mathilde.
Un domestique sert un turbot.

Breuer, très gêné malgré la grande aisance de ses manières,
s'adresse à Fliess impassible mais parle en réalité pour Freud.

> BREUER, *riant :* Vous pensez bien qu'il n'a jamais
> été question pour moi de cacher une de mes
> malades à Freud : nous n'avons pas de secrets l'un
> pour l'autre.

Il se tourne vers Freud et quête une approbation. Freud se tourne
vers le domestique qui lui tend le plat et se sert en évitant de répondre.
Martha regarde Freud avec irritation et gêne. Elle attend une
réponse qui ne vient pas. Rougissant légèrement, elle se tourne à
demi vers Fliess et dit en souriant :

> MARTHA : Pas de secrets! Jamais de secrets. Le
> docteur Breuer est le grand frère de mon mari;
> Mathilde, c'est ma sœur. J'ai donné son nom à ma
> petite fille.

Mathilde écoute avec agacement : elle se tourne à son tour vers
Fliess et dit gaiement :

> MATHILDE : Pas de secrets, non. Sauf un : la
> mystérieuse Cecily. Joseph la soigne depuis un an
> et demi.

Un silence. Freud mange sans lever les yeux. Breuer reprend,
toujours jovial, avec une fausse simplicité :

> BREUER : Cecily n'a rien de mystérieux. C'est un
> cas extraordinaire : voilà tout.

Il se tourne vers Freud.

> Tellement extraordinaire que je ne voulais pas
> vous en parler avant la guérison. J'avais peur de
> me tromper.

Freud, toujours sombre, ne répond pas. Breuer s'adresse à Fliess.

> Que pensez-vous d'une malade qui invente elle-
> même la thérapeutique qui lui convient?
> FLIESS : Il faut qu'elle soit d'une intelligence peu
> commune.
> BREUER, *avec une sorte de fatuité :* Peu commune!
> Oui, peu commune!

Il proclame sa conviction avec un mélange de suffisance naïve et d'admiration.

Je n'ai été que son instrument. Aujourd'hui encore, j'ai peine à y croire. Heureusement, les résultats sont là.

Un temps. Coup d'œil à Freud, qui a cessé de manger et qui regarde droit devant lui.

C'était un cas magnifique d'hystérie. Comme on en voit dans les livres. Contractures des membres inférieurs, anesthésies, parésies, troubles de la vision et de l'audition, névralgies, toux, élocution difficile : elle a tout eu.

FLIESS, *amusé :* Une échappée de la Salpêtrière!

BREUER, *contrarié :* Les femmes de la Salpêtrière savaient à peine lire. Cette jeune fille est de la meilleure société, sa culture est hors de pair et elle a tous les talents.

FLIESS : Quelle thérapeutique a-t-elle inventée?

Breuer s'est animé en parlant : il a oublié Freud; on sent que le sujet le passionne.

BREUER : Elle a tout simplement réinventé l'hypnotisme en l'adaptant à son mal.

Freud sursaute. Il heurte du bout des doigts sa fourchette, qui tinte sur son assiette. Pour la première fois, il se tourne vers Breuer. Ses yeux brillent de fureur.

FREUD : L'hypnotisme? C'est donc vrai?

Breuer le regarde avec stupeur.

Je n'avais pas voulu le croire.

Devant l'étonnement de Breuer, il ajoute, avec un profond mécontentement :

La petite Dora Wassermann m'a raconté que vous hypnotisiez une de vos malades. Je lui ai ri au nez.

Ses mains se mettent à trembler.

Quand je suis revenu de Paris, il y a six ans, avec toutes ces chimères en tête, vous ne m'avez pas

défendu, Breuer, vous avez laissé Meynert m'écraser comme un ver de terre – et vous avez eu raison.

*Les deux femmes l'écoutent, atterrées. Breuer a pâli. Seul Fliess,
amusé, mais sans excès, n'a pas perdu son sang-froid, ni son appétit :
le domestique circule en offrant pour la seconde fois du turbot; tout
le monde refuse d'un geste sec et machinal, sauf Fliess qui se ressert
discrètement mais copieusement. Il écoute tranquillement et boit du
vin blanc. Rien de tout cela ne dénote une mauvaise éducation, mais
simplement une solide indifférence.*

FREUD : Je me trompais! Je me trompais!
Et c'est vous, aujourd'hui, vous que je respecte
comme un père, c'est vous qui donnez dans ces
charlataneries.

BREUER, *doucement :* Écoutez-moi, Freud.

*Freud ne regarde pas Breuer. Sa colère ne l'empêche pas d'être
intimidé. Au contraire, Breuer, devant la violence de Freud, a repris
tout son calme et son sang-froid. Il regarde Freud affectueusement
et sans la moindre irritation.*

FREUD : L'hypnotisme ne guérit pas! Ce n'est pas
une thérapeutique, c'est un numéro de café-
concert! Charcot faisait disparaître les contractures pendant l'hypnose. Et après? Elles reparais-
saient au réveil.

BREUER : Vous avez sans doute raison, Freud. Et
puis, en 1887, je ne croyais pas à l'hypnotisme.
Vous savez bien que je ne crois qu'à l'expérience.

FREUD : Et l'expérience vous a imposé l'usage de
la suggestion?

BREUER : Oui. Mais il ne s'agit pas de traiter
directement les symptômes. Les charlatans sont
ceux qui disent : « Lève-toi et marche » à une hystérique paralysée.

FREUD, *sans rien perdre de son agressivité :* Alors?

BREUER : Quand Cecily est en hypnose, elle parle
de ses maux, elle se rappelle comment les symptômes sont apparus. Et, chaque fois qu'elle peut
retrouver dans sa mémoire les circonstances de
leur apparition...

FLIESS, *très intéressé :* Ils disparaissent?

BREUER : Oui. Aujourd'hui, ils ont presque tous
disparu.

FREUD, *avec une sorte de dégoût effrayé :* Vous la faites parler sur elle-même?

Freud est devenu blême; ses mains tremblent; il parle sans la moindre violence, mais au prix d'un effort considérable.

Alors vous changez sa névrose en psychose : elle mourra dans un cabanon.

Il s'adresse à Fliess et parle d'une voix troublée.

J'ai renoncé depuis sept ans à la méthode du sommeil provoqué. Savez-vous pourquoi? Parce qu'un obsédé en état d'hypnose est allé me raconter qu'il voulait tuer son père. Un père qu'il adorait, bien entendu. Ils disent n'importe quelles folies, les malheureux! Et si ces folies leur restaient enfoncées dans la tête? Si ce pauvre imbécile qui délirait sur son divan... S'il s'était persuadé qu'il avait la vocation du parricide? On remue de la boue pour rien!

Un domestique entre et va vers Breuer.

LE DOMESTIQUE : Il y a dans le vestibule un homme qui demande le docteur Freud. Il dit qu'il l'a cherché partout.

Freud regarde le domestique avec mauvaise humeur.

FREUD : Qu'on me laisse tranquille! *(Un temps.)* De la part de qui?
LE DOMESTIQUE : Plaît-il?
FREUD : Qui l'envoie?
LE DOMESTIQUE : Le professeur Meynert.

Freud se lève brusquement.

FREUD, *péniblement :* Qu'est-ce qu'il veut?
LE DOMESTIQUE : Le professeur Meynert demande à vous voir. Il paraît que c'est urgent.

Tout le monde regarde Freud qui est blafard, le visage contracté, les yeux agrandis. Il reste un instant muet et bouleversé, puis se maîtrise, s'incline devant Mathilde et se force à sourire.

FREUD : Eh bien, chacun son tour, Mathilde. *(Un temps.)* Je vous en prie, finissez le dîner sans m'attendre.

Il sort. Les convives se regardent, inquiets.

Martha semble presque terrorisée. Elle roule une boulette de pain entre ses doigts. Breuer la regarde et lui dit doucement :

> BREUER : Si Meynert doit mourir, c'est mieux qu'ils se revoient.

Martha le regarde.

> MARTHA : C'est mieux ou c'est pire, je ne sais pas. Mais quelque chose doit changer, j'en suis sûre.
>
> MATHILDE : Quoi, ma chérie?

Elle regarde le vide.

> MARTHA : Je me le demande... Peut-être que nous ne serons plus jamais heureux.

[6]

La chambre de Meynert.

Du luxe, un certain mauvais goût allemand de l'époque. Mais de toute façon l'éclairage est trop faible pour qu'on puisse distinguer les meubles.

Une lampe à pétrole posée sur une petite table ronde permet seulement de voir un lit prêt à recevoir le malade et, non loin du lit, un grand fauteuil d'aspect confortable où le malade est assis.

Meynert a beaucoup vieilli : les rides qui lui ravageaient le visage se sont accentuées, sa barbe et ses cheveux sont entièrement gris. Mais son vieillissement frappe moins que sa pâleur cireuse.

Ses mains elles-mêmes sont blanches jusqu'aux ongles. Il est en robe de chambre et — sous la robe de chambre — en chemise de nuit.

Un oreiller derrière la tête, une couverture autour des genoux. Les pieds — d'ailleurs cachés par la couverture — reposent sur un tabouret dont on voit seulement le bas.

Seul le regard de Meynert n'a rien perdu de sa dureté et de sa force. Le malade avait les paupières closes, tout à coup il ouvre les yeux et son regard — plein d'intelligence, mais un peu traqué — fouille la pénombre.

La voix de Meynert est basse, mais c'est qu'il la ménage.

MEYNERT : Freud?

Il n'attend pas de réponse.

... Approchez.

Freud approche.
Il est presque aussi pâle que Meynert et ses yeux sont aussi durs.
Meynert fait un geste faible de la main pour indiquer une chaise.
Freud va s'y asseoir.

Venez plus près de moi : on me défend de parler fort.

Freud porte la chaise près de Meynert.

MEYNERT : Est-ce que vous êtes toujours en quête d'hystériques mâles?

À ce rappel de la conférence de 1887 et de leur brouille, Freud fronce les sourcils et secoue la tête presque imperceptiblement en signe de dénégation. Meynert comprend ce signe.

Dommage. J'aurais pu vous présenter un beau cas.

Freud, stupéfait et méfiant, devine à l'avance la réponse à la question qu'il pose.

FREUD : Qui?

Meynert a retrouvé son sourire amer et ironique. Il dit avec simplicité et presque avec orgueil :

MEYNERT : Moi.

Freud ne répond pas.
Il regarde Meynert : sur son visage l'étonnement se mélange à une compréhension brusque et profonde et — moins nettement — à une sorte de satisfaction.
Meynert poursuit, avec une sorte d'orgueil sombre :

J'ai connu les symptômes avant Charcot; j'étais payé pour cela : je les ai tous eus.

Encore plus orgueilleux :

Tous. Personne n'en a rien su.

Freud parle durement : son ressentiment n'est pas apaisé.

FREUD : Quand vous m'avez chassé de votre laboratoire, vous saviez cela?

MEYNERT : Je le savais depuis vingt ans.

FREUD : Vous m'avez traité de bateleur et de charlatan.

MEYNERT : Vous connaissez l'histoire de Noé : un fils ne doit pas découvrir la nudité de son père.

Il le regarde sans tendresse ni regret. Sur un ton de constatation :

Vous étiez mon fils spirituel.

Freud, sur le même ton, avec une nuance de tristesse en plus :

FREUD : Oui. Et vous m'avez maudit. Vous avez gâché ma vie. J'étais un savant, pas un médecin. La médecine me dégoûte : je n'aime pas torturer les gens sous prétexte qu'ils sont malades.

(Un temps.)

Depuis six ans, je ne fais plus de recherches. Je torture des névrosés que je ne guéris pas.

Meynert a un faible rire.

MEYNERT : Électrothérapie, bains et massage?

FREUD, *amer :* Massage, bains, électrothérapie.

Meynert rit un peu plus fort.

MEYNERT : Autant mettre un cautère sur une jambe de bois.

Dur, les yeux étincelants :

Cela ne sert à rien.

FREUD : Je le sais. Et pourtant je ne prescris rien d'autre.

Meynert, avec un sourire encore plus ironique :

MEYNERT : En tout cas, cela ne peut pas nuire.

FREUD : Même pas.

(Un temps.)

Qui appellerez-vous charlatan? Le jeune homme qui *croyait* sincèrement aux vertus de l'hypnotisme ou l'homme d'aujourd'hui qui prescrit un traitement auquel il ne croit pas?

Meynert a fermé les yeux et ne répond pas.
Freud le regarde avec une inquiétude croissante.
Au bout d'un moment, il se lève sans bruit et veut s'approcher du malade.
Meynert l'entend et parle sans ouvrir les yeux.

> MEYNERT : Rasseyez-vous. Je ne dors pas, je me recueille. Je suis très faible. Il faut que je vous parle. Ne m'interrompez pas.

Il parle d'abord les yeux clos; au bout d'un moment il les ouvrira.

> Les névrosés forment une confrérie. Ils se connaissent rarement mais ils se reconnaissent. À vue d'œil. Une seule règle : le silence. Les gens normaux, voilà nos ennemis.
> J'ai gardé le secret... Toute ma vie – même envers moi-même; j'ai refusé de me connaître.

Il ouvre les yeux et regarde Freud avec intensité.

> Vous êtes de la confrérie, Freud. Ou peu s'en faut... Je vous ai haï, parce que vous vouliez trahir... J'ai eu tort.
> *(Un temps.)*
> Ma vie n'a été qu'une comédie. J'ai perdu mon temps à cacher la vérité. Je me *tenais*.
> Résultat : je meurs dans l'orgueil. Et dans l'ignorance.

Sourire amer.

> *Un savant*, cela doit *savoir*, non? Je ne sais pas qui je suis. Ce n'est pas moi qui ai vécu ma vie : c'est un Autre.

Il ferme de nouveau les yeux. Freud semble bouleversé. Il se penche et pose timidement sa main sur la main pâle du malade, qui repose sur le bras du fauteuil.
Meynert rouvre les yeux. Il a l'air épuisé. Mais pour la première fois depuis le début du film il regarde Freud avec une sorte d'affection.
D'une voix plus rapide et plus faible :

> Brisez le silence. Trahissez-nous. Trouvez le secret. Montrez-le au grand jour même si vous devez livrer le vôtre.

Il faudra fouiller loin et profond. Dans la boue.

À ces derniers mots, Freud retire sa main et esquisse un mouvement de recul.

Vous ne le saviez pas?

FREUD, *lentement :* Dans la boue? Si. Je le sais.

MEYNERT : Cela vous fait peur?

FREUD : Oui. Je... je ne suis pas un ange.

MEYNERT : Tant mieux. Les anges ne comprennent pas les hommes.

Le visage de Freud a changé : il est encore sombre mais ses yeux brillent.

FREUD : Et si je n'étais pas capable...

MEYNERT : Si vous ne l'êtes pas, personne ne le sera.

Un silence. Il élève un peu la voix.

Voilà six ans que vous rongez votre frein... Foncez : c'est dans votre caractère. Ne reculez devant rien. Si les forces vous manquent, faites un pacte avec le Diable.

Plus bas mais avec une conviction ardente :

Ce serait beau de risquer l'Enfer pour que tout le monde puisse vivre à la lumière du ciel.

Il s'est à demi dressé, son oreiller glisse et s'enfonce. Freud se lève et remonte l'oreiller.
Meynert se laisse retomber.

Moi, j'ai perdu, faute de courage. À vous de jouer. Adieu.

Il respire par la bouche. Très léger râle. Air las et douloureux. Ses yeux sont ouverts et fixes. Il répète très bas, comme pour lui-même :

Perdu.

Freud le regarde un moment d'un air inexpressif.
Meynert ne semble même plus conscient de sa présence.
Freud avance la main timidement. Touche du bout des doigts la main pâle du mourant, tourne les talons et sort sans bruit.

[7]

La salle à manger des Breuer.

Les convives attendent le retour de Freud, devant des assiettes vides.
La conversation se poursuit entre Fliess et Mathilde, entrecoupée de longs silences.
Breuer et Martha se taisent : le premier paraît mal à son aise, la seconde semble anxieuse et énervée.

> MATHILDE : Et cette allée au milieu du Tiergarten... comment l'appelez-vous. C'est si beau?
> FLIESS : La Siegesallee.
> MATHILDE : Ah!

Un temps.

> FLIESS : Nous n'avons rien qui vaille votre Ring...
> MATHILDE : Le Ring est beau. Mais j'ai vu les mouettes au-dessus de la Spree...
> FLIESS, *lointain* : Les mouettes. Ah oui... Mais vous avez le Danube...

Un silence. Dix heures sonnent. Martha tressaille.

> MARTHA : Mathilde, dix heures! Je vous en prie, faites servir! *(Se forçant à sourire :)* Nous allons donner au docteur Fliess une bien mauvaise opinion de l'hospitalité viennoise.
> FLIESS : Madame, je vous en prie...

On sonne impérieusement à la porte d'entrée.

> BREUER : Le voilà.
> MATHILDE : Ce n'est pas son coup de sonnette.

Martha se lève brusquement; elle jette — sans changer de place — un coup d'œil à travers la porte vitrée.

> MARTHA, *soulagée, presque joyeuse* : C'est lui! C'est lui!

Tout le monde se tourne vers la porte d'entrée.
Breuer, inquiet, dit à mi-voix, comme pour lui-même :

> BREUER : Je me demande bien ce qu'ils ont pu se dire.

La porte s'ouvre.
Freud entre.
Il a l'air ému, presque épuisé. En même temps, un changement considérable semble s'être opéré en lui; quelque chose s'est épanoui; il paraît presque joyeux.

> MARTHA et BREUER, *presque en même temps :* Comment va-t-il?

Freud s'assied à sa place et prend sa serviette.

> FREUD, *il parle avec une sorte de simplicité presque naïve, comme s'il était par-delà la douleur éprouvée :* Il n'y a plus d'espoir. À mon avis, c'est une question d'heures.

Il regarde les convives sans les voir. Il dit machinalement :

> Vous m'avez attendu?

Fixant son regard sur Fliess, brusquement, avec une sorte d'enthousiasme brûlant et contenu.

> C'est un homme extraordinaire.

Mathilde fait un signe au domestique qui sort, apporte un rôti de bœuf et le présente aux convives pendant la scène qui suit.
Chacun se sert.
Freud regarde dans le vide, à présent, il sourit presque.

> MARTHA, *plus inquiète que curieuse :* Qu'est-ce qu'il t'a dit?

Freud fait un geste pour écarter la question. Il se tait. Le domestique a servi les deux femmes et Fliess, il se penche sur Freud qui ne le voit pas.
Le domestique reste penché, essayant d'attirer l'attention de Freud.
Martha désigne le plat à Freud :

> Sigmund!

Freud revient à lui, regarde le plat d'un air surpris et fait un geste de refus.

FREUD : Ah!... Non. Merci.

Le domestique va servir Breuer. Il y a un instant de silence et puis Freud se tourne brusquement vers Breuer. Il a l'air amical et respectueux.

Breuer, je voudrais voir votre Cecily.

Breuer a l'air gêné et mécontent.
Freud ne semble pas s'en aviser.

À votre prochaine visite, emmenez-moi.

MATHILDE, *ironiquement :* La prochaine visite sera demain matin, n'en doutez pas!

Freud reprend avec passion :

FREUD : Emmenez-moi.

BREUER : Mais vous avez dit...

FREUD : Des sottises. Je vous fais mes excuses.

BREUER : Je ne sais pas si je peux... sans la préparer...

MATHILDE, *riant :* Elle sera ravie. (*À Martha :*) Cette fille ne voit que par ses yeux.

BREUER : C'est un traitement délicat...

MATHILDE, *riant toujours :* Un duo, comprenez-vous? En trio la malade est réfractaire.

BREUER : Très bien!

Breuer jette à Mathilde un regard hostile et agacé.
Il prend rapidement sa décision.

(*Assez sèchement, à Freud :*)

Venez me prendre ici, demain, à dix heures. Je crois pouvoir vous faire assister à la disparition de deux symptômes complémentaires : surdité psychique et strabisme convergent. Je vous promets que vous n'oublierez pas cette expérience.

(*Avec un rire contraint, à Fliess :*) Pendant que nous y sommes, puis-je vous demander de vous joindre à nous? Je ne suis pas tout à fait sûr que la toux de Cecily soit hystérique et j'aimerais que vous lui examiniez la gorge.

FLIESS : Très certainement, je me rendrai libre.

MATHILDE : Et voilà le trio qui devient quatuor. Plus on est de fous, plus on rit. (*À Martha :*) Mais prenez bien garde, Martha : cette femme est redoutable! Il paraît que c'est une enchanteresse.

MARTHA, *tranquillement :* Je ne crains rien.

Freud se met à rire.

MATHILDE : Vous êtes bien confiante : je vous admire.

Freud garde encore l'air égaré qu'il avait en entrant dans la pièce.

FREUD : Elle n'a aucun mérite, Mathilde : qui pourrait être assez fou pour croire que j'attire l'attention des femmes. *(Désignant Martha :)* J'en suis encore à me demander pourquoi celle-ci m'a épousé.

Il se tourne vers Breuer et, tout en parlant, le contemple avec une admiration affectueuse et profonde.

Le voilà, le mari qu'il faut surveiller. Si j'étais vous, Mathilde, je le mettrais sous clé : cet homme est trop majestueux et trop beau pour ne pas voler le cœur de toutes ses clientes.

Tout le monde rit, Mathilde rit plus fort que les autres. Martha pousse un cri.

MARTHA : Qu'est-ce que vous avez?

Elle montre la main gauche de Mathilde qui saigne abondamment : entailles profondes à trois doigts.

MATHILDE, *qui regarde Freud et Breuer en riant :* Moi? Rien.

(Elle baisse les yeux sur sa main et pousse un faible cri, presque un soupir.)

Mathilde est devenue toute blanche.
Elle parle d'une voix toute changée, avec effort.

Que c'est bête! J'ai pris ce couteau par la lame.

Martha se lève aussitôt et vient lui entourer les épaules de son bras.

MARTHA, *tendrement :* Venez, Mathilde, venez vite.

Elle l'entraîne. Les trois hommes se sont levés. Martha fait un geste pour décliner leurs services.

> Non : nous n'avons pas besoin des messieurs, surtout s'ils sont médecins. À tout à l'heure.

Les deux femmes sortent. Mathilde est au bord de l'évanouissement. Martha la soutient.
Quand la porte s'est fermée, Breuer a un petit rire faux.

> BREUER : Eh bien! C'est le dîner des contretemps.

Les deux invités ne lui répondent pas : ils restent debout et tournés vers la porte vitrée.
En voyant la gravité de Freud et ses sourcils froncés, Breuer change de ton; il ajoute sérieusement, en désignant la porte :

> Un peu de neurasthénie : rien de grave. Après dix ans de ménage, il n'est pas bon qu'un couple n'ait pas d'enfants.

[8]

Le lendemain matin, vers neuf heures.

Dans la calèche de Breuer.
Par une belle matinée de juin. La calèche traverse un quartier excentrique — d'abord pauvre, ensuite résidentiel : villas et jardins.
Breuer parle, d'un ton objectif et calme. Visiblement il a fini par prendre son parti de cette visite à trois.
Freud écoute avec la plus grande attention.
Fliess est plus détendu.
Il regarde Breuer de temps à autre, mais on ne sait jamais s'il écoute — et ses terribles yeux flamboyants n'ont jamais l'air de regarder.

> BREUER, *continuant une conversation commencée depuis longtemps :* Les premiers troubles remontent à la mort de son père. Il souffrait du cœur et il est tombé en pleine rue. Elle l'adorait : vous imaginez l'effet de choc. Un traumatisme, au sens le plus littéral.
> FREUD : Qu'a-t-elle eu?

BREUER : Tout, je vous l'ai dit, même des hallucinations horribles. Mais nous avons éliminé les symptômes un à un.

Freud tire son étui de cigares et prend un cigare machinalement.

FREUD : Comment?

Comme Breuer s'apprête à répondre, Fliess s'aperçoit que Freud va fumer.
Il tourne vers lui des yeux terribles. Il semble intéressé pour la première fois.

FLIESS, *impérieusement :* Vous fumez trop.

Freud sursaute; il hésite un instant et finit par répondre aimablement.

FREUD : Vous avez bien raison.
FLIESS, *même ton :* Vous devriez au moins renoncer aux cigares du matin. Ils sont... terribles.

Freud fronce les sourcils, hésite et finit par remettre le cigare dans l'étui et l'étui dans sa poche.
Il agit plutôt par politesse que par soumission véritable. Breuer regarde la scène avec un étonnement amusé.

BREUER, *à Fliess :* Bravo! Voilà six ans que j'essaie de le convaincre et vous réussissez du premier coup.

Fliess se contente de sourire avec un soupçon de fatuité. Freud, légèrement agacé, se tourne vers Breuer.

FREUD : Alors? Cette méthode?
BREUER : Dès les premiers mois de la cure, j'ai constaté qu'elle se mettait dans un état voisin de ceux qu'on provoque par la suggestion. Dans cette... auto-hypnose, des souvenirs lui reviennent, elle raconte tout ce qui peut la servir. Par exemple les événements qui ont accompagné ou provoqué l'apparition d'un symptôme hystérique. Au réveil je lui rappelle ce qu'elle m'a dit et le symptôme disparaît.
FREUD : Il ne revient jamais?
BREUER : Il y en a qui sont revenus mais c'est qu'elle n'avait pas tout dit. Le soir elle est distraite et fatiguée. Il faut beaucoup de patience.

Un silence. Les trois hommes réfléchissent.
La calèche roule sur une large route bordée de villas.
Breuer allume pensivement une cigarette à bout doré.

> Cela m'a donné l'idée de revenir chaque matin
> et de l'hypnotiser moi-même. Je lui demande de
> concentrer sa pensée sur le symptôme dont elle
> s'est occupée et dont elle n'a pas trouvé la raison.
>
> FREUD : Elle parle?
>
> BREUER : Très facilement. Elle se nettoie, elle
> fait la chasse aux mauvais souvenirs tapis dans les
> coins sombres. Savez-vous comment elle appelle
> cela? « Le ramonage de cerveau. »
>
> *(Il rit complaisamment.)*

La calèche entre, par une grille ouverte, dans un parc : pelouses,
bosquets, pièce d'eau; au fond, une jolie villa d'un étage. Un perron
de trois marches accède à la porte d'entrée.

> Nous sommes arrivés.

[9]

Quelques instants plus tard.

Sur le perron, une femme d'une quarantaine d'années, vêtements
sombres, tenue austère, les attend. Elle a dû être fort belle et le
serait encore sans la sévérité et la dureté de sa physionomie.
Breuer apparaît, gravit les marches et lui baise la main.

> BREUER, *présentations :* Le docteur Fliess, un
> laryngologiste éminent qui veut bien examiner
> notre Cecily.

Fliess baise la main de Madame Körtner.

> Le docteur Freud, mon meilleur ami.

Freud s'incline légèrement et serre la main qu'on lui tend.

> MADAME KÖRTNER : Entrez, Messieurs.

Ils entrent dans une grande pièce claire : pas de meubles. Du
goût mais une sorte de puritanisme. Une grande cheminée, des murs

nus, une table ronde, autour de la table de belles chaises anciennes, mais de bois.

Pendant qu'ils entrent, derrière Madame Körtner, elle se retourne vers Breuer qui la suit. (Fliess vient derrière Breuer et Freud ferme la marche.)

       Cecily m'inquiète. Elle est réveillée mais elle prétend qu'elle ne peut pas ouvrir les yeux.

       BREUER, *souriant :* Je lui ai promis de les lui ouvrir moi-même.

Il désigne Fliess.

       Le docteur Fliess aura la bonté d'attendre ici. Nous serions trop de trois au chevet de la malade. Il fera son examen quand je l'aurai vue. Venez Freud.

Ils entrent dans la pièce voisine.

La chambre de Cecily.

C'est celle que nous avons vue la veille au soir. Les volets sont ouverts.

Cette pièce, beaucoup plus petite que le hall qui la précède, est meublée avec un goût charmant (XVIIIe). C'est la chambre d'une jeune fille coquette et sensible. Des miroirs, des coiffeuses, des bergères. Des rayons remplis de livres courent autour de la pièce. Le lit est fait et recouvert de fourrures blanches.

Cecily est habillée. Robe claire. Coiffure très soignée (torsade de cheveux blonds). Elle repose sur un divan, deux coussins sous la tête, une couverture sur les jambes. Elle tricote. Mais ses yeux sont obstinément clos.

En entrant, Breuer dit à voix basse à Freud, avec une sorte d'extase qu'il cherche à peine à voiler :

       BREUER, *voix lente et basse :* Elle est belle.

Freud regarde avec des yeux durs et perçants la jeune malade. Il ne répond pas : visiblement la beauté de Cecily ne l'intéresse pas.

Un très léger sourire flotte sur les lèvres de Cecily, comme si elle avait entendu la phrase, pourtant prononcée très bas et très loin d'elle.

Breuer fait signe à Freud de demeurer où il est et s'approche de Cecily. Le sourire de celle-ci s'accentue.

CECILY, *gaiement* : Bonjour Docteur.
BREUER : Vous m'avez entendu?
CECILY : J'ai reconnu le bruit de vos pas.

Breuer est au chevet de la malade. Il lui parle, d'un bout à l'autre de la scène, avec une voix tendre, passionnée mais contenue. Il fera preuve d'une extrême douceur comme s'il était profondément sensible à la fragilité de la jeune fille.
Désignant ses yeux du bout de l'index, Cecily ajoute :

> Ma pauvre maman a voulu m'habiller mais vous voyez : j'ai tenu parole.
> Il faut tenir la vôtre, à présent.

Avec une emphase un peu moqueuse :

> Docteur Joseph Breuer, rendez-moi la lumière.

Breuer se penche. Il met les pouces sur les yeux de Cecily. Elle ouvre les paupières. Ses yeux — comme nous l'avons vu la veille — sont atteints de strabisme convergent.
Elle se redresse un peu, prend la main de Breuer, la retient dans ses deux mains et l'approche de ses yeux.

> BREUER : Que faites-vous?
> CECILY : Je veux voir votre main. Je ne vois plus que de tout près. C'est une grosse, grosse main.

Comme dans un cri étouffé.

> Énorme!

Elle la repousse et la rejette loin d'elle. Quinte de toux. Breuer lui pose la main sur la tête et la quinte s'arrête.
D'une voix encore étranglée par la toux :

> Il faut me guérir les yeux.
> BREUER : N'ayez pas peur, Cecily. Nous allons essayer. Aujourd'hui même.
> CECILY : On me ramonera le cerveau?
> BREUER : Bien sûr.
> CECILY : Va pour le ramonage!

Breuer fait signe à Freud d'approcher. Celui-ci s'avance à pas lourds — nous sentons qu'il fait du bruit intentionnellement. Malgré ce bruit de pas, Cecily semble ignorer sa présence.
Il s'incline. Breuer lui fait signe de parler.

> FREUD : Mes hommages, Mademoiselle.

Cecily ne répond pas.

Je suis médecin, moi aussi. Mon grand ami, le docteur Breuer, a bien voulu me permettre de l'accompagner.

Elle dépose son tricot sur un guéridon voisin du canapé mais avec la plus grande peine : son strabisme convergent l'empêche de localiser exactement les objets. La main tâtonne dans le vide, touche le guéridon et lâche le tricot qui tombe sur le plancher.
Breuer se précipite, ramasse le tricot et le repose sur le guéridon. Il prend la main de Cecily qui tâtonne dans le vide et la repose sur le divan.

CECILY, *ravie :* Vous avez ramassé mon tricot!

Cecily – continuant d'ignorer Freud – sourit à Breuer sans le voir.

Que vous êtes gentil. Merci.

Freud, guetteur et attentif, regarde Breuer autant que Cecily. Ses yeux vont de l'une à l'autre, comme s'il découvrait un lien étrange et profond entre eux.

BREUER : Cecily, vous n'avez pas dit bonjour au docteur Freud.
CECILY : Il y a quelqu'un ici?
BREUER : Oui : un de mes amis que j'ai voulu vous présenter.
CECILY, *contrariée :* Ah!
(Un temps.)
Comment l'appelez-vous?
FREUD, *voix haute et distincte :* Sigmund Freud.

Le visage de Cecily reste inexpressif, elle attend une réponse.

BREUER, *d'une voix presque basse :* Le docteur Sigmund Freud.
CECILY, *répétant docilement :* Le docteur Sigmund Freud.

Sans beaucoup d'aménité :

Excusez-moi, docteur Freud, je suis sourde et presque aveugle. *(Vite et sèchement :)* Je ne vois pas en quoi je puis vous intéresser.

BREUER, *avec chaleur :* Cecily! Vous n'êtes pas sourde puisque vous m'entendez.

CECILY, *haussant les épaules :* Bien sûr que je vous entends. Et j'entends aussi ma pauvre maman.

Un temps. Avec un sourire qui s'adresse à elle-même.

Ce n'est pas la même chose.

Breuer sourit aussi, avec une satisfaction à peine voilée. Il se penche sur elle et lui met l'index entre les yeux.

BREUER : Regardez mon doigt.
CECILY : Je ne vois que lui.
BREUER : Vous allez dormir.

Freud va chercher deux chaises et les approche du divan. Il s'assied sur l'une d'elles et regarde Breuer, de bas en haut. Breuer parle en amoureux plus qu'en médecin. Il tempère son autorité par de la tendresse. Cecily s'agite un peu.

Dormez, je vous en prie.

Elle a du mal à s'endormir.

CECILY : Vous n'êtes pas seul. Cela me gêne.
BREUER : Ne vous souciez de rien, Cecily. Dormez.

Elle s'agite encore un peu. Il insiste. Impérieux comme un homme qui se sait aimé :

Faites-le *pour moi.*
CECILY : Pour vous?

Elle ferme les yeux et sourit.
Freud a froncé les sourcils. Ce contact trop intime du praticien et de sa patiente lui déplaît visiblement mais sans diminuer l'intérêt passionné qu'il porte à l'expérience.
Déjà Cecily est endormie, les yeux clos. Elle respire paisiblement.

Dans la grande pièce voisine.

Fliess est assis à la table sur une chaise de bois. De l'autre côté de la table, Madame Körtner est assise également.
Ils sont, l'un et l'autre, raides, muets, presque hostiles. L'un et l'autre ont des traits durs, de beaux masques et des yeux terribles.

Fliess semble agacé par l'attente. Il tambourine de la main gauche sur la table. Une horloge sonne. Ils sursautent et se retournent : il est dix heures du matin.

Dans la chambre de Cecily. Breuer a tiré sa montre et regarde l'heure. Entre ses dents :

BREUER : Il est temps.

Il se penche vers Cecily.

Cecily!
Ouvrez les yeux.

Elle ouvre les yeux. Un silence. Puis il l'interroge :

Les troubles de la vue, quand sont-ils apparus?
CECILY : Je ne sais pas.

Elle parle d'une voix plus rauque. Sans gestes et sans jeux de physionomie.

Il y a très longtemps. Cela va et cela vient.
BREUER : Et la surdité?
CECILY : C'est pareil. Quand je vois mal, j'entends mal.
BREUER : Il y a eu tout de même un commencement.
CECILY : Oui.
BREUER : Quand?

Il s'est penché sur elle et il attend.

CECILY : Donnez-moi la main. Pour m'aider.

Breuer lui prend la main.

Un jour, je me suis réveillée : j'étais sourde et à moitié aveugle.
BREUER : Et que s'était-il passé?
CECILY : Quand?
BREUER : Tout de suite avant.
CECILY : Rien. Je dormais.

Elle fait un effort. Elle retrouve un souvenir.

Ah! J'avais pris des soporifiques.
BREUER : Pourquoi?

Elle semble étonnée de la question.

CECILY : Eh bien, parce que je ne pouvais pas dormir.

BREUER : Qu'est-ce qui vous en empêchait?

CECILY : Vous dormiriez, vous, la veille de l'enterrement de votre père?

BREUER : Donc, les troubles sont apparus le jour de l'enterrement.

Un bref silence. Cecily semble stupéfaite.

CECILY : Tiens!... Oui.

BREUER : Avez-vous été à l'église?

CECILY : Non.

BREUER : Et au cimetière?

CECILY : Je ne pouvais pas.

BREUER : Vous aviez envie d'y aller?

CECILY, *impatientée :* Je vous ai dit que c'était mon père qu'on enterrait!

BREUER : Mais vous n'y avez pas été.

CECILY : C'est parce que j'en étais empêchée.

BREUER : Par quoi?

CECILY : Par... Par... *(D'un ton désespéré :)* Je ne voyais plus rien.

BREUER : Que s'était-il passé la veille?

CECILY : Rien. C'était un mardi. Je suis restée près du cercueil.

BREUER : Et le lundi?

CECILY : C'est le jour où l'on a rapporté son corps.

BREUER, *étonné :* Le lundi? Vous devez vous tromper, Cecily : on n'enterre pas les gens si vite.

CECILY, *obstinée :* Le lundi, on nous a rapporté son corps.

BREUER : Mon enfant, je vous en prie, rappelez vos souvenirs. Le lundi, votre père est frappé d'une attaque en pleine rue et l'on ramène son corps; le mardi il est déjà mis en bière et le mercredi on l'enterre.

Cecily pleure calmement. Des larmes roulent sur ses joues. Breuer semble profondément ému.

Répondez, Cecily. Ne pleurez pas.

Avec une nervosité visible :

Ne pleurez pas. Ne pleurez pas.

Une larme est restée sur la joue de Cecily. Breuer avance la main et essuie la larme, du bout de son index.

Freud regarde Breuer avec malaise puis détourne les yeux très vite et revient à Cecily.

Celle-ci se détend un peu en sentant la caresse légère du doigt de Breuer sur sa joue. Elle dit, brusquement mais sans intonation :

CECILY : Il n'est pas mort le lundi.

Il a eu son attaque dans la nuit du samedi au dimanche.

BREUER, *stupéfait :* Quoi?

Coup d'œil significatif de Breuer à Freud.

Vous ne m'aviez jamais dit cela.

Les mains de Cecily recommencent à s'agiter. Elle ferme les yeux.

CECILY : Je ne me rappelais plus.

Breuer lui prend une main dans la sienne et la serre en l'interrogeant.

BREUER : Qu'est-il arrivé du samedi au lundi? Qu'a-t-on fait du corps?

CECILY : On l'a gardé.

BREUER : Où?

CECILY : À... à... l'hôpital.

BREUER : À l'hôpital? Pourquoi?

Elle ne répond pas. Freud s'est penché : il la regarde avidement.

CECILY : Parce que ma mère n'était pas à Vienne.

BREUER : Où était-elle?

CECILY : À Graz. Chez son frère.

BREUER : Et vous?

CECILY : À la maison. Toute seule.

On ne voit que sa tête et l'oreiller. Elle répète :

Toute seule.

Elle ouvre les yeux, elle se lève. C'est la même chambre, mais les rideaux sont tirés. Une lampe de chevet est allumée.

[10]

*Freud et Breuer ont disparu, les chaises qu'ils occupaient se
retrouvent à leur place ordinaire. Cecily que nous découvrons tout
entière à présent a des yeux normaux, le strabisme convergent a
totalement disparu. Elle est en chemise de nuit. Elle prend une robe
de chambre à la hâte, la revêt, noue la ceinture, chausse des mules
et prend la lampe.*

>VOIX OFF DE CECILY : Il était plus de minuit. J'ai
>cru qu'ils allaient défoncer la porte.

*Toute la scène est tournée avec un parfait réalisme (exactement
comme les scènes précédentes). Simplement nous n'entendons que les
voix off de Cecily et de Breuer. Pas un bruit.*
Elle va à la porte de sa chambre, l'ouvre, passe dans le hall
et s'approche de la porte d'entrée. Elle a l'air d'écouter.

>BREUER, *voix off :* Qui?

*Sur le perron. Clair de lune. Deux agents de police frappent
contre les volets.*
*Nous voyons, à présent, de l'autre côté de la porte Cecily qui se
hâte d'ouvrir les verrous, la porte, puis les volets.*

>CECILY : Comment?
>BREUER : Qui est-ce qui frappait?
>CECILY, *voix off :* Des médecins.

*Ces volets, en s'ouvrant, nous montrent deux messieurs — man-
teaux à pelisses, barbes de fleuve — qui s'inclinent avec une exquise
politesse, en tenant leurs hauts-de-forme à la main.*

>CECILY, *voix off :* Ils venaient me prévenir.

*Cecily les écoute parler (leurs bouches remuent mais pas un son
ne sort de leurs lèvres); ses yeux s'agrandissent, elle met une main
devant sa bouche et chancelle.*
*Ils se précipitent pour la retenir et la conduisent doucement vers
un coupé à deux chevaux, découvert. Toute cette scène est jouée sans
aucune exagération de la part des acteurs, mais elle doit paraître
très légèrement conventionnelle et surannée.*
Elle s'installe sur la banquette arrière, les deux médecins sur la

banquette avant, leurs hauts-de-forme sur les genoux. Le cocher fouette les deux chevaux qui partent à grande vitesse.

Ici encore, rien ne doit sembler faux, *à proprement parler, mais, dans le réalisme même de la scène, quelque chose doit sembler insolite* (unheimlich) : *le fait, par exemple, de voir cette belle jeune fille blonde, aux cheveux défaits, assise en robe de chambre et en chemise de nuit en face de ces deux barbus.*

Le fait, aussi, que les chevaux ont pris le départ très vite (ce qui, en un sens, est normal — puisqu'il s'agit d'un cas d'urgence — mais, en même temps, peut choquer, en donnant plutôt l'impression d'un départ pour une course en break).

Cecily, renversée en arrière, silencieuse, est belle, pâle et tragique.

FREUD, *voix off :* Des médecins?

L'image explose littéralement et nous revenons dans la chambre. Freud parle :

D'ordinaire, on envoie des hommes de charge ou des infirmiers.

Cecily, les yeux ouverts, ne semble même pas l'entendre.
Breuer lâche la main de Cecily et d'un geste brusque et presque violent — qui contraste avec sa conduite ordinaire — impose silence à Freud. Celui-ci, intimidé, n'insiste pas.
Breuer reprend la main de Cecily.

BREUER, *avec douceur :* Continuez, mon enfant, continuez.
CECILY : Nous sommes arrivés à l'hôpital après minuit.

Un couloir. Sur les murs, des fresques représentant des scènes de la mythologie : Vénus sortant des ondes (imitée du tableau de Botticelli), Danaé et la pluie d'or (imitée du Titien), le Printemps (Botticelli). À droite et à gauche, des statues de plâtre (femmes demi-nues soutenant le plafond).

Des portes (petites mais somptueuses, beau chêne travaillé, poignées de cuivre). Au-dessus de chaque porte un écriteau : Salle d'Ophtalmologie, Salle de Neurologie, etc., etc.

Aucun bruit sauf celui d'un orchestre jouant une valse viennoise.

CECILY : On jouait de la musique aux malades.

Cecily, entre les deux docteurs qui ont remis leurs hauts-de-forme sur leur tête, marche dans le couloir à pas pressés.

Je me rappelle!
Il y avait un trou dans le tapis, j'ai failli tomber.

On s'aperçoit que le sol est tapissé de rouge. Le tapis est sale et troué par endroits. La mule droite de Cecily s'accroche à l'étoffe éraillée qui borde un trou. Elle fait un faux pas, son pied nu sort de la mule. Elle reprend son équilibre. Un médecin s'agenouille, et lui tend sa mule. La musique s'enfle et devient canaille.

Je ne pouvais pas la supporter!
VOIX OFF DE BREUER : Quoi?
CECILY : La musique.
(Sèche) : On ne joue pas des valses quand il y a des morts.

Une porte s'ouvre brusquement sur sa droite.
Les deux médecins se mettent à droite et à gauche de la porte et lui montrent le passage en s'inclinant. Elle entre dans une petite pièce aux murs tendus de soie.
Une fresque au plafond (bas) représentant les prophétesses de Michel-Ange (Sixtine). Leurs figures sont réunies autour d'un lustre (éclairage au gaz, verroterie). La musique s'enfle. Aux quatre coins de la pièce, une statue gréco-romaine décapitée.

CECILY : Nous sommes entrés. C'était une chambre particulière. Des statues partout. Les infirmières grelottaient, elles avaient la chair de poule.

On découvre, autour d'un lit dont elles cachent l'occupant, des femmes vêtues de chemises courtes sur lesquelles elles ont jeté à la hâte des blouses d'infirmières qu'elles n'ont pas même pris soin de boutonner. Elles sont très fardées mais avec des visages durs et austères et les cheveux tirés en arrière.

BREUER, *étonné :* La chair de poule? Pourquoi?
CECILY : Il était tard, on avait dû les tirer du lit comme moi. Elles étaient en chemise sous leurs blouses.

Une des infirmières se retourne et va vers Cecily.

C'est idiot.

Elle est en chemise. Elle vient vers Cecily et lui montre le lit.

CECILY : C'est idiot. J'en vois une qui ne portait pas de blouse du tout.

Sur Cecily qui regarde l'infirmière (invisible) avec stupeur.

Je dois me tromper de souvenir.

L'infirmière réapparaît, vêtue d'une blouse entièrement bouton-
née. Visage austère et non fardé, coiffe d'infirmière.
Elle a pris Cecily par la main et l'entraîne vers le lit.

VOIX OFF DE CECILY, *toute changée, un peu canaille :*
Allons, les mignonnes, du balai!
BREUER, *stupéfait :* Quoi?
CECILY : C'était ce qu'elle disait.

Les femmes s'écartent du lit. C'est un lit de fer.
Comme ceux que nous avons vus dans la salle de neurologie au
cours de la première partie.
Un homme dont nous ne voyons d'abord que les pieds et le bas
du pantalon. Le regard remonte le long de ses jambes. Il est en
habit, avec des décorations. On ne voit pas sa tête.

J'ai vu mon père sur un lit d'hôpital. Abandonné
de tous.
Comme un chien.
(Calmement :)
Il avait une tête de mort.

On ne voit toujours pas sa tête.

BREUER : Une tête de mort?
CECILY : Oui. Comme les squelettes. Cela devait
être un masque. On en met aux morts, n'est-ce
pas, dans les hôpitaux?
BREUER : Cela devait vous être pénible.
CECILY, *toujours calme :* Très pénible.

Cecily s'agenouille en larmes au chevet du cadavre. Elle prend
la main du cadavre et la presse contre son visage.

CECILY, *avec sérénité :* Pour ne plus la voir, je me
suis jetée sur sa main.
Brusquement passionnée :
Je ne voyais que ses doigts, ses grands doigts que
j'aimais.

Elle la couvre de baisers. Elle regarde le pouce de cette main
passionnément, et de tout près.
Nous voyons son visage de face et de près. Elle regarde ce doigt

et ses yeux, en convergeant vers le pouce qu'elle presse contre ses lèvres et son nez, reproduisent le strabisme antécédent.

[11]

Dans la chambre.

Cecily étendue sur le lit (strabisme convergent des yeux). Freud et Breuer. Coup d'œil éloquent de Breuer à Freud qui signifie : « Nous y sommes. »

> BREUER : Les jours suivants, vous avez revu la tête de mort.
>
> CECILY : Oui. Quand je veillais auprès du cercueil. Et le matin de l'enterrement quand je me suis réveillée.
>
> BREUER : Et chaque fois que vous le voyiez, vous repensiez à la main de votre père et vous vous imaginiez que vous la regardiez de tout près.

Cecily a refermé les yeux.

> CECILY : Oui. Je me rappelle... Le jour de l'enterrement, je me suis réveillée en sursaut. J'ai vu la tête de mort. Juste au-dessus de moi. Et tout aussitôt, je me suis mise à loucher. Et je n'ai plus rien vu que de tout près.
>
> BREUER, *doucement :* Et voilà tout, Cecily, voilà tout. Le ramonage de cerveau est fini. Comme vous avez vu la tête de mort à une certaine distance, vous vous êtes mise à loucher des deux yeux, comme lorsqu'on regarde de tout près.
>
> CECILY : Oui. Pour me défendre.
>
> BREUER, *tendrement :* C'est fini, Cecily. C'est fini. Vous allez ouvrir les yeux et retrouver votre beau regard d'autrefois.

Elle s'agite.

> Ouvrez les yeux : vous ne loucherez plus jamais.

Cecily ouvre les yeux. Le strabisme convergent demeure inchangé.

Avec dépit mais presque en chuchotant :

Ah!

Il fait un geste d'énervement et se tourne vers Freud, à la fois confus et un peu agressif.
Comme quelqu'un qui vient de manquer un tour de passe-passe.

BREUER, *voix chuchotante :* Il faut beaucoup de patience.
La réussite n'est pas automatique.

Freud ne répond pas.
Il semble perplexe et plongé dans ses réflexions.

Je vais la réveiller.

Freud sursaute.

FREUD : Permettez-moi de lui poser quelques questions.
BREUER, *de mauvaise grâce :* Vous ne tirerez plus rien d'elle. Et puis ces séances sont fatigantes. Il ne faut pas abuser.

Il se tourne vers Freud, qui semble vraiment passionné. Breuer le regarde un instant et semble comprendre l'importance que Freud attache à cet interrogatoire.
Avec un geste maussade et résigné :

Bon! Soyez bref.

Freud, sans quitter sa chaise, se penche sur la malade.

FREUD, *penché vers la malade, d'une voix que la timidité étrangle :* Cecily!

Elle ne paraît pas l'entendre. Plus fort :

Cecily!

Un temps. Il se rejette en arrière sur sa chaise avec une sorte de dépit.
Breuer sourit avec une satisfaction voilée.

BREUER : Elle n'entend que moi, je vous l'ai dit.

Freud reprend espoir et tourne vers Breuer des yeux enflammés.

FREUD : Demandez-lui de m'écouter. Et de me répondre.
BREUER, *reprenant son autorité :* Freud, vous n'avez

jamais pratiqué cette méthode et vous ne connaissez pas la malade... Nous risquons gros.

Un silence.

FREUD, *impatienté :* Je serai prudent.
BREUER : Dites-moi vos questions, je les poserai
moi-même.
FREUD : Je vous en prie, laissez-moi faire. Je
voudrais un contact direct.

Breuer se penche vers Cecily. Insinuant et autoritaire, à la fois :

BREUER : Cecily, mon ami le docteur Freud va
vous interroger.
CECILY : Vous savez que je ne l'entendrai pas.
BREUER, *pressant :* Vous l'entendrez, Cecily. Je
vous demande de l'entendre. Et vous lui répon-
drez.
CECILY : Bien.

Breuer se rejette en arrière et invite Freud à commencer.
Freud se penche en avant.
Breuer contemple la scène avec une sorte de malveillance. On sent
qu'il surveille Freud, prêt à intervenir à la moindre bévue.

FREUD : Cecily, racontez-moi de nouveau cette
nuit du samedi au dimanche. Rappelez vos souvenirs.
On a frappé et vous êtes allée ouvrir.

On revoit Cecily en robe de chambre devant la porte d'entrée
verrouillée.
Cecily déverrouille la porte et se dispose à ouvrir les volets comme
nous l'avons vu faire plus haut.

VOIX OFF DE FREUD : Vous avez ouvert, et qu'a-
vez-vous vu?

Mais au moment où elle va repousser les volets, et, par conséquent,
voir ses visiteurs, la voix de Freud l'immobilise :

Pas des médecins, Cecily! Sûrement pas des
médecins! Les médecins de service ne quittent pas
l'hôpital un seul instant.
Alors, qui?
Brusquement :

Est-ce que ce n'était pas des agents?

D'un mouvement brusque Cecily ouvre les volets : les deux agents de police que nous avons entrevus se tiennent devant la porte.
Ils ont l'air mal à l'aise, mais grossiers et sans aucune politesse.

Répondez, Cecily! Répondez!

Ils parlent avec une brutalité qui essaie de se faire courtoise.
Cecily les écoute, pâle d'inquiétude et de chagrin.
Elle se détourne et s'en va, laissant la porte-fenêtre ouverte.

VOIX OFF DE CECILY : Je ne sais pas. Je ne me rappelle pas.

Les agents restent sur le perron.

FREUD, *voix off :* Des médecins vous auraient laissé le temps de vous habiller.

Cecily revient en tailleur, entièrement vêtue mais sans chapeau.
Elle regarde les agents avec une colère indignée et sort; ils la suivent.

VOIX OFF DE CECILY : Je... je me suis habillée.
FREUD : Une calèche vous attendait?
CECILY : Oui. À deux chevaux.
FREUD : Il n'y a pas dans tout Vienne un médecin qui ait une calèche à deux chevaux.

Une voiture attend dans le jardin. Mais c'est un vulgaire « panier à salade ». À deux chevaux, bien entendu.
Avant d'y entrer, Cecily a un mouvement de recul et puis elle y entre, fièrement suivie des deux agents de police.

VOIX OFF DE CECILY : Mon Dieu (*elle soupire de détresse*).

On revient dans la chambre.
Breuer pose la main sur l'épaule de Freud et le tire en arrière.

BREUER : Vous la fatiguez! Vous n'allez pas, pour quelques contradictions de détail...
FREUD, *indigné :* De détail!
BREUER, *péremptoire :* Il lui arrive de se contredire. C'est sans importance. Je la connais mieux que vous.

Il regarde Freud avec la colère jalouse d'un amoureux.
Freud, intimidé, se tait bien à contrecœur. Breuer se penche sur Cecily pour la réveiller.

Cecily!

Cecily, brusquement, se débat, ses mains tremblent, son visage se contracte.

> CECILY, *furieuse :* Laissez-moi! Laissez-moi! Vous m'avez outragée!

Coup d'œil furieux de Breuer à Freud.
« Vous voyez ce que vous avez fait! »
Freud penché lui aussi sur la malade n'y prend même pas garde.
Mais Cecily continue et Breuer, stupéfait, renonce à la réveiller.

> Mon père était mort et vous m'avez fait monter comme une voleuse dans une voiture de police.
> Vous mentez! Mon père est un soutien de l'Empire, un homme de la plus haute moralité; l'Empereur l'a félicité!

Une rue sombre.

Une maison – volets hermétiquement clos. Lanterne rouge au-dessus de la porte.
La porte est ouverte. Sur le trottoir, deux policiers montent la garde.
Le panier à salade s'arrête devant la porte, Cecily en sort, droite et fière, les yeux étincelants.

> CECILY : Il a été frappé dans la rue, en pleine activité, c'est le surmenage qui l'a tué! Le surmenage.
> Je vais à l'hôpital reconnaître la dépouille de mon père. C'est l'hôpital, je vous dis que c'est l'hôpital.

Elle entre. C'est un bordel. À droite une grande porte donne sur une pièce spacieuse et vide : le salon du bordel.
Au milieu, divan circulaire. Des glaces à tous les murs; un violoniste et un pianiste debout sur une estrade, au fond de la salle, jouent en sourdine une valse viennoise.
Des agents de police, assis à une table, boivent le cognac de la maison en les écoutant.
Les agents de police lui indiquent le chemin : elle monte un escalier et suit un couloir.

Escalier et couloir sont tapissés avec l'étoffe qui tapissait, dans le premier récit, le couloir de l'hôpital.

FREUD, *voix off* : De la musique dans un hôpital? De la musique après minuit?

Mais le tapis est beaucoup plus sale. Des trous, des taches, des plis.

CECILY : Ils en jouaient dans le salon du rez-de-chaussée. Pour insulter mon père.

Les murs sont couverts de peintures grossièrement exécutées qui représentent des femmes nues.

Il y a des portes, à droite et à gauche. Avec des pancartes, comme dans le premier récit. Mais sur ces pancartes on a écrit des noms : Lily – Daisy – Concha – Francette (un nom sur chaque porte).

Tout est silencieux, mais on entend la valse viennoise que jouent tant bien que mal (et plutôt mal que bien) le piano désaccordé et le crincrin qu'il accompagne.

Tout à coup, Cecily qui marche droit et semble ne rien voir passe devant une porte ouverte.

Sur le pas de la porte, une femme blonde qui lui ressemble se tient immobile. Elle porte la chemise et la robe de chambre que Cecily portait dans le premier récit.

Quand Cecily passe devant elle, la femme fait une grimace qui découvre une bouche édentée.

VOIX OFF DE FREUD : Parlez-moi des infirmières.

Cecily trébuche (comme dans le premier récit) mais c'est de saisissement. Un peu plus loin, les policiers qui l'accompagnent la font entrer dans une petite pièce basse de plafond (la chambre d'une des prostituées).

VOIX OFF DE CECILY, *violente :* C'était des putains.
VOIX OFF DE BREUER : Cecily!

L'image éclate. Nous nous retrouvons dans la chambre de Cecily avec Breuer et Freud.
Breuer a l'air bouleversé.

BREUER : Cecily! Mon enfant! Mon... mon enfant! Vous ne pouvez pas...

Cette fois, c'est Freud qui lui met la main sur l'épaule pour lui imposer silence.

Freud a l'air timide et implorant. Breuer, pâle et nerveux, se rejette en arrière.

CECILY : Elles étaient six au pied de son lit avec des policiers.

Brusquement nous nous retrouvons dans la chambre de la prostituée.

Je les ai haïes.

Des femmes autour du lit. Ce sont celles que nous avons vues en infirmières dans le premier récit.

Elles ont toutes des robes de chambre semblables à celle de Cecily, qu'elles ont enfilées sur des chemises pareilles à celle qu'elle portait dans le premier récit. Sauf une, la sixième, qui est simplement en chemise transparente avec les bras nus.

Elles regardent Cecily sans prononcer un mot, mais d'un air agressif et mauvais. Cecily les regarde : défi méprisant. Tout d'un coup elle découvre la fille en chemise de nuit.

CECILY : J'ai vu celle qui l'avait tué.

La fille — une grosse brune rebondie, avec une énorme poitrine, de gros bras fermes qui sortent nus de sa chemise — est la preuve vivante des goûts un peu vulgaires de Monsieur Körtner. Elle doit, habituellement, être insouciante et gaie.

En ce moment, elle est fort ennuyée. Un agent et un policier en civil se tiennent à ses côtés.

FREUD, *voix off* : Comment l'a-t-elle tué?

Elle évite le regard de Cecily. Mais celle-ci la mange des yeux, avec une sorte de fascination désespérée.

VOIX DE CECILY, *off* : Comment? Comment? Est-ce que je sais comment font ces femmes?

(Sur un ton étrange — presque de jalousie :)

Il est mort dans ses bras.

Le policier en civil s'avance. Les femmes s'écartent. Nous découvrons le cadavre sur le lit, jusqu'à mi-corps. Il est nu. On a jeté une couverture sur son ventre qui cache tout juste son sexe.

Sur fond de musique viennoise le policier parle et nous entendons sa voix.

LE POLICIER, *voix forte* : Mademoiselle Körtner, est-ce que vous reconnaissez votre père?

Cecily, très pâle, s'approche du lit. Elle n'ose pas regarder le visage de son père. Un silence.

Puis elle se contraint à lui jeter un coup d'œil et nous découvrons avec elle le visage d'un homme d'une cinquantaine d'années, qui a dû être beau (moustache et barbe blonde avec des touffes de poils grisonnants) mais qui est défiguré par une grimace figée, presque obscène.

La bouche est entrouverte, tordue vers le bas, on voit deux dents d'or. Sur le visage et sur le front chauve des traces de rouge à lèvres, très visibles, donnent à cette tête, encore congestionnée, un aspect ridicule et sinistre.

Cecily paraît au bord de la crise de nerfs.

VOIX OFF DE CECILY : Je l'ai reconnu! Je l'ai reconnu! Il y avait du rouge à lèvres sur ses joues...

Elle s'effondre tout à coup, tombe à genoux, prend la main de son père, l'embrasse, regarde son pouce de tout près et se met à loucher comme dans la première scène.

J'ai pris sa main, sa grande main que j'aimais, je n'ai vu qu'elle, je ne me suis rappelé qu'elle. Il me prenait dans ses fortes mains et me soulevait de terre.

Elle sanglote, la tête courbée sur la main de son père.

Ses mains...
Ses mains...

Elle est toujours penchée sur la main inerte.

VOIX OFF DE BREUER : En voilà assez! Cecily! Réveillez-vous! Réveillez-vous!

(La voix s'enfle :)

Réveillez-vous, je le veux!

La vision explose. Nous nous retrouvons dans la chambre.
Freud et Breuer sont au chevet de Cecily épuisée, les yeux clos, qui s'abandonne.

CECILY, *voix naturelle :* Je suis réveillée, Docteur. Mais quelle fatigue! Qu'est-ce que j'ai donc raconté?

Breuer a une légère hésitation puis, presque honteux, évitant le regard de Freud :

BREUER : Rien.

Freud semble ivre de rage.

> FREUD : Cecily!
> CECILY : Oui.

Breuer semble furieux et terrorisé mais résigné à l'inévitable.

> FREUD : Vous m'entendez, à présent?
> CECILY, *amusée mais sans surprise :* Tiens! Oui.
> FREUD : Vous nous avez dit que votre père était mort chez les filles.

Cecily se redresse violemment. Elle ouvre les yeux : les yeux sont normaux.

> CECILY, *avec violence :* Allez-vous-en!
> FREUD : Vous me voyez, Cecily.

Cecily le regarde en face.

> CECILY, *froide et dure :* Oui. Et je vous entends. Sortez.

Freud ne semble pas très ému. Il se lève et va pour sortir en lui disant très doucement :

> FREUD : Vous êtes guérie, Cecily.
> CECILY, *avec une sorte de fureur :* Guérie! Ha! ha! ha! Guérie!

Une quinte de toux la secoue brutalement; elle se plie en avant sur la chaise longue.

Breuer — qui regarde la scène debout (il s'est levé lui aussi) en serrant dans ses fortes mains le dossier de la chaise sur laquelle il était assis — se tourne vers Freud et lui dit avec une autorité pleine de mauvaise foi :

> BREUER : Je crois qu'il vaut mieux vous retirer. Je vais tâcher d'arranger cela.

Il semble vouloir condamner Freud pour son intervention et en même temps lui cacher par politesse cette condamnation.

> (Toux off de Cecily.)
> FREUD, *un peu sec :* Qu'y a-t-il à arranger? Le symptôme a disparu.
> BREUER, *indigné :* Et cette toux, vous l'entendez?

(Un temps.)

Je vous en prie, laissez-nous.

Freud, blessé, incline la tête et gagne la porte. Pendant qu'il sort, il peut encore entendre les chuchotements tendres de Breuer.

VOIX OFF DE BREUER : Cecily! Je vous en prie, calmez-vous!

En refermant la porte sur lui, Freud voit, de loin, Breuer penché sur Cecily qui tousse encore. Il lui a posé une main sur le front; on sent que Cecily, sous cette douce pression, se détend un peu.

Freud se retrouve dans le hall : la mère et Fliess sont toujours face à face; Fliess tambourine sur la table.

Il s'assied à côté de Fliess qui le regarde avec soulagement. Ils échangent un sourire d'entente.

FREUD : Ce sera bientôt votre tour.

Fliess se baisse, prend sa trousse de laryngologiste (une petite mallette de cuir noir) et veut la poser sur la table. La mère de Cecily le retient d'un geste péremptoire.

MADAME KÖRTNER : Permettez!

Il y avait, sur la table, posé devant Madame Körtner, un petit napperon de forme ronde. Elle le fait glisser vers Fliess qui comprend et pose sa mallette sur la petite nappe.

La porte de la chambre s'ouvre en coup de vent et Breuer sort, contrarié, agité. Il se tourne vers Madame Körtner et lui parle avec beaucoup de respect mais impérieusement.

BREUER : Cecily est bien nerveuse, ce matin. Il n'y a que vous qui puissiez la calmer. Il faut que vous restiez près d'elle. Ne la quittez pas un instant. Je reviendrai en fin d'après-midi.

Il se tourne vers Fliess.

(*À Fliess :*) Je m'excuse, mon cher Fliess, mais elle est dans un tel état que vous ne pourriez pas l'examiner.

Avec une jovialité forcée :

Ce sera pour une autre fois.

Fliess répond par un signe de tête mais sans cacher sa contrariété.

Tout le monde se lève. Breuer hésite un instant puis il attire la mère à l'écart.

Pendant leur bref colloque — que nous n'entendons pas — Fliess et Freud échangeant quelques mots.

FLIESS : Le symptôme?

FREUD : Elle voit et elle entend.

FLIESS : Alors la méthode est bonne.

FREUD : Oui. Mais il faut la pousser très loin.

[12]

La calèche. Les trois hommes y montent et s'asseyent en silence. Elle repart. Breuer et Freud se sont assis côte à côte. Fliess s'assied en face d'eux. Un temps.

Breuer s'adresse à Freud, de mauvaise grâce. On sent qu'il est mécontent mais que son devoir professionnel de médecin et de savant l'oblige à parler.

BREUER : Madame Körtner a confirmé votre hypothèse, Freud. Le père de Cecily est mort dans un bordel. La police a eu l'impardonnable goujaterie d'emmener la jeune fille là-bas pour l'identification.

Les yeux de Freud brillent mais il ne répond pas.
Fliess semble très intéressé.

FLIESS : Alors?

BREUER : C'est tout. Depuis ce moment-là, son corps a refusé de voir et d'entendre. Je suis inquiet. Je me demande si nous avons eu raison de toucher à cette corde-là.

FLIESS : Les symptômes ont disparu?

BREUER : Et après? S'ils allaient revenir? Ou d'autres?

D'un ton objectif mais, en réalité, pour inquiéter Freud.

Elle a voulu se tuer plusieurs fois.

FREUD : Le ramonage du cerveau doit se faire avec méthode. Plus il y a de suie, plus on ramone.

BREUER : Pas avec cette brutalité!

FREUD : Elle nous résistait.

(À Fliess :) Elle ne se rappelait même plus qu'elle avait vu le cadavre. Il a fallu deux interrogatoires pour que le souvenir remonte à la surface.

BREUER : Une fille de dix-neuf ans trouve son père nu et mort au milieu des prostituées! Si vous trouvez que cette situation n'offre pas toutes les circonstances d'un traumatisme psychique...

FREUD : D'un traumatisme, soit. Mais pourquoi l'avoir oubliée?

BREUER : Combien d'accidentés oublient les circonstances de leur accident!

FREUD : Ils les oublient mais ils ne les déforment pas.

(*À Fliess :*) Elle se cachait la vérité. Le strabisme binoculaire, c'était pour ne plus voir ce cadavre souillé, ces femmes galantes; la surdité psychique, c'était pour ne plus entendre le violon qui jouait des valses. Elle... *refoulait* son souvenir; et son corps était complice.

BREUER : Bon. Elle le « refoulait », comme vous dites. C'est donc qu'il lui était insupportable.

FREUD : Bien sûr.

BREUER : Fallait-il le lui rappeler de force?

FREUD : C'est votre méthode.

BREUER : Non. Je refuse de violer son âme. Et je trouve légitime, moi, qu'une enfant de vingt ans veuille respecter son père et qu'elle fasse tous ses efforts pour oublier cette mort honteuse. Voulez-vous le fond de ma pensée : je l'admire.

FREUD : Admirez-la tant que vous voudrez, mais guérissons-la : c'est notre premier devoir.

BREUER : Et vous croyez la guérir en lui infligeant cette humiliation terrible? Vous ne lui avez fait que du mal.

FREUD : Breuer!

Il fait un violent effort sur lui-même.

Votre méthode est géniale : elle guérit par la vérité! Mais alors, faisons toute la lumière : n'ayons aucune pitié.

BREUER : Je regrette de vous avoir emmené. Vous déformez tout : le but et les moyens de l'atteindre. Je laissais agir des forces douces, insinuantes, et vous tapez comme un sourd.

*Freud oublie jusqu'à sa colère : il regarde droit devant lui, fixe-
ment; on sent qu'il débrouille péniblement l'écheveau de ses idées
et, pourtant, qu'il entrevoit une vérité nouvelle.*

> FREUD : Les forces douces... que peuvent-elles?
> Rien n'est doux, chez Cecily.
> Rien n'est tendre...
> BREUER : Vous n'en savez rien!
>
> *(Sur un ton plus personnel qu'il ne le souhaiterait :)*
> Moi, je connais sa tendresse.

Le ton de Breuer a choqué Freud. Il répond durement :

> FREUD, *choqué* : C'est la vôtre que vous connais-
> sez! C'est la vôtre que vous trouvez en elle!

Puis, il revient à ses réflexions :

> Cecily, c'est un champ de bataille. On se bat, en
> elle, on se bat jour et nuit...

Il parle sans regarder personne.

> J'avais le sentiment... quand je l'écoutais...

Brusquement illuminé :

> Breuer, ce n'est pas son père qu'elle défend, c'est
> elle-même.

Breuer l'écoute avec une stupéfaction indignée.

> BREUER, *d'une voix forte* : Quoi?
> FREUD : Ces femmes déshabillées... cet homme
> nu... ces peintures obscènes... Breuer, elle a été
> troublée.

*Pendant qu'il parle, un orchestre invisible (musiciens nombreux
qui jouent avec talent) reprend la valse du bordel.*

> BREUER : Troublée? Dans sa chair? Quand on
> lui découvrait le cadavre de son père? Troublée
> par cette caricature sordide de l'amour?
>
> *Il se met à rire :*
> Freud, je ne vous reconnais plus. Vous étiez, à
> mes yeux, l'homme le plus austère que j'aie connu.
> Plus puritain qu'un pasteur. Je me rappelle encore
> le jour où vous avez sauté dans mon coupé, en

déroute, pour échapper aux entreprises d'une dame
galante. Et vous prétendez aujourd'hui qu'une
jeune vierge peut subir l'attrait sexuel du vice?

*Freud a l'air égaré. Les dernières paroles de Breuer l'ont pro-
fondément atteint. Il tourne la tête à droite et à gauche comme pour
échapper à ses pensées. Puis, comme s'il lui demandait du secours,
il regarde Fliess.*

*Celui-ci s'est gardé d'intervenir dans la conversation – par simple
politesse. Mais il n'en a pas perdu un mot. Quand il rencontre le
regard de Freud, il ne fait pas un geste et ne dit pas un mot. Mais
il sourit largement en signe d'approbation.*

*Et Freud, sans le quitter du regard, comme fasciné par ces gros
yeux flamboyants, murmure d'une voix basse et sombre :*

FREUD : Un attrait dans l'horreur... Un attrait
par l'horreur... Je me demandais...

*Brusquement, sans quitter Fliess des yeux, comme s'il puisait en
lui son courage, il ajoute d'une voix plus forte et mieux timbrée :*

Toutes les névroses ont une origine sexuelle.

*Le sourire de Fliess s'élargit. Il a l'air véritablement démoniaque.
Breuer sursaute. Avec une violence accrue :*

BREUER : Première nouvelle!

*Il a surpris le sourire de Fliess et la complicité qui lie brusquement
Fliess et Freud lui déplaît.*

Je vois que vous devenez le disciple de notre ami
Fliess : le sexe est partout, même dans le nez.

*Il feint d'enfoncer son index dans sa narine, visiblement par
allusion au tic de Freud – qui d'ailleurs ne s'est plus manifesté
depuis la veille – mais qu'il a dû remarquer depuis longtemps.
Freud ne répond pas, intimidé par la colère de Breuer, mais il a
froncé les sourcils. Il ne regarde plus personne; il se tait, sombre et
courbé en avant, pendant la mercuriale de Breuer.*

BREUER : Seulement voilà : vous êtes mal tombé.
Depuis un an et demi que je connais Cecily et que
je la visite deux fois par jour, pas un de ses gestes,
pas une de ses paroles, même en état d'hypnose,
n'a manifesté la moindre préoccupation charnelle.
Elle ignore tout de l'amour, elle n'y pense jamais.
Je ne lui connais qu'un souci : secourir les misé-

rables. Et je vous dirai même, à présent que j'y pense, que son développement sexuel me paraît un peu retardé. Sans doute par la névrose.

Il rit de colère, en se frottant les mains.

Pas le moindre amoureux. Pas même le petit cousin classique. Personne! Ha, ha! Personne! La chair dort.

Et voilà, mes chers confrères, les dangers de la généralisation.

Au cocher :

Arrêtez-moi ici, Frantz.

Le cocher tire sur les rênes et la calèche s'arrête au bord du trottoir.
À Freud, radouci :

Je vais rendre visite au vieux Dessoir, son état me donne du souci. Au revoir Fliess; à bientôt Freud.

Il saute lestement de la calèche. Un mouvement de la main.

Frantz! vous conduirez ces Messieurs où ils voudront aller.

[13]

Freud parle au cocher d'une voix naturelle.

FREUD : À la Faculté de Médecine.

Freud s'adresse à Fliess sans le regarder :

C'est l'heure de mon cours. Venez.

La calèche est déjà repartie. Breuer entre au même moment dans l'immeuble qu'il avait désigné. Fliess vient s'asseoir à côté de Freud (à la place laissée par Breuer). La calèche roule un moment.
Freud, les yeux fixes, partagé entre les réflexions que suscite en lui la méthode cathartique et le ressentiment engendré par la conduite de Breuer envers lui, reste silencieux et penché en avant.

*Au bout d'un moment, il entend la voix mordante et sombre de
Fliess.*

FLIESS, *avec une sorte de feu :* Bravo.

*Freud se retourne en sursaut et regarde le visage de Fliess,
toujours terrifiant mais qui veut être encourageant.*
*(Il apparaîtra à la longue que le visage si constamment beau et
diabolique de Fliess offre, par la constance même de sa terrifiante
beauté, quelque chose d'un peu figé et de légèrement comique.)*

FLIESS, *répétant avec force la phrase de Freud :*
« Toutes les névroses ont une origine sexuelle. »
Mais oui.
Bravo !

*Freud qui ne s'attendait pas à des félicitations regarde Fliess avec
stupeur. Il répond avec une réelle bonne foi — et surtout beaucoup
de timidité (à cause de l'importance même de l'idée mise en cause).*

FREUD : Je ne sais même plus pourquoi j'ai dit
cela.
L'idée m'est venue là-bas. Dans la chambre.
Quelque chose était en jeu. Quelque chose de
sexuel.

Brusquement :

Breuer me faisait horreur. Il avait l'air trop
doux... si paternel...

*Il se rappelle la scène, il a l'air fasciné par ce souvenir. Il est
jaloux.*

Lui et la petite... c'était un couple.

Avec une ironie discrète :

Peut-être que sa méthode exige qu'on aille
jusque-là.

Avec une sorte de fureur :

Ignorante ! Innocente ! Il se laisse duper.
Savez-vous ce qu'elle a dit, dans l'hypnose ?
« C'était des putains ! » Et avec quel air !

*Il se calme et prend un air timide et profondément sournois.
Guignant Fliess du coin de l'œil :*

C'est une impression pénible : rien de plus. Il a
raison : on aurait tort de généraliser.
FLIESS : Il faut généraliser *d'abord*.
J'ai regardé Breuer : il est jaloux de votre idée.
Il vous cassera les reins, si vous le laissez faire.

*Freud prend peur. Son visage change : il retrouve le respect que
Breuer lui inspire.*

FREUD : Je lui dois tout...

Fliess, se touchant le front :

FLIESS : Sauf *cela.*
Ce n'est pas votre père; il n'a pas le droit de
vous morigéner.

*Freud fait une grimace presque imperceptible en entendant : « Ce
n'est pas votre père. »*

Reprenant la phrase de Freud :
« Toutes les névroses ont une origine sexuelle. »
Je suis en plein accord avec vous.
FREUD : Je n'ai pas le plus petit commencement
d'une preuve.
FLIESS : Je l'espère bien.

Freud le regarde stupéfait.

Vous et moi, nous sommes de la même espèce.
Celle des visionnaires.

*La calèche s'arrête devant la Faculté. Des étudiants entrent et
sortent sans cesse par les grandes portes largement ouvertes.*
*Freud et Fliess descendent de la calèche et traversent la cour.
Freud, suivi de Fliess, fait un détour pour éviter la foule et se dirige
vers une petite porte latérale, évidemment réservée aux professeurs.
En marchant, il demande à Fliess, sans le regarder :*

FREUD : Les visionnaires, qu'est-ce que c'est?
FLIESS, *avec force :* Ce sont les gens qui ont des
idées avant de posséder le moyen de les vérifier.
Il doit y avoir en eux des forces cachées.

*Ils sont entrés, ils suivent un couloir et pénètrent par une porte
basse dans une petite salle réservée aux professeurs et attenante à
un grand amphithéâtre.*
Elle contient une table, deux chaises, une bibliothèque vitrée, un

petit lavabo et, au-dessus de celui-ci, un miroir piqueté de taches rousses.

Freud ferme la porte avec soin. D'un geste qui doit paraître insolite, il tourne la clé dans la serrure. Il dit à Fliess d'une voix presque basse :

> FREUD : *Vous,* vous êtes un visionnaire. Pas moi. Je ne suis qu'un mauvais expérimentateur.

Fliess, d'un geste, repousse cette objection avec une impérieuse autorité.

> FLIESS : Un visionnaire se reconnaît tout de suite.
> FREUD : À quoi?
> FLIESS : À ses yeux.

Désignant les yeux de Freud :

> Les vôtres voient loin. Comme les miens.
> Freud, vous êtes en marche. Ne vous laissez pas arrêter par les timidités de Breuer. Tout est sexualité : depuis les volcans jusqu'aux étoiles, en passant par les animaux et les hommes. Le sexe : voilà ce qui produit le monde et ce qui le mène; la nature est une exubérante fécondité.

Il tire sa montre et la regarde.

> Voici l'heure de votre cours.

Freud désigne une porte à Fliess :

> FREUD : Oui. Passez par ici : vous aurez une place au premier rang.
> FLIESS : J'établirai que l'homme obéit jusque dans ses moindres gestes aux grands rythmes sexuels de l'univers.

Fliess se dirige vers la porte; la main sur le loquet, il se retourne :

> Vous m'aiderez, Freud. Vous m'aiderez.

Il sort. Freud, un instant subjugué, se reprend. Il ouvre la bibliothèque et prend un gros ouvrage d'anatomie; il le feuillette, y retrouve, entre deux pages, quelques notes manuscrites et va pour sortir à son tour en les emportant. Mais il se ravise, s'approche du lavabo et regarde longuement ses yeux durs et brillants dans la glace.

[14]

Le mardi suivant dans le cabinet de Freud *(tel que nous l'avons décrit au début de cette deuxième partie). Dora vient d'entrer.*
Elle ôte son chapeau et le pose sur une chaise près du divan. En faisant ce geste, elle est obligée de se tourner près de la fenêtre.

>   DORA : Tiens!
>   Elle n'est plus là.

Freud finit d'écrire, à son bureau. Il lève la tête.
Freud, innocemment :

>   FREUD : Quoi donc?

Dora désigne l'emplacement de la « chaise électrique », qui a en effet disparu.

>   DORA : La machine à supplices.
>   FREUD : Vous êtes contente, j'espère.
>   DORA : Non.

Elle a l'air inquiète. Elle regarde partout.

>   Si vous l'avez ôtée, c'est que vous avez trouvé mieux.

Freud se met à rire. Elle lui tire la langue.

>   Tortionnaire!

Sur ces mots, elle s'en va dignement se déshabiller derrière le paravent.
Freud s'est levé. Il l'arrête d'un mot.

>   FREUD : Non.

Elle s'immobilise, stupéfaite.

>   DORA : Pas de massages aujourd'hui?
>   FREUD : Non.

Dora tape du pied, furieuse.

>   DORA : Je vous ai dit que cela me fait du bien.
>   Vous n'avez de plaisir qu'à me contrarier.

Elle revient au divan et s'assied, désolée.

Cela va très mal, Docteur!

Elle se met à pleurer.

Très mal! Très mal!

FREUD : Qu'y a-t-il encore?

Freud a l'air amusé et mystérieux comme s'il préparait un bon tour. Il écoute et enregistre ce qu'elle dit, mais on sent que sa pensée profonde est ailleurs.

DORA, *pleurant :* C'est horrible! Je ne peux plus... entrer dans un magasin.

FREUD, *mi-figue, mi-raisin :* Vous êtes très dépensière, Dora. C'est une chance pour vos parents.

DORA, *frappant du pied :* Ne plaisantez pas. Je déteste quand vous plaisantez.

Je vous dis que j'ai peur d'entrer dans les boutiques.

Freud s'approche d'elle.

FREUD : Peur? Pourquoi?

DORA : Je ne sais pas. Hier, j'avais des courses à faire et je suis revenue sans avoir rien acheté.

Quand je mettais la main sur le loquet d'une porte, mon cœur se serrait et je m'en allais. Il *fallait* que je m'en aille.

FREUD : C'est la première fois que cela vous arrive?

DORA, *impatientée :* Mais non! C'est arrivé cent fois.

FREUD : Depuis quand?

DORA : Depuis quatre ans.

FREUD : Pourquoi ne m'en avez-vous pas parlé?

DORA : Cela va, cela vient. Cela me prend, cela disparaît. Je ne pensais pas que cela vous intéresserait.

FREUD : Tout m'intéresse.

DORA : On ne le croirait pas, quand on vous entend rire de mes malheurs.

Elle se lève brusquement.

Je ne veux pas qu'on rie de moi. Plus jamais.

Freud vient vers elle. Il lui met les mains sur les épaules et la force à se rasseoir.

FREUD : Quand vous voulez entrer dans une boutique, vous avez peur qu'on ne rie de vous? C'est cela qui vous arrête?

DORA : Oui.

FREUD : Est-ce que c'est arrivé déjà?

DORA : Qu'on rie de moi? Naturellement : j'entends encore leur rire.

FREUD : Le rire de qui?

DORA : Ils étaient plusieurs. Des commis. C'était ma faute. J'avais quinze ans, ma mère était sortie, j'ai mis une de ses robes et du rouge sur mes lèvres.

FREUD : Après?

Elle mime ironiquement le maintien qu'elle avait alors.

DORA : C'est tout. Je me croyais belle. Une grande dame. Je suis entrée dans une confiserie pour acheter des bonbons.

FREUD : Et les commis ont ri de vous.

DORA : Vous pensez! Avec ce déguisement!

Elle enfouit sa tête dans ses mains. Avec un ton sincère et tragique :

Je me fais horreur!

Freud écarte ses mains doucement.

FREUD : Parce que vous vous êtes déguisée en dame?

Dora le regarde.

À quinze ans?

DORA, *avec force :* Oui.

FREUD : Ce n'est pas sérieux, Dora.

DORA : Non.

Dora s'est rendu compte elle-même que le motif invoqué n'était pas suffisant. Elle a l'air stupéfaite. Avec une surprise inquiète :

Non évidemment.

Un temps. Freud se promène dans son cabinet. Il marche et fume en parlant.

FREUD : Vous aviez raison, Dora : le docteur Breuer soigne une de ses malades par l'hypnotisme.

DORA : Vous voyez bien!

Dora change de physionomie : elle se lève, toute joyeuse d'avoir eu raison.

Vous commencez toujours par me dire que je mens.

Freud revient vers elle.

FREUD, *sans se soucier de l'interruption* : Les résultats sont excellents.

Il parle avec douceur mais il a un regard inquiétant.

C'est une méthode nouvelle.

Dora fait un mouvement de recul et, du coup, retombe assise sur le divan.

DORA, *anxieuse* : Je ne veux pas.

Freud s'approche encore d'elle. Il la domine de toute sa taille.

FREUD : Qu'est-ce que vous ne voulez pas, Dora?

DORA : Je ne veux pas qu'on m'hypnotise.

FREUD, *feignant l'étonnement* : C'est vous qui l'exigiez, l'autre jour.

Dora se glisse de côté, se relève brusquement et tente de partir. Freud la retient.

DORA : Il paraît que cela rend fou et que cela donne des maux de tête et qu'on dit n'importe quoi quand on dort.

FREUD : Oh non! Pas n'importe quoi.

Il la ramène vers le divan.

Vous savez bien que je veux vous guérir.

DORA : Je n'en sais rien du tout. Je ne suis qu'un jouet pour vous et je sers à vos expériences tout comme une pauvre grenouille.

Elle se laisse asseoir sur le divan.

Je ne me sens pas bien. Nous commencerons la prochaine fois.

Freud s'est penché sur elle. Il pèse très légèrement sur ses épaules, pour l'obliger à s'allonger. Elle le regarde d'un air à la fois provocant et craintif.

Cela vous ferait plaisir?

Il sourit sans répondre.
Avec une sorte d'abandon plaintif :

Eh bien, prenez-la votre pauvre grenouille ; ôtez-lui le cerveau si cela peut servir la science.

Elle cède à la pression de ses mains et s'allonge sur le divan.

[15]

Dans la salle à manger des Freud. La bonne met le couvert. Martha entre.

MARTHA : Trois couverts, Minna, le docteur Fliess dîne avec nous.
MINNA : Bien, Madame.
MARTHA : Monsieur est toujours dans son cabinet?
MINNA : Oui, Madame.
MARTHA : Avec Mademoiselle Dora?

La servante fait un signe de tête.

MARTHA : C'est bien long.

Martha voit tout à coup sur le mur la gravure qui représente Hamilcar et Hannibal.

Oh!

La servante qui était penchée sur un tiroir de l'armoire relève la tête.

La gravure. Elle n'était pas là. Qui l'a remise?

La servante regarde la gravure sans comprendre la nervosité de sa maîtresse.

MINNA : C'est Monsieur. Il m'a demandé l'escabeau tout de suite après déjeuner.

Martha regarde la gravure avec colère.

> MARTHA, *d'une voix volontairement inexpressive :*
> Bien, bien, bien. C'est parfait.

Elle regarde toujours, calmée, sans aucun geste qui traduise son trouble mais ses yeux sont pleins de larmes.

> *(Éclats de rire off.)*
> *(Plusieurs personnes.)*

[16]

Les éclats de rire commencent sur l'image de Martha regardant la gravure.
Une confiserie. Des commis (trois jeunes gens, derrière des comptoirs chargés de bocaux de bonbons) rient aux éclats.
L'un d'eux se tord de rire, l'autre se frappe sur les cuisses. Leurs gestes, en eux-mêmes, n'auraient rien d'exagéré – si, par exemple, les commis se trouvaient dans une réunion de jeunes gens et se moquaient d'un de leurs camarades.

> VOIX OFF DE DORA, *dominant les rires :* Je vous dis qu'ils riaient. C'est tout.

La seule étrangeté vient de la situation. Une femme d'une cinquantaine d'années, imposante et sévère – la patronne, évidemment – les regarde, sans partager leur hilarité mais sans la condamner.
Toute cette petite scène est vue par une personne invisible mais d'assez haute taille (Dora a quinze ans).

> FREUD : Un rire moqueur? Insolent?

Les jeunes commis sont toujours hilares mais on ne les entend plus. Ici, encore, la chose peut et doit sembler normale; ils se sont calmés : voilà tout.

> DORA : Pire. Il me faisait peur.

La patronne, toujours sévère, entre deux bocaux. Elle s'est tournée vers Dora (c'est-à-dire vers l'objectif) et la regarde. Elle ne rit pas mais on entend rire et le rire semble venir d'elle.

Un rire (off), étrange, un peu haletant, presque niais,
avec un très léger chevrotement. C'est le rire d'une seule
personne.

VOIX OFF DE FREUD, *sur le rire :* Peur ou honte?
DORA, *voix off :* Les deux.
FREUD : Pourquoi vous faisait-il peur? Ce n'est
pas bien terrible, un rire.
DORA : Celui-là l'était.

Les comptoirs s'élèvent brusquement, comme s'ils étaient vus par
une personne de très petite taille (un nain ou un enfant). Les commis
ont disparu.

La caméra (comme un regard inquiet) se tourne vers la porte (vue,
elle aussi, de très bas) et ce mouvement nous permet de voir que la
boutique a changé d'aspect. Il s'agit toujours d'une confiserie, mais
elle est plus petite, plus sombre et plus pauvre.

Le regard de la caméra revient se fixer sur le lieu d'où part le
rire. Entre deux grands bocaux de bonbons, apparaît la tête d'un
vieillard (simple moustache blanche, calvitie) : c'est lui qui rit. Il
veut rassurer. Sa bouche est souriante, il essaie de prendre l'air
bon. Mais ses yeux fixes et maniaques – qui regardent vers la caméra
– lui donnent un air inquiet, douloureux et presque méchant.

DORA : J'avais six ans. Le vieux disait qu'il
voulait me donner un bonbon.

Le vieux fait le tour du comptoir.

J'étais paralysée. Il a fait le tour du comptoir.

Brusquement tous les bruits ressuscitent : les pas du vieillard, son
souffle un peu haletant, le bruit d'un bocal qu'il heurte légèrement
au passage, et pour finir sa voix.

LE VIEUX : Tu as peur? Tu as peur? Que tu es
sotte! Tu as peur d'un bon vieux grand-papa?

Pendant qu'il parle, il est sorti de derrière le comptoir. Il marche
vers l'emplacement où se trouve Dora.

Tu auras des bonbons. Tant que tu voudras.
Tout un cornet.

Il se baisse vers Dora invisible.

(Cri terrifié d'enfant (off).)

VOIX OFF DE FREUD : Dora! Dora! Réveillez-vous! C'est fini!

La scène s'immobilise : le vieux demeure comme il était : les bras tendus, en train de s'agenouiller. C'est une photographie.

Réveillez-vous! Je vous commande de vous réveiller.

Dans le cabinet de Freud la scène a disparu : Dora ouvrant les yeux voit Freud penché sur elle.

DORA, *avec un soulagement profond :* C'est vous! C'est vous!
Qu'est-ce qui m'est arrivé?
FREUD : Vous m'avez raconté un souvenir. Vous aviez six ans, vous êtes entrée dans une boutique...

Il s'est relevé. Elle se redresse.

DORA, *l'interrompant :* Taisez-vous! *(Un temps.)* Je me rappelle tout. Il riait...

Ils sont assis tous les deux face à face. Elle sur un divan, lui sur une chaise.

FREUD : Vous aviez oublié?
DORA, *vivement :* Bien sûr que j'avais oublié. Vous ne voudriez tout de même pas que je me rappelle cette... cochonnerie!
FREUD : Et l'autre histoire, est-ce qu'elle est vraie?

Elle le regarde avec étonnement.

Celle qui vous est arrivée à quinze ans. Les commis qui riaient.
DORA : Elle est vraie aussi.
FREUD : C'est celle-là que vous vous rappeliez?
DORA : Oui, parce que l'autre est trop...

Geste pour refuser le souvenir.

FREUD : Mais c'était l'autre qui comptait?
DORA : Peut-être. Je ne sais pas. Quand je pensais aux commis, c'est le rire du vieux que j'entendais.

Un silence.

FREUD : Venez.

Il va vers la fenêtre et l'ouvre. Elle le rejoint.

Vous allez me faire un cadeau.

Il lui désigne un magasin.

En sortant vous entrerez dans cette boutique et vous m'achèterez des cigares.
Vous me les rapporterez lundi à cinq heures.

La rue, cinq minutes plus tard.

Dora, devant le magasin. Elle passe devant la vitrine, s'approche de la porte, hésite un peu, se retourne et regarde l'immeuble (de l'autre côté de la chaussée) où se trouve l'appartement de Freud.
Freud est toujours à la fenêtre. Elle lui sourit et entre dans le magasin.

[17]

Dans le salon des Freud.

Fliess, Freud et Martha sont assis dans des fauteuils autour d'une table à liqueurs. Freud ne boit pas. Fliess tient un petit verre et le chauffe dans sa main. Il boit, de temps à autre, avec une évidente sensualité. Freud le regarde d'un air épanoui. Martha est très aimable, avec quelque chose d'un peu forcé dans le ton et les manières.
Freud met la main à sa poche de veston pour en retirer son étui à cigares. Il se ravise, ôte sa main de sa poche et la pose sur la table. Il a l'air mystifié et enfantin.
Martha, qui l'a vu, du coin de l'œil, éclate de rire.

MARTHA : Regardez mon mari, docteur Fliess, et dites-moi s'il n'a pas l'air malheureux.

Fliess tourne vers Freud ses gros yeux étonnés.

FLIESS : En effet. Pourquoi donc ?
MARTHA : Parce qu'il n'ose pas fumer devant vous.

Freud rit à son tour d'un air ravi et complaisant.

FREUD : Ma foi oui! C'est bien observé. Martha, j'ai peur de me faire gronder.

Fliess sourit avec une certaine fatuité : au fond de lui-même, il trouve la chose toute naturelle.
Martha est légèrement agacée de voir l'admiration presque crain-tive que Freud a pour Fliess.

FLIESS : Tant mieux, chère Madame. La crainte est salutaire.

Martha, les yeux brillants de fausse gaieté, avec une pointe de sadisme.

MARTHA : C'est la première fois...
Je vous félicite.
Si vous pouviez user de votre influence pour lui interdire de fumer.
FLIESS : Mais, Madame, n'oubliez pas que je suis son élève.

Freud rit, franchement, tout amusé que cet homme supérieur soit venu de Berlin pour suivre ses cours.

(*Sérieusement :*) Je lui défendrai le tabac quand j'aurai la certitude de me faire obéir.

Il a reposé sur le guéridon son petit verre vide. Martha se lève et veut lui verser du cognac.

Une goutte seulement. Merci, chère Madame.

Il prend le verre. La pendule sonne sur la cheminée. Il se retourne : elle marque onze heures.

Il se fait tard. Vous savez que je travaille surtout la nuit.
FREUD : Comme moi.

Un silence. Martha s'est rassise, Fliess boit à petites gorgées, les yeux mi-clos. Freud ose enfin poser la question qui le tourmente, on le sent, depuis le début de la soirée.

FREUD : Vous avez revu Cecily?
FLIESS : Je lui ai examiné la gorge ce matin.
FREUD : Breuer était présent?
FLIESS : Bien sûr.
FREUD : Je croyais qu'il n'allait plus chez elle.

FLIESS : Il y va tous les jours. Il prétend qu'elle est tout à fait guérie mais je n'en suis pas convaincu.

Il boit.

Loin de là.

Il boit.

La gorge est irritée bien sûr : mais c'est la toux qui l'irrite.

Je serais bien étonné s'il ne s'agissait pas d'un symptôme hystérique.

Martha se tait mais elle s'est renfrognée : elle n'aime pas qu'on dise du mal de Breuer. Ses yeux inquiets vont de Fliess à Freud.

FREUD : Il ne vous a pas reparlé de mon... hypothèse.

FLIESS : Il n'en dit pas un mot : on pourrait croire qu'il l'a oubliée. Ce matin encore il me parlait de la neige, de l'hermine et d'autres choses encore, toutes plus blanches les unes que les autres.

Fliess est ironique. Sa voix a une sécheresse déplaisante.

FREUD : À propos de Cecily?

FLIESS : Oui. Freud, vous devriez vous expliquer franchement avec lui.

Freud se rembrunit. Il est gêné lui-même par l'animosité de Fliess contre Breuer. Il essaie de le défendre.

FREUD : C'est très gênant. Je l'ai toujours considéré comme mon maître. Vous savez que c'est un homme de haute valeur.

FLIESS : Bien sûr! Bien sûr!

Fliess ne cherche même pas à cacher qu'il s'agit d'un acquiescement de pure politesse.

J'ai peur qu'il ne commette une grave erreur de diagnostic.

D'un ton très légèrement et involontairement comique de conspirateur.

Le cas est parfaitement clair : vous et moi nous savons de quoi il retourne... Mais il a l'air si sûr de lui... il est si persuadé de connaître à fond sa malade.

Avec une autorité voilée :

Demandez donc à la revoir.

FREUD : Oh! non. Nous n'avons pas des rapports si... familiers. Il prendrait la chose très mal.

L'intérêt de Fliess tombe à l'instant.

FLIESS, *avec indifférence :* Dommage!

Il se lève brusquement, très prussien, très raide. À Martha :

C'est l'heure. Il faut m'excuser, chère Madame.

Claquement de talons, baisemain.
Suit Freud, affectueux et presque tendre.

FREUD : À demain, Fliess.

[18]

Le même salon, quelques minutes plus tard. La bonne range le cabinet à liqueurs, elle emporte les verres. Un nuage de fumée flotte au-dessus d'elle.

VOIX OFF DE MARTHA : Il ne me plaît pas, ton Fliess.

VOIX OFF DE FREUD : Bah!

Nous le découvrons dans un fauteuil; pour la première fois, depuis le début du film, et pour la dernière — il semble détendu et même abandonné : il se laisse aller dans le fauteuil, les jambes étendues, il a ôté sa cravate et ouvert son col dur. Il fume un cigare, béatement.

D'une voix conciliante et sans la moindre intention de blesser Martha :

Tu dis cela parce qu'il t'a vue pleurer.

Martha se tient debout, elle regarde la bonne avec intention.

MARTHA, *très vite :* C'est bien, Minna. Vous ferez la vaisselle demain matin. Allez dormir.

La bonne regarde Freud avec un air d'extase.

(Agacée :) Vous m'entendez?

La bonne disparaît.

Cette petite m'agace. Elle te regarde avec des yeux noyés... Je parie qu'elle est amoureuse de toi.

Freud se borne à hausser les épaules, il se moque des sentiments de la servante. Il renvoie un jet de fumée, fait un « rond » et s'amuse à le suivre des yeux.

Il n'aime pas Breuer, tu sais. Cela se voit.

FREUD : Qui?

MARTHA : Ce Fliess. Il me fait peur. Tu es devant lui comme un petit garçon.

Elle essaie de le blesser, espérant une réaction d'orgueil. Freud sourit aimablement.

FREUD : Eh oui, Martha, comme un petit garçon.

Martha marche de long en large, énervée.

MARTHA : Je me demande ce que tu lui trouves.

FREUD : Si tu t'asseyais un peu? Viens près de moi.

Elle lui sourit un peu et s'assied sur le bras de son fauteuil.

MARTHA, *reprenant sa question :* Alors?

FREUD : Alors, rien. Tu l'as vu. C'est un homme.

MARTHA : Et Breuer n'en est pas un?

FREUD : Breuer est un Viennois. Intelligent, fin, mais sceptique.

(Avec une sorte de respect :) Fliess, c'est un Prussien.

MARTHA : Il en a bien l'air. Raide comme un piquet...

FREUD : Raide mais dur. Un militaire. Tu as vu ses yeux.

MARTHA : Oui.

FREUD : Je n'en ai jamais vu de plus beaux. *(Avec conviction mais aussi par malice :)* C'est lui que tu aurais dû épouser.

MARTHA : Quelle horreur!

FREUD : Tu aurais eu un mari viril, fort, fascinant.

Elle s'est penchée sur lui, mi-moqueuse, mi-tendre et lui caresse la barbe.

  MARTHA : Celui que j'ai me fascine davantage, à la condition qu'il s'en donne la peine. Et je lui trouve les plus beaux yeux du monde. Quand il daignera regarder Fliess en face, les gros yeux de Fliess éclateront comme du verre.

Freud lui sourit, mais il n'a même pas l'air de comprendre cette timide exhortation à prendre conscience de sa valeur. Il suit son idée.

  FREUD : Tu es folle... Fliess, vois-tu... C'est un aventurier.
  MARTHA : Et tu trouves cela bien?
  FREUD : Oui. Sans aventurier, pas de science. Le monde est à eux.
  Il me donnera peut-être la force d'en devenir un.

Il a fini son cigare. Elle ouvre les fenêtres.

  MARTHA : Il n'est même pas capable de t'empêcher de fumer. Ce salon empeste.

Freud s'est levé.

  FREUD : À tout à l'heure.
  MARTHA : Ne travaille pas trop longtemps.

Freud lui embrasse le front. Elle ajoute négligemment :

  Qu'est-ce qui s'est passé avec Dora? Elle est restée près d'une heure.

Freud hausse les épaules sans répondre.

  Tu l'as hypnotisée?
  FREUD : Oui.

Ironique et très légèrement jaloux (alors que toutes les allusions à Fliess l'ont laissé insensible) :

  Tu dois être contente : c'est la méthode de ton cher Breuer.
  MARTHA : Si tu appliques sa méthode, pourquoi Fliess prétend-il que vous n'êtes pas d'accord avec lui?

FREUD, *souriant :* Il s'agit d'un point de détail. Une bêtise.

Il va pour s'en aller, elle le retient doucement.

MARTHA : Et Dora?

Il lui répond — toujours souriant — mais avec un peu de mauvaise grâce.

FREUD : Hé?
MARTHA : La méthode lui réussit?
FREUD : Il faut voir.
MARTHA : Qu'est-ce que cela donne?
FREUD, *vague :* Nous verrons. Nous verrons.

Freud l'écarte légèrement et va vers la porte. Quand il met la main sur le loquet, Martha, de peur qu'il ne s'en aille sans qu'elle ait tout dit, laisse échapper le motif profond de son inquiétude.

MARTHA : J'ai vu ta mère cet après-midi.

Freud se retourne brusquement. Son visage s'est durci : il semble attentif et inquiet.

Sais-tu que ton père ne va pas bien du tout?

Freud la regarde fixement, sans changer d'expression ni parler.

Tu le négliges beaucoup ces temps-ci.

Freud fait une moue déplaisante qui lui tord le visage. Il n'est pas encore irrité mais, pour la première fois, depuis le début de la scène, il retrouve le visage sombre et tendu que nous lui avons vu au début de la seconde partie.

FREUD, *avec raideur :* Moi? Qui l'a dit? Maman?
MARTHA : Ta mère, oui. Mais je le pensais depuis longtemps.
FREUD : Qu'a-t-elle dit?

Freud baisse les yeux. Il a l'air en faute.

MARTHA : Elle a dit : « Je vois encore mon fils parce que j'ai des jambes et que je peux venir ici. Mais papa ne quitte plus son fauteuil et voilà plus d'un mois que Sigmund n'a pas été le voir. »

Il dit — très vite — comme un enfant qu'on gronde et qui jure de ne plus fauter, pour qu'on le laisse en paix :

FREUD : J'irai chez eux demain matin. Je te le promets.

Il va pour sortir. Martha traverse vivement la salle et se place entre lui et la porte.

MARTHA : Elle n'a pas confiance dans leur médecin.

Freud, d'une voix raisonnable et posée qui dissimule une irritation croissante :

FREUD : C'est un médecin de premier ordre. Les parents des malades ne nous font jamais confiance.

MARTHA : Soigne-le.

FREUD : Soigner qui? Mon père?

MARTHA : Pourquoi pas? Quand il avait son glaucome à l'œil, c'est toi qui l'as opéré.

FREUD : Ce n'est pas la même chose... Birnenschatz le soigne depuis six ans : on ne vole pas la clientèle d'un confrère.

Martha, très sèchement et très vite (on sent à la fois son amitié profonde pour Breuer et une ombre de jalousie) :

MARTHA : Pourtant tu cherches à voler celle de Breuer!

FREUD : Moi?

MARTHA : Cecily, oui : Fliess te pousse à la lui prendre.

FREUD : Tu n'as rien compris.

Elle veut parler, il l'interrompt. Très vite :

J'ai du travail, Martha. Demain matin, j'irai voir mon père et je te promets de l'examiner. À tout à l'heure.

Il l'embrasse rapidement sur le front et sort.
Elle reste immobile, incertaine et l'on devine qu'elle pressent vaguement les malheurs qui menacent leur ménage.

[19]

Deux heures du matin.

Freud écrit dans son cabinet, assis à son bureau. Il a ôté son col et son veston mais gardé son gilet.

> VOIX OFF DE FREUD, *écrivant :* Les névroses sont des mécanismes pathologiques de défense contre un souvenir intolérable qui veut s'imposer à la conscience. Les symptômes névrotiques sont destinés à masquer ce souvenir. Le malade s'accroche aux symptômes délirants, il aime son délire comme il s'aime lui-même. Mais si l'on parvient à lui faire découvrir ce qu'il se cache, il voit en pleine lumière la scène oubliée, le refoulement devient inutile et le symptôme disparaît. Les représentations d'origine sexuelle...

Il s'arrête d'écrire, semble chercher et s'arrête sur la phrase interrompue.

Il ouvre un tiroir : son travail nocturne est terminé. Il se sent trop fatigué pour le poursuivre. Il range soigneusement son manuscrit dans le tiroir, prend une clé dans la poche de son veston, ferme le tiroir à clé, remet la clé dans sa poche.

Il se lève, va à la fenêtre, s'accoude au balcon, regarde le ciel. Il baisse les yeux. Dans la rue, devant le magasin où Dora est entrée, une prostituée fait le trottoir. Il la voit et referme la fenêtre presque aussitôt (sans hâte ni émotion — sans que rien vienne indiquer que la présence de cette fille soit la cause de son geste).

Dans la rue, la prostituée lève machinalement la tête et voit la fenêtre se fermer puis la lumière s'éteindre. Elle continue sa marche avec indifférence.

La chambre de Freud. Marthe est couchée et endormie. Freud en chemise de nuit se dirige vers le lit. Il porte un bougeoir et une bougie allumée dans la main droite et masque la flamme de sa main gauche pour ne pas réveiller sa femme (Martha occupe le côté gauche — par rapport au spectateur — du lit nuptial).

Freud souffle la bougie et se glisse du côté droit. Martha gémit un peu en dormant et se pousse vers la gauche. Freud se tourne et se retourne (nous distinguons ses mouvements dans la pénombre et le lit grince). Puis il s'immobilise. Il est couché sur le dos.

Dans la rue, la prostituée continue inlassablement sa promenade. Un fiacre passe (calèche découverte). Un gros homme d'une cinquantaine d'années (fleur à la boutonnière) donne un ordre au cocher.

(Bruit off d'une voix inintelligible.)

Le fiacre s'arrête devant la prostituée. L'homme lui sourit, elle hésite puis monte. Le fiacre repart et s'éloigne. La rue est déserte, à présent.

Un compartiment de chemin de fer. Troisième classe. Freud est assis, vêtu en infirmier (blouse et bonnet blancs). Il a l'air jeune et soumis. En face de lui, allongé sur la banquette, un vieil homme richement habillé.

Sa jambe gauche est allongée sur la banquette. Le pied est entouré de coton et de bandages (il est énorme, comme le pied d'un goutteux). L'autre jambe est à demi allongée, le pied (normal et chaussé d'une bottine noire) repose sur le sol du compartiment.

Il a la tête de Breuer mais ses cheveux et sa barbe sont blancs. La bouche est ouverte, la mâchoire inférieure pend : visiblement le vieillard est gâteux. Pas une valise dans les filets. La portière qui donne sur le couloir est fermée, les rideaux sont tirés.

Si le cadre de la scène paraît de caractère onirique, c'est uniquement parce qu'il est trop net, éclairé par une lumière blanche et crue avec quelque chose d'imperceptiblement abstrait qui vient de son extrême propreté et de l'absence très remarquable de tous les accessoires d'un voyage en chemin de fer.

Freud et le vieillard restent un moment silencieux et immobiles : on croirait voir une photographie si l'on n'apercevait, par la fenêtre, un défilé de formes vagues qui témoignent de la vitesse du train.

Tout d'un coup Breuer se met à rire. Son rire reproduit exactement celui du marchand de bonbons (dans le récit de Dora). Freud reste parfaitement immobile. Breuer se calme. Il tourne les yeux vers Freud et dit en bafouillant :

BREUER : ...voudrais... bonbon.

Freud lui répond d'une voix tout à fait enfantine (un garçon de douze ans).

FREUD : Oui, papa.

Il se tourne vers la droite et nous voyons, en même temps qu'il le découvre, un urinal (forme classique, en verre transparent) rempli de bonbons. À la forme près — qui ne peut pas tromper — il ressemble à un des bocaux que nous avons vus dans le récit de Dora et contient les mêmes bonbons.

(*Avec empressement :*) Attends une seconde.

Il se lève, prend l'urinal, se penche à la fenêtre ouverte et vide l'urinal au-dehors.

À l'extérieur, toute forme a disparu : on dirait que le train roule dans la brume (en fait, c'est toujours le même schématisme : Freud n'a pas imaginé dans son rêve un paysage extérieur. On ne doit jamais trouver, dans les rêves que nous reproduisons ici, que les accessoires indispensables. Encore le rêveur les découvre-t-il à mesure qu'il en a besoin).

Quand le bocal est entièrement vide, Freud se tourne vers le vieux malade en le lui présentant comme un urinal.

Tiens!

Il reste stupéfait.

Et nous découvrons, un instant après lui, que le vieillard a disparu. À sa place, assis en face de Freud, raide, avec un casque à pointe, il y a Fliess, en officier prussien. Il appuie ses mains sur le pommeau de son sabre.

FLIESS : Que les vieux enterrent les vieux. Et que les morts soignent les morts.

(*Impérieux et solennel :*) Occupe-toi de Cecily, brigadier!

FREUD : Bien, mon commandant.

Le matin, dans la chambre de Freud.

Martha est encore au lit. Les fenêtres et les persiennes sont ouvertes. Le veston de Freud est sur le dos d'une chaise.

On entend la voix de Freud qui achève sa toilette dans la salle de bains.

VOIX OFF DE FREUD, *enchaînant sur la dernière réplique :* Je rentrerai pour déjeuner.

Martha, ensommeillée, ouvre vaguement les yeux.

MARTHA : Tu vas chez ton père?

FREUD : Plus tard : si j'ai le temps.

Il rentre dans la pièce, en bras de chemise et met son veston.

MARTHA : Il est sept heures du matin, Sigmund!
Si ce n'est pas pour aller voir ton père, je me
demande pourquoi tu te lèves si tôt.

*Il a enfilé son veston. Il s'approche du lit et embrasse Martha
sur les deux joues.*

FREUD : Il faut que je parle à Breuer. Je veux
l'attraper chez lui avant qu'il ne parte faire ses
visites.

Il a gagné la porte.

MARTHA : Tu m'avais promis d'examiner ton
père.

FREUD, *souriant mais catégorique :* En tout cas je
ne le soignerai pas. Je le respecte trop pour me
faire son infirmier.

*Il sort. Martha — qui s'était redressée — reste un instant assise
puis dans une sorte de résignation désolée, elle se laisse retomber en
arrière, ferme les yeux et, gênée par la lumière du jour, finit par
s'enfouir la tête sous les couvertures.*

[20]

Dans la salle à manger des Breuer, quelques minutes plus
tard.

*Breuer est assis en face de Mathilde. Il est prêt à partir — toujours
majestueux et soigné. Mathilde est en robe d'intérieur.*
*Ils prennent leur petit déjeuner : du café et du pain grillé. Mathilde
regarde Breuer fixement, avec un mélange de ressentiment et d'amour.
Elle cherche à attirer sur elle l'attention de son mari. En vain.*
*Breuer reste lointain, le regard fixe, plongé dans sa méditation
silencieuse. Il regarde l'heure (à sa montre qu'il a sortie de son
gousset et qu'il y remet sur-le-champ), hésite un instant puis, presque
machinalement, prend la grande cafetière de porcelaine au milieu
de la table et se verse une dernière tasse de café.*
Mathilde sursaute.

MATHILDE : Tu aurais pu me demander si j'en voulais.

Breuer lui sourit affectueusement, un peu confus.

BREUER : Excuse-moi, j'étais distrait.

Il se penche au-dessus de la table pour lui verser du café. Elle met la main sur sa tasse.

MATHILDE : Je n'en veux pas. Merci.

Il repose la cafetière sur la table avec un peu de dépit.

BREUER : Qu'est-ce que tu as?
MATHILDE : Et toi?

Elle le regarde. Il soutient son regard d'un air gêné.

Toi, la politesse même, tu te sers en ma présence comme si je n'existais pas.
Cela te ressemble si peu.
BREUER, *essayant de sourire :* Tu ne vas pas me condamner pour un simple oubli.
MATHILDE : Si! Parce que c'est moi que tu veux oublier.
BREUER, *sincèrement indigné :* Tu es folle!
MATHILDE, *avec une ironie très dure :* Oh! tu ne souhaites pas ma mort! Mais si j'étais très, très heureuse, n'importe où sauf où tu es... comme cela t'arrangerait!
BREUER, *irrité :* Mathilde!

Un domestique ouvre la porte vitrée.

LE DOMESTIQUE : Le docteur Freud demande si Monsieur et Madame peuvent le recevoir.
BREUER, *enchanté d'échapper à une explication orageuse :* Mais bien sûr! Qu'il entre.

Mathilde est fort mécontente mais elle se reprend aussitôt et sourit avec gaieté.
Freud entre. Breuer se lève et le fait asseoir avec beaucoup d'empressement. Mathilde lui tend la main avec un sourire coquet et épanoui.

MATHILDE : Vous prendrez bien un peu de café.
(*Au domestique :*) Une tasse pour M. Freud.

Freud prend la main de Mathilde et l'approche de ses lèvres, mais déjà Breuer l'a pris par les épaules et assis sur une chaise.

Freud — qui était entré d'un pas décidé — semble tout ahuri de faire l'objet de ces démonstrations chaleureuses.

Le domestique a mis une tasse devant Freud. Breuer lui verse du café.

BREUER : Je suis content de vous voir, Freud. Et si tôt : la journée sera faste.

Freud pour arrêter Breuer qui remplit sa tasse à ras bord.

FREUD, *très vite :* Merci! Merci!

Breuer repose la cafetière et regarde Freud gaiement.

BREUER : Quelle mine!

Il se tourne vers Mathilde.

Tu ne trouves pas qu'il a bonne mine?
MATHILDE, *qui ment :* Je ne l'ai jamais vu si bien portant. Martha vous soigne bien, Freud. J'espère que vous appréciez votre chance.
FREUD, *affectueux mais légèrement ahuri :* Breuer a bonne mine, lui aussi.
MATHILDE, *riant avec une gaieté un peu égarée :* Eh oui, tout le monde a bonne mine. Tout le monde a bonne mine! Joseph est rose et blanc.
Seulement lui, c'est une chance qu'il n'apprécie pas.

Breuer, voyant que la conversation risque de tourner mal, se hâte de changer de sujet.

BREUER : Vous aviez à me parler?
MATHILDE : Un instant, voyons, laisse-le boire!

À Freud :

Buvez tranquillement, Freud.
(Il veut parler.)
Buvez!

Freud boit, par agacement, la tasse entière. Il dit en la reposant, d'un ton un peu trop cérémonieux qui masque l'âpreté de son désir :

FREUD : Je viens solliciter une faveur.
BREUER, *gaiement :* Accordée d'avance!

FREUD : Emmenez-moi chez Cecily.

Un silence. Mathilde a pâli. Elle regarde Breuer avec des yeux orageux, en pinçant les lèvres. Breuer a l'air gêné et furieux. Il finit par répondre, en regardant ses ongles.

> BREUER, *d'un ton que l'embarras rend presque désagréable :* Mais je ne retourne plus la voir! elle est guérie, voyons!

Freud a l'air très surpris. Il répond avec un air naïf — sans qu'on soit tout à fait sûr qu'il n'a pas conscience de faire une gaffe — avec le ton très particulier des gaffeurs : mélange d'inspiration et de mauvaise volonté :

> FREUD : Comment? Mais Fliess m'a dit que vous étiez allé...
> MATHILDE, *d'une voix brusque et rapide :* Chez elle? Quand?
> FREUD, *respirant l'innocence :* Hier encore.

Mathilde, folle de rage, se tourne vers Breuer.

> MATHILDE : Tu m'as menti!

Breuer est furieux contre Freud mais il semble surtout fort ennuyé.

> BREUER, *protestation noble mais molle :* Voyons, Mathilde!

Mathilde ne se laisse pas désarmer.

> MATHILDE, *torrent de paroles :* Vous qui l'avez vue, Freud, vous pourrez peut-être me le dire : qu'est-ce qu'elle a, cette femme qui m'a pris mon mari?

C'est au tour de Freud, terrorisé, de baisser la tête d'un air cancre. Il ne s'attendait certes pas à déchaîner cette violence.

> BREUER, *avec un peu plus d'autorité :* Mathilde!
> MATHILDE, *très vite, toujours furieuse :* Elle me l'a pris! Il s'ennuie avec moi, il ne pense qu'à elle; nous ne sommes plus jamais seuls, cette fille est entre nous. Tout le temps! Tout le temps!

Cette explosion de fureur a transformé Mathilde : elle a l'air plus âgée et surtout ses grâces ont fait place à une violence presque vulgaire. Elle parle sans même savoir ce qu'elle dit — et, malgré sa très réelle souffrance, l'exagération de ses propos leur donne une touche de comique.

> Mais je te préviens, Joseph, tu n'obtiendras rien de moi. Ni divorce, ni séparation de corps. Il faudra me tuer, c'est simple et je me demande si tu ne finiras pas par là ! Vous êtes témoin, Freud, vous m'entendez : votre ami finira par me tuer !

Breuer est stupéfait de découvrir la jalousie de Mathilde. Il l'a regardée, pendant qu'elle parlait, comme s'il la voyait pour la première fois.

Elle le regarde aussi, rouge de colère. Freud profite de cet instant de silence, pendant lequel ni Breuer ni Mathilde ne s'occupent de lui, pour tenter de disparaître « à l'anglaise ».

Il repousse doucement sa chaise, se lève sans bruit et fait un pas vers la porte. Mais Breuer, qui a retrouvé son autorité, le cloue sur place d'un mot impérieux :

BREUER : Freud !

De nouveau très aimable :

> Je vous en prie, revenez vous asseoir.

Regardant Mathilde avec sévérité :

> Je regrette que Mathilde ait cru devoir vous donner ce spectacle pénible.

Freud revient, très gêné, mais il reste debout derrière sa chaise.

FREUD : C'est moi qui regrette...
BREUER : Je vous en prie ! J'aurais souhaité vous tenir en dehors de cette histoire, mais puisque vous y êtes mêlé, à présent, vous devez rester pour entendre mes explications.

Mathilde est épuisée par son explosion de fureur. Elle regarde sa tasse, à présent, toute rouge, embarrassée, d'un air sombre et endormi.

BREUER : J'ignorais tout de la jalousie de Mathilde. Si seulement elle m'en avait parlé...
(*À Mathilde :*) Tu es fille de médecin, pourtant. Tu devrais savoir ce que nous ressentons, nous autres, quand la Nature nous permet d'étudier un cas qui sort de l'ordinaire.

Il parle avec noblesse et sincérité. Sa mauvaise foi est beaucoup trop profonde pour qu'on puisse la déceler.

(Il rit :) Jalouse! Mon pauvre chéri! Si tu savais...

Mathilde — quoi qu'elle pense — a honte d'avoir montré ses sentiments. À présent, elle est en infériorité, uniquement parce qu'elle a commis ce qu'une maîtresse de maison aurait appelé une faute grave en ce temps.

Mais son attitude boudeuse permet à Breuer de placer son petit discours. Il s'est levé à présent et les deux hommes, debout derrière leurs chaises, regardent Mathilde d'un air de juges.

BREUER : Freud! Dites-lui que je porte à Cecily un intérêt strictement professionnel.

Ce que j'aime en elle, ma chérie, c'est la méthode qui l'a guérie.

Un silence. Mathilde ne répond pas mais elle reste blême et tendue, les yeux baissés. Breuer la regarde et prend sa décision.

BREUER : Tu veux que je te le prouve? Partons pour Venise.

Mathilde lève des yeux stupéfaits et le regarde, incrédule. Il répète avec beaucoup d'aisance :

Partons pour Venise. Avançons la date des vacances. Si Freud veut bien surveiller pour moi quelques malades un peu inquiétants...

Il me faut trois jours pour mettre mes affaires en ordre. Tu peux prendre les billets pour jeudi.

Mathilde, cette fois, s'illumine.

MATHILDE : À Venise!

Naturellement, elle éclate en sanglots. Breuer fait le tour de la table et la cajole comme un enfant.

BREUER : Là! là! là! Tu es contente, au moins?

Elle fait un signe d'acquiescement, la tête dans les mains, les épaules secouées par les sanglots.
Breuer lui dit, en lui flattant la nuque, très paternel :

Je ne veux plus de larmes!
Je cède à tes folies pour couper le mal à la racine.
Cecily est guérie.

Tu ne parleras plus jamais d'elle! C'est promis?

Elle fait un signe et domine ses larmes.
Breuer ajoute, très léger :

Je passerai ce matin chez elle lui faire mes adieux mais tu ne seras pas jalouse : Freud m'accompagne.

Elle se retourne et le regarde avec inquiétude.

MATHILDE : Je peux *vraiment* prendre les billets?
BREUER, *paternel :* Mais oui, mon enfant, ce matin même.
MATHILDE : Que je suis heureuse!

Elle se lève, se retourne et lui jette les bras autour du cou.
Il se dégage doucement.

BREUER : Voilà! Voilà! Partons vite, Freud. Puisque vous êtes là, je vais faire la tournée de mes malades et je vous présenterai à ceux que vous prendrez en charge.

Mathilde se retourne vers Freud et lui tend la main, avec un sourire d'excuses.
Freud – acte fort insolite pour nous qui connaissons sa brusquerie et pour Mathilde – se penche sur la main de celle-ci et la baise.
Breuer, agacé, l'entraîne.
Ils sortent, le domestique leur tend leurs chapeaux.
Sur le palier, avant de descendre, Breuer prend Freud par le bras et lui dit en confidence – entre hommes :

Je tiens la jalousie pour un symptôme névrotique.

[21]

Chez Cecily, *les portes-fenêtres sont grandes ouvertes sur le jardin.*
Elle est assise à sa coiffeuse, très belle, d'aspect tout à fait normal.
Un grand jeune homme d'une vingtaine d'années – très bien aussi, mais d'allure italienne, cheveux très noirs, yeux noirs – se tient debout à côté d'elle. Il est vêtu d'un bourgeron de travail, il tient un grand chapeau de paille à la main.

(Bruit off d'une calèche qui s'arrête.)

*Cecily lui parle aimablement mais comme à un domestique. Il est
clair qu'elle n'éprouve aucun attrait pour lui.*

CECILY : Vous me promettez de ne pas les noyer?
LE JEUNE HOMME, *respectueusement :* Oui, Mademoiselle.

*Au bruit de la calèche, Cecily a pris un air imperceptiblement
malicieux et sournois. Elle fait durer la conversation pour que
Breuer la trouve avec le jeune homme.*

CECILY : J'en prendrai deux pour moi et je don-
nerai les autres à des amies.

*À cet instant, Breuer et Freud paraissent à la porte-fenêtre; ils
ont quitté la calèche et sont venus directement à la chambre de Cecily.
Breuer regarde le jeune homme avec une attention étonnée et un
peu malveillante.*
*En entendant le gravier crisser sous leurs pas, Cecily s'est levée
sans hâte et tournée vers le jardin. D'un ton très naturel et presque
indifférent :*

Bonjour, Docteur!

*Elle va vers eux. Elle est vêtue d'une ample robe d'intérieur qui
dissimule ses formes. Elle marche un peu lourdement. En voyant
Freud, elle s'illumine.*

Bonjour, docteur Freud. Je suis très heureuse
de vous revoir.

Elle se tourne vers le jeune homme. Négligemment :

Au revoir, Hans, à tout à l'heure.

Hans s'incline.

HANS : Au revoir, Mademoiselle.

Il sort par la porte qui donne dans le hall.
*Quand la porte s'est refermée, Breuer regarde Cecily d'un air
grave et morose.*

BREUER : Qui est-ce?
CECILY : Le fils du jardinier.
BREUER : Qu'avez-vous à faire avec lui?

Cecily répond avec naturel, mais elle a un regard légèrement sournois. On sent qu'elle s'amuse.

CECILY : Vous avez souhaité que je fréquente des gens de mon âge.

BREUER, *sèchement :* De votre âge et de votre condition.

Cecily sourit.

CECILY : Rassurez-vous, Docteur : la chienne va mettre bas et je demandais à Hans de ne pas noyer les chiots.

Elle lui rit au nez.

Il ne s'agissait que de cela. Asseyez-vous, je vous en prie.

Ils remontent vers le centre de la pièce. Sur une table, Breuer remarque deux petits chaussons d'enfant, en laine tricotée et un tricot de la même laine inachevé – les aiguilles sont encore plantées dans le tricot.

BREUER : Qu'est-ce que c'est que cela?

CECILY : Des vêtements d'enfant.

BREUER : Vous tricotez?

CECILY : Oui. Pour une de mes amies qui attend un bébé.

Un silence. Ils s'asseyent. Breuer a l'air contraint et morne.

BREUER, *avec une sorte de solennité :* Cecily, vous êtes guérie.

Cecily souriante et toute simple.

CECILY : Mais oui.

BREUER, *souriant paternellement :* Je suis venu pour vous faire mes adieux, mon enfant : vous n'avez plus besoin de mes services.

CECILY, *avec une douceur qui ne promet rien de bon :* Je vous reverrai, Docteur.

BREUER : Mais naturellement, Cecily. Nous aurons sûrement l'occasion de nous revoir.

CECILY : Quand?

BREUER : Plus tard. Ma femme et moi nous partons jeudi pour Venise.

CECILY, *prenant note de la date :* Jeudi prochain?
Très bien. *(Avec une amabilité toute mondaine :)*
Venise! C'est un second voyage de noces, en
quelque sorte?

*Breuer semble brusquement furieux, comme s'il avait fait un trop
grand effort sur lui-même et qu'il se laissait aller, à bout de forces.*

BREUER : Un voyage de noces? Après sept ans
de ménage? Vous êtes trop grande pour dire ces
sottises, Cecily, et trop jeune pour parler de
mariage.

CECILY, *de plus en plus sournoise :* Trop jeune?
Mais, Docteur, j'ai vingt ans : je me marierai dans
l'année grâce à vous.

*Breuer, de plus en plus mal à l'aise, s'éponge le front qui ruisselle
de sueur.*

BREUER, *d'une voix troublée :* Mariez-vous, mon
enfant, et soyez heureuse. Je vous le souhaite de
tout mon cœur.

Il se lève brusquement pour partir.

CECILY, *très vite, avec un étonnement sincère et
désarmé, mais toujours avec douceur :* Vous avez un
cœur?

Breuer fronce les sourcils.

BREUER, *avec gravité :* Cecily.
CECILY, *riant :* Je dis des bêtises, Docteur. Je sais
avec quel dévouement vous m'avez soignée.

*Elle se tourne vers le docteur Freud; avec une douceur empoi-
sonnée :*

Docteur Freud, je suis heureuse que le docteur
Breuer ait eu l'extrême délicatesse de vous ramener ici.

Elle lui tend la main, chaleureuse et presque tendre.

J'avais peur de ne pas pouvoir vous remercier.

Freud, s'inclinant, d'un ton assez raide et distant :

FREUD : Je n'ai rien fait, Mademoiselle.
CECILY : Vous m'avez guérie, Docteur! Le doc-

teur Breuer a trouvé la méthode, mais c'est vous qui l'avez appliquée.

Freud est sincèrement indigné.
Il regarde Cecily avec colère et Breuer avec une affection inquiète.
Il commence avec irritation une phrase que Breuer interrompt.

FREUD : Je vous trouve bien ingrate, Mademoiselle. Je suis le modeste disciple.

Breuer lève la main pour l'interrompre.
Breuer est toujours souriant mais, au fond de lui-même, il est ulcéré. Il parle avec sécheresse : ce n'est pas à Cecily qu'il en veut, c'est à Freud.

BREUER : Nous discuterons plus tard de nos mérites réciproques. Les médecins n'ont pas d'orgueil, Mademoiselle Cecily : l'important, pour eux, c'est la guérison. D'où qu'elle vienne.

Il se tourne vers Freud. Cecily s'approche de lui avec un peu de coquetterie.
Elle lui tend le front.

... Venez!
CECILY : Vous ne m'embrassez pas!

Breuer la regarde d'un air malheureux et tendre.
Il hésite et finit par l'embrasser.
Cecily se tourne vers Freud dans l'intention évidente de lui tendre le front.
Mais Freud a vu le visage de Breuer : il a l'air déçu (par l'attitude de son maître), malheureux (de voir souffrir Breuer) et furieux — contre Cecily.
Il fronce les sourcils et jette à Cecily un regard qui la fait reculer.

FREUD : Au revoir, Mademoiselle.

Il se détourne et marche à grands pas vers la porte-fenêtre.
Breuer le suit. Cecily se met à tousser.

(*Toux off de Cecily.*)

Nous ne voyons plus que le dos des deux hommes. On croirait une déroute.

VOIX OFF DE CECILY, *entrecoupée par la toux :* Bon voyage, Docteur! Bon voyage!

Devant le perron.

Les deux hommes remontent en calèche précipitamment.
On entend encore, au loin, les quintes de toux.

> *(Toux off, assez éloignée mais très nette, de Cecily.)*
> BREUER, *au cocher :* 12 avenue du Parc. Vite!

La calèche sort du jardin.
On entend la grille qui se referme derrière elle.
Breuer se redresse, se retourne et regarde la villa qui s'éloigne et disparaît au premier tournant.
Il se laisse retomber sur la banquette à côté de Freud, qui a les yeux fixes et durs et qui a trouvé le temps d'allumer un cigare.

> BREUER : Et voilà. Ils apparaissent, on ne s'oc-
> cupe que d'eux, ils disparaissent et bonsoir : on ne
> les revoit jamais plus.

Freud, tiré de son rêve, le regarde d'un air si effaré que Breuer ne peut s'empêcher de rire.

> FREUD : Qui?
> BREUER, *lui riant au nez :* Où êtes-vous? Je parle
> de nos malades.
> FREUD, *indifférent et vague :* Ah! oui...
> BREUER, *affirmant plus qu'il n'interroge :* Elle est
> guérie, n'est-ce pas?
> FREUD, *préoccupé :* Il y a cette toux...
> BREUER : Une seule quinte! *(Avec rancune :)* Ces
> derniers jours elle ne toussait même plus. Ce sont
> les drogues de Fliess qui lui ont mis le feu dans la
> gorge.

Freud tire sur son cigare sans répondre.

> *(Définitif :)* Fini. La page est tournée.

Un silence. La calèche tourne dans une rue bordée de hauts immeubles neufs.

[22]

Le jeudi matin.

Il est neuf heures.
Belle journée ensoleillée.
Devant la maison des Breuer, deux voitures sont arrêtées. Dans l'une (un fiacre découvert – la seconde *voiture), la femme de chambre et le domestique des Breuer entassent des valises.*
Devant l'autre Breuer, Mathilde, Freud et Martha causent avec animation pendant que Mathilde surveille le fiacre qui contient ses bagages.
Tout le monde a l'air très gai.

MARTHA : Vous aurez un temps superbe.

MATHILDE : Ma tante m'écrit qu'il pleut dans les montagnes. Mais, à Milan, il fait plus chaud qu'en été.

Elle les quitte un instant et va vers les domestiques.
Désignant la dernière valise.

Non. Celle-là contient mon nécessaire. Mettez-la près du cocher.

Ils obéissent. Le cocher prend la valise avec précaution et la dépose près de lui. Aux domestiques :

... Au revoir, Marie...
... Au revoir Heinz...

LES DOMESTIQUES, *ensemble :* Bon voyage, Madame, bon voyage.

Elle revient vers Breuer et les Freud.

MATHILDE : Il est temps.

Aux Freud :

... Vous nous accompagnez?

FREUD : Naturellement.

MARTHA, *riant, aux deux Breuer :* Faut-il qu'il vous aime! Il a une horreur physique des gares et des voyages.

Ils rient. Freud rit, avec les autres, d'un air détendu.

FREUD : Qui n'a pas sa petite névrose? *(Plus sérieux :)*

Il se tourne vers Breuer :

Savez-vous ce que je rêve d'écrire? Une psycho-pathologie de la vie quotidienne. Je montrerais que les normaux sont des fous dont la névrose a bien tourné.

Breuer écoute poliment mais sans passion.
Mathilde intervient avec énergie.

MATHILDE, *amicalement autoritaire :* Oui, eh bien, vous lui raconterez cela à notre retour : Je ne veux pas que vous nous fassiez manquer le train. Montez, Martha.

Martha monte dans la calèche. Le fiacre aux valises dépasse la calèche immobile.

(Sans inquiétude : par simple précaution :)

Joseph, tu as les billets?
BREUER, *machinalement :* Oui.

Il tire son portefeuille, sûr d'y trouver les billets. Ils n'y sont pas. Il remet le portefeuille en poche et se fouille méthodiquement – poches extérieures et intérieures du veston, poches du gilet, poches du pantalon.

Non.
MATHILDE, *stupéfaite :* Ce n'est pas possible : cherche bien; tu n'oublies jamais rien.

Breuer se fouille docilement pour la seconde fois.
Il soulève la bande de cuir qui tapisse la coiffe à l'intérieur de son haut-de-forme. Geste d'impuissance.
Le visage de Mathilde rosit de colère.

C'est trop fort!
BREUER, *à Mathilde :* Monte dans la voiture. Je les ai laissés dans un tiroir de mon bureau. J'en suis sûr. Je les vois encore.

Il va pour rentrer dans la maison.

MATHILDE, *sèche et impérieuse :* Pas toi!

Elle explique à tous :

Quand on a quitté sa maison pour un voyage, il ne faut surtout pas y retourner avant le départ.

BREUER : Et pourquoi?

MATHILDE : Cela porte malheur!

Freud, avec un empressement très spontané :

FREUD : Laissez donc, Breuer, j'y vais.

Breuer, sous ses sourires, n'est plus tout à fait le même quand il parle à Freud.

BREUER, *ironie un peu désagréable :* Freud, c'est vous, un matérialiste, un athée, qui cédez aux superstitions de ma femme?

Freud ne paraît pas s'apercevoir de ce changement.

FREUD, *gaiement :* Quand on est athée, il faut bien qu'on soit superstitieux : sinon qu'est-ce qui resterait?

MATHILDE : Merci, Freud!

MARTHA, *à Breuer :* Laissez-le faire!

BREUER : Bon, bon!

Il sort son trousseau de clés, montre une clé à Freud.

... Le premier tiroir à droite.

Freud prend les clés et s'élance dans la maison.

(*À Mathilde, fausse indignation :*)

Tu n'as pas honte?

MARTHA : Laissez donc!... C'est un vrai voyage de noces. Vous n'allez pas contrarier votre femme dès le départ.

Aux mots de « voyage de noces » le visage de Breuer se rembrunit. Un silence.

Dans le bureau de Breuer, Freud ouvre le tiroir indiqué. Il en sort une liasse de papiers et cherche les billets. Il les trouve enfin : Breuer les avait mis dans un petit porte-cartes qui contient en outre une photographie : c'est celle de Cecily.

Il rassemble en hâte les liasses, les remet dans le tiroir, ferme le tiroir à clé et sort de l'appartement.

Il descend rapidement l'escalier.

Dans la rue, devant l'immeuble.

Quand Freud sort de la maison, le décor s'est modifié.
Derrière la calèche, une lourde ambulance à deux chevaux.
Breuer devant l'ambulance parle avec un infirmier.
Dans la calèche, les deux femmes sont assises, droites et silen-
cieuses.
Martha est pâle d'angoisse; Mathilde raide, les yeux flamboyants
de haine et de colère, semble au-delà même du désespoir dans une
sorte de folie de gaieté.
Il s'approche de la calèche, stupéfait.

FREUD : Qu'est-ce qu'il y a?

Martha ne répond pas.
Il les regarde toutes les deux.

(*Avec insistance :*) Qu'est-ce qu'il y a?
MATHILDE, *riant :* Mais rien, Freud, une espiè-
glerie! Cecily est en train d'accoucher.
FREUD, *dans la stupeur la plus complète :* Quoi?

Mathilde rit sans répondre. Martha désigne Breuer d'un geste
de la tête.

MARTHA : Va le rejoindre. Et ne le quitte pas.

Freud rejoint en hâte Breuer qui est blême, avec les traits contractés.
La porte de l'ambulance est ouverte.
Breuer, sans s'étonner de sa présence, fait signe à Freud d'y
monter.
Freud entre dans l'ambulance et Breuer l'y rejoint aussitôt.
Ils s'asseyent sur une étroite banquette — en face d'un lit de
malade, vide — réservée aux infirmiers.
Pendant ce temps l'infirmier est monté sur le siège de devant et
s'est assis à côté du cocher.
L'ambulance part au galop de ses deux chevaux.

[23]

Dans l'ambulance.

Freud et Breuer silencieux. Breuer transpire et s'éponge le front.
Au bout d'un moment, Breuer se met à parler d'une voix saccadée,
avec des silences. Il a l'air assommé par cette nouvelle :

BREUER : Il paraît que les douleurs ont commencé ce matin.

Ils l'ont transportée à la clinique de Saint-Étienne. Elle veut me voir.

Il se met à rire sans amitié.

Vous pouvez être content : c'est vous qui aviez raison. Le sexe!... Je la croyais vierge et pendant ce temps-là...

Freud le regarde stupéfait.

FREUD : Mais enfin... Vous... vous ne pouviez pas l'ignorer... Vous l'auscultiez.

BREUER : Pas depuis un an. Elle n'aimait pas que je la touche.

(Il rit.)

Je pensais que c'était de la pudeur.

Il se tourne vers Freud avec violence et l'interroge — mi-tragique, mi-comique :

Enceinte de qui? Je vous le demande!... Ce garçon, l'autre jour, ce jardinier...

Avec fureur :

Je me suis fait jouer par une putain.

Dans un couloir de la clinique, près d'une porte close.

On entend les hurlements caractéristiques d'une femme en couches.

(Voix off de Cecily hurlant.)

Un médecin, une sage-femme, la mère de Cecily.
Ils attendent Breuer en silence. La mère de Cecily ne donne aucun signe d'émotion. Simplement son visage s'est encore durci. On entend des pas dans le couloir.

MADAME KÖRTNER : Enfin!

Breuer et Freud apparaissent; ils courent presque. En apercevant Madame Körtner, Freud se découvre. Mais Breuer est si ému qu'il garde son chapeau sur sa tête.

BREUER, *hors d'haleine* : Qu'est-ce qu'elle a?

Madame Körtner, sans un mot, désigne le médecin et la sage-femme (sens du geste : « ils vous renseigneront mieux que moi »).

Breuer se tourne vers eux et les regarde d'un air troublé; ils paraissent très surpris de l'émotion qu'il manifeste.

LE MÉDECIN ACCOUCHEUR, *se présentant :* Docteur Pfarrer.

BREUER, *vite et distraitement :* Enchanté. *(Enchaînant :)* Qu'est-il arrivé?

DOCTEUR PFARRER : Elle est parfaitement vierge. Mais elle a dû faire une grossesse nerveuse pendant les derniers mois.

(Souriant :)

Et, comme elle a de la suite dans les idées, elle nous fait aujourd'hui un accouchement nerveux.

Breuer les écoute avec stupeur. Puis il va vers la porte et l'ouvre. À tous — Freud y compris :

BREUER : Non. Restez ici!

Il entre et referme la porte.

Cecily est dans son lit. Elle a les yeux clos, elle crie, elle se débat, par moments.

Deux infirmières la surveillent. Breuer d'un signe de tête impérieux renvoie les infirmières. Elles sortent sans bruit.

Breuer s'assied au chevet de Cecily sur une chaise qu'occupait précédemment une des infirmières.

Cecily!

Elle ouvre les yeux. Elle sourit.

CECILY : C'est toi? Donne-moi la main.

Breuer, bouleversé, lui prend la main. Elle se contracte puis retombe sur le lit.

(Cri énorme. Elle se tait un instant, épuisée.)

Es-tu heureux? C'est un fils, j'en suis sûre.

BREUER : Écoutez-moi...

Elle le regarde avec un étonnement bientôt effacé par une nouvelle vague de douleur.

(Nouveau cri de Cecily) puis voix épuisée :

Comment l'appellerons-nous, mon chéri?

Elle retombe sur le lit.

Dans le couloir.

Une demi-heure s'est passée. Le médecin accoucheur fait les cent pas.
Les infirmières et la sage-femme se tiennent un peu plus loin. Freud et Madame Körtner, immobiles, raides, aussi durs l'un que l'autre, attendent sans se regarder. Cecily ne crie plus.
Breuer sort enfin, épuisé, en sueur. Il referme précautionneusement la porte derrière lui. Il va vers Freud et Madame Körtner qui l'attendent en silence.

> BREUER, *à la mère :* Elle dort.
> *(Un temps.)* Elle a reconnu dans l'hypnose qu'elle n'était pas enceinte.

Madame Körtner ne dit toujours rien.

> *(Gêné par ce silence :)*
> Tout est dans l'ordre. Laissez-la deux ou trois jours en clinique et puis vous pourrez la ramener chez vous.

Madame Körtner acquiesce sans un mot, par une inflexion raide de la tête.
Breuer la regarde, déconcerté, il s'incline profondément devant elle et fait demi-tour. À Freud :

> Venez, Freud.

Dehors, l'ambulance attend devant la porte. L'infirmier s'approche de Breuer.

> L'INFIRMIER : Monsieur le docteur! *(Breuer s'est retourné.)* Nous pouvons vous ramener.

Breuer, décomposé, fait un geste de refus.

> BREUER : Merci. Nous rentrerons à pied.

[24]

Freud et Breuer marchent en causant à travers des rues ensoleillées et presque désertes.

Breuer n'a pas remis son haut-de-forme sur sa tête. Il marche à côté de Freud et s'éponge le front. Un long silence.

Freud jette des regards inquiets et timides dans la direction de Breuer mais il n'ose pas l'interroger.

Ils parviennent à un croisement. Breuer veut continuer tout droit et traverse la chaussée. Freud le saisit très respectueusement par le bras et le fait tourner sur sa droite.

Breuer se laisse conduire docilement.

Ah! Oui...

Quelques pas encore. Avec un accablement sincère et comme pour lui-même :

Je suis un criminel.

Freud le regarde avec stupeur. Breuer explique, en se tournant vers lui, cette fois :

Elle se croyait enceinte de moi.
Cette méthode est diabolique.
On n'a pas le droit!

Freud le regarde d'un air interrogatif. Il s'explique :

L'homme n'est pas fait pour avoir la toute-puissance.
Elle m'obéissait. J'avais tous les pouvoirs sur elle.
Voilà le résultat.

Ils marchent en silence.
Il regarde au loin, droit devant lui, d'un œil fixe :

Quand je l'ai connue, c'était l'innocence même, je vous le jure.

FREUD, *comme pour lui-même :* L'innocence... je me demande si cela existe...

BREUER, *irrité brusquement :* Si vous l'aviez vue, il y a un an, vous ne vous poseriez pas la question.

Avec un profond regret :

Elle ne savait rien, elle était de neige.
Meynert avait raison : il y a des choses, au fond de nous-même, auxquelles nous n'avons pas le droit de toucher.

Freud, sursautant :

FREUD : Meynert? Mais il dit le contraire, à présent!

BREUER : Parce qu'il va mourir. Ça ne l'intéresse plus.

(Bruits off d'une voiture.)
(Pas d'un cheval, grincement des roues.)

Il se retourne : c'est un vieux fiacre. Voiture couverte. Vieux cocher. Il regarde sa montre.

Je prendrai l'autre train.

Freud n'en croit pas ses oreilles.

FREUD : Hein?

Breuer fait un signe au cocher, qui tire sur ses rênes.

BREUER, *expliquant :* Le train de l'après-midi.

La voiture s'arrête à côté d'eux. Breuer invite Freud à monter. Freud ne monte pas. Il regarde Breuer avec indignation.

FREUD : Vous n'allez pas...
BREUER : Partir? Bien sûr que si. Plus loin ce sera, mieux cela vaudra.
FREUD : Mais Cecily...
BREUER : Elle est guérie.
FREUD : Vous voyez bien que non.

Breuer se ment à lui-même : il joue le calme. Mais il reste profondément troublé.

BREUER : C'est la dernière crise.
Si je reste, je ne lui ferai que du mal. Si je m'en vais elle m'oubliera.

Freud, dans la stupeur et l'indignation, a perdu toute sa timidité.

FREUD, *avec force :* Guérie! Pendant que vous guérissiez ses contractures et ses troubles visuels, elle faisait tranquillement une grossesse nerveuse et c'est de vous qu'elle se croyait enceinte. Elle est plus malade que jamais; vous ne pouvez pas l'abandonner!

Breuer rougit. Le ton de Freud l'a indisposé.

BREUER, *très sec* : C'est pourtant ce que je vais faire.

Il veut monter en fiacre. Freud le retient par sa manche.

FREUD : Breuer! Vous êtes médecin : c'est votre devoir de...

BREUER : Je connais mon devoir mieux que vous.

Il revient vers Freud et dit avec force, pendant que le cocher les regarde dans l'ahurissement :

(Presque crié :)

Je l'ai rendue amoureuse de moi, comprenez-vous?

FREUD : Elle est *tombée* amoureuse de vous. Sans doute parce qu'elle était déjà troublée.

Vous n'y êtes pour rien.

BREUER : Parbleu!

(Un temps.)

Ce serait trop commode.

Toujours dans la passion, mais avec une sorte de nostalgie :

Elle était froide. Elle était pure... Savez-vous ce que je crois? L'hypnotisme est un moyen de séduction.

Si mes confrères exigeaient demain ma radiation de l'Ordre médical, je n'aurais rien à objecter.

Stupeur croissante du cocher.
Breuer éclate. Il s'accuse, mais l'on dirait à son ton et à ses gestes qu'il fait un réquisitoire contre Freud.

Je l'ai salie, Freud, je l'ai salie par des pratiques imbéciles et criminelles. Je me suis déshonoré.

En parlant il pousse son index tendu contre la poitrine de son interlocuteur.

Un médecin qui séduit ses clientes! Un médecin marron!

La ville entière va rire de moi.

D'une voix blanche, presque épuisée :

Il faut que je m'en aille.

Il ouvre la portière du fiacre et monte. Freud ne le retient pas.
Il ferme la portière. Par la fenêtre ouverte, on le voit s'asseoir. Le
cocher s'apprête à fouetter ses chevaux.
Freud l'arrête :

> FREUD, *au cocher :* Un instant!

Il s'approche de la fenêtre. Breuer s'est assis sur la banquette,
accablé, les yeux mi-clos.

> (*À Breuer, timidement :*) Si vous me donnez un
> mot pour Madame Körtner, je soignerai Cecily en
> votre absence.

L'indignation de Breuer est telle qu'il projette littéralement sa
tête par la portière.
Freud recule d'un pas. La tête furieuse de Breuer sort par la
fenêtre ouverte. Ses yeux flamboient :

> BREUER, *avec une violence extrême et, pour la pre-*
> *mière fois depuis que nous le connaissons, avec l'impé-*
> *rieuse autorité d'un tyran :* Jamais!
> Je connais vos théories, mon pauvre Freud! Je
> connais vos belles idées sur le sexe.
> Vous me volerez ma méthode et Dieu sait pour
> quel usage!
> Vous mettrez des ignominies dans la tête de
> cette pauvre fille, vous la rendrez folle à lier.

Martelant les mots :

> Écoutez-moi bien, Freud : je vous interdis de
> vous occuper d'elle. Compris?
> FREUD, *d'une voix coupante, pris entre la colère et*
> *la timidité :* Oui.

Freud recule d'un pas et fait signe au cocher qu'il fouette son
cheval.

> (*Avec une ironie sombre :*) Bon voyage!

Le fiacre part. Freud immobile, furieux et consterné, regarde la
voiture jusqu'à ce qu'elle disparaisse.

[25]

Un amphithéâtre à la Faculté de Médecine.

Le cours vient de finir. Les derniers étudiants sortent par la porte du fond, située derrière le gradin le plus élevé. L'appareil les suit un instant puis il plonge dans la salle.

Nous voyons d'en haut le professeur à sa chaire. (C'est Freud qui range des papiers dans sa serviette) et, au premier rang, de dos, encore assis, un élève de forte carrure et qui, même de loin, semble plus âgé que les très jeunes gens — tous barbus — qui quittent la salle : c'est Fliess.

Nous sommes à présent devant la chaire. Fliess s'est levé, il parle à Freud, qui vient de se lever, lui aussi, en le regardant de bas en haut.

Fliess a un sourire sardonique; Freud a l'air amer et sombre; il accepte les plaisanteries de Fliess sur Breuer; il s'y associe même — à contrecœur — mais il ne sourit pas.

FLIESS, *ironie malveillante :* Et notre don Juan, comment va-t-il?

FREUD, *contrarié :* Bah!

(Un temps.)

Ma femme vient de recevoir une lettre de Mathilde.

(Amer :)

Ils nagent dans le bonheur.

Il ferme sa serviette, descend de l'estrade (une seule marche) et se retrouve de plain-pied avec Fliess.

Celui-ci le regarde venir de ses gros yeux diaboliques. Il n'a pas engagé la conversation sans une intention précise. Et cela se voit.

FLIESS, *même ton :* Il fait beau, à Venise?

FREUD, *ironie sombre :* Très beau.

FLIESS, *brusquement :* Et Cecily, pendant ce temps? Est-ce qu'on lui a mis la camisole de force?

FREUD : Je n'en sais rien.

FLIESS : Ce serait une bonne idée, pourtant, que

d'enchaîner les malades pour que les médecins puissent prendre des vacances.

Il se rapproche de Freud.

> Alors, vous ne l'avez pas revue?
>
> FREUD, *agacé :* Je vous dis que Breuer m'a interdit...
>
> FLIESS : Et alors?
>
> FREUD : C'est sa cliente.
>
> FLIESS, *brutal :* Et, quand Breuer n'est pas là, ses clientes peuvent crever?
>
> FREUD, *sec et décidé :* Je ne lui prendrai pas sa clientèle.
>
> FLIESS : Ce n'est pas sa cliente, c'est son amoureuse.

Freud, gêné, fait un effort pour défendre son maître.

> FREUD : Laissons cela, Fliess. Ce n'est pas la faute de Breuer. *(Il rit.)* Cet homme est trop séduisant. Voilà bientôt deux mois que j'applique sa méthode à mes malades et je vous jure bien qu'elles ne sont pas amoureuses de moi.

Il s'assombrit malgré lui.

> Ce que je lui reproche, c'est d'avoir pris la fuite.

Il a les yeux fixes et le regard au loin.

> *(Dur :)* Fuir, reculer, je n'accepte pas ça. Surtout d'un Juif.
>
> *(D'un ton mi-plaisant, mi-sérieux :)*
>
> À la guerre, je me ferais tuer sur place.

Un silence. Fliess met la main sur l'épaule de Freud pour l'obliger à le regarder.

> FLIESS : Freud, Cecily est un cas exceptionnel. Elle peut nous servir...
>
> FREUD, *étonné :* Nous servir?...
>
> FLIESS : Je trouverais inadmissible qu'elle soit perdue pour la Science.

Il lâche l'épaule de Freud et fait les cent pas le long de l'estrade.

J'ai besoin de vous. Vous êtes le seul qui puissiez m'aider dans mes recherches. Je touche au but.

Avec une conviction profonde, mais non sans pédantisme, qui lui donne un air solitaire et presque égaré.

Je vois. Oui. J'ai vu la vérité. Je bouleverserai la biologie. Mes théories sont faites : reste à les prouver. C'est le plus facile. Surtout si vous me donnez votre concours.

Freud le suit des yeux pendant qu'il va et vient.

FREUD, *un peu ahuri :* Quelles théories?

FLIESS : Je vous dirai tout, n'ayez crainte. Mais ce sera une véritable initiation.

(Riant pour cacher son profond sérieux :)

Nous ferons le pacte du sang! Je ne livrerai mes secrets qu'à un frère! Il faudra nous diviser le travail.

Il monte sans même y prendre garde sur l'estrade.
Il la parcourt en parlant.
Freud s'assied sur un gradin, fasciné. Fliess après quelques allers et retours, finira par s'arrêter derrière la chaire et parlera debout en regardant Freud de haut en bas.

La sexualité, Freud. Tout est là. Vous serez bien étonné quand je vous ferai part de ma découverte. Pour l'instant, il faut retrouver Cecily.

FREUD : Quel rapport...

FLIESS : Cecily, c'est une preuve. Je le sais.

(D'un ton âpre et presque inhumain dans sa dureté :)

Il faudra la travailler durement et sans relâche. Jusqu'à ce qu'elle nous livre son secret.

Impérieusement, le doigt tendu au-dessus de la chaire pour désigner Freud :

Allons voir Cecily. De toute façon, je dois retourner chez elle, puisque sa gorge n'est pas guérie.

Avec insistance :

Allons la voir! Vous n'avez pas le droit de retarder les progrès de la connaissance pour ménager les susceptibilités de Breuer.

Freud s'est levé mais il ne répond pas. Il garde la tête basse et l'air buté.

Fliess le regarde et lui lance cette flèche empoisonnée, d'une voix mesurée, presque douce :

Il est jaloux, voyons!

Freud relève la tête et se tourne vers Fliess avec un peu d'anxiété.

FREUD, *d'une voix altérée :* Vous avez eu l'impression...?

FLIESS : C'est clair comme le jour. Ces braves gens-là aiment à se montrer généreux envers les apprentis. Cela donne à très peu de frais bonne opinion de soi-même.

Mais si l'apprenti passe maître... gare à lui.

FREUD, *absorbé :* J'ai cru sentir quelquefois...

C'est au tour de Freud de marcher le long de l'estrade. Il a l'air absorbé et méchant. Malheureux surtout.

Il ne regarde plus Fliess : il cherche en lui-même.

Voyez-vous, Fliess, les gens comme moi ont besoin de se donner des tyrans. Je ne sais pas pourquoi.

Le mien, c'était Breuer.

Je lui obéissais comme un enfant.

Sombre et rancuneux :

Mais je ne lui pardonnerais pas une faiblesse. Vous êtes sûr qu'il est jaloux?

FLIESS : Cela crève les yeux.

Bien entendu, Freud ne découvre rien, en ce moment. Fliess formule ce que Freud n'osait pas s'avouer.

FREUD, *sincère et atterré :* De moi? De moi qui ne suis rien?

Je l'admirais tant...

Un temps. Freud est à son tour mordu par la jalousie. D'un ton venimeux, comme s'il se vengeait de son idole, en le livrant aux railleries de Fliess :

FREUD : Savez-vous qu'il est amoureux?

FLIESS : De Cecily?

FREUD : Bien sûr. Je ne sais pas trop qui a séduit l'autre. Je suis gêné depuis le premier jour de cette histoire.

Il se penchait sur elle, il prenait une voix en sucre, il s'épongeait le front sans cesse...

Fliess ne dit pas un mot. Il écoute en souriant, sachant très clairement que Freud est en train de s'enferrer lui-même : le piège fonctionne bien.

Il avait l'air d'un bouc! Tout était *sexuel* entre eux. C'est ce qui m'a donné l'idée.

(Brusque décision :)

Allons voir Cecily.

En disant ces derniers mots, Freud monte à son tour sur l'estrade et se trouve au niveau de Fliess.

[26]

Dans un fiacre découvert.

Les faubourgs de Vienne, près de la villa de Cecily. Fliess, étalé sur la banquette, parle.

Freud, penché en avant, l'air inquiet, les yeux fixes, ne répond rien.

Il est impossible de savoir s'il est attentif ou tourmenté par la décision qu'il a prise.

FLIESS : En conclusion, j'affirme que tout individu est à la fois mâle et femelle. C'est ce que j'appelle la bisexualité. Naturellement il y a un sexe qui domine : l'autre est barré, masqué, mais son développement physiologique se poursuit.

Vous êtes un homme, Freud, un homme viril et pourtant – comme il arrive à tous les hommes – une partie de votre constitution est féminine. Et votre vie, comme la mienne, est conditionnée par des phénomènes périodiques en relation avec notre constitution bisexuée. Des rythmes...

La voiture s'engage dans la rue bordée de villas qui conduit à la maison de Cecily. Freud tressaille et se redresse. Fliess, furieux d'être interrompu, le regarde sans bienveillance.

Vous ne m'écoutez pas.

Freud, dressé, regarde la grille de la villa, au loin.

Qu'est-ce qu'il y a?
FREUD, *entre ses dents :* Je n'aurais pas dû...
FLIESS, *furieux :* Quoi?
FREUD, *à regret, tristement :* Breuer ne me le pardonnera pas.
FLIESS : Et après?
Qu'avez-vous besoin de lui, à présent? Il a donné la méthode et vous l'avez perfectionnée : elle est à vous.

La voiture s'est arrêtée. Freud saute à terre le premier.

(*Irrité par le silence de Freud :*)
Vous m'avez dit que vous ne reculiez jamais!
FREUD : Je ne recule pas. Allons.

Il sonne à la grande grille. Pas de réponse.
Après un instant d'attente, Fliess va jusqu'à une petite porte latérale et l'ouvre.
Il entre et Freud le suit. Ils voient de loin la villa. Tous les volets sont clos. Elle paraît abandonnée.
Quelqu'un s'avance vers eux. C'est le fils du jardinier. Il porte un grand chapeau de paille. Son air respectueux a fait place à une sorte d'insolence.

FLIESS : Madame Körtner?
LE FILS DU JARDINIER : Partie.
FLIESS : Et sa fille?
LE FILS DU JARDINIER : Aussi.
FREUD : Quand doivent-elles revenir?
LE FILS DU JARDINIER : Jamais.
(*Un temps :*)
La villa est à vendre.
FLIESS : Où peut-on bien écrire?
LE JEUNE HOMME : Elles n'ont pas laissé d'adresse.
FLIESS : Bon.

Il est le premier à faire demi-tour et à remonter dans le fiacre.
Freud ne le suit pas tout de suite. Le jeune homme referme la porte
et Freud reste un instant, le nez contre la porte close.

FLIESS, *voix off :* Eh bien, Freud?

Freud fait demi-tour et se dirige vers le fiacre.
Son visage s'est éclairé. Il dit en s'asseyant :

FREUD, *sur un ton léger et ironique qui masque sa*
réelle satisfaction : Eh bien, Fliess, c'est un signe du
Destin, non?

La calèche repart.

[27]

Le cabinet de Freud.

Quelques heures plus tard, vers la fin de l'après-midi.
Il est assis près du divan. Sur le divan, Dora, en état d'hypnose.
Dora parle.
Freud l'écoute en fumant un cigare.

DORA, *d'une voix blanche :* Ma pauvre maman, je
ne suis jamais tranquille ; dès qu'elle sort pour faire
les courses, j'ai la gorge serrée, je ne peux pas
m'empêcher de penser qu'il va lui arriver un accident.

Dora parle d'une voix blanche et rapide. Sans aucune intonation,
presque comme si elle récitait un rôle.

FREUD : Quelle sorte d'accident?
DORA : Un cheval emballé, par exemple. N'importe quel accident pourvu qu'il soit mortel.

Freud qui écoutait avec une sorte d'indifférence, se passionne
brusquement :

FREUD : Qu'est-ce que vous avez dit?

Dora bat des paupières et s'agite.

FREUD : Qu'est-ce que vous avez dit? Répétez.

Dora ferme les yeux.
D'une voix plaintive :

DORA : Je ne me rappelle plus. Je suis fatiguée.

Freud hésite un instant. Puis il reprend, doucement mais fermement.

FREUD : Vous avez dit : pourvu qu'il soit mortel.
DORA : Mortel? Quoi?
Je ne sais pas! Je ne sais pas!

Elle s'agite, elle semble épuisée. Freud s'en aperçoit : il décide d'arrêter la séance.
Il se lève, éteint sans hâte son cigare et le laisse dans un cendrier, sur son bureau.
Il revient vers Dora, sans s'asseoir. Il se penche sur elle.
Freud met la main sur le front de Dora, on sent qu'il va la réveiller.

FREUD, *doucement :* Dora!

Dans la chambre de la petite Mathilde.

Elle est dans son lit, toute rouge, elle étouffe.
On entend des râles s'échapper de sa gorge.
Martha est assise devant son lit, anxieuse.

MARTHA, *elle parle avec douceur et un profond amour :* Mathilde! Qu'est-ce que tu as? Mais qu'est-ce que tu as? Tu as mal?

La petite qui ne peut pas parler fait un signe.
Ses grands yeux largement ouverts témoignent de sa souffrance.

Tu étouffes?

Nouveaux râles. On dirait que l'enfant agonise et pour se convaincre que Mathilde court un danger mortel il suffit de voir le visage de Martha.
Ces nouveaux râles plus violents achèvent d'affoler la jeune femme.
Elle se relève brusquement et sort de la pièce en courant.

Dans le cabinet de Freud.

Les deux protagonistes sont demeurés à peu de chose près dans la position où nous les avons laissés. Freud, penché sur Dora, répète doucement :

FREUD : Réveillez-vous, Dora. Vous êtes réveillée.

Les yeux de Dora se sont ouverts; elle est réveillée.

(On frappe discrètement à la porte du fond.)

Freud, absorbé, n'entend pas.
Dora sourit à Freud : c'est un vrai sourire d'amoureuse.

(On frappe pour la seconde fois.)

Brusquement, elle lui jette les bras autour du cou. Visiblement,
elle lui offre ses lèvres.

DORA : Mon amour!

La porte du fond s'ouvre. Martha paraît, avec un visage ravagé.
Elle voit la scène. Freud qui ne l'a pas vue venir, dénoue doucement
les bras de Dora et se relève.

FREUD, *rire gêné :* Et voilà les surprises de l'hypnose.

Dora, déconcertée, s'est assise sur le divan.

(D'une voix glaciale mais douce :)

Je ne suis pas votre amour, Dora. Tout juste votre médecin.

Dora, terriblement gênée, regarde Freud en silence.

MARTHA, *voix off :* Sigmund!

Freud se retourne brusquement. Il regarde Martha avec colère
mais il voit à ses traits qu'elle est bouleversée.
Dora, cramoisie, se lève sans un mot et va prendre son chapeau.

La petite est très mal. Je ne sais pas ce qu'elle a. J'ai peur.
FREUD : Je viens! À lundi, cinq heures!

Il se tourne vers Dora. Il traverse la pièce rapidement.
Dora, avec beaucoup de timidité :

DORA : Au revoir, Martha.

Martha la regarde froidement :

MARTHA, *glaciale :* Au revoir.

Freud et Martha sortent.

Dans la chambre d'enfants. *La petite Mathilde suffoque. Freud et Martha entrent. Martha reste en arrière. Freud se penche sur l'enfant.*

FREUD : Ouvre la bouche.

Mathilde ouvre la bouche. Freud se penche et la regarde.

A-t-on pris sa température?
MARTHA : Trente-huit, neuf.

Freud est toujours penché sur l'enfant. Il se relève.

FREUD, *à Martha :* Je crois que c'est le croup.
Va dire à la bonne d'aller chez Fliess et de le ramener sur-le-champ.

Il s'assied près d'elle et lui tient la main. Martha sort pour prévenir la bonne; elle revient, prend une chaise et s'assied de l'autre côté du lit.

Dans le cabinet du docteur Freud.

Dora finit de fixer son chapeau sur sa tête avec de longues épingles. Elle est irritée, s'agace en se regardant dans un miroir, se pique les doigts avec une épingle et frappe du pied.
Ce travail terminé, elle se dirige, les yeux étincelants, vers le bureau de Freud et déchire — sans hâte mais systématiquement — tous les papiers qui s'y trouvent. Cette opération semble la soulager.
Elle se redresse et sort du bureau avec le calme vengeur d'un justicier.

Une heure plus tard (vers huit heures du soir). Dans la chambre d'enfants.

Fliess encore assis au chevet de Mathilde range ses instruments dans sa trousse.

(Râles off de la petite.)

Freud et Martha debout le regardent en silence. Il se lève et sort. Freud le suit dans le couloir, Martha les rejoint en silence.

FLIESS : Laryngite diphtérique.

Freud est blême.

MARTHA : C'est... c'est grave?

FLIESS : Freud, je veux vous voir un instant dans votre cabinet.

Ils s'éloignent. Martha attend en crispant sa main gauche sur un mouchoir.

(*Bruit off d'une porte qui se referme.*)

On entend le bruit d'une porte qui se referme puis la voix de Fliess :

VOIX OFF DE FLIESS : Je reviendrai demain matin. Si l'état s'aggrave, faites-moi prévenir à n'importe quelle heure.

La porte d'entrée se referme.

(*Bruit off de la porte d'entrée.*)
(*Bruit des pas de Freud.*)

Freud revient, passe devant Martha sans la regarder. Il entre dans la chambre d'enfants.

Il s'approche de la malade et la regarde avec une tendresse profonde. La petite fait un effort pour lui sourire.

FREUD : Tu as mal?

Quelle est la chose dont tu as le plus envie? Celle qui te ferait le plus grand plaisir du monde?

L'enfant essaye de parler. Elle y parvient enfin, d'une voix étouffée.

LA PETITE MATHILDE : Des fraises.

FREUD : Bon.

Il sort presque en courant. Martha entre et s'assied à sa place.

Dans la rue. Une épicerie.

Le rideau de fer est baissé. Freud tape à coups de poing contre le tablier de fer.

Au premier étage, une fenêtre finit par s'ouvrir. Un vieil homme à lunettes se penche au balcon.

LE VIEUX : Qu'est-ce que vous voulez, à la fin?
FREUD : Des fraises.

[28]

Dans la chambre d'enfants.

Plus tard. La nuit tombe. Martha est assise d'un côté du lit. De l'autre côté nous découvrons Freud, les traits tirés.
L'enfant s'agite et semble délirer. Sur la table de nuit, un panier de fraises. Elle n'y a pas encore touché.
Martha lève sur Freud un regard dur et froid.

MARTHA, *voix basse :* J'ai le droit de savoir ce qu'il a dit.
FREUD : Oui. *(Un silence.)*

Dur et sombre :

Une chance sur deux.
Elle a...

Désignant sa propre gorge.

Là...
Une fausse membrane laryngée qui l'étouffe.
Si elle peut s'en débarrasser pendant la nuit...
MARTHA : Et si elle ne peut pas...

Freud ne répond pas.

Tard dans la nuit. Martha est allée voir ses deux fils dont elle a transporté les deux lits dans sa chambre. Ils dorment.
Elle revient s'installer, sur la pointe des pieds, au chevet de Mathilde. Celle-ci ouvre les yeux tout à coup et regarde Freud avec intensité, comme si elle voulait lui parler.
Freud se penche sur elle.

FREUD : Qu'est-ce que tu veux, mon chéri?
LA PETITE MATHILDE, *péniblement :* Fraises.

Freud prend le panier et le lui montre. Il en tire une fraise dont il ôte la queue et la met lui-même dans la bouche de l'enfant.

FREUD : Doucement!
Doucement!
Et si tu as de la peine à l'avaler, recrache-la.

La petite se met à mâcher. Péniblement. Martha regarde Freud avec défiance.

MARTHA : Tu es sûr qu'on peut?

Freud hausse tristement les épaules.

(Toux off de l'enfant qui s'étrangle.)

Freud sursaute.

MARTHA, *les yeux brillants de colère :* Tu vois ce que tu as fait!
FREUD, *à Mathilde :* Recrache-la! Recrache-la vite.

Mathilde tousse et s'étrangle de plus en plus. Elle se redresse à moitié et vomit sur les couvertures.

(À Martha :) Attends! Attends!

La petite tousse encore un peu et se rejette en arrière.

Écoute-la respirer.

La respiration est encore sifflante mais plus calme. Freud et Martha écoutent encore un moment.

FREUD : Elle est sauvée.

La petite sourit à son père.

Tu as moins mal?
LA PETITE MATHILDE : Oui.

Elle ferme les yeux et s'endort.
Martha se lève tranquillement, ôte les couvertures souillées, va en chercher d'autres dans une armoire et refait le lit de Mathilde, sans la réveiller. Elle emporte les couvertures sales, disparaît un instant et revient.
Freud regarde Mathilde dormir avec un vague sourire de délivrance. Martha a fini son travail. Elle s'assied et brusquement, elle se met à sangloter silencieusement, la tête dans ses mains.
Freud se lève et va doucement à elle. Il la prend par les épaules. Elle se dégage d'un mouvement d'une violence presque sauvage.

MARTHA : Ne me touche pas!

Freud laisse retomber ses bras.

FREUD, *stupéfait :* Martha!

Martha s'est reprise. Elle le regarde sans chaleur.

MARTHA, *d'une voix froide :* Excuse-moi.
Je me laisse aller.
(Pour s'excuser :) J'ai eu très peur, vois-tu. Hor-
riblement peur.
FREUD : Tu n'as pas l'air soulagée.
MARTHA : Je le suis.

Il la regarde avec une inquiétude profonde et, découragé, revient s'asseoir à sa place.

L'enfant respire presque normalement. Martha et Freud, de chaque côté du lit, les traits tirés par la fatigue, regardent droit devant eux, sans se voir.

C'est l'aube. La fenêtre s'éclaire. Dans la rue, passe une carriole de laitier.

Freud et Martha sont toujours au chevet de Mathilde, muets.

L'enfant dort. Son sommeil est assez paisible; son visage est calme et détendu. Freud et Martha sont vieillis et durcis par la fatigue (rides, cernes autour des yeux).

Freud semble réfléchir. Tout d'un coup, il tourne les yeux vers Martha.

FREUD, *à mi-voix :* Martha!

Elle le regarde sans tendresse ni hostilité.

Tu m'en veux?
MARTHA, *froidement mais sincèrement :* Non.
FREUD : Si. À cause de Dora, hier soir.
MARTHA : Ne parlons pas de cela.
FREUD : Il faut en parler, Martha! Je...
MARTHA : Pourquoi? Je sais ce que tu vas me
dire : que tu n'as pas voulu séduire Dora, que tu
n'as pas d'amour pour elle, pas même de désir,
que ses... manifestations d'hier soir sont un acci-
dent de la cure, que tu me seras toujours fidèle?
À quoi bon?
Tout cela, j'en suis profondément convaincue.

Freud lui parle avec douceur et sincérité.

FREUD : Eh bien, alors?
MARTHA : Je n'aime pas ce que tu fais.

FREUD : Ce que je fais, c'est ton ami Breuer qui m'a donné l'idée de le faire.

MARTHA : Oui. Et tu vois où ça l'a mené. Est-ce que tu crois vraiment que c'est un traitement scientifique?

FREUD : Quoi?

MARTHA : De rendre les femmes amoureuses de vous pour les guérir.

FREUD : Qui parle de cela?

MARTHA : Vous. Vous les hypnotisez.

FREUD : L'hypnotisme n'a rien à voir avec... ces niaiseries.

Martha, toujours glacée, élève un peu la voix.

MARTHA, *elle parle un peu plus fort :* Je ne sais pas si vous les hypnotisez pour les rendre amoureuses de vous; ce qui est sûr, c'est qu'elles sont amoureuses de vous parce que vous les hypnotisez.

FREUD, *sincère, sans élever la voix :* Non.

MARTHA, *sans tenir compte de la dénégation :* Je trouve ça malpropre.

Sans violence. Presque en s'excusant. Mais on sent, par-dessous, l'inflexibilité d'un juge.

Mathilde remue et pousse un très léger gémissement, dû probablement aux bruits qui troublent son sommeil. Freud la regarde.

FREUD, *à Martha :* Chut!

Il se lève sans bruit et va à la fenêtre. Il regarde la rue, les gens qui vont au travail, les rares voitures qui passent. Il fait signe à Martha de venir le rejoindre. Elle n'en a pas envie. Il insiste.

(À mi-voix :) Viens, je t'en prie.

Elle se lève et s'approche de lui, avec un peu de mauvaise grâce. Elle appuie son front au carreau, sans doute pour chercher un peu de fraîcheur.

Ils se parlent sans se regarder : ils sont tournés l'un et l'autre vers la rue.

FREUD : Tu sais ce que je pense : l'hypnotisme est un effet. Jamais une cause.

MARTHA : Qu'est-ce que cela veut dire?

On sent que Freud cherche sa pensée. C'est une question sur laquelle il n'a jamais réfléchi.

FREUD : La première fois que j'ai mis Dora en
état d'hypnose, elle s'est endormie en une seconde.
Parce qu'elle me faisait confiance; parce qu'elle
souhaitait déjà s'abandonner à moi.

MARTHA : Donc, elle était amoureuse.

Freud se met à rire : petit rire sec et sans gaieté.

FREUD, *avec la voix toujours ironique et sans amitié
qu'il prend pour parler de lui-même :* Amoureuse,
oui. Mais pas de moi. Regarde-moi, Martha, et dis-
moi si l'on peut...

Elle l'interrompt par lassitude et sans vivacité.

MARTHA, *l'interrompant :* Tu répètes toujours ça.
Si tu es assez bon pour moi, pourquoi ne serais-tu
pas assez bon pour elle?

*Freud se met à tambouriner sur la vitre. Il cherche une réponse.
Tout d'un coup, il se retourne vers Martha et lui répond avec un
feu contenu : il vient de trouver l'idée.*

FREUD : Ne parlons pas de moi. Prends Cecily.
Elle n'aimait pas Breuer pour lui-même. Elle se
sentait comme un enfant entre ses mains : il la
dominait, il était autoritaire et tendre. C'était
comme la réincarnation du père mort et...

Il cherche son idée.

Elle a... transféré sur lui les sentiments qu'elle
avait pour son père.

Martha, stupéfaite et indignée, se retourne vers Freud.

MARTHA : Mais c'est idiot!
(*Un temps :*) Et Dora? Son père vit encore.

FREUD : Alors, c'est quelqu'un d'autre. Quelqu'un de mon âge... qu'elle aime sans se l'avouer.
Elle m'aime *à la place* de cet homme.

Les deux interlocuteurs se font face, à présent.

MARTHA : Quel homme?

FREUD : Je ne sais pas. Je le trouverai. De toute
façon... c'est un déplacement de sentiment... Je ne
suis qu'une image de l'autre, un symbole. Elle aussi,
elle a fait le transfert.

MARTHA : Le transfert. Quel joli mot. Il explique tout. Mon amour pour toi, est-ce que c'était un transfert?

FREUD : Pourquoi pas?

MARTHA : Alors on n'aime jamais que des ombres?

FREUD : Je ne sais pas. C'est quelque chose que je viens de comprendre... Je verrai où cela me mènera...

MARTHA, *ironique et froide* : Sans transfert, pas d'hypnose?

FREUD : Pas de confiance, en tout cas. La malade ne parlerait pas.

Illuminé :

Sais-tu? Le transfert, c'est le rapport normal du médecin au névrosé.

MARTHA : Je vois.

Elle laisse Freud qui s'est de nouveau tourné vers la fenêtre et qui suit son idée d'un air passionné.

Il ne fait pas un geste pour la retenir. Elle jette un coup d'œil sur la petite malade qui respire paisiblement, elle sort, va regarder dormir ses deux fils dans sa chambre. On sent qu'elle est profondément bouleversée.

Un des enfants s'est découvert, dans son sommeil; elle remonte les couvertures et borde doucement le lit, sans cesser de réfléchir. Puis elle rentre dans la chambre d'enfants et va rejoindre Freud qui n'a pas bougé.

Un bref silence. Puis :

MARTHA : C'est sale.

FREUD : Quoi?

MARTHA : Ces faux amours... ces substitutions... la façon dont vous les exploitez...

FREUD : Crois-tu que c'est propre, une maladie?

MARTHA : Je suis une honnête femme et tu en es fier. Autrefois tu m'as défendu de patiner, tu ne voulais même pas que je salue Irma Stein parce qu'elle avait mauvaise réputation; aujourd'hui encore tu m'interdis certaines lectures.

Je te le dis franchement, au nom de ce que j'ai toujours été et de ce que tu m'as faite, j'ai horreur de ce qui se passe dans ton cabinet de médecin.

Ce n'est pas de la jalousie, c'est du dégoût. Réfléchis bien, Sigmund : es-tu sûr qu'une femme puisse vivre auprès d'un mari dont les occupations la dégoûtent?

Freud la regarde avec inquiétude. Le jour éclaire leurs deux visages creusés et noircis par la nuit : cernes et rides contribuent à donner à leur conflit quelque chose de tragique et d'irrémédiable.

Tu ne veux pas renoncer à cette...

Avec une ironie méprisante :

...thérapeutique?

Freud semble bouleversé. Il est tendre et chaleureux en face de Martha, glaciale.

FREUD : Martha! Tu sais bien qu'on ne revient jamais en arrière.

MARTHA : Même quand on risque de se perdre?

FREUD : Nous sommes certains de découvrir...

MARTHA : Un secret honteux. Quelque chose comme un secret de famille.

Autrefois tu me racontais tout... À présent tu te tais, mais, quand tu sors de ton cabinet, le soir, tu as des yeux qui me font peur.

Brusquement et impulsivement, elle lui met les bras autour du cou. Ardemment :

Sigmund! Pour notre bonheur, tu ne veux pas...

On entend un coup de sonnette.

(Sonnerie off.)

Freud ni Martha n'y prêtent attention. Freud regarde Martha avec une sorte de passion désolée.

(Bruit d'une porte qui s'ouvre.)

La bonne ouvre la porte.

VOIX OFF DE LA BONNE : Le docteur Fliess vient d'arriver.

Le visage de Martha se glace, elle laisse retomber les bras. Freud se redresse, il a l'air dur.

FREUD : Non, Martha. Même pour notre bonheur.

MARTHA, *de nouveau glacée* : Alors ne me parle
plus de rien. Jamais. Il y aura nos enfants, la maison, les parents. Le reste, je veux pouvoir l'ignorer.

Freud la regarde avec angoisse.
C'est elle qui se détourne et qui dit à Fliess que nous ne voyons
pas :

MARTHA : Bonjour, Docteur. Je crois que notre
enfant est sauvée.

[29]

Quinze jours plus tard, dans l'après-midi.

Fliess et Freud marchent sur le Ring au gros soleil; leur pro-
menade les conduira vers un grand pont de pierre au-dessus du
Danube. Beaucoup de passants sur le Ring, des toilettes, des maga-
sins brillants.
Fliess (haut-de-forme, canne, jaquette noire — beaucoup plus élé-
gant que Freud) regarde les passants et les boutiques avec un amu-
sement plein de regret.
Une belle femme passe et le regarde hardiment. Il lui rend son
regard avec un air conquérant que nous ne lui connaissions pas et
la suit même des yeux sans craindre de se retourner sur elle. On
pourrait presque croire que c'est à elle qu'il fait ses adieux.

FLIESS, *avec une mélancolie légère et qui se moque*
d'elle-même : Adieu! Adieu!

Freud, lui, est franchement triste. Il passe au milieu des gens
sans les voir. Aux mots de Fliess, il sursaute.

FREUD, *comme tiré d'un songe :* À qui dites-vous
adieu?
FLIESS, *geste :* À tout cela. À Vienne.
FREUD, *sincèrement surpris :* Vous aimez Vienne?
Moi, je la déteste. Petites gens! Petites amours!
Petite racaille!

Et, en comptant les touristes, plus d'antisémites que d'habitants.

FLIESS, *bonhomme :* Vous ne pourriez pas vivre ailleurs!

FREUD : C'est vrai. Mais dès ce soir j'y vivrai seul. Quand vous serez parti, personne, dans cette ville, ne s'intéressera à mes recherches.

Il regarde pour la première fois les passants, leurs visages las, préoccupés, inexpressifs ou niais et il répète :

Personne.

Fliess le regarde de côté et lui dit :

FLIESS : Vous avez revu Breuer pourtant.

FREUD, *un peu gêné :* Deux fois depuis son retour. Il abandonne la psychiatrie.

FLIESS : Parbleu! Il faut avoir les reins solides. Que fera-t-il?

FREUD : Il revient à la neurologie : sa spécialité.

(Un temps. Timidement :)

Nous écrivons un livre ensemble.

Fliess lui jette un mauvais regard.

FLIESS : Sur quoi?

FREUD : Sur sa méthode de purification.

(Un temps.)

Nous avons convenu que nous ne toucherions pas aux problèmes de la sexualité.

FLIESS : Alors qu'est-ce qui reste? Un bavardage.

FREUD, *doucement :* Fliess, quand les enfants grandissent, c'est à eux de nourrir leurs parents. Breuer m'a aidé : je le respecte comme mon père et je le respecterai quoi qu'il arrive. Il va s'encroûter dans la médecine pratiquante et je... je voudrais qu'il écrive ce livre.

FLIESS : Trop de bons sentiments, Freud. Beaucoup trop. N'oubliez pas que la Science est inhumaine.

Freud le regarde amicalement et veut parler. Mais il y renonce. Ils marchent en silence.

Passe Dora, au bras d'un officier. Freud la salue mais elle détourne la tête. Fliess qui se disposait à saluer, y renonce devant l'attitude de Dora.

> FLIESS : Qui est-ce donc?
> FREUD : C'est Dora, vous savez. Névrose obses-sionnelle. Elle a cessé brusquement de venir chez moi.

Fliess se retourne et regarde Dora qui se serre un peu contre l'officier.

> FLIESS : Elle semble guérie.

Freud ne s'est pas retourné.

> FREUD, *petit rire sec et vindicatif :* Elle le serait tout à fait si elle me saluait.

Ils sont arrivés au bord du Danube. Ils traversent la rue et s'engagent sur le pont. Quelques voitures passent sur la chaussée. Le trottoir est désert. Ils sont au milieu du pont. Fliess arrête brusquement Freud.

> FLIESS : Ici. Au-dessus du fleuve, au milieu de la ville. C'est l'endroit rêvé.
> FREUD : Oui. Rêvé.

Ils s'accoudent à la balustrade. À droite des immeubles qui bordent le quai, à gauche, au-dessus des maisons, la grande roue du Prater et ses wagonnets.
Fliess sort deux anneaux de sa poche. Sur les chatons on a gravé des serpents.

> FLIESS : Un pour vous. Un pour moi.

Avec un sourire, pour montrer qu'il n'est pas dupe :

> Une société secrète à deux.
> (*Plus sérieusement :*) Aujourd'hui 13 juillet 1892, sur un pont de Vienne, il y a deux hommes et ce sont les seuls à connaître le secret de la Nature : la sexualité mène le monde.

Il se retourne légèrement au bruit d'une calèche et montre un grave personnage (barbe grise, brochette de décorations, pour le moins un conseiller d'État) qui passe, emporté dans sa voiture particulière.

> Elle le mène et il ne le sait pas.

Il regarde Freud avec insistance. Ses gros yeux fascinants lancent
des éclairs.

> Faisons le pacte.
> Vous à Vienne. Moi à Berlin. Vous le psychiatre.
> Moi le physiologiste et le mathématicien. Les
> malades vous livrent les faits et moi j'établis les
> périodes pendant lesquelles ils se sont produits.
> Le rythme, tout est là. Le rythme et le nombre.
> Prenez l'anneau.

Il lui tend un anneau. Freud hésite à le prendre.

> Qu'est-ce qu'il y a?

Freud regarde le fleuve sans répondre.

> Vous avez peur?

Freud se retourne vers lui, blessé au vif. Il prend l'anneau mais
au lieu de le mettre à son doigt, il le garde dans sa main.

> FREUD, *d'une voix hésitante :* Eh bien, oui : j'ai
> peur.

Il a peur et laisse voir sa peur. C'est ce qu'il ne se permet — nous
le savons — qu'avec les hommes qu'il juge supérieurs à lui.

> FREUD : Il faudra remuer la vase. Encore et tou-
> jours. Cela... cela me fait horreur.

Fliess le regarde sans répondre. Freud reprend, hésitant et dou-
loureux :

> Et puis j'ai peur de perdre Martha. Elle ne sait
> rien mais elle devine. Et je crois qu'elle me
> condamne. Je l'aime parce qu'elle est comme moi,
> sévère et pudique. Elle me blâme au nom des ver-
> tus que je préfère.

Il regarde son anneau de mariage et l'anneau de Fliess qu'il
tient dans la même main.

> Elle vivra près de moi comme une étrangère.
> Dans cette ville molle et débauchée qui chucho-
> tera tous les jours : c'est un sale Juif, c'est un cochon
> comme tous les Juifs.

Un long silence anxieux.

FLIESS : Le Danube est là. Si vous refusez, jetez-y l'anneau.

Freud, d'une voix rauque et presque basse, comme pour lui-même, comme s'il n'avait pas entendu :

FREUD : Et puis, surtout, j'ai peur de moi.

FLIESS, *mépris superbe :* Un ménage, une ville, est-ce que cela compte? Nous aurons la toute-puissance, Freud.

Geste vers le quai qui grouille de voitures et de passants.

FLIESS : Nous connaîtrons leurs instincts cachés, les sources de ce qu'ils appellent le Bien et le Mal et nous les dominerons par la Raison.

Freud se met à rire, brusquement.

(Un peu décontenancé :) Qu'est-ce qu'il y a?

FREUD : Je pense au pauvre Meynert. Il m'avait dit : « Faites un pacte avec le Diable. »

Il passe l'anneau à son index.

Voilà.

Fliess sourit et en fait autant.

FLIESS : Nous nous écrirons toutes les semaines. Nous aurons nos réunions secrètes.

FREUD : Des « congrès » à deux.

Freud a repris sa maîtrise de lui-même : il est presque gai, à présent.

FLIESS : Dans dix ans nous saurons gouverner les hommes.

Il prend la main de Freud et la serre dans la sienne.

À présent, mon frère, il faut nous dire : tu.

TROISIÈME PARTIE

[1]

Freud s'est transporté au rez-de-chaussée de la même maison. La famille a gardé l'appartement du troisième étage, devenu tout entier appartement privé.

Nous l'apprendrons plus tard par le dialogue. Pour l'instant, nous reconnaissons le cabinet. C'est celui-là même que nous avions vu jusqu'ici. Simplement, quand quelqu'un s'approche de la fenêtre et jette un coup d'œil au-dehors, nous reconnaissons que l'appartement est au niveau de la rue, ce qui doit provoquer une certaine surprise visuelle.

L'aspect foncièrement identique des deux cabinets vient de ce que le second occupe dans l'appartement du rez-de-chaussée la même place que le premier dans l'appartement du troisième étage.

Dans l'ameublement, la seule différence vient des nouveaux goûts de Freud : mêmes fauteuils, même divan – un peu plus usés – mais sur des meubles (cheminée, bureau, petites tables) déjà existants, de petites figurines égyptiennes (authentiques mais assez communes).

Un homme en redingote noire, très maigre, l'air intimidant derrière ses lorgnons, attend, son haut-de-forme posé à côté de lui sur le tapis, ses deux mains sur le pommeau d'une canne.

(D'abord, c'est le silence.)

Il a des yeux bleu pâle, froids et purs, une barbe poivre et sel assez longue mais peu fournie, une belle chevelure presque blanche. C'est un homme d'une soixantaine d'années, « important » sans aucun doute (il porte des décorations) et dont la maigreur ainsi que la sévérité donnent une impression d'ascétisme.

Il semble, en ce moment, profondément réprobateur, mais il ne dit rien.

Puis on entend :

      LA VOIX OFF DE FREUD, *plus dure, plus autoritaire :* Parlez, Magda, parlez! Je vous l'ordonne.
      Il s'agissait d'un gant.
      VOIX DE MAGDA, *off :* Quel gant?

Le vieux monsieur a pris une statuette égyptienne sur un guéridon et la considère (en la tenant de la main gauche, la droite restant posée sur la canne) avec ennui.

      VOIX OFF DE FREUD : Celui dont vous avez rêvé.
      VOIX DE MAGDA, *endormie et lassée :* Je ne sais plus.
      (Un silence.)

Le vieux monsieur remet posément la statuette à sa place. Après quoi, reposant sa main gauche sur sa main droite il regarde Freud (que nous ne voyons pas encore) avec sévérité.

      LE VIEUX MONSIEUR : Cela ne rime à rien. À la quinzième séance, nous ne sommes pas plus avancés.

Nous découvrons Freud, assis (comme à l'ordinaire) devant une malade hypnotisée. Il s'agit cette fois d'une vieille fille (trente-cinq ans environ) très maigre, elle aussi, entièrement vêtue de noir, avec un visage ingrat (non seulement elle est réellement laide mais il semble qu'elle n'ait jamais eu de jeunesse ni de gaieté).

Pour l'instant elle a les yeux clos. Mais même dans l'hypnose, elle garde un air morose et déplaisant. Freud, en entendant les réflexions du père, s'est retourné, furieux.

Il a retrouvé l'air sombre que nous lui avons vu dans la première partie et surtout au début de la seconde.

Mais il a acquis une sûreté et une autorité presque tyrannique, surtout avec les malades.

Il y a dans ses yeux et dans le pli de sa bouche un mélange de mépris et d'âpreté.

Il est devenu ce qu'on pourrait appeler un homme de violence, prêt à violer la conscience de ses malades pour satisfaire sa curiosité scientifique.

C'est véritablement l'homme qu'il serait devenu s'il avait fait réellement un pacte avec le Diable.

En même temps – ce qui contraste avec son autorité – la nervosité de ses gestes a augmenté. De temps à autre, il tousse. Une toux brève et sèche qui lui déchire la gorge. Il ne fume pas.

FREUD, *poli mais très dur :* Chut!

Il se lève sans bruit et va vers le père.

(*D'une voix ferme mais presque basse :*)

Il faut convenir, Monsieur le Conseiller, que vous ne me rendez pas la tâche facile. Jamais je n'ai vu Magda toute seule. À toutes les séances vous êtes présent.

LE CONSEILLER, *sur le même ton :* Je ne laisserai jamais un homme hypnotiser Magda en mon absence. Fût-il médecin patenté.

FREUD, *impatienté :* Alors, veuillez vous taire.

Ils échangent un regard de colère et Freud revient à sa place. Magda a les yeux ouverts. Elle dit avec force :

MAGDA : Je me souviens de tout. C'était les gants de mon père.

Les yeux de Freud brillent. Avec une curiosité sans bonté :

FREUD, *avec la voix d'un policier dans les Detective stories :* Quand les portait-il?

MAGDA : C'était à Kitzbühel. Deux ans après la mort de ma mère.

FREUD : Quel âge aviez-vous?

MAGDA : Six ans.

Nous revenons sur le conseiller aulique. Les mains posées sur sa canne, le regard absent, il n'a pas fait un mouvement.

(*Cri off de Magda.*)

Magda pousse un cri terrible. Le vieillard ne tressaille même pas. Il reste droit, le regard au loin.

VOIX OFF DE MAGDA, *elle crie et sanglote :* Il m'a fait mal!

Il m'a fait peur!

Il n'était plus mon père! Jamais je ne me marierai, je ne veux plus voir ce regard.

(*Cette confession s'achève par des cris inarticulés.*)

Le Conseiller ne fait pas un geste. Son visage ne change pas d'expression, mais, tout d'un coup, des larmes coulent de ses yeux en silence. Il ne songe pas même à protester.

Freud s'est retourné; il voit le Conseiller qui pleure.

Il le regarde avec un mélange de stupeur et de mépris.

Le Conseiller ne le regarde même pas. Freud se penche sur Magda. Il la calme par une pression de la main sur son front. Elle cesse ses soubresauts, et la terrible agitation qui l'avait prise décroît rapidement.

FREUD, *autoritaire :* Vous allez vous réveiller, Magda. Mais je vous ordonne de vous rappeler mot pour mot ce que vous venez de dire. Vous obéirez?

MAGDA, *dans un souffle :* Oui.

FREUD : Réveillez-vous, Magda. Réveillez-vous! Vous êtes réveillée.

Magda a les yeux ouverts. Elle reprend peu à peu le visage maussade et lucide qu'elle doit avoir dans la vie quotidienne.

Elle se redresse et s'assied sur le lit.

Vous rappelez-vous ce que vous m'avez dit?

Magda ne change pas d'expression. Elle répond d'une voix faible mais naturelle :

MAGDA : Oui.

Freud s'est éloigné d'elle, en restant assis.

Elle se lève. Elle prend son chapeau sans un mot et le fixe sur sa tête, sans se retourner vers le miroir.

Ses gestes sont un peu lents, encore engourdis, dirait-on, mais précis. Freud la regarde sans dire un mot.

Le Conseiller s'est levé à son tour. Il n'y a plus de larmes dans ses yeux.

Magda se dirige vers la porte et le Conseiller la rejoint.

Il n'a pas pris son chapeau qui reste près du fauteuil, sur le tapis. Magda voit qu'il est nu-tête. Elle va, d'un geste très simple et très quotidien, ramasser le haut-de-forme, elle revient vers le Conseiller et le lui tend. Son visage n'exprime aucun sentiment.

MAGDA : Ton chapeau, papa.

Le Conseiller prend le chapeau et le garde à la main. Pendant ce temps, Freud a ouvert la porte. Ils sortent.

Magda la première, le père la suit. Ils traversent l'antichambre sans un mot. Magda reprend son ombrelle noire dans le porte-parapluies, ouvre la porte et sort, son père derrière elle.

Freud qui n'est pas sorti de son cabinet referme la porte et revient au milieu de la pièce. Puis, comme machinalement, il va vers la fenêtre et l'ouvre.

Nous remarquons alors que nous sommes au niveau de la rue. Sous un clair soleil Freud voit le père et la fille vêtus de noir traverser côte à côte et sans dire un mot la Berggasse. Ils s'éloignent, tournent dans une rue à droite et disparaissent.

Freud referme la fenêtre, revient vers le fond de la pièce. Son visage exprime un mélange de mépris et de désespoir. Il s'approche d'une statuette égyptienne et la regarde longuement. Ses yeux s'éclairent un peu. Il passe derrière son bureau, prend une petite caisse, ouverte, qui contient un objet entouré de paille.

Il sort. Par la même porte que le Conseiller et sa fille. Il prend un chapeau à une patère, le met sur sa tête (il tient la petite caisse de la main gauche et la serre contre lui).

Il sort par la porte d'entrée et monte l'escalier.

[2]

Au troisième étage, il s'arrête devant une porte et sonne trois coups. La bonne vient aussitôt lui ouvrir. Elle a vieilli mais garde dans ses yeux, quand elle le voit, une sorte d'admiration passionnée. Freud ne s'en soucie pas. Il lui donne son chapeau et entre dans le corridor.

FREUD : Pas de télégramme?
LA BONNE : Non, Monsieur.

La petite Mathilde (elle a dix ans) et les deux fils (quatre et six ans) sortent de la chambre d'enfants et se précipitent vers lui.

LES ENFANTS, *joyeusement :* Papa! Papa!

Le visage de Freud s'éclaire; il leur sourit avec une profonde tendresse.

FREUD, *avec douceur :* Attention, mes chéris, attention.

Il désigne la boîte.

Vous allez tout casser.

Tiens, Mathilde, prends la caisse et porte-la dans la salle à manger. Fais bien attention, surtout.

Mathilde prend la caisse avec précaution et la porte à la salle à manger, toute fière de sa mission.

Freud, les mains libres, soulève tour à tour ses deux fils et les embrasse tendrement.

Mathilde est revenue.

MATHILDE : Et moi! Et moi!

Il la prend dans ses bras et l'embrasse.

FREUD : Ma belle petite fille! Mon petit ange!

Martha sort de la cuisine.

MARTHA : À table! À table!

Freud la prend par les épaules et l'embrasse sur le front. Ils se sourient gaiement et affectueusement, mais sans la profonde tendresse amoureuse qui les unissait dans les deux premières parties.

Tout le monde entre dans la salle à manger. Le couvert est mis. Pendant que les enfants prennent place autour de la table, Freud s'est approché d'un guéridon sur lequel la petite Mathilde a posé la caisse. Il sort de la paille qui l'entoure un petit buste égyptien.

Martha le regarde très légèrement contrariée.

MARTHA : Encore une! Surtout ne fais pas tomber de brins de paille!

Ils s'accrochent au tapis et c'est le diable pour les ôter.

Freud a terminé l'opération. Les enfants et Martha sont déjà assis; Martha sert les deux plus petits.

Freud vient s'asseoir à la table commune en emportant sa statuette. Il la pose devant lui un peu sur la gauche et la contemple.

LA PETITE MATHILDE, *avec une extase enfantine :* Elle est belle!

FREUD, *à Mathilde, enchanté de cet hommage :* Oui.

La bonne apporte un plat de viande. Martha sert Freud.

(*À Martha qui le sert :*) Il n'y a pas eu de télégramme?

Il dit cela plutôt par acquit de conscience.

MARTHA : Non, mon chéri.

Il s'est légèrement rembruni.

Pourquoi? Tu en attendais un?

FREUD : C'est à cause de Fliess. Nous devions nous rencontrer à Berchtesgaden au début de la semaine prochaine, mais il ne m'a pas précisé le jour.

Martha semble désagréablement surprise.

MARTHA : Tu ne me l'avais pas dit. Alors tu vas nous quitter?

FREUD : Pour trois jours, oui. Si Fliess me donne signe de vie.

Le silence tombe. Les enfants mangent. Martha les surveille du coin de l'œil.
Freud reste plongé dans la contemplation du buste égyptien.

MARTHA, *au bout d'un moment :* Mange, Sigmund. La viande sera froide.

FREUD, *docilement :* Ah oui.

Il mange sans quitter la statuette des yeux.
Un silence.

MATHILDE : Papa!

Martha lui fait les gros yeux et met le doigt sur ses lèvres.

MARTHA : Chut!

MATHILDE, *sans tenir compte de Martha :* Papa! Pourquoi regardes-tu la poupée quand tu manges!

Freud sans quitter la statuette des yeux :

FREUD, *doucement :* Parce que c'est mon seul moment de repos, mon chéri.

MATHILDE : Tu pourrais causer avec nous.

Freud détourne la tête et regarde Mathilde affectueusement.

FREUD : Non. Parce que...
(*Il hésite puis avec un peu d'ironie, sachant qu'il ne sera pas compris.*) Mon métier c'est de connaître les gens comme ils sont. Ça n'est pas très joli. Quand je me repose, j'aime encore mieux regarder ce qu'ils font.

MATHILDE, *interrogative :* Ah?

MARTHA, *très vite :* Tu comprendras plus tard, Mathilde. Laisse papa se reposer.

De nouveau, le silence. Freud s'est retourné vers la statuette et s'absorbe à la contempler.

[3]

Deux heures de l'après-midi.

Breuer sort de sa calèche, entre dans l'immeuble et monte l'escalier. Au bout de quelques marches, il s'aperçoit de son erreur et redescend. Il va sonner à la porte du rez-de-chaussée.
Sur la porte, une plaque dorée : « Docteur Freud Neurologie, psychiatrie. » C'est Freud lui-même qui vient lui ouvrir, un cigare à la bouche.

FREUD, *amicalement mais sans l'admiration timide qu'il avait dans les deux premières parties :* Bonjour, Breuer.

Il entre et se débarrasse de sa canne et de son chapeau dans l'antichambre.

BREUER : Bonjour Freud. Savez-vous que j'allais monter au troisième?
Je ne m'habituerai jamais à votre nouvelle installation.

Il rit. Il est affable et courtois, il a perdu sa supériorité un peu protectrice mais, du coup, on ne sent plus dans sa voix la générosité qui caractérisait jusque-là ses rapports avec Freud.
Freud tousse (toux sèche et rauque), avant de répondre.

FREUD : Vous savez, j'ai surtout fait cela pour Martha. Là-haut, n'est-ce pas, c'est la vie privée : les enfants, les soins domestiques, les meubles, tout lui renvoie une image d'elle-même qui lui plaît. Quand je soignais mes malades au troisième, elle avait le sentiment que je violais son intimité.

Ils sont entrés dans le cabinet de Freud. Freud lui indique une chaise. Ils s'asseyent tous deux devant le bureau de Freud, du même côté. Breuer tire de sa serviette un manuscrit qu'il pose devant Freud.

BREUER : Voilà notre introduction.

Freud la prend. Il tousse.

Qu'est-ce que c'est que cette toux?

Freud hausse les épaules.

Je croyais que vous ne fumiez plus.

FREUD : Fliess me permet cinq cigares par jour.

Le nom de Fliess n'est pas agréable à Breuer. Cela se voit.
Désignant son cigare :

C'est le premier de la journée. Le meilleur.

Il regarde le manuscrit, puis le repousse légèrement.

Si vous voulez, nous lirons cela plus tard.

Il consulte sa montre.

J'attends une malade dans dix minutes. Madame
Doelnitz. Elle m'embarrasse : je voudrais que vous
la voyiez avec moi.

BREUER, *avec politesse mais sans chaleur :* Bien
volontiers. Mais vous savez que nous différons...

FREUD, *vivement :* Il ne s'agit pas d'un point de
désaccord.

Il se lève.

Voici : elle réagit mal à l'hypnotisme. Ou peut-
être c'est moi qui ne sais pas l'hypnotiser.

Par contre, quand elle s'allonge sur ce divan *sans
être endormie,* il me semble qu'elle parle plus volontiers et qu'elle livre beaucoup plus d'elle-même.

Breuer l'écoute sans bienveillance.

Bien entendu, le transfert est évident. Alors j'en
reviens à la question que je me pose depuis la malheureuse affaire de Dora : puisque c'est le transfert
qui permet au médecin d'hypnotiser le malade,
pourquoi l'hypnose serait-elle nécessaire?

Il rit.

Vous allez me dire que je me raconte des histoires et que je suis tout simplement un mauvais
hypnotiseur.

BREUER, *assez sec :* Je ne vous dirai pas cela : je vous demanderai seulement ce qui reste de notre méthode.

FREUD, *avec chaleur :* Tout! Absolument tout! Je...

On sonne à la porte.

Du reste, vous allez la voir.

Le domestique ouvre la porte du cabinet.

LE DOMESTIQUE : Monsieur Doelnitz.

[4]

Entre Doelnitz, un géant. Environ trente-cinq ans. Pas de barbe : des favoris. Teint coloré, gros biceps qui gonflent les manches de sa veste. Costume de sport.

Il a l'air sain et gai, rompu à tous les sports mais peu doué pour les exercices intellectuels. Dans le moment présent, il semble vivement irrité.

Freud s'est redressé à la vue du géant : il gardera son calme tout au long de la scène, mais on sent qu'il est animé d'une colère froide et puissante. Il mènera toute la scène qui suit avec une autorité souveraine — mais avec, par moments, une violence contenue qui ressemble à de la méchanceté.

FREUD, *froidement :* Monsieur Doelnitz, c'est votre femme que j'attendais.

DOELNITZ, *du tac au tac, mais avec moins de contrôle et plus de violence extérieure :* Docteur Freud, je suis venu vous dire qu'elle ne viendra plus jamais.

FREUD : Eh bien, la commission est faite. Vous pouvez vous retirer.

Doelnitz, loin d'obéir, prend une chaise et s'assied.

DOELNITZ : Si vous permettez, j'ai quelques petites choses à vous dire.

FREUD : Monsieur, vous commettez ce qu'on appelle une violation de domicile. Et je pourrais vous faire chasser par la police. Mais par égard pour votre femme, que jusqu'à nouvel ordre je considère comme une cliente, je consens à vous écouter.

Doelnitz paraît peu impressionné. Il regarde Breuer avec malveillance.

DOELNITZ : Je ne connais pas ce Monsieur.
FREUD : C'est le docteur Breuer, un grand neurologiste ; vous parlerez devant lui ou vous vous en irez.

Breuer fait un mouvement pour se lever.

FREUD : Mais non, Breuer, restez ; je vous en prie.

Le domestique ouvre la porte du fond.

LE DOMESTIQUE : On demande le docteur Breuer : on dit que c'est urgent.

Breuer se lève.

FREUD, *à Doelnitz :* Vous avez de la chance.

Breuer a gagné la porte ; il sort. Doelnitz le suit du regard.

Parlez.
DOELNITZ : Monsieur, vous n'êtes pas un médecin.
FREUD : Je suis un charlatan. Connu. C'est tout ce que vous avez à me dire ?
DOELNITZ : Non.

La porte du fond se rouvre. Breuer paraît, le chapeau sur la tête.

BREUER : C'est une urgence. Je serai de retour dans une demi-heure.

Il referme la porte.

FREUD, *à Doelnitz :* Vous disposez d'une demi-heure.
DOELNITZ : Monsieur, depuis que vous soignez ma femme, elle est tombée malade.
FREUD : Elle ne l'était pas avant ?
DOELNITZ : Non.
FREUD : Alors ? Pourquoi me l'avez-vous envoyée ?
DOELNITZ : Elle était malade. Mais moins gravement.

FREUD : Elle avait exactement la même maladie, Monsieur. Seulement sa maladie vous gênait moins.

DOELNITZ, *essayant de comprendre* : Elle me gênait moins...

Il a compris.

Oui, elle me gênait moins. Et après? Je ne veux pas qu'elle me gêne. C'est moi qui paye après tout.

FREUD : Monsieur, votre femme souffre d'une névrose d'angoisse prononcée. Si vous tenez tant à votre tranquillité, mettez-lui une pierre au cou et jetez-la dans le Danube.

Doelnitz frappe violemment sur le bras de son fauteuil, se lève et marche avec agitation.

Il faut vous calmer si vous voulez que je vous prenne au sérieux.

Doelnitz se maîtrise et vient se rasseoir.

DOELNITZ : Ce n'est plus ma femme.

Freud lève les sourcils d'un air ironiquement étonné.

Vous lui avez interdit d'avoir des relations avec moi.

FREUD, *feignant de ne pas comprendre* : Des relations?

DOELNITZ : Vous savez très bien ce que je veux dire. Celles qu'une femme doit avoir avec son mari.

FREUD : Ah! Je vois. Eh bien oui : je lui ai interdit ces... relations pendant la durée du traitement.

Doelnitz jaillit de nouveau hors de son fauteuil, il vient frapper sur le bureau de Freud et lui parle dans la figure.

DOELNITZ : Mais je suis un sanguin, moi, les médecins me l'ont dit; ces relations me sont nécessaires...

FREUD : Si ces médecins l'ont dit, demandez-leur des calmants. Ce n'est pas vous que je soigne, c'est votre femme.

Ces relations lui sont provisoirement pernicieuses.

DOELNITZ, *indigné* : Pernicieuses! Mais c'est la nature, Monsieur.

FREUD : Vous savez bien qu'elle s'est mise à les détester.

DOELNITZ, *décontenancé* : Elle vous a... Oui, elle n'aimait pas cela, mais enfin elle s'y prêtait tout de même. Tandis qu'aujourd'hui...

FREUD : Chaque fois qu'elle s'y prêtait, elle avait une crise d'angoisse. Et vous n'avez pas honte d'exiger de votre femme...?

DOELNITZ, *violent mais dans le désespoir* : Ach! Mais je ne peux pas, Monsieur. C'est notre drame.

FREUD, *profitant de son avantage* : Veuillez vous asseoir.

Doelnitz va se rasseoir, déconfit.

Si vous ne m'obéissez pas, votre femme sera enfermée avant trois ans.

Freud prend le ton d'un policier.

D'ailleurs il y a longtemps que vous avez d'autres divertissements.

DOELNITZ : Hein?

FREUD : Oui. Les bonnes.

DOELNITZ : Elle vous l'a dit?

FREUD : Oui.

Un temps. Doelnitz reste dans son fauteuil, accablé. Brusquement, sa colère lui revient.

DOELNITZ : Et vous, vous prétendez la guérir en lui mettant des cochonneries dans la tête?

FREUD : Quelles cochonneries?

DOELNITZ : Je ne sais pas. Sa tête en est pleine!

FREUD : La vôtre aussi. Et pourtant ce n'est pas moi qui vous soigne.

Doelnitz s'est relevé. Cette fois il marche à travers la pièce.

DOELNITZ : Depuis quinze jours, chaque fois qu'elle vient de vous voir, elle nous parle de son oncle Hubert, elle n'a que l'oncle Hubert à la bouche. Je ne veux pas que vous lui rappeliez l'oncle Hubert.

FREUD : Pourquoi?

DOELNITZ : D'abord parce qu'il est mort.

FREUD, *sourire ironique* : Et puis?

DOELNITZ : Et puis parce que ce sont des cochonneries.

FREUD : C'est une cochonnerie de lui parler de son oncle?

DOELNITZ : Oui.

FREUD : Tiens! Pourquoi?

DOELNITZ : Parce que c'était un cochon.

(Un temps. Avec violence :)

Vous y arriverez, Monsieur, vous y arriverez! Je vous vois venir — de loin!

FREUD : Je vous serai reconnaissant de m'appeler Docteur. À quoi est-ce que j'arriverai?

DOELNITZ : À lui faire croire que son oncle Hubert l'a violée.

FREUD, *vivement intéressé :* Ah!

(Un temps.)

Ce n'est donc pas vrai?

DOELNITZ : Si, Monsieur! *(Se reprenant :)* Si, Docteur! Seulement pour elle, c'est faux!

FREUD : Pourquoi?

DOELNITZ : Parce qu'on le lui a caché. Tout le monde, à commencer par sa mère. Et en finissant par moi quand sa mère me l'a avoué.

(Avec défi :) Nous avons du tact, nous.

FREUD : Si l'on vous violait, Monsieur, croyez-vous qu'on pourrait vous le cacher, même en y mettant du tact?

À cette hypothèse, la stupéfaction du géant ne connaît pas de bornes.

DOELNITZ, *ahuri :* Me violer? Moi?

Il se laisse tomber sur la chaise et s'éponge le front.

Mais elle avait six ans, Docteur!

FREUD : Et vous croyez qu'elle ne s'en est pas aperçue?

DOELNITZ : Si. Mais elle l'a oublié.

FREUD : Qu'est-ce que cela veut dire : oublier?

DOELNITZ, *de plus en plus décontenancé :* Cela veut dire : oublier.

FREUD : Cela veut dire : ne plus vouloir se rappeler un souvenir.

DOELNITZ : Si vous voulez.

FREUD : Et où est-il, le souvenir? Croyez-vous qu'il s'est envolé? Il est toujours en elle, Monsieur, inconscient, refoulé et c'est lui qui pourrit tout. C'est lui qui provoque ses angoisses! C'est lui qui la dégoûte de l'amour.

Doelnitz écoute avec passion : il fait un effort intense pour comprendre.

DOELNITZ : Vous voulez dire que ce n'est pas *moi* qui la dégoûte?

FREUD : Bien sûr que non : elle a reçu un choc dans l'enfance qui l'a dégoûtée de tous les hommes.

Doelnitz s'illumine.

Vous aviez peur que votre personne physique...

DOELNITZ : Oui. Ça m'humiliait.

Avec une brusque violence :

Quel cochon, tout de même!

FREUD, *surpris :* Qui?

DOELNITZ : L'oncle Hubert!

Freud fait une moue silencieuse qui laisse deviner son sentiment.

Quand vous l'aurez guérie, je ne la dégoûterai plus?

On frappe à la porte.

FREUD : Entrez!

C'est Breuer. Il est pâle et sombre, il regarde Freud avec une sorte de rancune.

Freud, tout occupé de Doelnitz, lui sourit sans remarquer son attitude. Puis il se retourne vers Doelnitz :

FREUD, *avec une sincérité profonde :* Non, vous ne la dégoûterez plus.

Doelnitz se lève, tout content.

DOELNITZ : Merci, Docteur.

Freud se lève, toujours autoritaire mais détendu.

FREUD : Vous lui avez fait perdre une séance.

En l'accompagnant jusqu'à la porte :

> Dites-lui de venir demain à sept heures du soir.
>
> DOELNITZ, *maté :* Bien, Docteur.

Dans l'antichambre, il se retourne sur Freud qu'il domine de toute sa taille et lui demande timidement :

> Docteur, je me demande quelquefois si je ne suis pas un névrosé. Est-ce que vous consentiriez à m'examiner ?

Mystérieux et prometteur :

> Si vous m'hypnotisiez, je pourrais vous raconter de ces choses... Vous ne les imaginez même pas.

Freud le regarde : Doelnitz respire la santé physique et morale. Il se met à rire, ironique mais sans antipathie.

> FREUD, *en refermant la porte :* Nous en reparlerons quand votre femme sera guérie.

[5]

Il revient sur Breuer.

> Le treizième cas.

Breuer sursaute. Il pensait à autre chose.

> BREUER : Hein ?
>
> FREUD : C'est le treizième cas de névrose dans lequel j'ai établi que le malade avait été victime dans son enfance d'une agression sexuelle commise par un adulte.

Breuer l'écoute à peine, il a la satisfaction sombre de l'homme qui va satisfaire ses rancunes en jouant le justicier.

> BREUER : Vous avez vu Magda, ce matin ?
>
> FREUD : Oui. Et justement...

Il s'arrête brusquement en voyant le visage de Breuer. Il a peur mais n'ose interroger. Breuer dit d'une voix neutre mais qui dissimule à peine son triomphe méchant :

BREUER : C'était son père qui m'appelait. Elle vient de se jeter par la fenêtre.

Un temps. Freud peut enfin parler.

FREUD, *péniblement :* Morte?

BREUER, *prenant son temps :* Non. Des fractures, des contusions mais, s'il n'y a pas d'hémorragie interne, je pense qu'elle s'en tirera.

Freud se détourne et va lentement vers son bureau. Son visage s'est décomposé. Il se met à tousser.

FREUD, *toussant :* Elle m'a dit ce matin que son père avait abusé d'elle quand elle avait six ans.

BREUER, *indigné :* Le conseiller aulique? Elle vous a fait un sale mensonge et vous l'y avez poussée!

Freud se retourne brusquement vers Breuer. Mais il lui répond sans violence, avec une profonde tristesse.

FREUD, *tristement :* Breuer!

(Un temps.)

Son père était présent, il a pleuré. Sans un mot de protestation.

BREUER, *avec une stupéfaction presque comique :* Le conseiller aulique!

On sent à la stupeur de Breuer qu'il a toujours respecté !es personnages officiels et les grands de ce monde.

C'est incroyable!

Il semble effondré, lui aussi. Freud fait le tour du bureau et va s'asseoir sur sa chaise avec accablement et lassitude. Au bout d'un moment :

(Avec conviction :) Il faut abandonner, Freud.

Freud répond sans lever les yeux.

FREUD, *morne :* Abandonner quoi?

BREUER : Tout. Tout cela.

FREUD : C'est votre méthode.

BREUER : Ah! non : je refuse de la reconnaître.

FREUD : Vous révéliez aux malades la vérité sur eux-mêmes.

BREUER : Quand ils pouvaient la supporter.

Freud, d'une voix sourde, l'œil fixe, comme s'il pensait à lui-même :

> FREUD : La vraie vérité sur soi-même, personne ne peut la supporter.
>
> BREUER : Vous voyez bien!
>
> FREUD : Nous sommes là pour la découvrir et pour aider les gens à se regarder en face. Avec notre aide, ils le pourront; au chant du coq les vampires s'évanouissent : ils ne résistent pas au jour.
>
> BREUER : Magda a voulu se tuer parce qu'elle était folle de honte et d'horreur.
>
> Il y a des cas où le mensonge est plus humain.
>
> FREUD : Était-elle moins folle quand elle se mentait?
>
> BREUER : Elle était moins malheureuse.
>
> FREUD : Le traitement ne fait que commencer; j'irai chez elle et je...
>
> BREUER : On ne vous recevra pas.
>
> FREUD, *frappé :* Ah?
>
> BREUER : Le père me l'a dit.
>
> FREUD : Mais c'est un crime! Si l'on arrête la cure *à présent,* tout est perdu!
>
> BREUER : Tout est perdu, quoi que vous fassiez.
>
> *(Un temps.)*
>
> Vous avez de la chance qu'elle ait raté son suicide.
>
> *(Un temps.)*
>
> Si elle s'était tuée, je n'aimerais pas être dans votre peau.

Freud est désorienté; ses réponses sont des défenses en faiblesse, *on dirait qu'il n'y croit plus.*

> FREUD : Tous les médecins prennent des risques.
>
> BREUER : Des risques calculés, oui. Mais pas celui-là. Ils savent où ils vont et vous ne le savez pas.

Freud est accablé par la dureté de Breuer. Il lui parle amicalement, avec une déférence retrouvée.

> FREUD : Je traverse une passe... difficile. Breuer, est-ce que vous ne pouvez pas... m'aider?

Breuer semble un peu détendu par cet appel au secours qui lui rappelle le temps où il protégeait Freud.

BREUER : Je le voudrais bien mais que puis-je faire? Vous voyez le sexe partout et je ne peux pas vous suivre...

FREUD : Magda...

BREUER : Oui : Magda. C'est peut-être vrai pour elle. Et encore... Mais pas dans tous les cas.

Avec autorité mais amicalement :

Vous truquez vos malades, Freud, vous les forcez! Arrêtez-vous s'il en est encore temps.

Vous pouvez me croire : je sais ce que c'est que des remords.

Une voix troublée. Il a l'amitié de découvrir ses remords à Freud :

J'ai vu Loewenguth qui soigne la mère de Cecily. Elles sont ruinées. Elles habitent un pavillon isolé dans la Prinz Eugen Gasse. L'état de Cecily a empiré.

(Un temps.)

Il vaudrait mieux qu'elle soit morte.

Freud s'est repris : les remords de Breuer lui ont rendu son agressivité.

FREUD : Qu'est-ce que deviendra la Science si les savants ne disent pas ce qu'ils croient être la Vérité? Vienne est pourrie! Partout l'hypocrisie, les perversions, les névroses!

Il se lève et marche à grands pas.

Croyez-vous que j'aime plonger mes mains dans cette fosse d'aisance?

(Un temps.)

Un conseiller aulique. Avec un visage d'ascète! *(Violent :)* C'est un chien! Si Magda meurt, c'est lui qui l'aura tuée. Pas moi.

Il va vers Breuer, toujours violent mais avec amitié :

Nous nettoierons cette ville ou nous la ferons sauter.

Profondément convaincu :

> Je ne peux pas concevoir une société saine qui repose sur le mensonge.

Il se met à tousser. D'une voix étranglée par la quinte :

> Un conseiller aulique!

Il boit, puis avec force, très sombre :

> Il y a des jours où l'homme me fait horreur.

Breuer le regarde en silence, déconcerté, en partie dominé par cette force violente et sombre, en partie apitoyé.
Freud, avec beaucoup de douceur :

> Cela vous ennuierait si nous remettions le travail à demain?
> *(En confiance. C'est presque un aveu :)* Je ne me sens pas très bien. Et puis... il faut que je remette mes idées en ordre.

Breuer lui sourit affectueusement et lui serre la main en silence. Il sort, se retourne sur le pas de la porte et dit avec beaucoup d'amitié :

BREUER : À demain, Freud.

La porte s'est refermée. Freud n'a pas fait un mouvement. Tout d'un coup, il appelle, d'une voix anxieuse :

FREUD : Breuer!

La porte de l'appartement se referme : Breuer ne l'a pas entendu.

(Bruit off d'une porte qui se referme.)

[6]

Freud, resté seul, recommence à tousser. Il revient au bureau : il n'y a plus d'eau dans la carafe.
Il fait le tour du bureau, tousse encore, presse sa main droite sur sa poitrine à la hauteur du cœur. Il a l'air de souffrir. Il se laisse tomber sur sa chaise, tire sa montre de son gousset et la pose sur le manuscrit de Breuer. Puis il se prend le pouls en la regardant. On sent qu'une crise le menace.

(Bruit off, plusieurs coups de sonnette.)
(Bruit d'une porte qui s'ouvre.)
(On frappe à la porte du cabinet.)
Freud se redresse.

FREUD, *se dominant* : Entrez.

La petite bonne de Martha entre. Elle porte un télégramme. Le visage de Freud change du tout au tout. Il se lève, les yeux brillants, tout à fait maître de lui

Donnez.

Il décachette le télégramme et le lit pendant que la jeune bonne le regarde avec un air sournois et tendre. Il se retourne vers elle; son visage s'est éclairé.

FREUD : Allez dire à Madame qu'elle veuille bien faire ma valise.
Je pars pour Berchtesgaden cette nuit.

[7]

Le lendemain, vers quatre heures de l'après-midi, aux environs de Berchtesgaden, dans la montagne, à deux mille mètres de haut.
Deux hommes apparaissent au tournant d'un sentier de montagne, au milieu d'un paysage splendide. Au-dessus d'eux des cimes neigeuses, autour d'eux le roc et la pierraille, un peu en dessous les alpages, plus bas la vallée.
Ces deux hommes ont le même costume ou presque (veste de cuir tyrolienne, chapeau mou tyrolien avec une plume. Ils ont gardé des pantalons longs mais ils portent des souliers de montagne), chacun d'eux s'appuie sur un alpenstock.
Ce sont Freud et Fliess. Freud marche vite, Fliess force un peu pour le suivre (mais sans que la différence soit très sensible).
Freud, après une légère hésitation, décide de raccourcir le trajet en dévalant au milieu des rocs et de la pierraille pour rejoindre le sentier, deux cents mètres plus bas.
Il descend, comme un promeneur exercé, de côté au milieu des éboulis.
Fliess le suit mais en descendant face à la pente. Le résultat, c'est qu'il glisse et tombe sur les reins en riant.

Freud se retourne au bruit, remonte rapidement la pente et veut aider Fliess à se relever. Mais celui-ci s'est remis debout tout seul et brosse son pantalon en riant de la mésaventure. (Il est sincère : pas trace d'humiliation. Ce n'est pas là qu'il met son orgueil.)

FREUD : Fais comme moi. Descends de côté, tu ne risques rien et tu peux freiner.

Il se remet à descendre et Fliess l'imite d'un peu loin, cette fois. Freud, arrivé bon premier sur le sentier, attend Fliess en regardant la montagne. Il fixe son regard sur les cimes plutôt que sur la vallée. Fliess saute sur le sentier, essoufflé mais joyeux.

Tu t'en es très bien tiré.

FLIESS : Oui mais je suis à bout de souffle. Asseyons-nous.

Désignant une roche plate au bord du sentier. Ils s'asseyent. Avec admiration :

Quel entraînement! On dirait que tu n'as fait que cela toute ta vie.

Freud a l'air presque heureux.

FREUD : Je n'ai fait que cela toute ma vie : quand je prends des vacances, il faut que je grimpe. Plus je monte haut, plus je suis content.

Il parle sans regarder Fliess, les yeux fixés sur les cimes.

FLIESS : Si j'étais Sigmund Freud, j'en conclurais que tu aimes dominer.

FREUD : Peut-être.

Désignant les cimes neigeuses, au-dessus d'eux.

Et puis surtout, ça ne vit pas. Des pierres. De la neige. Personne.

Il prend une pierre au bord du sentier et la regarde.

C'est sec. C'est propre. La mort!

Il jette la pierre devant lui et la regarde rouler sur la pente.

Je me suis souvent demandé si je n'avais pas envie de mourir.

Comme à lui-même :

Envie? Peur? Je n'en sais rien.

Il se reprend :

Dans le fond, tout le monde doit être comme moi.

Fliess le regarde en souriant.

FLIESS : Je n'ai pas envie de mourir.

FREUD, *chaleureusement :* Oui, mais toi, tu n'es pas « tout le monde ». Tu as de grandes choses à faire.

FLIESS, *simple et convaincu :* C'est vrai.

(Avec un léger remords :)

Nous ferons de grandes choses, Freud.

Freud se relève brusquement.

FREUD : La nuit tombe vite. Partons.

Un moment plus tard.
Quatre cents mètres plus bas. Le jour commence à décliner. Les sommets sont élevés, ils paraissent écrasants. Les deux promeneurs entrent dans l'ombre de la vallée.
Cette fois c'est Fliess qui ouvre la marche et Freud qui le suit.
Freud est certainement moins fatigué que Fliess : ce qui le retarde, c'est une résistance intérieure...

FLIESS, *amical mais agacé :* Eh bien? C'est toi qui fais le traînard à présent?
Descendons par là.

Il montre un lit de torrent (sans eau) entre des arbres. Et, aussitôt, il commence à descendre (de côté); Freud le suit, sans effort, en souplesse mais sans plaisir.

Allons! Pressons! Pressons!

Ils arrivent sur un nouveau sentier. En débouchant sur le sentier, ils voient Berchtesgaden à leurs pieds. Il fait encore jour dans la vallée, mais à Berchtesgaden quelques fenêtres brillent déjà.
Fliess veut continuer sa marche. Freud l'arrête.

FREUD : Arrête un moment.

FLIESS, *déjà prêt à jouir de sa supériorité nouvelle :* Tu es déjà fatigué?

FREUD : Oh non!

Désignant Berchtesgaden, très sombre :

Il va falloir rentrer là-dedans.

Fliess, surpris par ce ton, lui jette un coup d'œil inquisiteur :

FLIESS : Qu'est-ce qu'il y a? Tu n'as pas l'air dans ton assiette.

Freud s'arrête. Fliess, impatienté, s'arrête aussi.

FREUD : Écoute-moi, Wilhelm.

Freud hésite.

FLIESS : Bon, bon! Tu me diras cela tout à l'heure. Je ne tiens pas à être surpris par la nuit, je n'ai pas tes yeux de chat.

Il veut repartir.
Freud le retient.

FREUD : Une de mes malades s'est jetée par la fenêtre.

FLIESS, *indifférent :* Ah!

FREUD : Je lui avais rappelé un souvenir refoulé : quand elle avait six ans, son père avait abusé d'elle.

Fliess tire un carnet de sa poche.

FLIESS : intéressant. Date de naissance?

FREUD : Je la sais par cœur : 6 octobre 1860.

FLIESS : Date de l'agression sexuelle?

FREUD : C'était en 1866.

FLIESS, *impatienté :* Naturellement, puisqu'elle avait six ans. Je te demande le jour, le mois et l'heure.

FREUD : Je ne sais pas, je te dis qu'elle s'est...

FLIESS : ...jetée par la fenêtre, oui et après? Comment veux-tu que je travaille sur des données si peu précises?

Freud hausse les épaules et se tait.

Allons, viens! Nous pouvons parler en marchant!

Ils reprennent leur marche. Freud regarde avec regret, très haut au-dessus de leurs têtes, le ciel pur et glacé.

À leurs pieds, l'ombre s'épaissit.

> *(Condescendant, comme quelqu'un qui s'apprête à jouer le rôle de consolateur :)*
> C'est cette mort qui te tracasse?

Freud parle avec confiance. Il est plein d'espoir.

> FREUD : Elle n'est pas morte.
> FLIESS : Elle s'en tirera?
> FREUD : Oui.

Il compte visiblement sur le secours de Fliess; il a besoin qu'on lui rende courage.

> FLIESS : Eh bien alors?
> FREUD : Si elle s'était tuée?
> FLIESS : Quelle drôle de question? Il n'y a pas de *si* dans le monde. Elle ne s'est pas tuée : point.

Freud ne répond pas. On sent qu'il est déçu et qu'il lutte contre la déception.
Fliess s'en aperçoit et en conclut qu'il faut faire un effort supplémentaire.

> Bon. Admettons qu'elle soit morte. Elle est de ta famille?
> FREUD : Mais non.
> FLIESS : Si elle ne t'est rien, je me demande ce que cela peut te faire.
> *(Un temps.)*
> Dis-moi, il commence à faire sombre. Je ne veux pas risquer de me casser une jambe.
> Presse un peu le pas.

Ils pressent le pas.

> Qu'est-ce que tu veux que je te dise? Ce sont les risques du métier.
> Le plus grand général de Prusse et le meilleur chirurgien de Berlin ont à peu près autant de morts sur la conscience.
> C'est Breuer qui t'a mis martel en tête?

Freud fait un signe d'acquiescement.

Je m'en doutais. C'est le représentant typique de la sensiblerie viennoise. Des valses! Des valses! Et des torrents de larmes : vous ne saurez jamais faire la guerre.

Aïe!

Il s'est tordu le pied. Il manque de tomber, fait quelques pas à cloche-pied avec une grimace de douleur et s'assied sur un tronc d'arbre.

FREUD, *inquiet :* Qu'est-ce que tu as?

Fliess se masse la cheville à travers le soulier.

FLIESS, *morose :* J'ai buté contre une pierre. (*Avec rancune :*) On ne voit même plus ses pieds. Nous aurions dû rentrer plus tôt.

(*Un temps.*)

Ce n'est rien.

Il se remet sur ses pieds.

En avant, marche.

Il marche en boitant. Freud veut le soutenir, il le repousse.

Pas la peine.

De fait sa démarche redevient rapidement normale.

Qu'est-ce que c'était, cette bonne femme?

FREUD : Une vieille fille. Elle ne quittait jamais son père... elle ne sortait guère.

Fliess l'écoute, de plus en plus déçu.

FLIESS : Quelle vie de cloporte! Ça n'aurait pas été une grande perte!

(*Conciliant :*)

Mais je suis de ton avis : il ne faut pas gaspiller les vies humaines.

(*Avec force :*)

Nous ne les gaspillerons pas, Sigmund! Nous tâtonnons encore. Mais pour une que nous perdrons, nous en sauverons mille, plus tard.

Sais-tu ce que répètent les Berlinois, qui ne sont

pas des femmelettes? « On ne fait pas d'omelettes sans casser d'œufs. »

C'est ce que tu voulais que je te dise? Tu es content?

Freud fait un signe de tête contraint qui peut passer pour un acquiescement.

Alors n'en parlons plus.

Ils disparaissent à un tournant et la nuit tombe sur un paysage désert.

[8]

Nous les retrouvons un moment plus tard dans la salle à manger d'un hôtel de deuxième catégorie.

La « saison » n'est pas commencée et l'hôtel est désert. Dans la grande salle à manger où figurent quelques petites tables (toutes vides) ce qui frappe avant tout est une longue table d'hôte qui, en saison, peut supporter une trentaine de couverts.

En fait il y a six personnes à la table. Au fond, à l'un des bouts, quatre Bavarois mélancoliques qui doivent être des fonctionnaires ayant pris pension dans le restaurant. Et à l'autre bout, Fliess et Freud.

Au beau milieu de la table, on a mis un septième couvert (bouteille de vin entamée, boîtes de pilules contre les maladies de foie, serviette avec un anneau de bois qui porte des initiales).

Mais cette place ne sera occupée qu'à la fin de la scène par une vieille dame bossue qui porte des lunettes.

Fliess et Freud en sont à l'entremets. Fliess mange avec appétit son « riz au lait ». Freud touche à peine au sien.

Fliess avale la dernière bouchée de l'entremets, puis se tourne vers Freud d'un air inquisiteur.

FLIESS : En somme qu'est-ce que tu m'apportes?

Freud a l'air incertain et malheureux.

FREUD, *avec un air de reproche tendre :* Attends un peu, laisse-moi me dégeler. Je suis si seul, là-bas. Donne-moi le temps de profiter de ta présence.

FLIESS : Nous nous sommes promenés toute la

journée. Écoute, Sigmund, nos Congrès n'ont aucun sens s'ils ne nous font pas avancer dans notre recherche.

FREUD : L'essentiel pour moi c'est qu'ils nous permettent de nous revoir.

FLIESS, *aimable et froid :* Oui, bien sûr!

Un temps.

Alors?

FREUD, *très légèrement agacé :* Alors quoi?

FLIESS : Tu m'as écrit que tu avais une théorie sur l'origine sexuelle des névroses. Je t'écoute.

Freud roule une boulette de pain dans sa main gauche.

FREUD : Imagine qu'un enfant soit, dans les toutes premières années de sa vie, victime d'une agression sexuelle.

FLIESS : Commise par un adulte?

FREUD : Bien entendu.

Sa première réaction, c'est la peur, à quoi peuvent s'ajouter bien entendu, la douleur et l'étonnement. Mais, comme tu t'en doutes bien, il ne ressent aucun trouble : il n'y a pas de sexualité à cet âge. Bien. Quelques années se passent; les organes se développent : quand il évoque ce souvenir, il est pour la première fois troublé; en même temps, la société lui a inculqué des principes moraux, des impératifs rigoureux et solides; il a honte de son trouble et s'en défend en refoulant le souvenir dans l'inconscient.

Fliess semble médiocrement intéressé.

FLIESS : Bon. Après?

La vieille dame bossue gagne sa place à petits pas, elle s'assied, déplie sa serviette et ouvre la boîte de pilules.

Elle semble satisfaite de manger. Mais peu à peu, elle prend conscience de la conversation des deux hommes et commence à écouter avec une stupeur visible.

FREUD : Le souvenir cherche à renaître et le trouble à se perpétuer; les impératifs moraux tendent à les nier complètement. Les mécanismes de défense entrent en action, l'enfant se persuade

qu'il ne s'est rien passé. Il oublie. Mais comme la
lutte est dure entre ces forces opposées, tout se
passe comme si elles arrivaient à un compromis :
la représentation n'apparaît plus à la conscience
mais quelque chose la remplace, qui la masque, et,
en même temps, lui sert de symbole. Ce quelque
chose c'est la névrose ou, si tu préfères, le symptôme névrotique.

FLIESS : Par exemple?

FREUD : Dans la névrose obsessionnelle, le souvenir du choc est écarté mais ce sont les phobies,
les idées fixes qui le remplacent. Dora avait oublié
l'agression du vieux boutiquier mais elle gardait
la phobie d'entrer dans les boutiques.

Quant à la honte qu'elle ressentait, elle l'avait
transportée sur un autre objet et lui avait donné
une autre cause : des commis de magasin avaient
ri d'elle.

Fliess interroge mollement :

FLIESS : Et l'hystérie?

FREUD : Il faut une prédisposition spéciale qui
permet au corps de se rendre complice du malade :
pour ne plus voir son père mort, Cecily louchait
des deux yeux et ne voyait que de près. Quant à
la névrose d'angoisse...

FLIESS, *agacé :* C'est bon, c'est bon! Je devine la
suite. Le refoulement, le transfert, c'est ta partie.
De la psychologie. Cela ne m'intéresse pas. As-tu
des cas?

FREUD : Treize.

FLIESS : Treize névroses occasionnées par une
agression sexuelle!

FREUD : Oui.

FLIESS : Qui est le coupable?

FREUD : Quelquefois l'oncle ou un domestique.
Dans la majorité des cas, le père.

La vieille dame, de stupeur, ôte ses lunettes et cesse de manger.

FLIESS : Le père?

FREUD, *sombre et sec :* Oui.

FLIESS : Le père?

Il se frotte les mains avec satisfaction sous l'œil ahuri de la vieille dame.

Excellent, cela! Excellent! Cela simplifie les calculs.

Ainsi la névrose des enfants résulte de la perversion des pères?

Freud le regarde un peu embarrassé par cette simplification grossière de ses théories.

Eh bien, cela me paraît tout à fait solide. Enfin, nous avons des faits.

FREUD, *timidement :* Wilhelm! Ce n'est qu'une hypothèse. Treize cas, ce n'est pas suffisant pour l'étayer.

FLIESS : Treize viols, treize névroses? Et tu n'es pas satisfait?

Moi, je suis ravi! Mais je veux des dates. Si tu me donnes la date de naissance des parents, celle de l'enfant, et celle du viol...

FREUD : Je t'ai dit que ce n'était pas très facile.

FLIESS, *indulgent :* Bien sûr. Parce que les fous sont bêtes. Tu y arriveras. Tu perfectionneras ta méthode. Quand j'aurai les dates, sais-tu ce que je ferai? Je calculerai à quel moment des périodes féminines et masculines de l'enfant le traumatisme s'est produit, et je puis t'assurer que j'en déduirai *à coup sûr* la nature de la maladie. La névrose d'angoisse, tiens, je peux te dire à vue de nez qu'elle est féminine : c'est la pure et simple passivité. L'obsession est active, donc virile. La première apparaît chez les sujets violés au moment culminant du rythme féminin, la seconde...

Fleiss est saisi par une sorte d'enthousiasme lyrique.
Freud est de plus en plus nerveux : il ne reconnaît plus sa théorie; il écoute avec une stupeur presque égale à celle de la bossue.

(Brusquement :)

Le malheur, dans cette affaire, c'est qu'on ne puisse pas faire d'expérience.

En laboratoire, on pourrait fixer l'heure du viol expérimental à la seconde près.

La vieille bossue s'est levée, folle d'indignation. Elle dit à la serveuse d'un ton de dignité outragée :

LA BOSSUE : Mon enfant, vous me servirez dans ma chambre. Je ne veux pas m'asseoir à la même table que des gibiers de potence.

Elle s'est levée, et après avoir toisé les deux hommes d'un air vengeur, elle disparaît.
Fliess éclate de rire.

[9]

Le lendemain matin, dans une chambre de l'hôtel, modeste mais agréable, *Fliess achève d'examiner la gorge de Freud.*
Freud est assis sur une chaise, la bouche grande ouverte. Fliess y jette un dernier coup d'œil, va se laver les mains et rentre ses instruments dans sa trousse.
La conversation a lieu pendant ces dernières activités.

(On enchaîne sur le rire de Fliess.)

FLIESS, *riant :* Mais tu n'as rien. Absolument rien. Un peu d'inflammation, voilà tout.

(Pendant qu'il va au lavabo.)

Tu peux fermer la bouche.
Pour les cigares, tu es raisonnable?
FREUD : Cinq par jour.
FLIESS : Et tu n'as jamais tant toussé?
FREUD : Jamais.

Fliess a rangé ses instruments. Il prend son alpenstock et son chapeau tyrolien puis met un « rücksack » sur son dos.

FLIESS : Viens.

Dans une rue de Berchtesgaden. *Devant un « Tabak Waren ». La vitrine pleine de cigares. Freud attend devant le magasin. Il porte un rücksack sur son dos. Il glisse un regard à l'intérieur et voit Fliess devant la caisse en train de régler un achat.*
Fliess sort. La porte en s'ouvrant déclenche une petite sonnette musicale (plusieurs notes différentes qui s'égrènent). Fliess porte une boîte rectangulaire.

Il la tend à Freud qui l'ouvre.

FLIESS : Tiens!

Freud la prend avec surprise et ouvre : apparaissent d'énormes cigares « noirs », les plus forts.

FREUD : Mais, Wilhelm, que veux-tu que j'en fasse?

FLIESS : Je veux que tu les fumes.

FREUD : Hein?

Il avait pris la boîte, la stupeur manque la lui faire lâcher. Fliess, obligeamment, la lui prend des mains, se place derrière Freud et met la boîte dans une poche du rücksack de Freud.

Fliess s'amuse de la surprise de Freud et se plaît à la prolonger.

FLIESS, *l'opération terminée :* Voilà.

(Souriant :)

En avant, marche!

Les deux hommes repartent à travers Berchtesgaden. Au bout d'un instant de silence :

Tu peux fumer autant que tu voudras.

Freud s'arrête net. Fliess s'arrête à son tour et feint l'étonnement.

Cela ne te fait pas plaisir?

FREUD : Non. *(Un temps.)*

Wilhelm, c'est la première fois que tu te contredis.

(Sombre :)

Tu me crois condamné, n'est-ce pas?

(Fliess sourit.)

Breuer m'a ausculté; il a parlé de myocardite. C'est cela?

FLIESS : Breuer est un âne.

Il met le bras sous celui de Freud et l'entraîne.

Je t'ai dit que tu n'avais rien.

(Souriant :)

La vérité, c'est que j'ai calculé la date de ta mort.

Avec complaisance et sans se presser :

Pour ces questions, la méthode des rythmes est au point.

Freud semble soulagé : on devine qu'il ne croit pas profondément aux calculs de Fliess.

Et pourtant il garde sur le visage un air de déception.

FREUD : Alors? À quel âge?

FLIESS : À cinquante et un ans.

FREUD : Dans douze ans?

FLIESS : Oui, sauf accident. Dans douze ans nous aurons trouvé ce que nous cherchons, nous serons les rois de ce monde.

Ils sortent de l'agglomération et prennent une route montante qui va vers la montagne.

FREUD, *mi-figue mi-raisin* : C'est mourir jeune.

FLIESS: Justement. Je me suis dit qu'en douze ans le tabac n'avait pas le temps de te détruire.

FREUD : Tu me survivras?

FLIESS : D'une dizaine d'années, je crois. Je meurs en 1918. Mais je n'aurais plus rien à faire, sauf quelques rafistolages de détail.

Il saisit le bras de Freud.

Tout s'éclaire, Sigmund. Je fais des progrès chaque jour.

Sais-tu pourquoi nous sommes droitiers?

FREUD : Non.

FLIESS : Bisexualité. Le côté gauche correspond à notre féminité, le côté droit, c'est le côté mâle.

Freud n'est pas convaincu.

FREUD, *souriant* : Alors, les femmes devraient être gauchères?

Un silence. Fliess est légèrement embarrassé. Mais il fronce les sourcils et s'en tire par l'irritation.

FLIESS : Mais non! C'est une plaisanterie, Sigmund? Je déteste qu'on fasse des plaisanteries sur le travail.

Le même jour vers cinq heures du soir. La gare de Berchtesgaden.

Deux voies. Freud et Fliess sont assis sur un banc, l'un à côté de l'autre.

Fliess a repris son haut-de-forme. Freud est en jaquette mais il a gardé son chapeau tyrolien.

Pas de train. Pendant la conversation, deux omnibus s'arrêteront et les voyageurs, assez nombreux, qui attendent sur le quai y monteront. Un quart d'heure avant l'arrivée du train pour Vienne, des voyageurs apparaîtront de nouveau sur le quai. Les valises de Freud et de Fliess sont à leurs pieds.

Ils ont posé leurs « rücksacks » sur le banc à côté d'eux. Freud est amical mais sombre, Fliess semble impatienté. Il tire sa montre, la regarde et la remet dans son gousset.

FLIESS : Ton train passe ici dans une heure. Le mien dans une heure quarante-cinq, je me demande ce que nous faisons dans cette gare.

Freud le regarde d'un air de tristesse et d'excuse.

FREUD : Il faut que j'arrive en avance. Tu sais bien que j'ai la phobie des trains.

Pendant la suite de la conversation, Freud se sent de plus en plus mal à l'aise. La crise le gagne peu à peu. Fliess ne s'en aperçoit pas.

Il m'est venu une idée. Ta théorie des névroses est intéressante mais il me faut des dates.

Une famille est assise sur l'autre banc. Une petite fille de cinq ans court sur le quai, elle passe et repasse devant les deux hommes qui ne la voient pas.

FLIESS : Je reconnais que la plupart de tes malades sont incapables de te les donner.
Sais-tu ce qu'il nous faudrait? Une personne exceptionnellement douée, qui comprendrait tes recherches et qui les faciliterait.
FREUD : Je ne vois pas trop...
FLIESS : Et Cecily, voyons!

Freud sursaute.

FREUD : Cecily?

Abasourdi :

Mais elle n'a pas été violée!

La petite fille se rapproche de Freud et lui fait un sourire déjà coquet.

FLIESS, *péremptoire :* Il faut qu'elle l'ait été. Sinon, tu t'es trompé.

Freud regarde la petite fille et lui sourit.

Si ta théorie est vraie...

Elle lui fait un petit salut et s'en va, contente, flageolant sur ses jambes.
Freud la suit des yeux et s'assombrit.

FREUD : Si ma théorie est vraie, les hommes sont des porcs.

FLIESS, *tranquillement :* Pourquoi pas? La seule question, c'est de l'établir scientifiquement.

Freud se retourne vers Fliess.

FLIESS : Il y a quelque chose de louche, dans le cas Cecily. La mort de son père, cela pourrait bien cacher un autre souvenir.

Freud l'écoute, passionné malgré lui. Ses yeux brillent mais son visage reste sombre.

Est-ce qu'on sait ce qu'elle est devenue?

Freud fait à regret un signe d'acquiescement.

Malade?
FREUD : Plus que jamais.

Fliess frappe dans ses mains. Il est enthousiasmé.

FLIESS : Voilà ce qu'il nous faut. Va la voir.
Les dates, elle te les donnera, j'en suis sûr.
Et si tu la guéris, ton hypothèse est prouvée.

Freud ne répond pas. Fliess le regarde avec un étonnement indigné.

Tu hésites?
FREUD : Je ne peux pas.
FLIESS : Quoi?
FREUD : À cause de Breuer. Il m'a interdit...
FLIESS, *très sec :* Breuer a quelque chose à t'interdire?

Freud est de plus en plus gêné. On dirait qu'il étouffe.

FREUD : Non. Mais je ne veux pas me brouiller avec lui...

FLIESS : Qu'est-ce que cela peut te faire? Il ne nous sert plus.

FREUD : Nous n'avons pas fini notre livre, lui et moi.

Et puis je... j'ai toujours eu besoin de subir l'influence de quelqu'un. Peut-être pour échapper à mes propres critiques.

Il porte machinalement sa main à sa poitrine.

Cela ne te terrifie pas, toi, de n'avoir personne au-dessus de toi?

FLIESS, *tranquillement* : Ma foi non.

Et puis, de toute façon, Breuer n'est pas au-dessus de toi.

FREUD : Je ne sais pas. Si. Je l'aime encore.

FLIESS : Tu m'as écrit que tu le détestais.

Freud parle presque pour lui-même, très lentement, avec des silences. Il a une voix blanche et sèche qui par moments s'étrangle : on dirait qu'il étouffe.

FREUD : Je l'aime, je le déteste. C'est confus. Tiens! J'aurais bien besoin qu'on m'hypnotise : peut-être que j'y verrais plus clair. Il m'a toujours fallu des amis et des ennemis. C'était nécessaire à mon équilibre. Quelquefois l'ami et l'ennemi logent dans une même personne : pour Breuer, je crois que c'est le cas.

FLIESS, *avec indifférence* : Bisexualité : la haine est masculine, l'amour est féminin.

Freud se retourne vers Fliess et le regarde. Il semble peu convaincu. Mais il regarde longuement le visage et le long corps de Fliess qui a troqué son chapeau tyrolien pour un haut-de-forme et son veston de cuir pour une jaquette noire. Il a l'air subjugué et presque amoureux.

FREUD : Peut-être. En tout cas, mon vrai tyran c'est toi.

Avec une sorte de rancune tendre :

Sais-tu que tu m'as déçu quand tu m'as permis de fumer? Cela me faisait plaisir de me priver pour t'obéir.

Fliess, un peu gêné par cette affection trop visible, répond avec un petit rire sec :

FLIESS : Eh bien, le tyran t'ordonne de retrouver Cecily.

Ce ton léger déçoit Freud et en même temps le rappelle à lui-même. Sur un ton plus détaché :

FREUD : Après tout, pourquoi pas? Il suffit d'un tyran. Breuer sera l'ennemi, toi, l'ami.

Fliess a l'air de s'ennuyer. Il étouffe un bâillement sous sa main.

Heureusement que tu vaux mieux que moi : tant que je t'aimerai, je ne serai pas obligé d'être mon propre ciel.

(Il rit avec une ironie sombre.)

Que dis-tu de cela? Un homme de quarante ans qui a peur de devenir adulte. Brucke, Meynert, Breuer, toi : que de pères! Sans compter Jakob Freud qui m'engendra.

Un train omnibus s'arrête. Remue-ménage. Des voyageurs descendent et d'autres montent.

FREUD, *avec décision :* J'irai voir Cecily. J'irai demain matin en sortant de la gare.

[10]

Un moment plus tard.
Le quai est désert. Freud est tassé dans son coin; son chapeau tyrolien — qu'il a conservé — est incliné sur ses yeux : il semble dormir.
Fliess s'ennuie franchement. Il bâille largement, jette un regard maussade du côté de Freud puis sort de sa poche un crayon et un calepin. Il fait des calculs sur une page du bloc-notes.
Un train passe à toute vitesse, le long du quai, sans s'arrêter. Au bruit, Freud sursaute et se redresse. Son chapeau tombe. Son visage apparaît, anxieux, les yeux dilatés.

FREUD, *d'une voix très forte :* Qu'est-ce que c'est?

Fliess ne répond pas. Freud regarde les derniers wagons qui passent, avec un air hagard.

FLIESS : Tu te réveilles?

FREUD : Je ne dormais pas.

Ses mains tremblent.

Ne fais pas attention à moi. Je t'ai dit que je n'aimais pas les gares.

Il se lève, va jusqu'au bord du quai et regarde le train qui disparaît. Il revient vers Fliess, il est en sueur. Il se rassied.

J'ai cru que c'était un accident.

Il se penche en avant et pose sur ses genoux ses poings crispés.

(*D'une voix étrange, un peu pâteuse et comme malgré lui :*)

Ou la misère.

FLIESS, *sursaute :* Quoi?

Freud le regarde, surpris.

FREUD : Quoi?

FLIESS : Tu as dit : la misère.

FREUD : Ah oui?

Eh bien, c'est que les trains me font penser à la misère.

Il jette à Fliess un coup d'œil rapide et inamical. D'une voix changée, âpre et dure, presque irritée :

Douze clients sur treize.

FLIESS : Quels clients? De quoi parles-tu?

FREUD : Les clients dont je t'ai parlé. Il y en a douze qui ne sont pas revenus. Encore un suicide et c'est fini! Je serai brûlé à Vienne, j'irai vendre du drap.

Il fait un geste dans la direction de Vienne.

Le scandale et la misère : voilà ce qui m'attend là-bas.

(*Un temps.*)

C'est Breuer qui me fait vivre. Si je me brouille avec lui, je n'ai pas de quoi le rembourser.

FLIESS, *courtois mais irrité :* Eh bien oui, c'est notre lot. L'incompréhension, le scandale. Et après? Il faut continuer.

FREUD, *amer :* Tu en parles à ton aise. Tu soignes des gorges, à Berlin. Tu ne perdras pas ta clientèle.

FLIESS, *blessé :* Je prendrai mes risques à mon heure : quand j'écrirai *notre* livre.

Freud se reprend. Il souffre toujours. Il serre de nouveau sa poitrine de la main droite à la place du cœur.

FREUD : Excuse-moi.

FLIESS, *aimable mais toujours agacé :* Bien sûr, mon cher ami, bien sûr.

FREUD : Je me sens mal.

Freud s'est rencoigné sur le banc. Il est blême.

FLIESS, *sans bonté :* Qu'est-ce que tu as?

FREUD : La crise.

FLIESS : *Quelle* crise?

FREUD, *machinalement, en médecin :* Arythmie, oppression, brûlure dans la région du cœur.

Montrant le plexus solaire :

Et de l'angoisse, là, comme dans l'angine de poitrine.

Fliess veut se lever. Freud le retient.

Il n'y a rien à faire, Wilhelm.

Il se touche le front.

C'est là-dedans que cela ne va pas. Depuis quelques mois, je fais de la dépression nerveuse. Dis-moi : je ne suis pas un monstre, moi?

FLIESS, *patient et lointain comme à un fou :* Allons, Sigmund, tu sais bien que non.

FREUD : Alors, qu'est-ce que j'ai dans la tête pour avoir découvert la cochonnerie universelle?

Presque suppliant. Il s'est rapproché de Fliess et lui touche le bras comme si ce contact devait lui rendre courage.

Aide-moi.

FLIESS, *sèchement :* Je ne demande pas mieux, mais tu me dis qu'il n'y a rien à faire.

*Des voyageurs arrivent sur le quai. Fliess est visiblement gêné de
se trouver avec cet homme en pleine crise nerveuse. D'autant que
l'on commence à les regarder.*

FREUD : Si tu pouvais...

*Il voit la sécheresse pédante et gênée de Fliess et fait un geste
désolé. En se reculant et en lâchant le bras de Fliess :*

FREUD : Tu as raison : il n'y a rien à faire.

(Bruit off d'un train qui approche.)

FLIESS : Voilà ton train.

Freud se lève péniblement.
*Fliess prend la valise et le rücksack de Freud. Ils s'approchent
tous les deux de la voie — en même temps que les autres voyageurs.*

FREUD, *humblement :* Pardonne-moi, Wilhelm. Je...
je traverse une mauvaise passe.

(Avec timidité :) Je t'ai tout de même apporté
quelque chose?

Fliess paraît manifestement soulagé par l'arrivée du train.

FLIESS : Mais oui! Mais oui! Si tu me donnes des
dates, ce sera parfait.

Le train entre en gare avec fracas. Il s'arrête.
*Freud aidé par Fliess monte dans un compartiment de seconde
classe. Il referme sur lui la portière. Fliess attend un instant.*
*Freud, de l'intérieur, revenu à la fenêtre, baisse la vitre et réap-
paraît. Il regarde Fliess avec une sorte de passion — à la fois profonde
et déçue.*
*Il parle; il a toujours l'air sombre mais il a repris un peu de sa
fermeté coutumière.*

FREUD : À quand le prochain Congrès?

Fliess se renverse légèrement en arrière pour lui répondre.

FLIESS : Pas avant six mois, je pense.

FREUD : Dans six mois, j'aurai gagné ou perdu.
(Redevenant dur :) Demain, j'irai chez Cecily. Je
pousse à fond dans la direction que nous avons
dite. J'aurai tous les confrères et toute la ville
contre moi, mais je te jure que j'irai jusqu'au bout.
Si je perds... *(Il rit.)* Eh bien, le prochain Congrès
n'aura pas lieu.

Le train s'ébranle.

(Avec un véritable déchirement :)
Au revoir, Wilhelm.

Fliess marche quelques instants sur le quai à la hauteur du compartiment de Freud.

FLIESS : Au revoir, Sigmund! Salue Martha et embrasse les enfants.

Le train prend de la vitesse. Fliess s'arrête.

(Criant :) Et n'oublie pas de noter les dates.

Le train disparaît. Fliess revient à sa place. Il s'assied. Une jeune femme s'est assise à la place qu'occupait Freud. Elle regarde Fliess qui, visiblement, lui plaît. Fliess la regarde avec audace et lui sourit.

[11]

Dans le train.

Freud abandonne le couloir et rentre dans son compartiment. Au fond, trois hommes d'aspect très ordinaire jouent aux cartes silencieusement sur la tablette fixée entre les deux fenêtres. Ce sont les seuls occupants du compartiment. (C'est un compartiment de fumeurs; ils fument.)

Freud s'assied dans un coin côté couloir. D'abord dans le sens opposé à la marche. Mais il est étourdi par le défilé des arbres et des maisons. Il se relève et s'installe dans le coin opposé. Il s'accote contre le dos de la banquette, une main sur l'accoudoir et, le chapeau sur les yeux, tente de dormir.

Premier tunnel, très bref. Freud, au sortir du tunnel, s'agite un peu, ouvre un instant les yeux et les referme.

Les joueurs, d'abord immobiles, profitent du retour de la lumière, l'un d'eux abat une carte, ramasse celles qui sont sur la table et fait la levée.

LE JOUEUR : Pique, repique et capot!

À cet instant, le train s'engage dans un nouveau tunnel. (Les lampes ne sont pas allumées.)

UN DES JOUEURS, *qui allait jouer, furieux :* Merde!

Un moment de nuit totale. Quand le train sort de l'ombre, Freud est tout à fait réveillé. Il ôte son chapeau tyrolien, prend sa valise dans le filet, en sort un haut-de-forme qu'il met sur sa tête.

VOIX OFF D'UN DES JOUEURS : Parfait! Eh bien, venez jouer.

Il se tourne vers eux : les trois hommes lui sourient d'un air engageant.

Nous reconnaissons Meynert (tel que nous l'avons vu dans la première scène du film, élégant et jeune encore), Breuer (tel qu'il apparaît dans la première partie) et Fliess. Tous trois portent des hauts-de-forme.

Freud s'assied à côté de Meynert et prend les cartes que Breuer lui tend.

MEYNERT, *désagréable :* Vous ne savez pas jouer, bien entendu?

BREUER, *indulgent :* Nous lui apprendrons le jeu s'il est obéissant.

(*Présentant Freud aux autres :*)

Mon fils.

Freud se lève et salue.

MEYNERT, *présentant Freud aux trois autres :* Mon fils.

Freud se lève et salue.

FLIESS, *même jeu :* Mon fils!

Freud se lève et salue.

VOIX OFF DE BREUER : Eh bien, la glace est rompue.

Tous s'amusent du mot de Breuer et le répètent en désignant Freud d'un doigt accusateur.

TOUS, *sauf Freud :* Rompue! Rompue! Rompue!

Sur Breuer, paisible, qui tient (au lieu des cartes qu'il avait auparavant) un livre ouvert.

BREUER : Tout le monde doit tricher.

Il en arrache les pages en parlant et les plaque sur la tablette comme si c'étaient des cartes.

(À Freud :) Vous, vous faites semblant de ne pas vous en apercevoir.

MEYNERT: Vous croyez qu'il saura faire?

FLIESS, *comme s'il parlait d'un enfant :* Bien sûr qu'il saura. *(À Freud :)* Écoute, petit, tu n'as qu'à faire comme moi.

MEYNERT : Non, Monsieur.

Comme moi!

BREUER : Je vous demande pardon : comme moi!

Fliess désigne Freud.

FLIESS, *riant :* C'est un petit indiscret.

TOUS, *rient, sauf Freud :* Un petit indiscret!

Un petit touche-à-tout!

L'indiscrétion est un vilain défaut.

Freud a donné jusqu'ici tous les signes de la honte. Il s'est tortillé comme un enfant.

Tout d'un coup il frappe sur la table et crie d'une voix tonnante.

FREUD : Il faut un mort, à ce jeu.

Les trois hommes le regardent : ils ont cessé de rire, ils ont l'air stupéfait et terrifié.

Meynert se penche vers lui, affectueusement et tristement :

MEYNERT : Comment, mon petit, tu ne le sais pas?

Mais c'est un jeu qui se joue à trois morts!

Trois morts et un vivant. Les morts, c'est nous; tu es orphelin.

Freud se retourne vers Fliess. Sa place est vide. Il se retourne vers Meynert et Breuer : ils ont disparu eux aussi.

VOIX OFF : Contrôleur!

Il se retourne : c'est Jakob Freud, son père. Celui-ci désigne les places vides.

JAKOB : Ils n'avaient pas de billets : c'est pour cela qu'ils sont morts.

FREUD, *une petite voix enfantine :* Je croyais qu'ils allaient me protéger.

Freud se retourne vers les places vides.

JAKOB, *voix off :* Penses-tu, mon chéri! Et le contrôle de soi? Moi, je suis contrôleur, je t'aiderai. Je t'aiderai! Je t'aiderai!
Votre billet!

Freud se retourne vers le contrôleur qui n'a plus la tête de Jakob, mais un petit visage maigre avec une moustache clairsemée et qui le secoue par l'épaule.

FREUD : Voici.

Il le prend dans son gousset et le donne. Pendant que le contrôleur le poinçonne, les trois hommes (qui sont redevenus les vrais joueurs de cartes) lui tendent aussi leurs billets.

LE CONTRÔLEUR, *sa tâche terminée :* Bonne nuit, messieurs.

La nuit est tombée, les lampes sont allumées. Freud, entièrement réveillé, penché en avant, les coudes sur les genoux, la tête soutenue par ses poings fermés, se plonge dans ses réflexions.

VOIX OFF DE FREUD : Un rêve, cela veut dire quelque chose.
C'est une petite névrose.
Un compromis entre l'envie de dormir et...
Et quoi?
Et un désir profond qui veut se satisfaire.
On lui donne tout de suite une satisfaction hallucinatoire. Comme on donne un hochet à un enfant qui crie.
Qu'est-ce que je souhaitais?

On voit devant lui, en surimpression (parce qu'il s'agit de simples souvenirs et non du rêve lui-même) les trois « pères » (Meynert, Breuer et Fliess) qui jouent aux cartes.

Un jeu à trois morts avec un vivant.

Et qui, par conséquent, apparaissent dans la profondeur de la banquette qui lui fait face, alors que les trois joueurs réels continuent à jouer mais à la gauche et au fond.

Me délivrer d'eux? Avancer par moi seul?

Ils disparaissent. Jakob apparaît à leur place, en contrôleur. Il sourit à son fils.

Je n'ai pas besoin de professeurs.
C'est à mon *vrai père* de m'aider. Pour de vrai, je ne veux personne au-dessus de moi.
Sauf celui qui m'a fait.

Le visage de Jakob, qui s'était empreint d'une très grande majesté (que nous ne lui connaissions certes pas) et qui ressemblait à Moïse, s'évanouit.
Freud est toujours sombre mais ses yeux s'éclairent.

Interpréter les rêves...

[12]

Le lendemain matin, la gare.

Sortie des voyageurs. Freud avec alpenstock, rücksack et valise saute dans un fiacre.

FREUD : 66, Toringasse.

Le palier d'un escalier (déjà décrit) au 66, Toringasse, devant la porte des parents Freud.
Freud vient de sonner, c'est Martha qui lui ouvre. Elle le regarde avec stupeur. Il n'a pas l'air moins étonné qu'elle.

MARTHA : Qu'est-ce que tu viens faire ici?
FREUD : C'est cette nuit : j'ai eu des remords dans le train. Je ne vois pas le père assez souvent. Et toi? Il y a quelqu'un de malade?
MARTHA : Le père est un peu fatigué.

Furieux par mauvaise conscience :

FREUD : Pourquoi ne m'as-tu pas télégraphié?

Martha hausse les épaules.

MARTHA, *avec beaucoup de lassitude :* Bah!

Un temps très court.

Ce n'est pas grave, tu sais.

La porte du fond s'est ouverte. On voit paraître la mère.

FREUD : **Maman!**

Elle reste belle et garde sa noblesse mais elle a beaucoup vieilli. Elle regarde Freud avec surprise et joie. Freud se baisse sur la main qu'elle lui tend et la baise longuement.

LA MÈRE : **Tu es venu! Tu es venu!**

La mère, de la main gauche, lui caresse légèrement les cheveux. Elle s'efface devant lui en montrant la porte ouverte.

Entre.

Il entre, Martha le suit sur un geste amical de la mère. La mère ferme la marche et entre derrière eux.

Tu savais qu'il était plus malade?
FREUD : **Non.**

Il revient vers sa mère, avec une gaieté un peu factice.

Je suis dans une mauvaise passe : mes recherches m'entraînent... je ne sais où. Dans ces cas-là, un fils va revoir son père, non?

La mère hésite. Freud regarde le fauteuil de Jakob qui est vide. Freud regarde sa mère, qui détourne la tête. Il insiste :

J'ai besoin de voir papa. Cela me rendra mon courage.

La mère se retourne vers lui et le regarde en face. Sans le moindre reproche dans la voix :

LA MÈRE : **Il y a longtemps que tu n'es pas venu le voir.**

Freud fait un signe de tête : on sent qu'il est plein de remords.

FREUD : **Très longtemps.**

La mère lui met les mains sur les épaules.

LA MÈRE : **Tu vas le trouver changé.**

Elle sourit doucement, pour atténuer le coup qu'elle va lui porter.

La maladie l'a beaucoup affaibli.
FREUD, *d'une voix étranglée :* **Qu'est-ce qu'il a?**
LA MÈRE : **Tout et rien. C'est l'âge.**

Elle s'efface et désigne une porte, dans le fond.

À présent, va le voir.

Freud va pour sortir. Devant la porte du fond, il hésite. Et puis, finalement, il l'ouvre très doucement et entre. Les deux femmes échangent, en silence, un regard consterné.

Dans la chambre du père. Entre les deux fenêtres, un grand lit. Sur la table de nuit, des potions, un thermomètre.

Jakob Freud est assis dans son lit et s'accote contre deux oreillers. Il a gardé son extrême douceur. Mais, visiblement, il s'est affaibli; la tête se perd, il est tombé — par exagération de sa sensibilité — dans une sensiblerie pleurarde.

Il regarde son fils qui est debout devant lui et très gêné, avec une tendresse profonde. Il parle d'une voix chevrotante.

JAKOB : Tu es venu! Tu es venu!

Ses yeux se remplissent de larmes. Freud est de plus en plus gêné. On sent qu'il a horreur de voir pleurer son père. Une fois de plus, le secours qu'il venait lui demander lui a été refusé.

Il souhaiterait, à présent, pouvoir s'en aller au plus vite. Mais il est pris au piège. La tendre voix sénile reprend, impitoyablement.

Reste un peu avec moi.
Prends une chaise.

Freud approche une chaise du lit et s'assied à côté du malade.

Monsieur le conseiller aulique!
FREUD : Je ne suis pas conseiller, papa!
JAKOB : Mais si.

Freud secoue la tête.

Tu le seras, Sigmund.
Tu le seras demain.
C'est comme si tu l'étais.
Comme c'est gentil de venir me voir. Moi, un vieux marchand ruiné. Toi, un conseiller aulique, un personnage si haut placé.
(Riant :) Un gros bonnet! Un gros bonnet!

Il rit avec complaisance et lui tend sa main pâle et moite. Freud la prend dans les deux siennes. Il se force à la tendresse. Mais on sent sa panique. Il sursaute en entendant le vieux Jakob dire avec une satisfaction sénile :

Hannibal!
Tu avais six ans, tu voulais nous venger tous, tu disais : «Je suis Hannibal... » Tu te rappelles?

Flash-back. Une rue de Vienne.

Jakob a quarante-cinq ans, sa barbe est toute noire. Il porte une étrange casquette. Ses vêtements sont propres mais pauvres. Il tient par la main un petit garçon de six ou sept ans qui trottine à ses côtés, tout fier et qui, de temps en temps, le regarde avec admiration.

VOIX OFF DE JAKOB : Quand j'avais à faire des visites, je t'emmenais avec moi. Toujours.
Tu étais fier! Un petit prince!

Un gros homme, taillé en hercule et d'aspect cossu, vient à leur rencontre. Il porte un manteau à col de fourrure et un « Cronstadt ». Brusquement il les voit et se dirige vers eux, assez menaçant. L'enfant ne remarque rien. Lorsque le gros homme est à la hauteur de Jakob et de Sigmund, il s'arrête.

LE GROS HOMME : Pas sur le trottoir, Juif!

D'un revers de main, il lui jette sa casquette dans le ruisseau.

Ramasse ta casquette et reste sur la chaussée.

Le petit garçon furieux veut se jeter sur le gros homme, Jakob le retient; l'enfant cherche alors à donner des coups de pied, mais déjà l'étranger est hors d'atteinte. Il s'éloigne sans même se retourner.
Jakob se baisse sans le lâcher et ramasse la casquette. Remettant la casquette sur sa tête :

JAKOB : Viens!
LE PETIT SIGMUND : Où?
JAKOB : Sur la chaussée.

Ils marchent sur la chaussée, tous les deux. Une voiture passe et les éclabousse. Le petit Freud prend l'air sombre et buté (celui-là même que nous avons vu si souvent sur le visage de Freud).

VOIX OFF DE JAKOB : Tu n'étais pas commode.

Chez les Freud en 1862.

Le soir de cette aventure. Logement assez misérable. Des fillettes, maigres et maladives, s'amusent avec des poupées de son dans un coin.

Grande pièce triste. Peu de meubles. La mère débarrasse la table. Jakob dans son fauteuil fume la pipe, doux et fatigué.

Le petit Sigmund s'approche de lui et le regarde d'un air inter-rogatif avec un mélange de stupeur et de désespoir.

VOIX OFF DE JAKOB : Le soir, tu m'en voulais ! Oh ! comme tu m'en voulais !

Dans la chambre du vieux Jakob. Freud le regarde et, malgré la barbe et les rides, nous retrouvons sur son visage sombre la stupeur désolée de l'enfant.

FREUD : Père, je t'en prie...

(Un temps.)

Il lui a lâché la main.
Le vieux veut parler, Freud lève la main pour l'en empêcher.

Ne parle pas. Tu te fatigues.
JAKOB : Laisse donc, petit ! Tu ne te rappelles pas le plus beau !

On revoit le petit et son père. Il s'éloigne et va vers une pile de livres.

Tu as été chercher tes prix. Tu avais tous les prix. Des beaux livres.
Il y en avait un qui racontait l'histoire romaine.

Le petit va jusqu'à la table, prend un des volumes, s'assied par terre, l'ouvre, arrache une page. C'est une gravure.
Il revient vers son père et la lui tend.

JAKOB, *stupéfait* : Que veux-tu que je fasse de cela, mon petit ?

Il chausse ses lunettes. Il regarde la gravure.
Lisant la légende, en dessous de la gravure :

« Hamilcar fait jurer à son fils Hannibal de ven-ger les Carthaginois. »

Il relève ses lunettes sur son front. Il regarde le petit qui a l'air impatient et buté.

Et alors?

LE PETIT : Tu es Hamilcar, papa.

Jakob rit doucement.

JAKOB : Mais non, je ne suis pas Hamilcar.

LE PETIT, *chaleureux et suppliant :* Mais si, tu l'es! Il faut que tu le sois.

JAKOB, *pour jouer avec l'enfant :* Bon, je le suis.

LE PETIT : Fais-moi jurer.

JAKOB, *amusé :* Eh bien, jure!

LE PETIT, *avec une ardeur sauvage :* Je jure de venger mon père, le héros Hamilcar et tous les Juifs humiliés. Je serai le meilleur de tous, je battrai tout le monde et je ne reculerai jamais.

L'âpreté de l'intonation, si rare chez un enfant, fait sursauter Jakob.

Celui-ci cesse de sourire, regarde le petit, comprend qu'il lutte pour ne pas avoir honte de son père. Son visage devient profondément triste comme s'il devinait, avec remords, que son acte pèserait sur toute la vie de son fils.

VOIX OFF DU VIEUX JAKOB : Tu n'as plus jamais été le même.

(*Un temps.*) Est-ce que je pouvais remonter sur le trottoir?

Le père et le fils se regardent en silence après que Sigmund ait prêté serment.

Nous nous retrouvons dans la chambre. Le vieux Jakob regarde Freud avec angoisse. Il a exactement la même expression que dans la scène de 1862, lorsqu'il regardait le petit Sigmund.

JAKOB : C'était l'époque des pogroms. Ils n'attendaient qu'un prétexte pour mettre le feu à tout le quartier.

Il sourit faiblement et s'agite dans son lit.

FREUD, *doucement :* Non. Tu ne pouvais pas. Il fallait être prudent.

(*Plus doucement encore :*) Calme-toi, papa. Calme-toi. Tu ne pouvais pas.

Le vieillard sourit. Ses paupières battent.

> JAKOB, *riant et menaçant Freud du doigt comme si c'était un enfant :* Mon petit Hannibal!

Il ferme les yeux. Il ne dort pas. Sa main se tend vers Freud. Celui-ci a un brusque recul et retire ses mains.

> *D'une voix enfantine :* Donne-moi ta main.

Freud, au prix d'un violent effort, s'oblige à prendre la main de Jakob. Le vieillard sourit sans ouvrir les yeux et peu à peu s'assoupit.

Peu à peu le visage de Freud retrouve sa dureté fixe et presque méchante (telle que nous l'avons vue au début de cette troisième partie).

> VOIX OFF, *lointaine et presque chuchotante de l'antisémite :* Sale Juif, ramasse ta casquette.
> VOIX OFF DE JAKOB : Je ne suis pas Hamilcar.
> VOIX OFF DU PETIT SIGMUND : Je vengerai tous les Juifs. Je ne reculerai jamais. Je ne descendrai jamais sur la chaussée.

Il regarde son père endormi avec un mépris plein de rancune et dégage sa main en profitant de l'assoupissement du malade.

Pendant qu'il se lève et tourne les talons, la voix off de l'enfant qu'il a été répète :

> Jamais!
> Jamais!
> Jamais!

Il sort en fermant la porte sans bruit. Il a l'air méchant et impitoyable.

La mère et Martha vont vers lui mais son regard les arrête.

> LA MÈRE, *timidement :* Comment le trouves-tu?

Freud sourit sans répondre, embrasse sa mère sur le front et dit à Martha d'une voix neutre :

> FREUD : Peux-tu te charger de ma valise et du rücksack? Je vais chez une malade.

Il lui fait un sourire sec et sort sans qu'elles aient fait un geste. Une fois la porte fermée :

> LA MÈRE, *haussant les épaules :* Et voilà!
> *(Un temps.)*

Je me demande s'il aime son père.

MARTHA, *amère :* Vous mise à part, maman, je me demande s'il aime personne.

[13]

Un peu plus tard dans la matinée.

Une rue des faubourgs, à Vienne. Sur la gauche, maisonnettes à deux étages (toute petite bourgeoisie), un terrain vague et, au fond, très loin, des cheminées d'usine.

À droite un immeuble à cinq étages, assez vieux, habité à partir du second. (À l'entresol, des vitres cassées, des fenêtres ouvertes sur des locaux vides.)

Après l'immeuble, une grille protège un assez grand jardin qui semble abandonné. (L'herbe envahit les sentiers, les buissons n'ont pas été taillés depuis longtemps, ni les arbres émondés.) Au fond du jardin, un pavillon à un étage, confortable, nettement mieux construit que les autres maisonnettes : peut-être un ancien pavillon de chasse.

C'est la Prinz Eugen Gasse. Freud s'engage dans la rue. Il a gardé son chapeau tyrolien. Il marche sur le trottoir de droite et cherche à reconnaître le pavillon dont Breuer lui a parlé. Dès qu'il a dépassé l'immeuble et qu'il se trouve devant la grille, le doute n'est plus possible : c'est bien là que les dames Körtner doivent habiter.

Il s'approche de l'entrée et, avant de sonner, il ôte son chapeau, enlève le plumet tyrolien qu'il fourre dans sa poche puis remet son chapeau sur la tête.

Il sonne. Long silence.

Puis une vieille femme paraît sur le seuil du pavillon et lui crie de loin, sans aménité.

LA VIEILLE, *criant :* Qu'est-ce que vous voulez?
FREUD, *criant :* Madame Körtner.
LA VIEILLE, *même jeu :* Pas là.
FREUD, *même jeu :* Mademoiselle Körtner, alors.
LA VIEILLE : Elle ne reçoit pas.
FREUD : Demandez-lui...

La vieille referme la porte du pavillon. Freud reste immobile devant la grille, un peu voûté mais têtu.

Au bout d'un moment, il appuie de nouveau sur le bouton de sonnette. La porte du pavillon ne s'ouvre pas. Freud tourne le loquet de la porte — qui ne s'ouvre pas. Elle est fermée à clé.

Il reste devant la grille; il attend sans bouger — comme un mendiant qui compte sur son insistance pour décider les gens à ouvrir leur porte-monnaie.

Le long de l'immeuble, au gros soleil, une longue femme vêtue de noir glisse, avec une ombre courte à ses pieds (il est dix heures du matin environ). Elle s'approche de Freud sans bruit et lui met la main sur l'épaule. C'est Madame Körtner.

> MADAME KÖRTNER : Que désirez-vous, Monsieur?

Freud sursaute et se retourne. Elle le dévisage, vaguement surprise.

> Je vous reconnais.
> *(Un temps.)*
> Vous êtes le docteur...

Freud se découvre.

> FREUD : Sigmund Freud.

Il fait passer son chapeau dans sa main droite.
Il sort son portefeuille et en tire sa carte qu'il donne à Madame Körtner.

> MADAME KÖRTNER, *lisant la carte :* Je vois.
> *(La voix durcie:)* Que venez-vous faire ici?
> FREUD : Est-ce que Mademoiselle votre fille est guérie?
> MADAME KÖRTNER, *d'une voix sans expression :* Non.
> FREUD, *très simplement :* Je voudrais la soigner.
> MADAME KÖRTNER, *presque insultante :* Inutile.

Madame Körtner le regarde bien en face. Elle a vieilli et durci, depuis que nous l'avons vue. Elle a un pli mauvais et méprisant à la commissure des lèvres. Ses vêtements noirs sont de bonne coupe mais l'étoffe est à bon marché.

> La maladie de ma fille, ce sont les médecins qui la lui ont donnée.
> FREUD : Madame Körtner! Vous savez bien que ce n'est pas vrai. Le docteur Breuer...

MADAME KÖRTNER : Ma fille est une enfant insupportable, et le docteur Breuer a commis l'impardonnable erreur de la prendre au sérieux. Elle se
croit une martyre, Docteur, et son unique malheur, c'est que son père l'a trop gâtée.

*Elle fouille dans son sac, repousse Freud sans politesse, sort un
trousseau de clés, introduit une clé dans la serrure et la tourne.
Ouvrant la porte :*

Au revoir, Docteur.

*Elle entre dans le jardin, Freud la suit. Au moment où elle se
retourne pour fermer la porte, il est déjà entré.*

*Elle lui jette un regard terrible de ses beaux yeux durs mais sans
parvenir à l'intimider : l'homme qui se tient devant elle est plus
dur qu'elle encore — et plus déterminé.*

*Elle s'irrite et la sécheresse incisive de sa voix fait place à de la
violence.*

MADAME KÖRTNER : Sortez!
FREUD, *sans élever la voix :* Vous n'aimez pas votre
fille, Madame.

*La colère transforme le visage de Madame Körtner; elle a brus-
quement la vulgarité d'une poissarde.*

MADAME KÖRTNER, *vulgaire et violente :* Salaud!

*Elle lève la main sur Freud et cherche à le frapper. Il attrape
son poignet au passage et la contient un instant. Cet instant suffit
pour qu'elle reprenne son sang-froid et ses dehors de bourgeoise
distinguée.*

(Très froide, impérieuse :)
Lâchez-moi!

*Freud la lâche en s'inclinant très légèrement, comme pour s'ex-
cuser.*

Vous me prenez pour une mauvaise mère, n'est-
ce pas?
FREUD : Non.
MADAME KÖRTNER : Cela se voit dans vos yeux.
(Un temps. Avec défi :)
Regardez-moi. En quatre années, j'ai vieilli de
vingt ans. Je ne tiens plus debout. Je dors quatre

heures par nuit. Savez-vous pourquoi? Parce que je me suis faite l'infirmière dévouée d'une fille qui me déteste et qui me voudrait morte.

FREUD : Après? Vous la soignez mais vous ne souhaitez pas la guérir. Vous avez mis les médecins à la porte et vous entretenez son mal parce qu'il vous permet de la dominer.

La mère le regarde, furieuse mais incertaine. Freud improvise : c'est un coup de bluff. Il insiste parce que Madame Körtner paraît touchée au vif.

MADAME KÖRTNER, *froide et lucide :* Je n'ai pas mis les médecins à la porte.

(Rire amer.)

Ils ne viennent plus parce que nous sommes ruinées. Comprenez-vous? Ils ont cessé leurs visites à domicile dès qu'ils ont compris que nous n'avions plus un sou pour les payer.

Avec un défi ironique, sûre de la réponse :

Docteur Freud, acceptez-vous de soigner gratuitement Cecily?

FREUD : Oui, Madame.

Avec sérieux et force :

Je m'y engage.

(Un silence.)

Eh bien?

Madame Körtner le regarde, décontenancée.

Cecily a une chance de guérir. Allez-vous la lui refuser?

MADAME KÖRTNER : Je connais les hommes, médecins ou non : ils ne font rien pour rien. N'allez pas vous imaginer que je vous prends pour un philanthrope.

Quel est votre intérêt?

Madame Körtner lui parle sur un ton trop lucide et trop averti pour être celui d'une « femme du monde ». On sent, derrière son assurance, une expérience profonde que la société, à l'époque, refuse en général aux femmes de sa condition.

Les Temps Modernes

revue mensuelle

Chaque année, *les Temps Modernes* font paraître plusieurs
dossiers sur les grands thèmes de l'actualité. Ce furent, en
1983, *La politique économique de la gauche en question*,
les *Antilles*, la *Pologne*. Le premier dossier de 1984 traitera
de *l'Immigration maghrébine en France*. En préparation :
la *Turquie*, l'*Éducation nationale*, etc. Mais, fidèles à leur
tradition, les *TM* ce sont, en alternance, des articles, études,
textes littéraires ou polémiques, documents divers, chroniques.

Pour rappeler quelques titres :

Le conflit Israélo-Arabe
Les Femmes s'entêtent
Minorités nationales en France
Petites Filles en éducation
La Corse après le 10 Mai
Les droits de l'Homme dans l'Armée
Le Second Israël
Afghanistan
Argentine
Algérie

Les Temps Modernes

BON D'ABONNEMENT
A LA REVUE
MENSUELLE

☐ Je désire m'abonner à la revue LES TEMPS MODERNES au prix (valable jusqu'au 31 décembre 1984) de :

France et DOM TOM
☐ 6 mois : F 221,00 TC
☐ 1 an : F 415,00 TC

Etranger
☐ 6 mois : FF 241,00
☐ 1 an : FF 425,00

Abonnement étudiants
☐ 6 mois : F 143,00 TC
☐ 1 an : F 285,00 TC

Règlement ci-joint à l'ordre des TEMPS MODERNES
☐ C.C.P. (3 volets)
☐ chèque bancaire

BON A RETOURNER, COMPLÉTÉ A VOTRE LIBRAIRE OU AU SERVICE D'ABONNEMENTS
LES TEMPS MODERNES, 49 RUE DE LA VANNE - 92120 MONTROUGE

NOM/PRÉNOM ECRIRE EN CAPITALES. N'INSCRIRE QU'UNE LETTRE PAR CASE. LAISSER UNE CASE ENTRE DEUX MOTS. MERCI

RESIDENCE/ESCALIER/BATIMENT

NUMERO   RUE/AVENUE/BOULEVARD OU LIEU-DIT

COMMUNE

CODE POSTAL   BUREAU DISTRIBUTEUR

A   A   A

Freud la regarde avec dureté mais non sans quelque sympathie.
Nous comprenons que ce genre de femmes lui plaît.

FREUD, *avec simplicité* : J'ai une idée sur la névrose
et je veux la vérifier.

MADAME KÖRTNER : Et vous cherchez des malades
non payantes pour pouvoir les saccager?
Ma fille sera votre cobaye?

FREUD : Je ne saccagerai personne, Madame. Et
votre fille n'est pas un cobaye : je la tiens pour la
malade la plus intelligente que j'aie connue.

Madame Körtner hésite en silence. Au bout d'un moment, elle va
à la porte d'entrée, la referme et tourne la clé dans la serrure puis
remet la clé dans son sac.

MADAME KÖRTNER : Suivez-moi.

Ils traversent le jardin. En gravissant les trois marches du pavil-
lon, elle se retourne vers lui.

C'est à l'essai. Si je vois que vous lui faites du
mal, j'interromps le traitement.

Il acquiesce en silence.
Ils entrent dans une salle pauvrement meublée et assombrie par
les arbres du jardin. La vieille servante est assise à une table et
reprise.
On retrouve quelques meubles de leur ancien domicile, échappés
par miracle au désastre financier de la famille.
La servante lève sur Freud ses yeux gris et froids; elle le regarde
avec indifférence puis continue à travailler.
Madame Körtner s'est arrêtée au milieu de la pièce, laissant à
Freud le soin de refermer la porte. Quand il se retourne vers elle,
elle demande :

J'assisterai à vos séances?

FREUD, *courtois mais ferme* : Non, Madame.

MADAME KÖRTNER : Bon.

Madame Körtner désigne une porte au fond.

Eh bien, c'est là. Entrez.

Pendant qu'il traverse la pièce, elle a un petit rire sec et plein
de ressentiment.

Le plus dur n'est pas fait. Il faudra qu'elle vous accepte.

Freud frappe à la porte.

VOIX OFF DE CECILY : Entrez!

[14]

La chambre de Cecily.

Pièce étroite et pauvrement meublée. Dans un coin, un pot à eau et une cuvette sur une table. Deux chaises, un rocking-chair.

Le lit de Cecily est à droite de la porte et le long du mur; le pied du lit est près de la porte, la tête au plus loin.

Deux fenêtres : une à gauche en entrant, l'autre au fond. Des gravures à bon marché tentent — avec plus ou moins de succès — de masquer les taches et les moisissures du papier mural. Une table de lit chargée de livres.

Quand Freud entre, Cecily couchée, la tête soutenue par deux oreillers est en train de lire. Elle baisse le livre qu'elle tenait devant ses yeux et regarde le nouvel arrivant. Ses yeux sont parfaitement normaux. Un long silence, puis :

CECILY : Je vous reconnais.

Freud a fermé la porte, il lui fait face.

Je ne suis donc pas assez punie?
FREUD, *doucement :* Je ne viens pas vous punir, Cecily.

Cecily hausse les épaules.

CECILY : Il faut me punir puisque je suis coupable.

Elle fait un sourire mystérieux de connivence avec elle-même. Elle le regarde toujours; lentement :

Vous êtes le docteur Freud. Votre ami s'appelait Fliess.

D'un air vague et lointain :

Et l'autre, celui qui était si lâche, comment s'ap-
pelait-il?

*Cecily n'a plus l'air d'innocence qui avait séduit Breuer. Elle
reste une jeune fille mais avec un regard averti et méprisant qui est
celui d'une femme. Un pli amer aux coins de la bouche – qui
demeurera dans les scènes suivantes et jusqu'à la guérison.*

FREUD, *imperceptible complicité :* Le lâche? Breuer.

CECILY : Breuer. Voilà! Sa femme, c'était
Mathilde. On dit qu'il lui a fait un enfant?

FREUD : Une fille.

CECILY, *sourire de mépris :* À Venise, bien sûr.
L'enfant de la lagune.

Presque fièrement :

Moi, j'ai les deux jambes paralysées.

Freud veut s'approcher.

Inutile.

*Elle arrache sa couverture. Sa chemise est relevée jusqu'aux
genoux : ses jambes présentent les caractères déjà notés chez l'hystérique de la première partie et chez Jeanne (le sujet de Charcot).*

CECILY, *avec un sourire ironique :* Contractures
hystériques. Anesthésie des deux côtés.

Vous pensez bien que je suis au courant : depuis
le temps que cela dure.

*Freud s'approche, cette fois sans qu'elle fasse un geste pour l'en
empêcher. Il relève les couvertures et la borde.*

Trop aimable.

On croirait le mari de Mathilde. Comment l'appelez-vous, déjà?

FREUD : Breuer.

CECILY : Voilà. Quel est le nom de votre femme?

FREUD : Martha.

CECILY : Dieu la bénisse.

Avec une violence brusque et terrible mais sans élever le ton :

Allez-vous-en!

Allez-vous-en!

Dites à sa femme que j'expie mes fautes et que
je n'aurai jamais d'enfants.

Freud, sans s'émouvoir, va chercher une des chaises, l'apporte au chevet de Cecily et s'assied.

FREUD : Cecily, je veux vous guérir.

Durant toute la scène, il sera doux et convaincant mais ses yeux durs et fixes ont un éclat inquiétant : on sent qu'il n'a aucune sympathie pour Cecily et qu'il est prêt à tout pour éprouver sur elle la vérité de sa doctrine.

CECILY, *éclatant de rire :* Encore! Et puis vous vous enfuirez à toutes jambes quand vous m'aurez rendue malade à mourir? Je suis très bien comme cela. Si vous me rendiez l'usage de mes jambes, j'irai sur les trottoirs de la ville et...

FREUD : Et?

CECILY : Rien. Des bêtises.

Elle reprend le livre et feint de se replonger dans la lecture. Freud ne bouge pas. De temps en temps, elle lui jette des regards sournois par-dessus son livre. Posant le livre, tout à coup :

(Interrogation tranquille et souriante.) Est-ce que vous êtes bien sûr que je suis une hystérique?

FREUD : Je n'en sais rien. Laissez-moi vous soigner : je verrai.

CECILY : Parce que, voyez-vous, j'ai des angoisses. D'après les livres, les hystériques n'ont pas d'angoisse.

FREUD : Vous lisez des livres idiots. Les hystériques peuvent être anxieux et les gens normaux aussi.

Il prend le livre qu'elle a laissé tomber sur sa couverture.

Charcot! C'est moi qui l'ai traduit.

CECILY : Je sais.

FREUD, *du ton un peu méprisant, un peu nostalgique dont on parle d'une très ancienne liaison :* Bah! c'est vieux!

Freud tourne et retourne le livre dans ses mains, tout décontenancé.

CECILY, *qui suit son idée* : Parce que, vous comprenez, les jambes, je ne veux pas que vous y touchiez. Mais les angoisses, je veux bien que vous me les ôtiez.

(*Sourire à elle-même.*)

Si vous pouvez.

FREUD : Essayons.

Il rapproche sa chaise très légèrement. Elle a un mouvement de peur très sincère.

CECILY, *criant, brusquement* : Laissez-moi tranquille! Laissez-moi tranquille! Au secours, au secours! Maman, maman!

La porte s'ouvre brusquement. La mère apparaît.

MADAME KÖRTNER, *sans bonté* : Qu'est-ce qu'il y a?

Freud se tourne un instant vers elle.

Tu veux qu'il s'en aille?

CECILY : Non. Mais je ne veux pas qu'il m'hypnotise.

Assez! Assez de bêtises! Assez!

Freud se retourne vers Cecily.

FREUD : Je ne vous hypnotiserai pas, je vous le promets devant votre mère.

CECILY, *à sa mère, d'un ton profondément méchant sous sa douceur* : Bon. Alors, ma chère maman, tu peux t'en aller.

La mère referme la porte. Cecily, à Freud, incrédule :

Vous ne m'hypnotiserez pas? Vous ne savez faire que cela.

FREUD : Jusqu'ici oui : je n'ai rien fait d'autre. Mais quelque chose est arrivé qui m'y a fait renoncer.

CECILY, *toute naturelle* : Vous avez tué quelqu'un?

FREUD, *tranquille* : Presque.

CECILY : Cela devait finir comme ça.

FREUD : Quand les gens sont en état de veille,

ils se défendent de toutes leurs forces contre les souvenirs qu'ils veulent oublier.

CECILY, *ironique :* Et quand ils dorment par suggestion, ils se rappellent tout ce qu'on veut.

FREUD : Vous avez compris. Ensuite on leur raconte ce qu'ils ont dit dans l'hypnose mais, en se réveillant, ils ont retrouvé la morale, les tabous, les interdits, tous les mécanismes du refoulement. Le souvenir refoulé leur fait horreur quand ils se le rappellent : ils s'étaient construits justement pour le refouler. C'est une confrontation trop brutale. Il faut aller doucement, parler avec les malades en pleine veille, s'attaquer à leurs défenses et les user petit à petit.

CECILY, *riant :* Et l'amant de Mathilde? Qu'est-ce qui reste de sa méthode? Il en était si fier!

FREUD : Breuer? Pour l'essentiel, sa méthode reste inchangée. On n'hypnotisera plus, c'est tout.

CECILY : Que fera-t-on?

FREUD : Eh bien, vous parlerez de ce que vous voudrez. Vous direz tout ce qui vous vient à l'esprit, même ce qui vous paraîtra le plus saugrenu. Il n'y a pas de hasard : si vous pensez à un cheval plutôt qu'à un chapeau, ce n'est pas sans une raison profonde. La raison, nous la chercherons ensemble; et plus vous en approcherez, plus vous affaiblirez les résistances et moins il vous sera pénible de la découvrir.

CECILY, *amusée :* C'est comme un jeu de société.

FREUD : Oui. Le jeu de la vérité. Commencez.

CECILY : Par quoi?

FREUD : Je vous dis : par ce que vous voudrez.

Cecily, avec une sorte de coquetterie — très consciente de son charme :

CECILY : Pour la première fois, vous pourriez m'aider.

FREUD : Bon. Est-ce qu'il vous arrive de rêver?

CECILY : Toutes les nuits.

FREUD : Cette nuit?

Signe d'acquiescement de Cecily.

Eh bien, racontez-moi votre rêve.

Cecily s'amuse, visiblement. Ce qui compte, pour l'instant, chez cette solitaire, c'est la présence d'un homme et le jeu qu'elle joue avec lui.

> CECILY, *avec vivacité :* C'est facile : celui de cette nuit, je le fais trois ou quatre fois par semaine. Avec des variantes, naturellement. Je suis sûre que c'est un châtiment.
> J'étais...

Elle incline la tête de côté et joue la honte. En fait c'est de la coquetterie.

> Vous allez penser que j'ai de drôles d'idées.
> J'étais une prostituée. Une de celles qui font le trottoir.

[15]

Pendant qu'elle décrit son rêve, nous le voyons comme elle le décrit. Nous voyons une rue la nuit, un bec de gaz l'éclaire faiblement. Au loin une femme qui est Cecily mais que nous distinguons très mal, fait les cent pas sur le trottoir. De loin, elle semble habillée comme les prostituées classiques.

> FREUD, *voix off :* Vous en avez vu des femmes qui font le trottoir?
> CECILY, *voix off :* Bien sûr.
> FREUD, *voix off :* Vous étiez habillée comme elles?
> CECILY, *voix off :* Non.

On voit brusquement Cecily sortir de l'ombre, elle porte une robe de mariage, toute blanche, voile blanc, fleurs d'oranger. Mais son visage est terriblement fardé, vieilli par un maquillage dur et poussé, presque hideux.

> J'avais une robe de mariage.

La robe de mariage a d'ailleurs un accroc énorme sur le devant et, par la déchirure, on voit sa jambe jusqu'au-dessus du genou.

> C'est drôle. Elle avait un accroc. Cela me faisait honte.

Elle fait les cent pas sur le trottoir, devant le réverbère.

FREUD, *voix off :* Réfléchissez un peu, Cecily. Quand avez-vous vu une robe de mariage déchirée?

Cecily s'arrête sous le réverbère et paraît réfléchir.

CECILY, *voix off :* Jamais.

FREUD, *voix off :* Ni d'autres robes?

CECILY, *voix off :* Ah! si. La robe noire de ma mère. Elle s'est déchirée hier et maman l'a raccommodée près de moi, pendant que je lisais.

La prostituée Cecily, comme satisfaite de cette réponse, recommence à faire les cent pas.

Elle passe devant une porte cochère. Dans un coin sombre, nous distinguons tout à coup une ombre inquiétante : un homme immobile qui attend.

VOIX OFF DE CECILY : J'avais un drôle de nom. Putiphar. Vous savez comme la reine de la Bible.

L'ombre est plus nette à présent. C'est un Monsieur fort bien habillé que nous voyons de dos. Il porte un haut-de-forme.

LE MONSIEUR, *chuchotant :* Putiphar! Putiphar!

Cecily qui l'avait dépassé revient sur lui. Quand elle est à sa hauteur, elle tire un anneau d'or de son sac et le lui tend.

VOIX OFF DE CECILY : J'ai eu un client.

Le Monsieur, toujours de dos, tend l'index et nous voyons Cecily lui enfiler son anneau d'or à l'index.

FREUD, *voix off :* Comment était-il?

VOIX OFF DE CECILY : Je n'ai pas vu sa tête. Je lui ai donné un anneau d'or. Il était trop large pour son doigt.

La main du Monsieur se dirige vers le sol et l'anneau tombe. Le Monsieur s'enfuit à toutes jambes et, dans son désarroi, pousse Cecily si brutalement qu'elle tombe.

Il s'est enfui et m'a fait tomber.

Au moment où elle tombe, on entend un éclat de rire. Au premier étage de l'immeuble devant lequel elle est tombée, une fenêtre est ouverte et une femme est en train de rire. Elle a un costume classique de prostituée.

Une femme a ri. Elle a dit :

LA FEMME, *parle pendant qu'on la voit. Très vulgaire :* C'était pas la peine de me tuer.

VOIX OFF DE CECILY : Ça m'était égal, ce qu'elle pouvait me dire. Mais je m'étais fait très mal en tombant sur le perron.

Nous quittons la femme à la fenêtre pour revenir à Cecily. Le décor a changé, pendant que nous regardions cette femme.

Cecily est en effet tombée sur le perron de son ancienne villa. La porte cochère a disparu. Restent trois marches conduisant à une porte vitrée ouverte.

Cecily est toujours en robe de mariée, à genoux sur l'une des marches. Porte-fenêtre, fenêtres, marches, sont vivement éclairées; c'est le plein jour.

On entrevoit l'intérieur que nous connaissons.

Cecily pleure comme une très jeune enfant, avec des grimaces et de gros sanglots.

Elle a des larmes sur les joues.

FREUD, *voix off :* Quel perron?

VOIX OFF DE CECILY : Celui de notre ancienne villa.

FREUD : Et puis?

VOIX OFF DE CECILY : C'est tout. Je me suis réveillée.

Le rêve éclate. Nous retrouvons la chambre.

Freud est toujours penché en avant. Cecily s'amuse.

CECILY : C'est très amusant de raconter un rêve. Mais c'est idiot. Cela ne veut rien dire.

FREUD, *convaincu :* Cela veut dire *beaucoup!*

Cecily paraît incrédule.

CECILY : Eh bien, pourquoi par exemple, est-ce que je m'appelais Putiphar?

FREUD : Putiphar, c'est le nom de la femme du Pharaon. Elle était amoureuse de Joseph.

(Un temps.)

Joseph, c'était le prénom du docteur Breuer.

Cecily cesse de sourire et le regarde avec méfiance et dureté.

Dans votre rêve, le client s'est enfui comme un Joseph.

*Mince sourire de Cecily. Freud lui renvoie son sourire : ils n'ont
l'air bon ni l'un ni l'autre.*
Freud, souriant, avec intention :

> FREUD : C'était un cauchemar, en somme?

Cecily, détendue par cette complicité :

> CECILY, *souriant :* L'histoire de Putiphar est natu-
> rellement tout à l'honneur de Joseph mais c'est un
> cauchemar pour Putiphar.
> *(Un temps.)*
> FREUD : Vous l'avez très souvent, ce rêve?
> CECILY : Très souvent, mais pour Putiphar, c'est
> la première fois.
> FREUD : La prostitution : cela revient souvent?
> CECILY : Oui. Et la femme à la fenêtre et la chute
> sur le perron.
> FREUD : Quand avez-vous rêvé de cela pour la
> première fois? Longtemps après la mort de votre
> père?
> CECILY : Longtemps *avant.*

Freud paraît stupéfait.

> FREUD, *avec un étonnement qui lui fait élever le ton :*
> Avant?
> Avant que vous l'ayez trouvé...

*Dureté et vulgarité de Cecily : elle joue un rôle mais nous ne
savons pas lequel.*

> CECILY, *avec dureté :* Dans un bordel?
> Bien avant!
> Des années avant.
> FREUD : Pourquoi?
> CECILY : J'aimais beaucoup mon père. Mais je lui
> en voulais beaucoup parce qu'il trompait ma pauvre
> maman.
> FREUD : Avec des prostituées?
> CECILY : Bien sûr. Tous les hommes aiment les
> prostituées, n'est-ce pas?
> Heureusement!

D'une voix minaudière qui ne lui appartient pas :

Les honnêtes femmes n'oseraient plus mettre le pied dans la rue si ces filles n'existaient pas.

D'un air profondément sincère :

J'adore ma mère, Docteur. Elle vous dira le contraire parce que nous avons toutes les deux mauvais caractère. Mais c'est faux. Je sais tout le mal qu'elle se donne. Et je l'aime de plus en plus. Même aujourd'hui, je ne peux pas pardonner à mon père la vie d'enfer qu'il lui a fait mener.

Cecily parle avec une sorte de haine.

Il la trompait jusque sous son toit. La femme qui me regardait de la fenêtre, dans mon rêve, je sais qui c'est. Une ancienne gouvernante, la maîtresse de papa. Maman l'a chassée, elle a bien fait.

Elle se tord de rire.

En voilà un qui ne méritait pas son prénom!
FREUD : Qui?
CECILY : Papa. Il s'appelait Joseph aussi.
FREUD : Ah! *(Un silence.)* Il vous a poussée quand vous étiez petite? Et vous êtes tombée?

Cecily le regarde avec une méfiance étonnée.
Freud suit son idée et revient à son enquête principale.

CECILY : Comment le savez-vous?
FREUD : C'est dans votre rêve.
CECILY : Oh! Ce n'est qu'un mauvais souvenir et vous pensez bien que je ne lui en ai pas voulu pour cela.

La petite Cecily entre en courant dans l'ancienne villa.

Je devais avoir six ans. Je courais. Ça doit être ma faute.

Elle se heurte à son père, homme majestueux et fort, qui sort au même instant de la villa par la porte-fenêtre. Elle tombe.

FREUD : Et alors? Qu'est-il arrivé?

L'image éclate.
La chambre de Cecily.

CECILY, *qui donne des signes de lassitude :* Rien de plus. Absolument rien.

FREUD : Pourtant vous vous souvenez de cette chute, vingt ans après. Et vous avez oublié tant de choses! Jusqu'au nom de mon ami Breuer.

Pourquoi vous en souvenez-vous?

CECILY : Je n'en sais rien. Est-ce qu'on sait pourquoi l'on se rappelle un événement plutôt qu'un autre?

Je ne vous dirai rien de plus, je suis trop fatiguée.

Votre méthode est épuisante. Beaucoup plus que l'hypnotisme. Je sens qu'il n'y a plus rien à tirer de moi aujourd'hui.

(Avec une certaine complaisance :)

Vous m'avez pressée comme un citron.

Avec gentillesse :

Revenez demain.

Freud se lève, aimable et froid. Il est tout entier préoccupé par son enquête.

FREUD : Je reviendrai. Tâchez de réfléchir à cette histoire de chute sur le perron. Tous les détails que vous donnerez seront utiles.

Cecily le regarde attentivement. Elle sourit mais sans sympathie.

CECILY, *mi-plaisante mi-sérieuse :* Je n'aime pas vos yeux.

Freud la regarde interrogativement.

Ce sont des yeux d'assassin.

Vous allez faire un mauvais coup.

Il plaisante lui aussi mais ses yeux restent durs.

FREUD, *même ton que Cecily :* Ou peut-être un bon, un très bon coup de filet qui attrapera les monstres des profondeurs marines. Savez-vous cela? Il y en a qui vivent sous de telles pressions qu'ils éclatent quand on les ramène à l'air libre.

Il s'incline. Elle lui sourit. Nous retrouvons entre eux une complicité étrange mais très différente de celle qui unissait Cecily à Breuer. On dirait, cette fois, qu'ils cherchent à se tromper l'un l'autre.

Elle le regarde sortir avec un sourire ironique, comme si elle se rendait vaguement compte de l'avoir dupé.

[16]

Le lendemain, après le déjeuner chez les Freud.

Martha passe et repasse. Elle est en plein travail, la bonne l'aide.
Freud est assis dans un fauteuil, les deux garçons se traînent par terre; Mathilde, déjà une petite femme, se tient toute droite à côté de son père. Martha passe près de Freud, affairée. Freud l'attrape par le bras :

FREUD, *souriant chaleureusement :* Martha, assieds-toi. Viens me tenir compagnie.

MARTHA : Impossible.

FREUD : Pourquoi?

MARTHA : Je fais des rangements.

FREUD, *menaçant pour rire :* Méfie-toi, Martha! Rappelle-toi l'histoire de Marthe et de Marie. C'est Marie qui avait la meilleure part.

MARTHA, *sourire un peu triste; un peu ironique, mais sans aucune intention déplaisante :* Je doute que ton enseignement ressemble à celui de Jésus-Christ.

Elle disparaît, laissant Freud seul avec les enfants. Mathilde en profite pour s'approcher un peu plus de Freud.

MATHILDE : C'est vrai qu'on l'aura?

Freud lui parle avec une extrême douceur; son visage s'est épanoui. Il a l'air gai.

FREUD : Quoi, mon chéri?

MATHILDE : Je sais pas dire le nom, la machine.

FREUD : Ah! Le téléphone? Mais oui, Mathilde : ils l'installeront ces jours-ci.

MATHILDE : Je parle dans cette maison et toi, tu es dans une autre maison et tu entends.

FREUD : Oui.

MATHILDE : Et si je t'embrasse, tu t'en apercevras dans l'autre maison?

FREUD : **Non.**

Mathilde sautant sur les genoux de Freud et l'embrassant fougueusement.

MATHILDE : **Alors j'aime mieux que tu sois ici.**

Freud se laisse embrasser et même il lui rend ses baisers. Et puis tout d'un coup, son visage devient dur et presque méchant.

Il se dégage et remet Mathilde sur ses pieds, sans violence, mais avec force. Mathilde le regarde, stupéfaite. Freud regarde dans le vide.

Mathilde, effrayée par ce visage dur et fermé qu'elle n'a jamais vu à son père, éclate en sanglots.

Martha, qui allait entrer, a vu toute la scène.

MARTHA, *bouleversée :* **Mathilde!**

L'enfant lui jette un regard furieux et quitte la pièce en courant. Martha s'approche de Freud qui n'a pas bougé. Elle le contemple, tristement, en silence.

Freud finit par lever la tête. Il regarde Martha avec un air de profonde tristesse. Il se lève au bout d'un moment.

FREUD : **Il faut que j'aille voir une malade. À tout à l'heure.**

Il l'embrasse machinalement sur le front et sort. Elle regarde longtemps la porte par laquelle il est sorti.

[17]

Dans la chambre de Cecily.

Une demi-heure après. Madame Körtner fait des travaux de couture, assise au chevet de Cecily, toujours vêtue de noir avec une guimpe jusqu'au menton. Cecily reste immobile dans son lit, adossée comme la veille à des oreillers. Ses yeux fixes semblent agrandis par l'angoisse. De temps en temps elle crispe légèrement ses mains sur la couverture.

Les deux femmes n'échangent pas un mot, mais, de temps à autre, Madame Körtner jette un regard sur Cecily.

Ces brefs coups d'œil sont froids et objectifs. Aucune tendresse. Quand elle baisse la tête sur son ouvrage, Cecily lui jette du coin de l'œil un regard sournois et rapide.

Entre les deux femmes, on sent une tension extrême mais silencieuse. Nous devinons qu'il s'agit d'une scène quotidienne. Tous les jours, Madame Körtner vient « garder » sa fille en silence.

On frappe à la porte.

Sans attendre qu'on lui réponde, la vieille servante ouvre la porte. Elle s'efface pour laisser passer Freud. Puis elle referme la porte.

LA VIEILLE : Le docteur Freud.

Freud s'incline en silence devant Madame Körtner. Celle-ci fait une légère inflexion de tête, sans un mot. Elle se lève, range ses affaires sans hâte et s'en va.

Avant qu'elle ait franchi le seuil, Freud s'est tourné vers Cecily et lui a souri. Elle cligne des yeux pour montrer qu'elle s'est aperçue de sa présence mais pas un mot n'est échangé. Madame Körtner ferme la porte.

Le visage de Cecily change aussitôt. Elle reste pâle et anxieuse mais elle domine son anxiété. Elle parvient à sourire et tend la main à Freud, d'un geste aimable mais las.

Freud lui serre la main et s'assied à la place de Madame Körtner.

Il a des yeux si durs et si fixes qu'on les croirait de verre. Cependant il sourit mais ce sourire a l'air faux.

CECILY : Vous avez un sourire de loup.

FREUD : Les loups ne sourient pas.

CECILY : On ne vous a jamais raconté *Le Petit Chaperon Rouge?* Il y avait un loup et il souriait. Mais le petit Chaperon Rouge était à votre place et le loup à la mienne.

FREUD, *pour couper court, très sec :* Je ne vous mangerai pas.

(Un temps.)

Qu'est-ce que vous avez? De l'angoisse?

Elle fait un signe d'acquiescement.

Vous avez fait des cauchemars?

CECILY : Non. Pas de cauchemars.

Je n'ai pas dormi.

Des hallucinations. Toujours les mêmes : une tête qui saigne.

FREUD : La tête de qui?

CECILY, *vague :* Une tête...

FREUD : Une tête d'homme? De femme?

Cecily hausse les épaules sans répondre.
Au bout d'un instant :

CECILY : C'était quelqu'un que j'avais tué.

Freud la regarde fixement sans répondre.

Docteur, j'ai sûrement fait quelque chose de très mal.

Il ne répond pas. Elle insiste :

Je me sens tellement coupable.
Est-ce que vous savez, vous, ce que j'ai fait?

Freud a l'air de plus en plus dur : il est décidé à frapper un grand coup, le jour même. Cela se voit : on sent dans ses gestes et dans sa voix une sorte de précipitation inaccoutumée. Saisissant l'occasion :

FREUD : Non. Mais nous allons l'apprendre aujourd'hui même.
CECILY, *effrayée :* Qui, *nous?*
FREUD : Vous et moi.
CECILY : Si c'est grave, vous n'en parlerez pas à maman.
FREUD : Non.

Un temps. Il prépare son attaque puis, brusquement :

Donc, vous êtes tombée sur le perron de la villa. Quel âge aviez-vous?
CECILY : Huit ans.
FREUD : Bien entendu, vous ne vous rappelez pas la date exacte?
CECILY : Eh bien si, justement, parce que c'était l'anniversaire de ma gouvernante; le 6 juin 1878.

Freud a sorti un carnet de sa poche. Il note la date soigneusement et remet le carnet dans sa poche de veston.

FREUD : Vous vous rappelez encore la date de son anniversaire. Vous l'aimiez donc beaucoup?
CECILY : Beaucoup.
FREUD : Et votre père trompait votre mère avec elle?

Cecily fait un mince sourire.

CECILY : Eh oui! Mais cela n'était pas mon affaire.

FREUD : Vous avez dit que votre mère avait bien fait de la chasser.

CECILY : Elle a bien fait! Elle a très bien fait. De son point de vue naturellement.

FREUD : Alors? Votre père vous a bousculée et vous êtes tombée?

Devant la villa, une petite fille monte les marches du perron. Un homme (Monsieur Körtner) sort précipitamment et la renverse.

CECILY, *voix off :* Mais non.

FREUD, *voix off :* Vous me l'avez dit hier.

CECILY, *voix off, cynisme léger :* Alors, c'est que je mentais.

Monsieur Körtner et la petite Cecily ont disparu.
Les trois marches et le salon qu'on aperçoit par la porte-fenêtre sont déserts.

On ne vous a pas dit que j'étais très menteuse? Je courais, je suis tombée; c'est tout.

Une petite fille arrive en courant; c'est Cecily.
Elle porte des anglaises et une crinoline. Elle bute sur une marche du perron et tombe. Monsieur Körtner apparaît à la porte du salon.
Il se précipite et prend l'enfant dans ses bras. Dès qu'elle le voit, elle cesse de pleurer.

Mon père m'a emportée sur le divan.

Le père emporte sa fille dans ses bras. Il remonte les marches du perron et se dispose à entrer dans le salon quand la voix sèche de Freud l'arrête net, une jambe en l'air.

VOIX OFF DE FREUD, *sec et menaçant :* C'est tout?

CECILY, *voix off :* C'est tout.

FREUD, *voix off :* Vous êtes une menteuse, Cecily.

L'image disparaît. Nous retrouvons Freud assis sur sa chaise et penché en avant, qui regarde Cecily avec sévérité.
Cecily, fascinée, veut protester. Mais Freud ne lui en laisse pas le temps.

Une menteuse : c'est vous-même qui l'avez reconnu.

Quand vous étiez sur le divan, que vous est-il arrivé?

CECILY : Il a voulu regarder mon genou.

Cecily le regarde avec des yeux étranges; elle semble à la fois terrorisée et tentée par l'histoire que Freud raconte.

FREUD : En ce temps-là les petites filles portaient de très longs pantalons sous leurs jupes.
Il fallu que votre père...

(Un temps.)

CECILY : Il a relevé la jambe gauche du pantalon... doucement... doucement...

Le salon de la villa des Körtner. Un divan. Monsieur Körtner est de dos, penché sur le divan. Il relève la jambe gauche d'un large pantalon de toile qui descend jusqu'aux chevilles, dévoilant ainsi d'abord une chaussette blanche puis un mollet nu, puis le genou, puis le commencement d'une cuisse.

Ce geste lent et presque voluptueux nous semble lascif pour une seule raison; c'est que la jambe ainsi dénudée n'est pas celle d'une petite fille de huit ans, mais la très belle jambe d'une jeune femme.

Nous nous apercevons alors que la personne qui est étendue sur le divan n'est pas une enfant : c'est Cecily de vingt-cinq ans — celle même qui parle à Freud — mais vêtue à la mode de 1878 (crinoline, anglaises, longs pantalons). Nous voyons à présent son visage terrorisé.

L'homme qui se penche au-dessus d'elle lui fait une peur affreuse.

VOIX OFF DE FREUD : Il vous massait la jambe.
Vous avez peur de mes yeux. Et des siens? Vous n'aviez pas peur?

Cecily, couchée sur le divan, regarde, fascinée, les yeux (invisibles pour nous) de Monsieur Körtner dont nous ne voyons que les épaules et la nuque puissante.

Rappelez-vous, Cecily! Rappelez-vous votre terreur. C'est elle qui a rendu cette date inoubliable.

Tout à coup Monsieur Körtner se penche brutalement sur le visage de Cecily qu'il masque : nous ne voyons plus que sa tête et ses larges épaules. Mais il est visible qu'il l'embrasse sur la bouche.

La vision, d'ailleurs, ne dure qu'une fraction de seconde. Tout aussitôt la voix off de Cecily retentit.

(Cri énorme de Cecily off, terreur – et dans la terreur même une sorte de consentement.)

La vision disparaît : nous nous retrouvons dans la chambre. Cecily est renversée sur ses oreillers, terrifiée, Freud est penché sur elle.

(D'une certaine façon, ces positions reproduisent celles de Monsieur Körtner et de Cecily dans l'histoire qui vient d'être racontée.)

Tout d'un coup, le visage de Cecily change : il n'exprime plus la terreur mais une sorte de honte irritée.

CECILY : Ce n'est pas vrai! Ce n'est pas vrai!

Freud se redresse un peu. Il presse de ses deux mains le front de Cecily.

Elle cligne des yeux, elle les ferme.

FREUD : Fermez les yeux.

(D'une voix autoritaire et persuasive.)

Vous savez bien que c'est vrai. Vous le savez.

Je l'ai compris tout de suite, hier déjà, quand vous avez dit que votre père vous avait fait tomber.

Vous avez inventé ce faux souvenir pour masquer l'autre.

Dites que c'est la vérité.

Cecily ouvre les yeux. Elle a changé de visage. Elle a des yeux sournois, mauvais et un sourire inquiétant, presque satisfait.

CECILY, *d'une voix trop consentante, presque ironique :* C'est la vérité.

[18]

Un bureau de poste.

Guichet des télégrammes. Freud, penché, écoute une employée qui lui relit le libellé de son télégramme.

L'EMPLOYÉE : Wilhelm Fleiss.
FREUD : Fliess; F.L.I.E.S.S.

L'employée met des lunettes et lit lentement, sans donner aucun sens aux mots relus :

L'EMPLOYÉE : Wilhelm Fliess 16 Marienstrasse Berlin. Cecily retrouvée confirmation éclatante née 16 mars 1870 ag. ag...

FREUD : Agression.

L'EMPLOYÉE : Agression 6 juin 1878. Quatorze cas. Décide faire communication Société médicale sur origine six... sex.

FREUD : Sexuelle.

L'EMPLOYÉE : Sur origine sexuelle névroses. Amitiés. Sigismund.

[19]

Le cabinet de Freud.

Deux ouvriers finissent d'installer le téléphone. L'un d'eux met en place le fil téléphonique, derrière le bureau.

L'autre a décroché l'écouteur et appelle la postière. L'appareil est posé sur le bureau de Freud. Freud regarde l'installation avec amusement. Il a l'air méchant et dur mais joyeux, et pour la première fois, sûr de lui.

Ses trois enfants paraissent très amusés. Mathilde surtout est au plus haut point de la surexcitation. Elle s'est glissée contre le bureau, tout près de l'appareil et regarde le technicien qui téléphone.

L'EMPLOYÉ : Allô. Bureau Central? Ici le 16-82. Bien.

Il raccroche.
À Freud :

On va rappeler pour vérification.

Mathilde a pris l'air suppliant :

MATHILDE, *à Freud :* C'est moi qui parlerai. Dis, papa! C'est moi qui parlerai.

Freud sourit. L'employé dit aimablement :

L'EMPLOYÉ : Bien sûr, ma petite demoiselle, vous n'aurez qu'à dire : ici 16-82.

Sonnerie de téléphone.
Mathilde se précipite et décroche l'écouteur.
Elle est trop petite pour parler dans l'appareil; l'employé lui
prend doucement l'écouteur.

MATHILDE, *essayant de se hausser jusqu'à l'appa-*
reil : Ici, 82-16.

L'EMPLOYÉ, *paternellement :* Il faut attendre qu'ils
parlent.

Là.

Et puis c'est : 16-82.

Il tend l'écouteur à Mathilde et la hisse jusqu'à l'appareil.
Freud se rembrunit mais sans mot dire.

MATHILDE : Oui. Ici 16-82.

L'employé la repose sur le sol.

(*Fièrement, à Freud :*)

T'as vu. J'ai parlé.

FREUD, *souriant :* J'ai vu. J'ai entendu.

L'EMPLOYÉ, *à Freud :* Tout est en ordre, Monsieur.

FREUD : Parfait.

Il lui serre la main.

L'EMPLOYÉ : Au revoir, Monsieur.

Il sort. Son camarade l'a rejoint et sort avec lui, en saluant de
la tête.

MATHILDE, *en extase à ses deux petits frères :* Ça
vous parle à l'oreille!

(*On frappe à la porte.*)

FREUD : Entrez.

Breuer ouvre la porte. Il a l'air aimable mais gêné.

BREUER : Je m'excuse d'être entré sans sonner.
Deux employés de la poste m'ont ouvert la porte.

Avisant le téléphone :

Ah! Je comprends!

FREUD, *avec une fierté naïve :* Je suis un des premiers à l'avoir parmi les médecins.

Vous voulez me parler?

Il se tourne vers les enfants :

Sauvez-vous, les enfants!
Sauvez-vous vite. Maman vous attend.

Les enfants courent vers la porte.
Breuer s'approche de Freud.

BREUER : Je vous avoue que je suis très étonné.
Vous faites ce soir une conférence à la Société
médicale et je n'en suis informé que ce matin, par
une carte d'invitation.

Il sort une carte et la montre à Freud.

FREUD, *poli mais sans excès :* J'ai été pris de court.
BREUER, *blessé par la froideur du ton :* Qu'est-ce
donc qui vous pressait?
FREUD : Il est temps de frapper un grand coup.
Je suis prêt.

Breuer lisant la carte :

BREUER : Origine sexuelle des névroses.

(Ricanant :)

Les pères ont violé les filles : c'est toujours cela?
FREUD, *froid et calme :* Quand les filles sont névro-
sées, oui; toujours.
BREUER, *ironie méchante :* Est-ce que toutes les
agressions sexuelles déterminent des névroses?
FREUD : Sûrement non : il faut que le malade y
soit prédisposé.
BREUER, *même jeu :* En somme il y a beaucoup
plus de pères indignes que d'enfants névrosés?
FREUD : Nécessairement.
BREUER, *même jeu :* L'homme est bien laid!

(Un temps.)

Sérieusement, Freud, vous n'allez pas aborder
ce sujet devant nos confrères.
FREUD : Pourquoi pas, puisque c'est la vérité?
BREUER : Freud, je vous conjure d'avoir de la
prudence. Nous venons d'achever un livre
ensemble, il paraîtra dans quelques jours et ce n'est
pas le moment...

FREUD : Au contraire. Par respect pour vous, j'ai accepté que nous y fassions l'exposé de vos méthodes sans souffler mot de la sexualité.

Aujourd'hui, je me rattrape.

BREUER : Mais vous n'imaginez pas, malheureux, le scandale que vous allez déchaîner.

Vous parlerez à des hommes âgés, dont la plupart sont pères, parfois grands-pères et vous oserez mettre en doute leurs relations avec leurs enfants!

FREUD : Je ne dis pas que tous les pères soient coupables!

BREUER : Non. Mais pour qu'il y en ait tant de coupables, il faut, si vous dites vrai, que tous aient été tentés.

FREUD : Je n'en sais rien. Je dis ce que je sais.

BREUER : Si vous dites ce que vous *croyez* savoir, mon pauvre Freud, vous êtes perdu. Et je ne veux pas que vous m'entraîniez dans votre perte sous prétexte que j'ai signé un livre avec vous.

FREUD : C'est donc cela!

BREUER : Oui, c'est cela! Je ne veux perdre ni ma clientèle ni ma réputation.

FREUD : En somme vous avez peur.

BREUER : Et vous, qui préparez vos coups en sourdine, ce n'est pas la peur qui vous a empêché de me prévenir.

Je n'ai pas de raison de risquer mon honneur de médecin et d'homme pour des théories imbéciles que je ne partage pas.

FREUD, *ivre de rage :* Imbéciles peut-être, mais prouvées.

BREUER, *avec dédain :* Je sais : treize cas!

FREUD : Quatorze depuis avant-hier.

BREUER : Un de plus? Bravo!

FREUD : Un de plus. Et d'une importance capitale. Celui de Cecily Körtner.

BREUER, *profondément blessé :* Quoi?

(Il se domine.)

Mon cher Freud, c'était *ma* malade. Si vous avez commis l'incorrection professionnelle...

FREUD : Il n'y a pas d'incorrection à secourir une malheureuse que vous avez abandonnée. Ce qui me justifie, d'ailleurs, c'est le succès : elle est en train de recouvrer l'usage de ses jambes.

BREUER : Secourir Cecily! Pauvre fille, vous avez achevé de la souiller. Secourir! Vous! Vous n'avez jamais secouru personne et vous tueriez vos malades pour vérifier une de vos théories.

(Avec une sorte de jalousie sexuelle :)

Alors? Cecily a fait l'objet d'une agression?

FREUD : Oui. À huit ans.

BREUER : Et c'était?

FREUD : Le père.

Blêmes de colère, ils sont face à face et se regardent dans les yeux en silence.

[20]

Le salon des Freud, au troisième étage.

Martha et Mathilde Breuer sont assises l'une près de l'autre. Elles ont peur.

MATHILDE BREUER : Cette fois, je crois que c'est fini, Martha. Quand il a reçu l'invitation... Je ne l'ai jamais vu dans cet état.

MARTHA, *avec tendresse :* Je vous aimais tant.

MATHILDE, *timidement :* Est-ce que nous ne pourrons pas nous revoir?

MARTHA, *secouant la tête :* Sigmund est trop entier. S'il se brouille avec votre mari, il ne me permettra plus de vous fréquenter.

MATHILDE : En cachette?

MARTHA : Je ne ferai rien en cachette de lui. Même s'il a tous les torts.

(Avec une sorte d'angoisse :)

Mais qu'est-ce qui me restera si je vous perds!

Elle se jette dans les bras de Mathilde Breuer. Les deux femmes restent enlacées, un moment. Mathilde pleure. Martha, sèche et désespérée, ne pleure pas.

La porte s'ouvre brusquement. Breuer entre le premier, d'un pas brutal que nous ne lui connaissions pas. Freud le suit. Les deux hommes sont à l'extrême limite de la colère. Les deux femmes se désunissent et les regardent, atterrées.

> BREUER : Mes respects, Martha. Je vous admire et je vous plains.

Martha se redresse.

> MARTHA : Personne n'a le droit de me plaindre. J'aime Sigismund et je suis fière de lui.
>
> BREUER, *brutalement :* Tant pis pour vous.
>
> *(À Freud :)* Et retenez bien ceci : je me désolidariserai de vous publiquement et *dès demain !*
>
> FREUD : Très bien. Vous m'abandonnerez au moment le plus difficile mais je continuerai seul.
>
> BREUER : Seul ! Vous n'êtes jamais seul, mon pauvre ami. Pour travailler, il vous faut un maître. Vous passez sous l'influence de Fliess : voilà tout.
>
> *(À Mathilde, brutalement :)*
>
> Viens !

Mathilde se lève. Les deux femmes échangent un regard de tendresse profonde et désolée. Mathilde se détourne et suit Breuer ; ils sortent.

Freud est blême. Quand la porte se referme, il chancelle. Martha se précipite pour le soutenir. Il s'est déjà repris. Martha reste tout près de lui et le regarde. Il respire difficilement.

> FREUD : Dix mille gulden.
>
> MARTHA, *surprise :* Comment ?
>
> FREUD : Je lui dois dix mille gulden et je ne peux pas le rembourser.
>
> *(À Martha, menaçant :)* Nous économiserons sou par sou. Je compte sur ton aide.

[21]

Le même soir, devant la « Société médicale ».

La façade de l'immeuble. Elle n'a pas changé depuis 1886. Aussi vieille, aussi baroque.

Mais c'est, ce soir, un « immeuble sonnant » : par la porte ouverte et par la fenêtre s'échappent des hurlements, des cris indistincts, des coups de sifflet.

De temps en temps, la voix de Freud prononce une phrase — d'ailleurs inintelligible pour nous — en profitant d'un calme précaire et, brusquement, le charivari recommence.

Deux hommes passent — bien habillés mais vulgaires — des fêtards. Ils écoutent en riant. En passant devant la porte, ils avisent le portier, qui, tranquillement assis à califourchon sur une chaise, fume une cigarette dans la détente la plus complète.

UN DES DEUX HOMMES : Ça gueule, là-dedans.

LE GARDIEN, *philosophe* : Ben oui!

(*À titre d'explication :*) C'est des savants.

L'AUTRE FÊTARD : Eh ben, ça me fait plaisir de savoir qu'ils gueulent comme tout le monde.

Ils s'éloignent.

Un fiacre vient s'arrêter contre le trottoir, en deçà de la porte. Le cocher est vieux, le cheval très maigre, la voiture pas très propre. Nous apprendrons plus tard que c'est le fiacre de louage que Freud utilise parfois pour faire des visites à ses malades.

Martha est dans le fiacre, blême et contractée. Elle entend les cris et comprend que la situation est plus grave encore qu'elle ne le craignait.

MARTHA : Quelle heure est-il?

Le cocher regarde sa montre.

LE COCHER : Dix heures un quart.

MARTHA : Cela va finir. Quand il sortira, j'irai le chercher. Dès qu'il sera sur la banquette, vous fouettez le cheval et nous partons.

LE COCHER : Bien, Madame.

La salle. *Depuis la première conférence de Freud (1886), elle n'a pas changé.*

Il y a de nouveaux visages mais les plus jeunes n'ont pas moins de quarante ans. Deux personnes ont disparu : Meynert et Breuer. La place de Breuer est restée vide.

Autour de la salle, on retrouve, au mur, une série de bustes (ce sont ceux des plus grands médecins viennois depuis le XVIIIe siècle). L'une de ces sculptures, toute récente, reproduit la tête de Meynert. Son nom est marqué sous le buste en lettres dorées.

Même disposition de la salle : un président, assis; Freud est

debout; pâle mais souriant d'un air de mépris. La salle est déchaînée.
Elle hurle : on entend des mots, des bribes de phrases. Des sifflets.
On tape des pieds. Etc, etc...

> *(Au milieu des voix :)*
> « Psychiatrie pour les cochons! »
> « Imaginations de vieille fille. »
> « Conte de fées scientifique. »
> « Et quelles fées! »
> Etc...

Pendant ce déchaînement de colère et de violence, Freud regarde
tranquillement le buste de Meynert.
Il profite d'une accalmie pour terminer sa conférence par ces mots,
jetés avec une ironie méprisante :

> FREUD : Je remercie mes confrères de leur bien-
> veillante attention : ils n'ont cessé de faire preuve
> du calme et de l'objectivité qui conviennent aux
> vrais savants.

Nouvelles huées. Quelques médecins, parmi les plus jeunes, se
consultent du regard et se glissent au-dehors.
Freud, tout à fait à son aise (ce qui fait un contraste frappant
avec son attitude lors de la première conférence), se tourne vers le
président de la séance et lui dit quelques mots que l'on n'entend pas
(mais dont on devine le sens : « inutile, dans ces conditions, de
commencer un débat »).
Le président (un gros homme — d'ailleurs aussi indigné contre
Freud que ses confrères) se lève et déclare dans le brouhaha (on
devine ce qu'il dit plus qu'on ne l'entend) :

> LE PRÉSIDENT : La séance est levée.

Freud range ses papiers. Ses yeux restent sombres et durs mais
un sourire de triomphe est apparu sur ses lèvres, comme s'il se
réjouissait de l'attitude imbécile de ses confrères.
Au-dehors. *Du fiacre où elle est assise, Martha observe avec*
inquiétude le manège de quelques médecins (ceux que nous avons
vus sortir de la salle) qui se sont rangés des deux côtés de la porte,
dans l'intention évidente de huer Freud ou de lui faire un mauvais
parti.
Le portier, inquiet, lui aussi, vient d'abandonner son poste et s'en
va, en courant; il veut, semble-t-il, avertir un agent de police que
nous voyons, une centaine de mètres plus loin, et qui fait sa tournée
nocturne.

Les médecins semblent se concerter entre eux. L'un d'eux, le plus grand et le plus fort (favoris noirs, teint coloré, aspect sanguin), paraît le chef improvisé que la petite troupe s'est donné.

Il parle (de la place qu'occupe Martha, il est impossible d'entendre ce qu'il dit) avec un sourire méchant et beaucoup d'animation. (Il porte une canne.)

Freud (haut-de-forme, jaquette) sort, tout seul, de la salle. Aussitôt les médecins se mettent à crier :

> LES MÉDECINS, *tous ensemble :* Sale Juif!
> Sale Juif!
> Cochon de Youpin!
> Au ghetto! Au ghetto!

Freud s'arrête un instant, les yeux brillants d'une colère joyeuse et presque tonique. Puis il traverse entre les deux haies (assez clairsemées, malgré tout : une dizaine d'individus) comme s'il s'agissait d'un triomphe.

Arrivé devant le chef de la manifestation, qui règle toutes les huées avec un mouvement de sa canne, comme un chef d'orchestre, il s'arrête posément et d'un revers de main fait tomber son chapeau haut-de-forme dans le ruisseau.

> FREUD, *d'une voix glaciale :* Sale antisémite, ramasse-le.

L'autre lève sa canne. Mais déjà le portier et deux agents sont accourus pour les séparer.

Les autres membres de la petite troupe, décontenancés, se taisent.

Martha, qui est descendue à la hâte du fiacre, tire Freud par le bras et l'entraîne. À peine sont-ils assis dans la voiture, le cocher fouette son cheval et la voiture se met en route.

Freud a l'air à la fois damné et triomphant. Il se retourne et voit l'antisémite aux favoris se baisser et ramasser son chapeau dans le ruisseau. Il se rassied près de Martha, silencieuse et glacée. Il dit en souriant calmement :

> FREUD : Je viens de payer une vieille dette.

[22]

Dans l'immeuble de la Berggasse au rez-de-chaussée, quelques minutes plus tard.

Freud et Martha devant la porte du « Cabinet du docteur Freud ».

FREUD, *gentiment* : Merci Martha.

(Un temps.)

Monte sans moi et couche-toi. J'ai une lettre à écrire.

Martha, sur le ton d'ironie glacée qui lui est devenu ordinaire :

MARTHA, *ironique :* À Fliess?
FREUD, *sans intonation :* Oui.

Il tire son trousseau de clés, se penche sur la serrure et ouvre la porte. Martha se détourne et va vers l'escalier. Freud entre.

Freud dans son cabinet de médecin. Il allume une lampe à pétrole, la transporte sur son bureau et ôte sa jaquette. Puis, en gilet, le col ouvert, il va s'asseoir devant son sous-main.

Il rêve un moment, son visage garde un air triomphant mais en même temps la douleur et la fatigue creusent des cernes sous ses yeux. Damné ou martyr? Les deux à la fois.

Il prend une feuille de papier, plonge sa plume dans l'encre et commence à écrire. Sa voix off récite ce qu'il écrit.

VOIX OFF DE FREUD : Mon cher Wilhelm.

Sonnerie de téléphone. Freud décroche l'écouteur.

FREUD, *s'interrompant :* Allô?
UNE VOIX, *dans l'écouteur :* Sale Juif!

Freud, sans se troubler, raccroche posément et reprend son porte-plume.

VOIX OFF DE FREUD : J'ai rompu tout à l'heure avec Breuer. La conférence a fait scandale. Demain tous les journaux en parleront. J'ai perdu tous mes clients, sauf Cecily que je soigne gratuitement.

Tout cela me prouve que nous sommes sur le bon chemin.

La Société résiste. Elle veut supprimer l'importun qui lui découvre ses secrets – comme l'individu refoule les vérités insupportables.

Sois content : j'ai brûlé mes vaisseaux. Il faut vaincre ou crever.

Il est interrompu par la sonnerie du téléphone. Il hésite un instant, tend la main pour décrocher l'écouteur puis, avec un sourire ironique, reprend sa plume et revient à sa lettre.

VOIX OFF DE FREUD : J'ai supprimé l'hypnotisme...

Mais la sonnerie continue, longuement.
Il pose sa plume, agacé et se décide à décrocher l'écouteur de la main gauche en attirant, de la droite, l'appareil qu'il pose sur le sous-main, à côté de la lettre.

FREUD, *d'une voix agressive :* Allô?

(Toujours agressif mais étonné :)

Qui est à l'appareil?
Oh!
Eh bien?

Madame Körtner dans le sous-sol d'un café. Elle est penchée sur un appareil téléphonique.
Clients et clientes vont et viennent, sortant des toilettes ou y entrant. La dame du téléphone regarde Madame Körtner avec une stupeur muette. Celle-ci parle sans fausse honte, d'une voix sèche et précise. Son visage est creusé par la fatigue, mais il reste dur.

MADAME KÖRTNER : Il y a vingt minutes, environ.
C'est le bruit de la porte qui m'a réveillée.
Je suis allée dans sa chambre, elle n'y était plus.
Un mot, oui. Sur le lit.

Elle fouille dans son sac, sort un morceau de papier et lit :

« Je reprends notre ancien métier. N'aie pas peur : je gagnerai beaucoup d'argent. »
Eh bien : la prostitution. Elle s'imagine qu'elle a été prostituée. Elle ne parlait que de cela, ce matin. Elle disait qu'elle irait sur le Ring parce que les clients sont plus distingués.
Oui. Normalement : depuis ce matin. Elle s'est même promenée dans le jardin.
Dois-je avertir la police?

Sur Freud, dans son cabinet, penché sur l'appareil.

FREUD : Surtout pas.
Elle a dit : sur le Ring?
C'est bon. J'irai moi-même.
Rentrez chez vous : je vous la ramènerai.

Il raccroche. Son air de triomphe démoniaque a complètement disparu. Les commissures des lèvres se sont affaissées, ses yeux agrandis trahissent son angoisse.

Il referme son col, tire sur sa cravate, endosse à la hâte son veston et sort de la pièce.

[23]

Dans une rue voisine, quelques minutes plus tard. Une fenêtre au premier étage d'un immeuble.

> *(Coups violents frappés contre une porte.)*
> VOIX OFF DE FREUD : Hirschfeld! Ouvrez! Ouvrez!

La fenêtre s'ouvre. Le cocher qui conduisait, tout à l'heure, la vieille calèche où se trouvait Martha, apparaît au balcon, en chemise.

> HIRSCHFELD : Qui est là?
> *(Reconnaissant Freud :)* C'est Monsieur le docteur.

Sur Freud, qui frappait sur la porte de la remise.

> FREUD : J'ai besoin de vous, Hirschfeld. Tout de suite!
> HIRSCHFELD : C'est que... je dors, Monsieur le docteur.
> FREUD : Eh bien, réveillez-vous, c'est une urgence.

La fenêtre se referme. Freud fait les cent pas devant la porte.
Une prostituée, un peu plus loin, attend, de dos, sous un bec de gaz.
Freud se décide, après une brève hésitation; il traverse la rue. Une charrette qui passe couvre le bruit de ses pas. La prostituée ne l'entend pas venir.
Il s'approche d'elle : on voit sa chevelure blonde sous un petit chapeau de paille. Il lui frappe sur l'épaule. Elle se retourne : ce n'est pas Cecily. Elle a dix ans de plus que celle-ci, elle est fort laide.

> LA PROSTITUÉE, *se retournant :* Tu veux de l'amour, mon petit homme?

Freud, dès qu'il la voit, perd tout intérêt pour elle.

FREUD, *glacé :* Non, Madame.

Il salue poliment et s'en va.

Pendant qu'il traverse la chaussée en sens inverse, la porte de la remise qui s'est ouverte laisse passer le vieux cheval de Hirschfeld traînant la vieille calèche.

La voiture vient se ranger le long du trottoir. Freud y grimpe d'un saut. Hirschfeld se penche vers lui, pendant qu'une vieille femme referme la porte de la remise.

> HIRSCHFELD : Quelle adresse, Monsieur le docteur?
>
> FREUD, *distrait :* Pas d'adresse.
>
> HIRSCHFELD, *surpris :* Je veux dire : où c'est qu'elle habite votre urgence?
>
> FREUD : Je ne sais pas. Faites le tour du Ring.

Sur le Ring.

Des fêtards attardés, avec des femmes. Il est environ une heure du matin.

De beaux équipages passent sur la chaussée. On voit apparaître au milieu d'eux la voiture de louage de Hirschfeld, grinçant et brinquebalant, très « charrette fantôme ».

Hirschfeld parle tout seul en conduisant. En réalité il s'adresse à Freud mais sans se retourner (sauf une ou deux fois, que nous indiquerons); de sorte qu'il semble parler à son cheval.

> HIRSCHFELD : La vérité c'est que j'aurais pas voulu devenir médecin pour tout l'or du monde parce que moi, j'aime dormir et que les médecins ne dorment jamais ou bien, quand ils dorment, on les réveille tout le temps.

Pendant qu'il parle, Freud regarde attentivement les passants et nous voyons avec lui des groupes sinistres et joyeux de noctambules.

> Tandis que faire le cocher, n'importe qui vous dira que c'est un métier pour les gros dormeurs, on peut même piquer un somme dans la journée. Mais, ça c'est tout moi, Monsieur le docteur, voilà-t-il pas que je loue ma voiture au mois à un docteur. Total, je suis réveillé par les urgences et j'ai même pas l'honneur de les soigner.

Il se retourne sur Freud.

C'est-il pas la Fatalité?

Freud sans le regarder :

FREUD : Allez plus doucement.

Un groupe passe, entraînant une femme blonde qui, de loin, ressemble à Cecily.

Arrêtez!

Hirschfeld, étonné, arrête la voiture. Freud se lève et va pour descendre. Entre-temps, le groupe s'est rapproché : la femme blonde n'est pas Cecily.

Continuez!

Hirschfeld, de plus en plus surpris, donne un coup de fouet et la voiture repart.
Une demi-heure plus tard. Un café : des femmes et des hommes, en couples. Mais pas de femme seule.
Freud entre, et regarde les couples sous le nez. Un jeune homme lève la tête avec colère (il était en train de caresser le cou d'une belle fille très fardée) mais le regard glacial de Freud l'intimide. Il se tait et même, comme si le dégoût qui se marque sur le visage de Freud était communicatif, il laisse· retomber sa main et cesse de caresser sa voisine.
Freud est déjà sorti.
Il remonte dans la calèche.

FREUD : Continuez!

Hirschfeld le regarde avec un étonnement prêt à se changer en scandale. En fouettant son cheval, il se retourne.

HIRSCHFELD : Elle est au café, votre urgence?
FREUD : Peut-être. À moins qu'elle ne soit sous un réverbère.

Une taverne.

Des tziganes, au fond de la salle, jouent une valse. Des prostituées avec leurs galants d'une nuit ou entre elles.
Elles sont toutes vêtues de robes tapageuses et décolletées. Aucune

n'est très belle ni très jeune. Elles ont l'air fatigué mais dissimulent leur lassitude par des rires professionnels.

Assis près d'elles, un peu avachis, les hommes fument sans se donner la peine de leur faire la conversation.

Trois prostituées, Lili, Daisy et Nana sont seules à une table, elles bâillent en attendant le client.

Lili s'est tournée vers la porte.

LILI, *stupéfaite :* Oh!
Regardez-moi ça!

Les deux autres femmes se retournent.

NANA, *avec simplicité :* Merde.

Cecily vient d'entrer. Elle est entièrement vêtue de noir, jusqu'au chapeau, aux gants et aux bas. Elle a un voile de deuil, rejeté derrière la tête. Mais elle est outrageusement décolletée. En fait, elle a taillé à coups de ciseaux son décolleté dans une robe montante.

DAISY : **Qu'est-ce que ça vient faire ici?**
LILI : **Vise le décolleté!**
Elle l'a taillé à coups de ciseaux!

Son chapeau est mis de travers. Elle s'est fardée maladroitement et son rouge à lèvres déborde les contours de sa bouche et lui fait, à première vue, des lèvres énormes et sensuelles; elle s'est mis du rouge sur les pommettes au hasard; et ces taches écarlates lui remontent presque sous les oreilles.

Sur ses sourcils blonds, elle a tracé deux traits noirs et charbonneux qui ne coïncident même pas avec le tracé des sourcils. Malgré cette mascarade, elle paraît cent fois plus belle et plus jeune que toutes les femmes de l'assemblée.

Elle entre avec hardiesse, avise une table inoccupée et s'y assied. Elle a l'air à la fois d'une petite fille qui s'est déguisée et d'une reine de tragédie, à cause de ce bariolage comique sur ses joues et de ses grands yeux tragiques de folle.

CECILY : **Garçon!**

Le garçon, un beau garçon brun et moustachu, vient vers elle. Elle lui fait un sourire canaille et s'applique à lui lancer une œillade galante, en fermant l'œil gauche et en relevant le coin gauche de sa bouche.

(Rire off des prostituées.)

Le garçon qui en a vu d'autres attend, sans s'émouvoir. Mais on entend le rire des trois filles qui l'observent.

CECILY : De l'alcool!

LE GARÇON : Quel alcool?

CECILY, *voix mystérieuse et pleine de sous-entendus :* Vous devez savoir.

LE GARÇON : Du kirsch?

CECILY : Bon.

Il s'éloigne. Elle tourne la tête, voit les trois femmes et leur sourit. Les trois femmes répondent à son sourire par des moues réprobatrices et se détournent.

Dans la rue, une série de becs de gaz et sous chacun, une prostituée.

Freud, à pied, passe sous chaque réverbère, regarde chaque prostituée sous le nez et poursuit son chemin.

La calèche roule à sa hauteur et Hirschfeld le regarde avec une stupeur sans limites.

Un café. La porte s'ouvre, un client entre. C'est un gros homme aux cheveux blancs, l'air cossu.

VOIX OFF DE LILI : Voilà mon Karl!

Cecily le voit passer. Elle se lève et l'accroche par le bras.

CECILY : Eh!

Elle se met devant lui, bombant sa jeune poitrine.

Je suis belle, non?

KARL, *pressé :* Mais oui, mon agneau.

CECILY, *d'une voix dure :* Vous mourrez d'amour entre mes bras!

Karl la repousse presque brutalement et va s'asseoir à la table des trois filles.

KARL : Qu'est-ce qu'elle a, la môme?

LILI : Je sais pas ce qu'elle a mais c'est une fière traînée qui veut me prendre mon amant sous mon nez.

(*À Cecily qui ne paraît pas entendre :*) Fais gaffe, la petite, parce qu'on pourrait se fâcher.

Cecily ne semble pas entendre. Elle se tourne vers un homme jeune qui vient d'entrer et lui lance une œillade.

CECILY : Viens!

L'homme, trente ans, moustache blonde, yeux bleus, ne voit d'abord que l'abondant décolleté de Cecily et se laisse tenter.
Elle le tire par la manche jusqu'à sa table et il s'assied à côté d'elle.

CECILY : Tu es bien jeune. Je préfère les vieux. Mais je prends tout : c'est le métier.

Il la regarde, légèrement inquiet.

Tu seras bien servi, je te le promets. Chez nous, on est putain de mère en fille.
(Déclamant :) Je suis une ordure, Monsieur, une morue. Tout le monde doit le savoir. Je ferai l'amour pour me punir.

Le malaise du jeune homme s'accroît.

Emportez-moi dans vos bras.
(D'un ton sombre et pathétique :)
Et puis vous mourrez dans les miens.
(Riant :) Avec du rouge à lèvres sur toute la figure.

Il se glisse peu à peu jusqu'au coin de la table et puis d'un seul élan, il se lève, s'enfuit et sort.

(Bruit off de voix indignées.)
NANA, *furieuse :* Et, par-dessus le marché, elle fait peur aux clients.

Elle s'est levée et va vers Cecily.

Dis donc, la môme, on t'a jamais filé la correction?
LILI, *à Nana :* Oh, viens! Laisse tomber.
NANA : T'es folle? Faut lui apprendre la vie.
(Revenant vers Cecily :)
Dis, on t'a jamais filé la correction?

Cecily s'est levée. Elle a vraiment l'air tragique et sinistre.

CECILY, *avec une humilité de folle :* Battez-moi! Avec une cravache!
C'est tout ce que je mérite!

Nana, déconcertée, recule d'un pas. Son visage exprime une sorte de peur. Mais la colère est la plus forte. Au bout d'un instant :

NANA, *d'une voix menaçante :* Bon. S'il n'y a que ça pour te faire plaisir.

Elle va se jeter sur Cecily. Les consommateurs, égayés, regardent la scène sans songer à intervenir.
À ce moment, la porte s'ouvre et Freud apparaît.

FREUD : Cecily!

Cecily le regarde sans paraître le reconnaître et lui lance une œillade comme elle a fait au garçon et aux deux « clients ».

NANA, *lui prenant le bras par-dessus la table :* Encore!

Freud, qui juge la scène d'un coup d'œil, frappe un coup sec sur le bras de Nana et lui fait lâcher prise.

Dites donc!

Nana se retourne sur lui. Mais le regard de Freud l'impressionne.

(*Plus faiblement :*) C'est chasse gardée, ici; elle n'a pas le droit d'y faire la retape.
FREUD : Vous la voyez, n'est-ce pas?
Et vous n'avez pas compris?

Coup d'œil rapide de Nana vers Cecily. Elle recule un peu.

NANA : Il fallait le dire!

Freud fait un pas vers elle pour accentuer sa déroute.

FREUD : Eh bien, voilà. Je vous le dis. Et je suis son médecin.
Laissez-nous.

Nana, un peu désemparée, regagne sa place.
Une gêne profonde s'est emparée de ses amies et même de Karl. Personne ne souffle mot. Les quatre personnes mettent le nez dans leur verre en silence.
Freud s'approche doucement de Cecily.

FREUD : Venez, Cecily.
CECILY : Non, pourquoi? J'ai commandé du kirsch.

Freud jette une pièce de monnaie sur la table.

FREUD : Venez : le kirsch est payé.

Elle le regarde d'un air incertain.

CECILY, *canaille :* Vous êtes bien pressé! Vous me trouvez belle? Vous n'êtes pas mal non plus. Où irons-nous? Chez vous? À l'hôtel?
FREUD : Nous rentrons chez vous, Cecily.
CECILY : Chez moi? Je veux bien. Mais vous me paierez très cher.

Freud attend en silence.

Dites que vous me paierez très cher!

Il hésite.

Mon bon ami, je ne fais rien pour rien.
FREUD : Eh bien, c'est d'accord. Venez.

Dans la rue, devant le café. Hirschfeld stupéfait voit, du haut de sa calèche, Freud sortir du café en tenant par la taille une jeune prostituée qui a le fou rire.

CECILY, *approche de la calèche en riant aux éclats :* Vous savez, je n'ai jamais fait l'amour : il faudra m'expliquer.

[24]

Freud l'entraîne et la hisse presque de force dans la calèche. Il s'assied auprès d'elle.
Hirschfeld la désigne avec dégoût du bout de son fouet.

HIRSCHFELD : C'est ça, l'urgence?
FREUD, *très sec :* Mêlez-vous de ce qui vous regarde et conduisez-nous 7 Prinz Eugen Gasse.

Hirschfeld se retourne et fouette le cheval.

CECILY : Comment savez-vous mon adresse?

Cecily, en entendant nommer sa rue, cesse de rire brusquement et regarde Freud avec une méfiance attentive.

Vous n'êtes pas un client : vous êtes le docteur Freud. Pour vous ce sera gratuit.

Avec violence :

Laissez-moi faire mon métier.

Elle veut sauter de la voiture en marche, il la retient et la force à s'asseoir.

Laissez-moi ou j'appelle au secours.

FREUD, *avec autorité :* Si vous appelez au secours, on nous emmènera au poste de police, j'expliquerai votre cas et l'on vous ramènera à votre mère dans un panier à salade.

CECILY : Tant mieux : c'est ce que je mérite.

(Froidement :) Écoutez-moi bien, Docteur : je ne rentrerai pas chez ma mère. Je ferai n'importe quel scandale plutôt que de rentrer chez moi.

(Expliquant d'une voix calme :)

Je suis un monstre.

FREUD : Vous voulez vous punir, n'est-ce pas?

CECILY : Naturellement. Que feriez-vous à ma place?

FREUD : Je ne sais pas. Qu'avez-vous fait?

CECILY, *très simple mais tout à fait égarée :* J'avais le père le meilleur, le plus aimant, le plus noble et je l'ai accusé publiquement d'un crime ignoble. Pour faire une telle cochonnerie, il faut être une putain. Eh bien, voilà, j'en suis une, tout est parfait.

Elle le regarde fixement puis se met à rire.

D'ailleurs, vous savez cela par cœur : c'est devant vous que je l'ai accusé.

Freud est surpris du tour qu'ont pris les événements.

FREUD : Ce n'était pas vrai?

Mais, visiblement, il croit encore aux déclarations de Cecily. Ce qui le déconcerte, c'est que cette confession, au lieu de la tranquilliser, l'ait plongée dans un tel désarroi.
Cecily le regarde; d'une voix froide et coupante :

CECILY : Bien sûr que non.

(Un temps.)

Il embrassait la gouvernante.

FREUD, *déconcerté* : Quoi?

CECILY : Heureusement que le souvenir est revenu. J'ai monté l'escalier du perron en courant et je suis tombée parce que je les ai vus s'embrasser.

FREUD : Et alors?

CECILY : C'est tout. Ils ne m'ont pas même vue. Cela ne me regardait pas, Docteur. C'est l'affaire de ma mère.

Vous avez une fille?

Freud fait un signe d'acquiescement.

Je vous jure que je dis la vérité. Je vous le jure sur la tête de votre fille.

Freud est stupéfait. Il essaye de comprendre.

FREUD : Vous parliez de lui avec rancune, l'autre jour. Et vous sembliez le détester dans votre rêve. Pourquoi?

CECILY, *riant nerveusement* : C'est parce que je perds la tête. Ces derniers temps, il m'est arrivé de le confondre avec votre ami. Vous savez, Joseph? Quand ils sont... condensés dans une même personne, je leur en veux : c'est naturel!

Ardemment :

Vous me croyez, n'est-ce pas? Vous me croyez?

Freud ne répond pas.

(*Sourire sournois :*) Si vous ne me croyez pas, je me tuerai. Vous serez bien obligé de me croire. Dites que vous me croyez.

Freud garde l'air buté d'un homme sûr de connaître la vérité. Il ne répond toujours pas.

Bien.

La calèche suit une rue qui longe le Danube. Le cheval, éreinté, avance à peine. Cecily échappe à Freud, saute sur la chaussée et court vers le parapet qui longe le Danube.

Hirschfeld tire sur les rênes, le cheval s'arrête et Freud saute à son tour. Mais, à peine a-t-il mis le pied sur le trottoir, Cecily est déjà debout sur le parapet. Au-dessous d'elle, cinq mètres de vide puis le quai. Si elle saute, il est clair qu'elle se tue.

Dites que vous me croyez ou je saute!

Freud hésite encore un instant, tant sa répugnance à mentir est grande. Mais il est vaincu. Il fait un violent effort sur soi-même et déclare à regret :

FREUD : **Je vous crois, Cecily. Descendez.**

Cecily s'est tournée vers lui, triomphante. Avec un mauvais sourire :

CECILY : **Descendre? Pourquoi? Vous voyez bien que je suis un monstre.**
La meilleure solution, c'est de sauter.

Freud s'approche très doucement. Il parle presque malgré lui; les mots lui échappent : il veut avant tout la calmer.

FREUD : **Cecily, vous n'avez jamais *voulu* calomnier votre père.**
C'est moi qui vous y ai forcé. Vous m'avez résisté tant que vous avez pu.
CECILY : **Pourquoi m'y avez-vous forcée?**

Cecily, très surprise, reste un instant hors de ses gardes. Freud en profite.

FREUD : **Parce que je me suis trompé.**

Sur ces mots, il se jette sur elle et, l'attrapant au-dessus des genoux, réussit à la faire basculer du côté de la rue. Il la retient à temps pour éviter qu'elle ne tombe et la porte jusqu'au fiacre, aidé par Hirschfeld.
Elle se laisse faire. Il l'assied dans la calèche.
Elle reste assise, droite et silencieuse, les larmes coulent sur ses joues.
Freud s'assied à côté d'elle et la prend par le bras; il la tient solidement mais son regard est ailleurs. La dureté sombre de son visage témoigne de ses conflits intérieurs.

[25]

Trois heures du matin. Dans l'escalier de l'immeuble des Freud.

Il remonte à pas de loup. Sur le palier, il glisse une clé dans la serrure et il ouvre sans bruit. Mais, à peine la porte ouverte, il découvre que l'antichambre est éclairée, comme, du reste, toutes les autres pièces. Les portes sont ouvertes, on parle à la cuisine.

> VOIX OFF DE MARTHA : Vous prendrez bien soin des enfants.

Freud referme la porte.
Martha — sans doute a-t-elle entendu le bruit — sort de la cuisine. Elle a son chapeau sur la tête.
Freud la regarde avec surprise.

> FREUD, *essayant de sourire :* Que se passe-t-il? Tu vas au bal?

Martha s'approche de lui. Ses yeux sont rouges et gonflés.

> MARTHA, *avec beaucoup de tendresse retrouvée :* Mon chéri.

Elle lui prend l'avant-bras gauche de sa main crispée et le serre de toutes ses forces.

> FREUD, *lui souriant doucement :* Mais tu me fais mal!
> *(Reprenant son sérieux :)* Qu'y a-t-il?
> MARTHA, *d'un ton significatif :* Ton père.

[26]

Trois jours plus tard. La boutique d'un coiffeur.

C'est le matin.
Freud, en grand deuil, entre et considère avec mécontentement les clients qui attendent leur tour et qui passeront avant lui.

Le patron s'approche.

> LE PATRON : Bonjour, Docteur. Asseyez-vous.
> FREUD, *mécontent :* Que de monde, aujourd'hui.
> D'ordinaire, à cette heure-ci, il n'y a personne.
> LE PATRON, *surpris :* À dix heures? Mais c'est
> toujours plein. *D'ordinaire* vous venez à neuf heures
> et demie.
>
> *(Un silence.)*

*Freud tire sa montre, la regarde avec surprise et s'assied, résigné
à attendre.*

> UN GARÇON COIFFEUR, *penché sur son client qu'il
> frictionne :* Fermez les yeux, Monsieur : c'est de l'al-
> cool.

L'immeuble où habitent le père et la mère de Freud.

*Devant la porte d'entrée, un corbillard. Plusieurs personnes
attendent déjà. Les enfants du quartier sont très amusés par la
voiture mortuaire. La porte de l'immeuble est tendue de noir.*
Dans l'appartement des vieux Freud.
*La famille est réunie. Des sœurs avec leurs maris, les neveux, etc.
Les liens de parenté sont étroits mais on ne les précisera pas. La
mère est présente. Blême mais sans larmes. Martha est à ses côtés.
Elle a pleuré.*
*Un employé des pompes funèbres paraît à la porte de la pièce
(c'est le living-room que nous avons vu à la première visite de Freud
— dans la première partie).*

> L'EMPLOYÉ, *très respectueusement à la mère :*
> Madame, nos heures sont très rigoureusement
> fixées. Croyez que je le regrette mais...

*La mère, très poliment, mais avec une autorité dont elle ne se
rend même pas compte.*

> LA MÈRE : Attendez encore un moment.

Il s'incline, assez mécontent et se retire.
Une jeune femme (à la gauche de la mère) éclate brusquement.
(Ce peut être Rosa Freud mais elle ne sera pas nommée.)

> LA JEUNE FEMME : Il a raison, mère! On ne peut
> plus les faire attendre; tant pis pour Sigismund.

Martha semble inquiète et très décontenancée.

MARTHA : Encore un peu de patience, je vous en
prie. Quand je l'ai quitté, il devait passer chez le
coiffeur...

Un monsieur vêtu de noir, sans doute le mari de la jeune femme :

UN MONSIEUR : Sigmund a une demi-heure de
retard! Je n'arrive pas à le comprendre. Le premier devoir envers notre pauvre père...

LA MÈRE, *l'arrêtant net :* Le premier devoir envers
votre pauvre père, c'est de ne pas élever la voix
quand son cercueil est dans la chambre voisine.

*Un silence gêné. Au bout d'un instant la porte s'ouvre : c'est
Freud. Il se précipite vers sa mère et la prend dans ses bras en
silence.*

UNE FEMME EN DEUIL, *d'un ton désagréable :* J'espère qu'on va pouvoir...

La mère a souri à Freud. Elle se dégage.

LA MÈRE : Un moment.
(À Freud :) Viens.

*Elle le prend par le bras. Elle l'emmène jusqu'au fond de la
pièce et le fait entrer dans la chambre de Jakob. Freud obéit avec
une très légère répugnance.*

LA MÈRE : Entre.

*Ils entrent. Le cercueil de Jakob repose sur une sorte de tréteau.
Beaucoup de fleurs.*

Approche.

*Freud et la mère sont contre le cercueil. La mère applique sa
main droite sur le couvercle du cercueil; de la main gauche, elle
prend le poignet droit de Freud et l'oblige à mettre sa main droite
sur le cercueil du père.*

(Doucement :) Il n'a jamais su ce que tu pensais
de lui.

FREUD, *très gêné :* Mais Maman, je ne...

LA MÈRE : Laisse-moi parler...

Il t'adorait. Il était sûr que tu l'aimais. Lundi,
il disait encore : « Quand je n'aurais réussi qu'à

mettre au monde un homme de génie, je n'aurais
pas perdu ma vie. »
Tu l'as rendu heureux, Sigmund : ne te reproche
rien.

*Sigmund, le visage contracté, les yeux secs et fixes, reste un moment
devant le cercueil. Puis, comme s'il n'en pouvait plus, il se détourne
presque brutalement.*

*La mère le regarde avec une tristesse profonde puis elle s'éloigne,
ouvre la porte et sort.*

*Freud fait une sorte de grimace, comme s'il allait sangloter. Mais
non : son visage se ferme et il la suit.*

Devant l'immeuble.

*Le nombre des personnes qui attendent l'enterrement s'est consi-
dérablement accru.*

*Parmi eux, nous reconnaissons Fliess, qui s'est poussé au premier
rang. Quatre employés des pompes funèbres passent, portant le
cercueil qu'ils posent dans la voiture mortuaire.*

*Derrière eux, le visage masqué par des voiles de crêpe, la mère,
Martha, deux autres femmes, puis Freud et trois autres hommes de
la famille.*

*Quand il passe, Fliess, qui s'est découvert, lui touche le bras.
Freud se retourne : il voit Fliess et le regarde avec une stupeur qui
se teinte d'un peu d'espoir.*

> FREUD : Toi!
> FLIESS : J'ai été appelé hier matin par télé-
> gramme pour une consultation urgente.
> FREUD : Jamais je n'ai eu tant besoin de toi. À
> tout à l'heure.

*La voiture s'est ébranlée. Le groupe des proches parents – d'abord
les femmes, ensuite les hommes – se mettent à la suivre; d'autres
personnes se joignent au cortège.*

*Un peu plus loin, dans une autre rue : la circulation est momen-
tanément arrêtée pour laisser passer l'enterrement.*

*Dans sa voiture fermée, et arrêtée contre le trottoir, Breuer attend;
il regarde le cortège funèbre à travers la vitre. Quand les derniers
rangs passent devant le coupé, il ouvre la porte, descend et suit
l'enterrement à distance, le chapeau à la main. Son coupé le suit
de loin.*

Une boutique, *topographiquement identique à celle du coiffeur.*
Il y a même des fauteuils devant des glaces.

Mais les garçons coiffeurs, debout entre les glaces et les fauteuils
et face à la caméra, au lieu de raser ou de coiffer (il n'y a pas un
client dans les fauteuils), se passent de main en main (trois fauteuils,
trois garçons) des boules rondes enveloppées de papier blanc (avec
rubans et faveurs roses) qui finissent dans les mains du patron, assis
derrière sa caisse.

Celui-ci colle sur chacune d'elles l'étiquette « Vendu » et les jette
l'une après l'autre sur le sol. Ce qui frappe d'ailleurs, ce n'est pas
cet étrange manège mais les énormes plaques d'émail qu'on a fixées
sur tous les murs (à la place des réclames pour parfums ou savons
à barbe qu'on y voyait quand Freud y est entré).

> *(Bruit off d'une machine en marche rythmant d'une*
> *façon saugrenue et presque cauchemaresque le passage*
> *des marchandises d'un garçon à l'autre.)*

Sur toutes ces plaques on a écrit (caractères d'imprimerie, grosses
majuscules ou italique ou ronde, etc., comme s'il s'agissait de modèles
d'écriture ou de réclames pour un graveur) :

ON EST PRIÉ
DE FERMER LES YEUX.

Le bruit des machines est couvert par une sonnerie impérieuse et,
tout à coup, le rêve éclate.

> *(Sonnerie impérieuse.)*

[27]

Freud est à son bureau, réveillé en sursaut par la sonnerie. C'est
le lendemain de l'enterrement. Il s'était assoupi.
La porte s'ouvre.

LA DOMESTIQUE : **Le docteur Fliess.**

Fliess paraît. Freud se lève précipitamment pour aller à sa ren-
contre. Ils se serrent les mains avec force.

FREUD : Je n'en reviens pas que tu sois à Vienne. Toi seul pouvais m'aider. Wilhelm, je suis bien mal en point.

FLIESS, *avec un intérêt sincère :* Tu tenais beaucoup à lui?

FREUD : À mon père?
Eh bien, figure-toi que je n'en sais rien!
J'y tenais, oui. Par toutes mes fibres. Cette mort est en train de me rendre fou.

Il se détourne de Fliess et regarde vers la fenêtre.

Et pourtant, je me demande si je l'aimais.

Sombre :

Quelquefois j'ai cru le détester.

Il secoue la tête comme pour se défaire d'un souci, puis se retourne sur Fliess et le regarde avec des yeux étincelants.

Peu importe qu'il le déteste ou qu'il l'aime; l'événement qui compte le plus dans la vie d'un homme, c'est la mort de son père.

Fliess sourit doucement.

FLIESS : Détester Jakob Freud, cela me paraît impossible. Je ne l'ai vu que deux fois mais il avait l'air d'un si brave homme...

Freud marche avec agitation dans la pièce.

FREUD : Pour cela, oui! Il en avait l'air. Qu'est-ce que cela prouve?

Il revient vers Fliess inquiet, le prend par les épaules et le regarde d'un air presque menaçant.

FREUD : Quelquefois je me suis dit : ce n'est pas *normal* de le haïr si fort; l'un de nous deux *doit* être un monstre; si ce n'est pas moi, c'est lui.

Fliess est immédiatement gêné par le tour psychologique et moral que prend cet entretien.

FLIESS, *trop pressé de rassurer :* Mais tu l'as aimé, voyons!

FREUD, *sombre :* Oui. Je l'ai aimé aussi.

(Brusque violence :)

Raison de plus pour que ces mouvements de haine me soient incompréhensibles.

Sans regarder Fliess :

Qu'est-ce qui te dit que je ne refoule pas, tout au fond de mon inconscient, un souvenir d'enfance... ignoble?

Il faudrait que je m'applique ma propre méthode. Si je pouvais me presser comme un citron...

(Un peu égaré :) Qui a dit cela? « Presser comme un citron. » J'ai entendu quelqu'un... Ah oui. Cecily.

(Rire sec.)

Tiens! Voilà une réussite complète! Elle a tenté de se tuer.

FLIESS : Tu l'en as empêchée?

FREUD : Oui.

FLIESS : Merci pour les dates; mes calculs établissent définitivement et irréfutablement qu'elle souffre d'une névrose hystérique.

Freud, un peu ironique, c'est la première fois depuis qu'il connaît Fliess :

FREUD : Tant mieux. Je m'en doutais déjà, figure-toi.

(Un temps.)

Et puis sa mère m'a téléphoné. La petite est folle d'angoisse. Je crois bien que sa névrose est en train de se changer tout bonnement en une psychose inguérissable.

Désignant du doigt son crâne, égaré.

Mais qu'est-ce qui s'est tordu là-dedans pour que je ne fasse que nuire aux gens?

Brusquement, il paraît calme et décidé. Il regarde longuement Fliess et tout d'un coup :

Tu vas m'aider.

FLIESS : À quoi?

FREUD : Viens!

Il l'attire jusqu'au divan. Désignant la chaise qui est posée devant.

Assieds-toi là.

Il le retient.

Non.

Après un instant d'hésitation il prend la chaise et la transporte à la tête du divan, à la place – devenue classique – du siège de l'analyste.

Là!

FREUD : Il vaut mieux que je ne te voie pas : je te connais trop.

Tu joueras mon rôle. Moi, je suis le malade.

Fliess résiste, mal à l'aise et indigné.

FLIESS : Tu es fou? Je ne suis pas psychiatre.

FREUD : Et après? Si je veux analyser mon cas, il faut que je parle devant quelqu'un.

Il le force à s'asseoir. Pendant qu'il s'étend lui-même sur le divan :

Tu n'as rien à faire qu'à m'entendre. Je ne sais pas où je vais. Mais il me faut un témoin.

Fliess s'est assis, hérissé, après avoir haussé les épaules. Freud parle, étendu.

Le rêve d'abord.

C'était une boutique de coiffeur. Hier je suis allé m'y faire raser : il y avait beaucoup de monde et je suis arrivé en retard pour l'enterrement. J'avais honte.

Bon. Rêve de honte et de remords. Je vois les plaques d'émail, dans mon rêve : « On est prié de fermer les yeux. »

Cela veut dire : « Les fils doivent fermer les yeux de leurs pères. Et toi, tu es arrivé trop tard pour fermer les yeux du tien. »

FLIESS : Écoute, Sigmund.

Freud s'agite sur le divan, comme un vrai malade.

FREUD : Tais-toi. Tais-toi donc. Il y a autre chose. Un rêve, c'est *toujours* la satisfaction d'un désir. Où est le désir?

Attends! Attends donc.

Fermer les yeux, ça veut dire aussi : mourir. Je voulais mourir ; depuis des années j'appelle la mort en rêve : j'ai comme un instinct de mort, c'est un trait de mon caractère sur lequel je ne puis fermer les yeux.

Il dit les derniers mots tout naturellement et sans y penser. Il sursaute et s'assied brusquement sur le divan.

Hein?

(Très vite :) Les banquiers fraudent le fisc mais le gouvernement ferme les yeux.

Cette femme trouve plus habile de fermer les yeux sur les infidélités de son mari.

(Un temps.)

Il se tourne vers Fliess.

Tu vois : l'expression est revenue d'elle-même, sans que je la cherche. Et dans un troisième sens. Le plus profond des trois, celui qui explique tout le rêve. Au nom du respect filial, je désire fermer les yeux sur un acte de mon père.

Il se lève et marche avec agitation.

FREUD : Un acte que je ne veux pas voir. Que je me cache. Que je refoule hors de ma conscience.

Fliess veut se lever à son tour. Impérieux :

Reste où tu es.

Je retrouverai ce souvenir quand je devrais le chercher pendant ma vie entière.

Il se rassied.

Cela s'est passé au cours de ce voyage, j'en suis sûr!

FLIESS, *de mauvaise grâce :* Quel voyage?

FREUD : Je suis né à Freiberg, en Bohême. Mon père vendait du drap. Il était riche. La montée de l'antisémitisme lui a fait peur. Nous sommes partis pour Leipzig et puis pour Vienne, ruinés. C'était pendant ma toute petite enfance.

Qu'a-t-il fait? Que s'est-il passé?

Brusquement, il éclate de rire. Fliess sursaute.

FLIESS, *furieux :* Sigmund...

FREUD, *riant toujours :* Attends donc! Sais-tu pourquoi je ris? J'étais en train de me dire : « Il faut que le vieux Jakob ait violé une de ses filles sous mes yeux! » Et puis je viens de me rappeler que mes sœurs n'étaient pas nées.

Fliess le regarde avec une sorte d'horreur.
Freud est trop absorbé pour s'en rendre compte. Il est assis sur le divan et penché en avant. Au bout d'un moment, il se détend un peu, pivote sur ses reins, se redresse et il allonge les jambes sur le divan, prêt à s'étendre comme il l'a fait précédemment.

FREUD : Continuons!

Fliess se lève au même moment et se place devant Freud, farouchement déterminé à s'en tenir là.

FLIESS : Ah non. Une fois suffit.
Cette méthode est idiote : elle ne s'occupe que de coq-à-l'âne et de calembours.

FREUD : Ce n'est pas une méthode : je cherche. Aide-moi.

FLIESS : Je ne peux pas t'aider puisque je te désapprouve. J'aimais mieux l'hypnotisme.

Freud va vers lui, d'un air de provocation presque homosexuelle.

FREUD : Eh bien, hypnotise-moi.

Fliess se détourne brusquement.

FLIESS : Je ne sais pas faire. Et puis tu n'es pas névrosé.

FREUD : Pourquoi pas?

FLIESS, *avec humeur :* Nous formons une équipe, Sigmund. Et tu n'as pas le droit d'avoir des troubles de conscience.
À Berchtesgaden, tu m'as offert quelque chose de solide : une méthode, l'investigation hypnotique; un résultat, le traumatisme sexuel. À présent, je ne te suis plus. Qu'as-tu besoin d'analyser tes états d'âme?

FREUD : Je ne suis plus sûr de rien. Cecily, je l'ai forcée à faire ses aveux...

FLIESS : Restent treize cas.

FREUD : Peut-être que je les ai forcés aussi, ou bien c'est que les malades m'ont menti.

FLIESS : Quels intérêts auraient-ils eus à salir leurs pères?

FREUD : Quel intérêt ai-je à salir le mien?

FLIESS, *effrayé* : Quoi?

Il essaye de minimiser les choses.

Sigmund, tu viens de recevoir un choc terrible et puis tu t'es surmené, ces temps-ci. Je connais cela. Abandonne tes malades pour une quinzaine; emmène Martha et les enfants, prends des vacances, tu en as besoin.

FREUD : Les malades, ce serait facile de les quitter : je n'en ai plus un seul...

Moi, je ne peux pas me quitter.

FLIESS, *reprenant son autorité* : Écoute-moi, Sigmund : nous travaillons ensemble; ta théorie des traumatismes, j'en ai besoin pour mes calculs; il *faut* que tu la conserves. J'admets que tu peux avoir commis des erreurs de détail. Eh bien, trouve-les. Corrige-les! Prends le temps que tu voudras. Mais notre collaboration n'a plus de raison d'être si tu renies les faits sur lesquels elle repose.

FREUD, *incertain, docile plus que convaincu* : Des erreurs. Oui... peut-être...

FLIESS : Cherche-les. Mais ne fouille plus en toi : tu deviendras fou si tu essayes de te connaître; nous ne sommes pas faits pour cela.

Freud regarde Fliess avec une curiosité nouvelle. Il prend ses distances.

FREUD : Toi, tu n'as jamais essayé, Wilhelm?

FLIESS, *fermement* : De me connaître? Jamais.

Freud hoche la tête sans le quitter des yeux.

FREUD : Je vois.

[28]

Quelques heures plus tard.

Cecily dans sa chambre, inquiète et nerveuse. Elle est très simplement mais très élégamment vêtue.

Elle est assise près de la fenêtre et lit. Mais de temps à autre, elle se lève pour consulter l'heure.

Pas de trace de maquillage. Pourtant, elle est blême, avec des yeux cernés.

On frappe, elle se retourne vers la porte avec vivacité.

CECILY : Entrez.

Freud entre, avec une petite trousse de médecin. Son visage a changé. Toujours sombre, il a perdu la morosité agressive que nous lui connaissions. Il n'a pas non plus l'air buté et fermé, un peu démoniaque des jours précédents.

Il est triste mais semble ouvert. Et, sous ses inquiétudes profondes, une nouvelle assurance commence à percer, qui n'est pas consciente d'elle-même.

Cecily lui sourit. Il va jusqu'à la chaise qu'elle occupe.

FREUD : Bonjour, Cecily.

Elle lui tend la main avec grâce. Il prend une chaise et s'assied en face d'elle.

Comment vous sentez-vous?
CECILY : Mal.
FREUD : L'angoisse?

Elle regarde le vide.

CECILY : Oui.

Freud la regarde en silence. Elle se retourne brusquement vers lui.

Vous n'allez pas me dire que vous m'abandonnez?
FREUD : Je ne sais pas.

Elle le regarde, effrayée pendant qu'il parle.

Je me suis trompé, c'est sûr : mais quand?
Comment?

C'est la méthode qui n'est pas bonne... Ou bien...
Je n'ai rien à vous proposer. Plus rien.

(Avec force, tout d'un coup :)

Et pourtant j'ai le sentiment de toucher au but.
Est-ce que vous m'en voulez?

Elle le regarde, longuement, en hésitant. Et puis, tout d'un coup, fermement :

CECILY : Non.

FREUD, *voix sourde :* Cecily, je crois que je suis un malade. Je projette sur mes clients ma propre maladie.

CECILY : Quelle maladie?

FREUD : Si seulement je le savais.

Ce qui est sûr, c'est que je ne pourrai pas les connaître tant que je ne me connaîtrai pas.

Ni me comprendre tant que je ne les comprendrai pas.

Je dois découvrir en eux ce que je suis; en moi ce qu'ils sont.

Aidez-moi.

Cecily le regarde avec un peu plus de sympathie. Elle paraît amusée et flattée.

CECILY : C'est une collaboration que vous me demandez?

FREUD : Oui.

CECILY : Que dois-je faire?

FREUD : Vous m'accusez de vous avoir forcée à répondre, l'autre jour.

Eh bien, je ne poserai plus de question. Racontez-moi ce que vous voulez.

CECILY : Et alors?

FREUD : Il n'y a pas de hasard. Si vous pensez à un cheval plutôt qu'à un chapeau, ce n'est pas sans une raison profonde. Il faudra tout me dire. Tout ce qui vous vient à l'esprit, même les idées qui vous sembleront les plus saugrenues.

La raison de ces associations d'idées, nous la chercherons ensemble; plus vous en approcherez,

plus vous affaiblirez les résistances et moins il vous
sera pénible de la découvrir [1].

CECILY : C'est un jeu de société?

FREUD : Oui. Le jeu de la vérité. Eh bien?

Cecily lui pose amicalement la main sur le bras.

CECILY : Vous voulez que nous nous guérissions
ensemble?

FREUD : Oui. Et l'un par l'autre.

CECILY : Essayons.

FREUD : Venez!

Elle se lève sur son invite.

FREUD : Étendez-vous sur le lit.

*Il s'assied sur une chaise qu'il porte derrière le lit, pendant qu'elle
s'allonge.*

CECILY : Où êtes-vous?
Je n'aime pas ne plus vous voir.

Freud se lève.

FREUD : Je me mettrai derrière mes clients, quand
je serai guéri. Alors, je ne serai plus que leur
témoin.

Il reprend la chaise et la reporte devant Cecily.

Il est encore trop tôt, vous avez raison.

En s'asseyant à son chevet :

Commencez.

CECILY : Avec quoi?

FREUD, *faible sourire* : Associations libres. Par ce
que vous voudrez.

*Un temps. Cecily, étendue sur le lit, commence à parler sans
regarder Freud.*

CECILY : Vous n'avez jamais le sentiment d'être
coupable sans savoir pourquoi?

FREUD : Si. Tout le temps.

CECILY : Eh bien voilà. Quand je suis infirme ou

---

1. Le texte de cette réplique de Freud ressemble presque mot pour mot à celui de
la page 320. (N. de l'É.)

paralysée, cela peut aller : on dirait que mon corps prend mes fautes à son compte. Mais quand j'ai l'usage de mes membres, je me ronge.

Il faut que j'aie fait quelque chose de très mal. Autrefois. Je suis sans excuses, Docteur : j'ai eu l'enfance la plus belle. Mon père m'emmenait partout.

Une salle à manger luxueuse. Des convives s'asseyent. Une maîtresse de maison s'adressant au père de Cecily.

LA MAÎTRESSE DE MAISON : Joseph, vous serez à ma droite.

Votre fille en face de moi.

Cecily s'assied. Elle a six ans, on a mis des coussins sur sa chaise pour la rehausser. Elle a l'air d'une petite dame.

Un monsieur d'une cinquantaine d'années — qui vient s'asseoir à sa droite — s'amuse à s'incliner devant elle.

LE MONSIEUR : Mademoiselle, mes hommages. Je suis ravi d'être votre voisin.

Cecily, gravement, fait un signe de tête et tend sa main à baiser.

VOIX OFF DU PÈRE : Plus tard, Cecily. Beaucoup plus tard! On te baisera la main quand tu seras mariée.

LE MONSIEUR, *souriant :* Vous permettrez bien une exception.

Il s'incline et lui baise la main.

VOIX OFF DE FREUD : Où était votre mère?

L'image disparaît. Chambre de Cecily.

CECILY : À la maison.

(Rire désagréable.)

C'était une femme d'intérieur.

Un salon, dans un appartement. *Madame Körtner, beaucoup plus jeune (dix-huit ans de moins) mais peut-être encore plus dure, y entre, suivie de deux domestiques (des femmes). Elle regarde le salon, comme un officier qui fait passer la revue.*

MADAME KÖRTNER : Donnez-moi mes gants blancs.

*Une domestique lui tend une paire de gants blancs. Elle les met,
s'approche d'un sofa, se baisse et passe sa main gantée sous le sofa.
Elle se relève, regarde son gant, y remarque des traces de poussière.
Elle se tourne vers les domestiques.*

> Qui a balayé?
> UNE DES DEUX BONNES : C'est moi, Madame.

Madame Körtner lui montre sa main gantée.

> MADAME KÖRTNER, *impérieuse mais sans colère :*
> Vous recommencerez.

*Cecily (douze ans) entre en courant dans le salon. Elle a un
chapeau et un cartable. Elle voudrait embrasser sa mère.*
*Derrière elle nous voyons une très jolie femme, de mise austère.
C'est sa gouvernante.*

> MADAME KÖRTNER, *voix grondeuse :* Cecily!

*Madame Körtner lui désigne deux patins, qui sont au seuil même
du salon, ce qui nous permet de voir que cette grande pièce luxueuse
ne comporte pas de tapis mais que le parquet – admirablement et
magnifiquement ciré – est nu.*
*Cecily pose les pieds sur les deux patins et va, en traînant les
pieds, embrasser sa mère; elle a perdu – en même temps que sa
vivacité – le sentiment sincère qui la jetait vers sa mère. Elle tend
boudeusement le front, fait une petite révérence apprise.*

> Va faire tes devoirs, mon enfant!

*Et, tournant le dos à sa mère, elle va rejoindre la gouvernante
qui lui sourit tendrement.*
Pendant qu'elles disparaissent toutes deux :

> VOIX OFF DE FREUD : Ces belles réceptions si bril-
> lantes, est-ce que votre mère en donnait quelque-
> fois, à la maison?
> CECILY, *voix off :* Jamais.
> Un soir, mon père a donné un grand dîner.
> C'était en l'absence de Maman.

*Une grande table : des convives dînent. On remarque le père, en
face de sa fille.*

> CECILY, *voix off :* Mon père m'avait dit : tu seras
> la maîtresse de maison.

Cecily (elle a dix ans) occupe la place de la maîtresse de maison, grave et solennelle : elle joue le rôle de sa mère.

Un domestique passe les plats. Un monsieur, à la gauche de Cecily, est en train de se servir. C'est un homme jeune et timide.

> LA PETITE CECILY, *au monsieur :* Mais, comme vous vous êtes mal servi! Allons! Je vais vous servir, moi.

Le domestique passe à la droite du convive et met le plat à la hauteur de Cecily qui pique avec aisance un beau morceau de rôti et le met sur l'assiette du convive.

> LE CONVIVE, *intimidé et distrait :* Merci, Madame.

Tous les convives se mettent à rire.

> MONSIEUR KÖRTNER, *vivement :* Pas encore, cher Monsieur.

Une femme d'une quarantaine d'années :

> UNE FEMME : Mais si! Mais si! Il a bien raison : cette petite est une maîtresse de maison accomplie. Elle nous rendrait des points à toutes.
>
> UNE AUTRE FEMME : Je propose qu'on l'appelle Madame Honoris causa.

Monsieur Körtner, très flatté, proteste pour la forme.

> MONSIEUR KÖRTNER : Ah! Ne me la gâchez pas.

Cecily, les joues rougissantes, l'air un peu sournois, reçoit ces compliments avec une souveraine tranquillité (qui dissimule mal sa fierté).

Sur l'image de Cecily :

> VOIX OFF DE FREUD : Où était donc votre mère?
>
> VOIX OFF DE CECILY : À la montagne : elle avait un souffle au poumon.

L'image éclate.

> C'était une mauvaise année. J'avais peur qu'elle ne meure. Tout le temps.
>
> La nuit, j'avais des cauchemars. Je la voyais dans un cercueil.
>
> *(Ces mots sont interrompus par un grand cri off de la petite Cecily.)*

Une chambre. *C'est la nuit. Une veilleuse allumée sur une table de nuit auprès de Cecily.*

Cecily assise sur son lit, en chemise. À l'autre bout de la pièce, un autre lit, plus grand. La gouvernante Magda vient de se réveiller. Elle a l'air encore tout endormi.

LA PETITE CECILY : Magda! Magda! J'ai eu si peur.

Magda se redresse et s'appuie sur un coude, bienveillante mais un peu agacée. Elle porte une chemise très décolletée.

MAGDA : Qu'est-ce qu'il y a donc?
LA PETITE CECILY : Magda, j'ai fait un cauchemar horrible : Maman était morte.
MAGDA : Que vous êtes sotte!

Elle se retourne dans son lit, bien décidée à se rendormir. Elle compte sans Cecily qui se met à crier.

LA PETITE CECILY : Magda! Magda!
MAGDA : Ne criez pas si fort; vous réveillerez toute la maison.

Cecily se lève.

Qu'est-ce que vous voulez?
LA PETITE CECILY : Prenez-moi dans votre lit. Si, si, Magda, j'ai trop peur, prenez-moi dans votre lit.
MAGDA, *essayant d'être sévère :* Cecily, vous êtes trop grande.

Cecily a déjà traversé la pièce, elle est debout devant le lit de Magda. Elle se met à pleurer.

(Pleurs de Cecily.)
MAGDA : Bon! Bon! Venez!

Elle ouvre son lit, Cecily s'y glisse. À peine est-elle au lit qu'elle se serre contre Magda avec violence.

MAGDA, *riant :* Attention, vous allez m'étouffer.
CECILY : Je suis bien.

Elle caresse tout doucement les épaules nues de Magda. Ses pleurs se sont arrêtés.

Vous sentez bon, Magda.
Vous êtes douce.

Quand je serai grande...
Est-ce que vous croyez que je serai aussi belle
que vous?

Magda se laisse faire, elle sourit.

MAGDA : Vous serez bien plus belle, Cecily.

*Cecily lui caresse la nuque et les épaules; Magda, chatouillée par
les doigts légers de l'enfant, rit et frissonne.*

Vous me chatouillez.
CECILY : J'aurai une peau comme la vôtre?

Magda sourit sans répondre.

Alors papa me regardera comme il vous regarde?

Magda reste bouche bée.

VOIX OFF DE CECILY : Pouah!

La vision disparaît.

CECILY : Je n'aime pas ces souvenirs-là.
FREUD : Pourquoi?
CECILY : Il venait dans notre chambre, la nuit.
Une fois je l'ai vu quand il en sortait.
FREUD : Qui?
CECILY : Eh bien, mon père, voyons!
FREUD : Vous étiez jalouse.
CECILY : Non. Pas d'elle.
Au début, ça m'amusait. Je la regardais, j'étais
fascinée, je me disais : c'est *ce visage* qu'il aime.
J'avais l'impression qu'on jouait un bon tour à
quelqu'un.
Mais j'ai vite compris qu'il ne l'aimait pas. Il
s'occupait d'elle aux vacances, quand il n'avait per-
sonne sous la main.
C'était elle qui l'aimait.
Un homme si fin! si sensible! Il ne se plaisait
qu'avec les prostituées.
FREUD : Il n'aimait pas votre mère?

Cecily, à cette question, bondit littéralement.

CECILY, *criant :* Comment donc! Il l'adorait!

Freud se lève à moitié et la force à se recoucher.

Elle n'avait qu'un signe à faire... Elle passait son temps à le repousser.

Elle s'agite et se débat.

Elle était méchante avec lui.

Avec haine :

Méchante et froide. Jamais un sourire. C'est elle qui l'a forcé à la tromper.
Savez-vous qu'ils faisaient chambre à part?
Il lui cédait toujours, le pauvre. Avec un regard qui m'humiliait.

Sur ces mots : Madame Körtner, Monsieur Körtner sont assis au jardin, sous une tonnelle. Cecily, à leurs pieds, joue avec une poupée.
Le souvenir est évidemment déformé par les passions de Cecily : Madame Körtner, très belle, est plus dure que jamais. Monsieur Körtner, mal à l'aise, lui jette des regards de chien couchant.
La scène est vue de bas en haut : nous la regardons au niveau de la petite Cecily.

MADAME KÖRTNER, *sèchement :* Joseph, j'ai renvoyé Magda Schneider. Elle fait ses paquets et partira tout à l'heure.
(Avec méchanceté :) Tu es d'accord?

Monsieur Körtner, après une hésitation, presque insaisissable.

MONSIEUR KÖRTNER, *soumis :* Entièrement d'accord.

Sur la petite Cecily, assise sur une petite chaise, dans la tonnelle, qui lève son visage vers sa mère et la regarde avec un air de haine profonde.

VOIX OFF DE CECILY : Après, elle a choisi mes gouvernantes elle-même ; des infirmes, des vieilles, des laiderons.

L'image éclate.
Avec violence, Cecily, couchée sur son lit, à Freud :

Je les détestais!

Dans un cri :

C'est elle qui a ruiné mon père.

Dans le salon, Madame Körtner assise à la table en face de la vieille servante ravaude. La servante fait des reprises. Raccommodage, couture.
Mais la voix de Cecily, gonflée par la colère, traverse la porte. Madame Körtner écoute, sans que son visage exprime la moindre émotion.

> VOIX OFF DE CECILY : Autrefois, nous habitions à Graz. La villa de Vienne, nous n'y venions que pour l'été. Elle a forcé mon père à s'installer ici, il a obéi, comme toujours, il a confié ses affaires à d'autres et elles ont périclité.

Madame Körtner range posément son ouvrage et s'approche de la porte.
Dans la chambre de Cecily.
Cecily est blême et hagarde. Elle respire péniblement.

> CECILY : Ça y est.
> L'étau.

Freud la regarde attentivement.

> J'ai de l'angoisse. J'en ai chaque fois que je pense à elle.

Sur un ton aigu de folle :

> Elle a tué mon père.
> Et je suis sûre qu'elle m'a poussée à commettre un crime.

Elle se redresse brusquement. Regardant Freud dans les yeux.

> Est-ce que c'est un crime de condamner sa mère ?

Freud a pâli, lui aussi. Il ne répond pas.

> Vous aimiez votre père, vous ?

Il ne répond toujours pas, bien que ses yeux agrandis trahissent son anxiété. Au bout d'un moment :

> FREUD : Pourquoi me demandez-vous si j'aime mon *père* et non ma *mère* ?
> CECILY : Je ne sais pas. Laissez-moi parler. J'ai du mal à m'expliquer, vous le voyez bien.
> C'est un honnête homme, votre père ?
> FREUD : C'était un honnête homme.

CECILY : Vous avez de la chance, vous. Le respect vous est facile.

Violente :

Moi, je dois respecter une putain.
FREUD : Quoi?
CECILY : Vous ne le saviez pas?
Je vous l'ai dit : il n'aimait que les filles.

Elle se lève, va jusqu'à son secrétaire, tire une clé de sa poche, l'ouvre, rapporte un rouleau de papier et le donne à Freud qui le déroule.

On voit une affiche en couleurs, représentant une danseuse soi-disant espagnole, presque nue. Le dessin — très banal — ne permet pas de reconnaître Madame Körtner. Sous le dessin : Conchita de Grenade.

Cecily se penche sur lui et donne des coups secs de son index gauche sur l'affiche qu'il tient entre ses mains.

CECILY : Voilà.

Depuis un moment, la porte s'est ouverte sans bruit. Madame Körtner est apparue par l'entrebâillement. Elle écoute.

Il l'a ramassée dans un beuglant.

Freud reste stupéfait.
Madame Körtner entre.

[29]

MADAME KÖRTNER, *glaciale, à Cecily :* Tu l'avais gardée?
Je ne savais pas que tu aimais les souvenirs de famille.

Elle se tourne vers Freud; sur le même ton :

Vous êtes content?

Il ne répond pas.

Vous n'êtes pas un prêtre, Docteur. Les prêtres seuls ont le droit de connaître nos secrets.

Avec une autorité inflexible mais sans élever la voix :

Je vous prie de vous retirer.

FREUD : Madame...

MADAME KÖRTNER : N'insistez pas : Vous avez fait assez de mal.

FREUD : Nous touchons au but, Madame : c'est le moment le plus dangereux. Il est tout à fait impossible d'interrompre un traitement quand il entre dans cette phase. Cecily peut faire n'importe quoi.

CECILY, *douce et sournoise :* Je ne ferai rien du tout, Docteur. Ma mère sait ce que je pense d'elle et je sais ce qu'elle pense de moi.

Nous continuerons à vivre. Comme par le passé. Retirez-vous, puisqu'elle l'exige.

Avec un profond ressentiment qui perce sous sa douceur :

Elle vous chasse comme elle a chassé Magda. Et tous mes amis. Qu'y faire?

C'est ma mère, n'est-ce pas?

Freud regarde Madame Körtner en face. Il voit que sa décision est inébranlable. Il s'incline et sort, après avoir ramassé sa trousse.

FREUD, *à Madame Körtner en sortant :* Je souhaite que vous ne regrettiez jamais ce que vous faites.

De l'autre côté de la porte, la vieille n'est plus là. Il va sortir quand il entend des bruits violents dans la chambre de Cecily.

Il hésite un moment puis il y rentre en courant. Il était temps.

Cecily, plus jeune et plus forte, a renversé Madame Körtner sur le lit, lui a plaqué ses deux mains autour du cou et tente de l'étouffer.

Elle y parviendrait sans doute si Freud ne se jetait sur elle et délivrait Madame Körtner, non sans peine.

Celle-ci se redresse, sans un mot. Elle respire avec la plus grande peine, mais elle reprend aussitôt sa dignité sombre et, d'un geste rapide, renoue son chignon défait.

Cecily est hébétée. Elle regarde sa mère avec un étonnement presque stupide. D'une voix blanche :

CECILY : Mais voyons... Je l'ai tuée depuis longtemps!

Sur ces derniers mots, elle se met à hurler et à jeter les bras dans tous les sens. Si Freud ne la retenait, elle se roulerait par terre. Il la reconduit jusqu'à son lit, où elle se laisse tomber en criant d'effroi.

FREUD, *à Madame Körtner* : Empêchez-la de tomber.

Il ouvre sa trousse, sort une aiguille et une ampoule et, prenant le bras de Cecily dont il remonte la manche, il lui fait une piqûre d'un geste net et précis.

Dans deux minutes, elle va dormir.

La nuit est tombée. Freud et Madame Körtner, dans la chambre de Cecily, sont au chevet de la malade qui dort.
Madame Körtner parle à mi-voix sans quitter des yeux sa fille.

MADAME KÖRTNER : Je dansais dans un beuglant, oui. Et après?
Cecily le sait.
À présent vous le savez.
En quoi cela vous aidera-t-il à la guérir?

Freud regarde Madame Körtner avec sympathie, sans aucun puritanisme.

FREUD : Je ne sais pas. Cela m'aidera.
Je suis sur le point de trouver quelque chose.
Ce n'est pas la première fois qu'elle veut vous tuer.

Madame Körtner le regarde avec étonnement : il sait cela aussi.

FREUD : Quand elle était enfant, vous avez passé quelque temps dans un sanatorium.
Elle rêvait toutes les nuits que vous mouriez.
Les rêves nous révèlent nos désirs.
MADAME KÖRTNER : Elle disait, à son père que c'étaient des cauchemars. Je n'y ai pas cru.
FREUD : C'étaient des cauchemars. Elle avait, en rêve, l'obscur sentiment qu'elle désirait votre mort et elle réagissait à ce désir maudit par de l'angoisse.
Moi aussi, j'ai cent fois rêvé que je tuais mon père.

Madame Körtner encore hostile mais intéressée.

MADAME KÖRTNER : Mais pourquoi?
FREUD : Je ne sais pas encore. Je le saurai.

(Un temps.)

Pourquoi Cecily...

MADAME KÖRTNER : Par jalousie : elle voulait devenir maîtresse de maison.

FREUD : Tout revient toujours à ce père étrange qu'elle a eu... à votre mari?

MADAME KÖRTNER : Ce n'était pas un homme étrange, oh! non. Il n'était même pas mauvais. Il était lâche. Comme tout le monde.

À ce moment, l'image se transforme. Nous sommes renvoyés vingt-cinq ans en arrière.

Dans un petit beuglant de Graz (minable caf'conc') une très belle jeune femme demi-nue fait un numéro de danse très osé : « Léda et le Cygne », comme en témoigne un écriteau posé sur un pupitre vertical, face au public, et qu'on change à chaque numéro.

> *(Un orchestre misérable et qui joue faux : un violon, un violoncelle, un piano.)*

Elle est vêtue d'un soutien-gorge et d'un pantalon à frous-frous, des bas transparents remontent jusqu'au pantalon. Son bras droit est entièrement caché par des plumes de cygne, sa main, seule visible, s'est donné l'aspect d'un bec d'oiseau (en opposant le pouce aux autres doigts).

Cette main, jouant le Cygne Jupiter, se promène hardiment sur les épaules et la gorge de la danseuse. Celle-ci manifeste son trouble en dansant. La main-bec parvient jusqu'aux lèvres de la danseuse et mime un baiser du cygne sur la belle bouche de Madame Körtner.

Celle-ci, troublée, se laisse aller en arrière sous l'ardeur du baiser qui continue.

Sa tête touche le sol, quand ses genoux et ses jambes sont encore droits (figure classique de gymnastique : le pont), puis elle étend doucement ses jambes et s'allonge sur le dos pendant que le cygne s'acharne sur elle, l'embrassant sur tout le corps.

Le petit rideau qui cache à moitié la scène (il est suspendu – à hauteur d'homme – par des anneaux à une ficelle qui traverse la scène dans toute sa longueur) est refermé par deux machinistes (dont on voit les souliers sous la frange du rideau), quand le bec du cygne s'approche lentement du ventre de la danseuse pâmée.

Pendant la danse, nous avons vu le public à plusieurs reprises. Quelques « durs » de l'époque : chapeau melon, moustache et col dur. Mais surtout des soldats (des conscrits et des rengagés).

Un seul homme (haut-de-forme, barbe soignée, mise élégante) applaudit plus fort que les autres et détonne dans cette assistance, uniquement masculine et très mêlée : c'est Monsieur Körtner.

VOIX OFF DE MADAME KÖRTNER : Une seule originalité : il n'aimait que les prostituées.

La loge misérable où Madame Körtner se démaquille. Elle est assise devant une glace fêlée et se regarde avec une tristesse profonde. On frappe à la porte.

(Bruit off de coups discrets.)

LA DANSEUSE, *se retournant :* Entrez!

Un employé du caf'conc', minable et mal vêtu, se glisse dans la pièce : il apporte un énorme et splendide bouquet.

Elle le prend, avec stupeur. Une petite enveloppe contenant une carte de visite est fixée au bouquet. Elle ouvre l'enveloppe, jette un coup d'œil à la carte.

D'une voix avertie et canaille :

Les fleurs, bon.
Et le type?
L'EMPLOYÉ : Il les suit.

Dans la vitre, par la porte restée ouverte, on voit s'approcher Monsieur Körtner.

Vous le recevez?
LA DANSEUSE : Oui.

Il entre et va lui baiser la main.

VOIX OFF D'UN PRÊTRE : Et vous, Ida Brand, consentez-vous à prendre Joseph Körtner pour mari?

Une église. Les jeunes mariés sont au moment du « oui » sacramentel. Ida Brand est en robe de mariée. Robe blanche et fleurs d'oranger.

D'une voix ferme :

IDA BRAND : Oui.

Derrière eux, il y a trois ou quatre personnes. Mais tous les autres bancs sont déserts.

VOIX OFF DE MADAME KÖRTNER : Il m'a épousée parce que j'étais une fille. C'était son vice. Les premiers temps de notre liaison, je le trompais. Il adorait cela.

La vision disparaît : Freud et Madame Körtner, côte à côte. Madame Körtner parle sans regarder personne. Freud l'écoute et la regarde.

Quand il a dit qu'il m'épouserait, je me suis mise à l'aimer; je me suis juré de lui être fidèle. J'avais pris ma vie en horreur : je voulais être sa vraie femme. Honnête. Pure. J'avais besoin d'honorabilité.

Monsieur Körtner, dans le salon que nous avons déjà vu, lit son journal.

Madame Körtner apparaît : on ne reconnaît pas l'ancienne prostituée dans cette femme austère et dure, aux cheveux tirés, sans un grain de poudre, habillée jusqu'au cou (vêtements sombres, guimpe, manchettes de dentelle).

(Bruit des pas de Madame Körtner.)

Il entend le bruit des pas, lève la tête et pose le journal. Une déception presque comique se peint sur son visage.

MONSIEUR KÖRTNER : Ida!

Il se lève et la regarde de près.

Qu'est-ce que c'est que cela?
IDA : Cela? c'est ma robe.
Voudrais-tu, par hasard, que Madame Körtner s'habille en Léda?
Tes amis ne me recevraient pas.

Monsieur Körtner la regarde avec un profond malaise.

MONSIEUR KÖRTNER : De toute façon...

Ida Körtner sursaute et son visage se durcit.

IDA : Quoi?

Monsieur Körtner, pour changer le cours de la conversation :

MONSIEUR KÖRTNER : C'est Léda que j'ai épousée.

Elle s'approche d'une glace et s'y regarde. Mais c'est l'image de Léda qu'elle y voit, avec un visage hagard et désespéré.

Madame Körtner regarde avec des yeux durs cette image de son passé. L'image disparaît. Reste le reflet actuel d'Ida Körtner, très jeune encore mais se durcissant peu à peu.

Ce durcissement des traits, nous le voyons s'opérer pendant que la voix off de Madame Körtner explique :

> VOIX OFF DE MADAME KÖRTNER : Ils ne m'ont jamais reçue. Ils ne sont jamais venus chez moi.
> Ils disaient « cette femme » en parlant de moi.
> Les meilleurs amis de Joseph.

Ida Körtner se détourne de la glace et va jusqu'à la fenêtre. Elle se penche et voit une calèche qui s'éloigne, emmenant Cecily et Joseph Körtner.

> Il était lâche!
> Il allait chez eux sans moi. Quand ma fille a eu cinq ans, il l'emmenait avec lui.

La vision disparaît. Madame Körtner parle à Freud dans la chambre de Cecily.

> MADAME KÖRTNER : Alors j'ai nettoyé.
> J'ai fait de l'ordre. Je détestais les taches et la poussière.
> Quelquefois, je balayais moi-même ou je frottais le plancher.
> Il fallait que tout soit propre. Tout.

Freud affirme plus qu'il n'interroge.

> FREUD : Et votre mari vous a trompée.
> MADAME KÖRTNER : Avec toutes les prostituées de Graz.
> L'été, à Vienne, il couchait avec la gouvernante de Cecily. Ma fille le savait, je ne le savais pas.
> Tout le monde était complice contre moi.
> Cecily ne m'aimait pas.
> FREUD : Pourquoi?

Sur cette question, la scène change, nous voyons Cecily, âgée de douze ans, qui regarde sa mère, longue forme noire, avec une rancune profonde.

> VOIX OFF DE MADAME KÖRTNER : Je ne sais pas.
> J'étais peut-être trop sévère. Je ne souriais pas

souvent. La gouvernante était jolie, mon mari était
charmant, faible et léger. Cecily avait pris son parti.

*La femme et la petite fille sont debout face à face. Cecily finit par
baisser les yeux. On s'aperçoit qu'elle déchire nerveusement une fleur
(elle brise la tige, elle arrache les pétales).*

*La scène se déroule au jardin de la villa, l'été. Ida Körtner
regarde sa fille sans douceur.*

IDA KÖRTNER, *d'une voix tranquille mais glacée :*
Ne saccage pas les fleurs, Cecily.

Sa voix fait sursauter Cecily et lui donne le courage de parler.

CECILY : Tu as chassé Fräulein?
IDA KÖRTNER : Je l'ai renvoyée. Oui.

*À ces mots, Cecily, blême de colère, jette la fleur qu'elle tenait
dans ses mains. Puis :*

CECILY : Pourquoi?

Madame Körtner la regarde sans émotion.

MADAME KÖRTNER : Ramasse cette fleur, Cecily.
Je ne veux pas de désordre. Tu la jetteras derrière
la serre.

Cecily la regarde sans bouger.

Tu entends?

Cecily se baisse et ramasse la fleur.

CECILY : Pourquoi l'as-tu chassée?
MADAME KÖRTNER : C'est mon affaire, Cecily.
CECILY, *folle de rage :* Il y a cinq ans que je la
connais et je ne la quitte pas même la nuit et tu
la renvoies sans me dire un mot et quand je te
demande pourquoi, tu me dis que c'est ton affaire.
Mais je l'aime, moi!
MADAME KÖRTNER : Justement.

Elle la regarde presque méchamment.

J'engage les gouvernantes et je les renvoie : c'est
mon rôle. Tu n'as pas à les aimer. Ni à les détester.
Tu obéis. C'est tout.
Tu es encore une enfant, Cecily. Cette fille n'était
pas assez sérieuse pour prendre soin de toi.

Ce sermon fait bondir la petite fille; ses yeux étincellent, elle rougit. Elle tire nerveusement sur une de ses boucles de cheveux.

Cecily prend son temps pour répondre. Elle baisse les yeux et tire en grimaçant sur ses boucles. D'un air sérieux, très sournois, comme si elle approuvait sa mère :

CECILY : Ah! c'est qu'il faut du sérieux pour une gouvernante.

Elle danse d'un pied sur l'autre, sentant qu'elle va commettre l'irréparable, intimidée mais décidée. Elle ajoute enfin :

Pour une mère, ce n'est pas obligatoire.

Madame Körtner semble plus irritée que surprise.

MADAME KÖRTNER, *toujours calme :* Qu'est-ce que tu veux dire?

Cecily se dandine toujours. Mais elle a brûlé ses vaisseaux. Elle relève la tête et dit, avec un beau sourire :

CECILY : Quand papa t'a épousée, tu dansais toute nue devant les messieurs.

Madame Körtner se retient à temps de frapper Cecily. Mais elle s'approche d'elle et la prend par les épaules.

MADAME KÖRTNER : C'est Fräulein qui t'a raconté cela?

Cecily ne répond pas.

Ton père le lui aura dit sur l'oreiller.

Cecily, brusquement, a l'air terrifiée par ce qu'elle a dit.

MADAME KÖRTNER : Pauvre Cecily! Magda ne t'a pas menti. Ton père t'emmène à ma place chez ses amis et, quand je ne suis pas là, tu fais la maîtresse de maison.

Cela n'empêche pas que tu sois la fille d'une putain, mon enfant. Tu as voulu me blesser mais c'est toi que je plains! tu verras : c'est un mauvais départ, dans la vie.

Cecily, qui l'a écoutée avec horreur, se dégage violemment et s'enfuit en courant. Elle a laissé tomber la fleur qu'elle déchirait dans ses mains.

Madame Körtner reste un instant immobile, le regard fixe puis elle aperçoit la fleur brisée, la ramasse, et va la porter, derrière une serre, sur un tas d'ordures.

> VOIX OFF DE MADAME KÖRTNER, *à Freud :* Voilà tout.
> Magda Schneider est partie et nous avons vécu.

Dans la chambre de Cecily. Madame Körtner est toujours aussi dure, implacable.

> FREUD : Avez-vous reparlé de cette histoire avec Cecily?
> MADAME KÖRTNER : Jamais.
> FREUD : Lui avez-vous gardé rancune de...

Madame Körtner hausse les épaules.

> MADAME KÖRTNER : Bah!
> FREUD : Vous ne l'aimez pas, pourtant?

Madame Körtner hésite.

> MADAME KÖRTNER : J'aurais pu l'aimer.

Un long silence. Freud, qui regardait Cecily, se retourne vers Madame Körtner : sa physionomie n'a pas changé mais des larmes roulent sur ses joues. Silence. Pas le moindre sanglot.
Elle se lève.

> Vous comptez la veiller toute la nuit?
> FREUD : Oui.
> MADAME KÖRTNER : Alors excusez-moi. Je sens que mes nerfs me trahissent et je ne voudrais pas me donner en spectacle.
> Je reviendrai. Aux premières heures du matin.

Elle sort sans que Freud fasse un geste pour la retenir. Nous la suivons jusque dans sa chambre. Elle s'assied sur une chaise devant sa coiffeuse et, tout d'un coup, s'abandonne, laisse tomber la tête dans ses mains et sanglote.

[30]

La chambre de la petite Mathilde Freud.

Elle joue tranquillement à la poupée, toute seule, assise sur une petite chaise de bois. Tout d'un coup, elle sursaute : elle a entendu des pas. On dirait qu'elle a peur.

(Bruits de pas dans le couloir.)

La porte s'entrouvre; elle regarde. Comme la porte s'ouvre vers l'intérieur, nous ne voyons pas ce qu'elle voit. Mais aux yeux terrifiés de la petite fille, nous devinons qu'il s'agit d'un spectacle effrayant.
La porte s'ouvre plus largement : Freud apparaît. Il sourit doucement, mielleusement, mais ses yeux ont la fixité maniaque qu'on trouve chez les pervers en semblable situation. Le contraste entre le sourire et les yeux lui donne un visage hideux.
La petite Mathilde se lève. Elle reste immobile et pâle, pressant sa poupée sur sa poitrine.
Il avance vers elle, tout doucement.

> FREUD, *d'une voix sucrée :* Comme tu es grande! Bonjour, ma petite femme.
> Quand tu étais petite, tu te rappelles? Tu disais : je me marierai qu'avec papa?
> Eh bien, nous allons nous marier, Mathilde. Nous allons nous marier!

Elle veut s'enfuir, il l'attrape par le bras avec violence. D'une voix brutale :

> Tu es ma femme et ma fille; j'ai tous les droits sur toi.

Il la serre contre lui. À cet instant, un rire qu'on entendait à peine, à l'arrière-plan, éclate, ironique et délivré.

(Rire off de Freud.)

C'est le rire de Freud; mais celui que nous voyons sur l'image, féroce et brutal, ne rit pas.

(De plus en plus fort.)

*La vision disparaît sur ce rire. Et nous nous retrouvons dans la
chambre de Cecily. Freud rit en dormant.*

*Mais presque aussitôt le rire le réveille. Il se redresse sur sa chaise,
ouvre les yeux, regarde autour de lui et finit par retrouver tout à
fait ses esprits.*

*Il a l'air délivré, presque gai. Nous ne lui avons jamais vu ce
visage à la fois calme et hardi. Il fixe son regard sur le mur, après
avoir vérifié que Cecily dort tranquillement.*

Il garde un vague sourire aux lèvres, pendant que sa voix off
nous dit ses pensées.

VOIX OFF DE FREUD : Enfin!
Est-ce que je désirais séduire ma pauvre petite
Mathilde?

(Avec force :)

Sûrement pas!
Pourtant ce rêve cache un désir. Lequel?

(Au bout d'un moment :)

Si *moi* j'ai du désir pour ma fille, alors c'est que
tous les pères en ont.
J'ai rêvé que je commettais cette agression
sexuelle parce que je voulais que ma théorie fût
vraie.
Elle est fausse.
Elle est sûrement fausse.

*Il se lève et va jusqu'à la fenêtre; une très faible luminosité semble
indiquer que le jour va poindre. Il reste un moment debout, le front
contre la vitre, rêvant.*

J'ai voulu souiller mon père. L'avilir.

(Brusquement :)

Et les treize cas?
Des femmes... Elles mentaient...
Pourquoi?

Il se retourne sur Cecily que nous voyons dormir tranquillement.

Parce qu'elles nourrissaient un désir inconscient. Elles auraient voulu que ce fût vrai.
Cecily, dès la plus petite enfance, était amoureuse de son père...

(Presque rageusement :)

Et moi, alors?

(Un temps.)

Il y a eu ce voyage... ce voyage...

C'est la nuit − quarante ans plus tôt.
Un très vieux wagon de chemin de fer, bondé de voyageurs.
Jakob Freud, encore assez jeune, est assis aux côtés de Madame Freud qui tient un enfant de deux ans (Sigmund) sur ses genoux. Le train passe devant des fonderies. On voit des éclairs rouges dans la nuit.
L'enfant, qui dormait, se réveille et crie. Les voyageurs somnolents ouvrent brusquement les yeux.

MADAME FREUD : Sigmund! Mon petit Sigmund! Chut!

L'enfant a vu sa mère. Il lui caresse le cou et le menton, avec sa petite main, et, satisfait, se rendort.
Pendant ce temps, le train est arrivé dans une gare. Il s'arrête. Les voyageurs se lèvent et prennent leurs valises dans le filet.
Devant la caisse d'un hôtel un garçon ensommeillé prend deux clés sur le tableau.

JAKOB : Pas de chambre à deux personnes?

Le garçon secoue négativement la tête.

(À sa femme :)

Prends la plus grande avec le petit, je m'accommoderai de la soupente.

Un peu plus tard.
L'enfant, mort de fatigue, est déjà couché dans le lit d'une petite chambre d'hôtel. Nous sommes tout près de lui, à son chevet, et nous voyons Madame Freud se déshabiller devant la table de toilette.
L'hôtel doit être près de la gare : on entend des halètements de locomotives et, brusquement, un sifflement violent qui réveille l'enfant.

(Halètements de locomotives.)
(Brusque sifflement.)

L'enfant, les yeux ouverts, et nous − presque avec ses yeux − nous voyons, au loin, dans une semi-pénombre une grande femme très

*bien faite laisser tomber ses derniers vêtements, se savonner, nue,
la figure, les épaules et le cou. Mettre une chemise de nuit.*
   On frappe à la porte.

   (Bruits de coups légers.)

Elle passe en hâte une robe de chambre

   MADAME FREUD, *à voix basse :* Qui est là?

*Elle ouvre. Jakob apparaît.
Il est troublé par la vue de sa femme.*

   VOIX OFF DE JAKOB : Que tu es belle!
   Tu m'aimes?
   MADAME FREUD : Oui.
   JAKOB, *avec une autorité bien bien rare chez lui et
qui vient du sexe :* Tu es à moi?
   MADAME FREUD : Oui.
   JAKOB : Viens! J'ai la chambre à côté.
   MADAME FREUD : Je ne peux pas laisser le petit
seul.
   JAKOB : Le petit?

Il tourne la tête vers le petit Sigmund qui ferme aussitôt les yeux.

   Il dort.

   (Troublé et pressant :)

   Un moment. Juste un moment.
   Viens!

*Il entraîne Madame Freud et ils sortent, refermant la porte dou-
cement.*
   *Dès qu'ils sont partis, l'enfant ouvre les yeux, bat l'air de ses
petits bras et se met à hurler.*

   VOIX DE CECILY, *dominant les hurlements de l'enfant :* Docteur! Docteur!

[31]

*La vision disparaît. Dans la chambre de Cecily. Elle vient de se
réveiller. Elle le regarde avec angoisse.*

À quoi pensez-vous?

FREUD : À mon passé.

CECILY : J'ai voulu tuer ma mère?

FREUD : Oui.

Ou plutôt ce n'est pas vous qui l'avez voulu. C'est l'enfant Cecily qui a ressuscité et qui a cru qu'on chassait Magda.

CECILY, *avec dégoût* : L'enfant Cecily, c'était un petit monstre.

FREUD : Non. C'était un enfant. Voilà tout.

J'ai gagné, Cecily. Grâce à vous, je crois que je nous comprends, tous les deux. Et que je peux nous guérir.

(Un temps.)

L'histoire d'Œdipe, vous la connaissez?

CECILY : Il a tué son père, épousé sa mère et s'est crevé les yeux pour ne plus voir ce qu'il avait fait. Eh bien?

FREUD : Œdipe, c'est tout le monde.

(Un temps.)

Il faut que je vous parle un peu de moi.

Dans les névroses, j'ai vu les parents coupables et les enfants innocents.

Cela vient de ce que je détestais mon père. Il faut renverser les termes.

CECILY : Ce sont les enfants qui sont coupables!

FREUD *souriant* : Personne n'est coupable. Mais ce sont les enfants qui...

Sur ces mots, la chambre d'hôtel.
La mère ouvre doucement la porte, elle se glisse sans bruit jusqu'au lit.

J'aimais ma mère de toutes les façons : elle me nourrissait, elle me caressait, elle me prenait dans son lit et j'avais chaud.

Elle se coule dans les draps près de l'enfant, après avoir dépouillé sa robe de chambre, et celui-ci, les yeux clos, comme dans le sommeil, se serre contre elle et l'agrippe par le cou d'un mouvement jaloux.

Je l'aimais dans sa chair.
Sexuellement.

L'image disparaît.
Nous nous retrouvons dans la chambre de Cecily.

> CECILY : Vous voulez dire que j'étais amoureuse de mon père?

Il parle comme à lui-même.
On croirait qu'il est presque endormi.

> FREUD : J'étais jaloux du mien parce qu'il possédait ma mère. Je l'aimais et je le détestais à la fois.

Cecily l'écoute mais en traduisant : c'est sa propre histoire qu'elle entend.

> CECILY : Jalouse. Oui...
> C'était elle qu'il aimait. Magda, ça me faisait plaisir : il ne tenait pas à elle et puis il humiliait ma mère sous son toit. J'étais complice.
> FREUD : Il était doux et bon, profondément honnête.
> Je lui reprochais sa faiblesse. Je le traitais de lâche dans ma tête.
> J'aurais voulu un père aussi fort, aussi dur que Moïse.

Dans une chambre assez mal définie, le vieux Jakob, doux et tranquille, s'assied sur une chaise, la pipe à la bouche.
Au moment où la voix off de Cecily se fait entendre, Madame Körtner, avec un visage profondément triste, vient s'asseoir sur l'autre chaise.

> VOIX OFF DE CECILY : Elle était malheureuse. Elle me paraissait dure parce qu'elle était obligée de se maîtriser tout le temps.
> Je lui préférais Magda qui était méchante mais tendre.
> VOIX OFF DE FREUD : J'ai cherché d'autres pères : mes professeurs, mes confrères. Dès qu'ils donnaient signe de faiblesse, je les abandonnais. C'était sa faiblesse que je détestais en eux.

Le père de Freud et la mère de Cecily semblent écouter ces confessions avec une sorte de bienveillante douceur.

> J'étais jaloux! Jaloux! Et je l'accusais par jalousie de n'avoir su ni élever ni même nourrir sa famille.

Ce n'était pas vrai : c'est l'antisémitisme qui l'a ruiné.

VOIX OFF DE CECILY : Mon père avait des maîtresses et j'étais jalouse d'elle seule. Parce qu'il partageait son lit. Magda m'a rendue folle.

On retrouve la petite Cecily dans sa chambre regardant Magda qui fait ses valises. Magda s'est agenouillée pour fermer l'une d'elles.

Les larmes ruissellent sur ses joues. Elle parle en hoquetant de fureur.

MAGDA : Elle m'a chassée sans qu'il lève un doigt. C'est un faible.

Sais-tu pourquoi elle le domine? Parce qu'elle dansait nue dans un beuglant quand il l'a ramassée. Regarde!

Elle se relève, va chercher un rouleau de papier dans une autre valise et le tend à Cecily qui le déroule. C'est l'affiche que nous avons vue précédemment.

Il n'aime que les prostituées c'est son vice. Je ne peux pas lutter; moi, je suis honnête.

La petite Cecily regarde l'affiche.

VOIX OFF DE CECILY : Il n'aime que les prostituées! Il n'aime que les prostituées! J'ai voulu me prostituer pour qu'il m'aime.

Brusquement un cri terrible puis des sanglots.

(Cri off de Cecily.)

Sur ce cri et ces sanglots l'image se déchire. Une autre la remplace.

Madame Körtner seule, dans la calèche légère qu'elle conduit.

Les bruits de la calèche (pas de chevaux, roues qui tournent, etc.) couvrent difficilement les sanglots.

La calèche (un seul cheval au galop) roule le long d'un lac, sur un chemin assez étroit, à vingt mètres au-dessus de l'eau. Brusquement le cheval s'emballe; Madame Körtner, loin de tirer sur les rênes, les abandonne et se laisse cahoter sans un geste par la calèche qui brinquebale et finit, à un tournant, par verser.

La voiture tombe du côté du lac et le corps de Madame Körtner est projeté sur la pente qui descend vers l'eau.

Un buisson l'arrête mais elle demeure évanouie.

(*Cri de Cecily off :*)
Je l'ai tuée! Je l'ai tuée!

Freud et Cecily dans la chambre. Freud regarde Cecily qui sem-
blait calmée, tout à l'heure, et qui, pour la seconde fois, donne des
signes de violente émotion.
Il étend la main, d'un geste de fraternité (le premier que nous
lui voyons faire).

Elle s'est jetée dans le lac trois jours après que
Magda soit partie. Elle ne supportait pas que je
sache la vérité.

Freud se penche sur elle.

FREUD, *doucement, tendrement :* C'était un accident,
Cecily.
CECILY : C'était un suicide. Elle a échappé à la
mort mais elle a voulu se la donner. Et c'est moi
qui l'y ai poussée.
Je me rappelle! Je me rappelle! Pendant plus
d'un an, j'ai eu des angoisses dont je n'ai rien dit.
Et puis j'ai oublié, mais les troubles du corps ont
commencé!
Je suis un monstre!

Elle s'est pliée en deux et sanglote.
Freud lui touche l'épaule.

VOIX OFF DE MADAME KÖRTNER : C'était un accident!

Elle se redresse brusquement. Le matin se lève. Madame Körtner
a ouvert la porte sans bruit et elle regarde Cecily avec une sorte de
bonté calme.

Je te le jure.
Jamais je n'ai pensé à me tuer. Nous sommes
durs à la peine, dans ma famille, et nous vivons
avec nos malheurs.

Avec un sourire ironique mais sans méchanceté :

Le lendemain de notre dispute, j'ai ciré tous les
parquets moi-même.

Cecily la regarde avec un mélange de peur et de soulagement.
À Freud :

> Sa névrose, c'était cela?
> FREUD : C'était la cause occasionnelle. Elle ne
> pouvait plus supporter l'idée de vous avoir poussée
> au suicide. Son corps l'a aidée à l'oublier.

Madame Körtner regarde Cecily avec amitié : l'idée que sa fille
se punissait de lui avoir fait du mal semble la détendre et lui plaire.
Freud les regarde l'une après l'autre.

> FREUD, *doucement :* À présent, il faut essayer de
> vivre.

Il prend la main de Madame Körtner et la pose sur celle de
Cecily.

[32]

Six mois ont passé.

C'est l'hiver. Il neige. Nous sommes à Achensee, près du lac.
Deux personnages (pelisses, chapeaux tyroliens) se promènent sous
la neige et parlent sans se soucier du temps.
Ce sont Freud et Fliess.

> FREUD : Elle est en voie de guérison.

Freud a l'air ouvert et paisible : il parle avec tranquillité,
convaincu, mais sans passion.

> Le cas est tout à fait clair : amour œdipien pour
> le père, jalousie de la mère, qu'elle souhaitait tuer.
> Quand elle a su que Madame Körtner avait été
> prostituée, elle a eu des rêves et des fantasmes de
> prostitution pour s'identifier à elle. D'autant qu'on
> lui avait dit : votre père n'aime que les prostituées.
> En même temps, bien entendu, elle refoulait ces
> désirs au plus profond d'elle-même et ils n'appa-
> raissaient à sa conscience que sous des formes sym-
> boliques.

Fliess écoute avec une mine renfrognée.

La fameuse nuit où je l'ai retrouvée sur le Ring, elle voulait se prostituer à la fois pour se punir et pour devenir la femme élue du père mort.

FLIESS *sèchement :* En somme, tu t'étais trompé?

FREUD : Complètement. Mais je m'en félicite. C'est à partir de là que tout a basculé.

FLIESS : Plus de traumatisme, alors?

FREUD : Si. C'est le choc qui empêche la liquidation de l'enfance.

Dans le cas de Cecily, ce sont les révélations de Magda et le faux suicide de sa mère.

FLIESS : Alors les premiers rapports de l'enfant avec ses parents sont de nature sexuelle?

FREUD : Oui.

FLIESS : Il y a donc une sexualité infantile?

FREUD : Oui.

FLIESS : Tu disais le contraire, il y a six mois.

FREUD : C'est à présent que j'ai raison.

FLIESS : Qu'est-ce qui me le prouve?

FREUD, *lentement :* Ce qui te le prouve?

Il s'arrête et regarde Fliess dans les yeux.

Je suis guéri, Fliess...

Fliess hausse les épaules.

FLIESS : Tu n'étais pas malade.

FREUD, *calmement :* J'étais à deux doigts de la névrose.

Ils marchent en silence. Puis Fliess éclate brusquement.

FLIESS : Je n'y crois pas! Le viol des enfants par les adultes pervers, cela oui! C'était du solide! Une base pour mes calculs. Mais je me moque de la psychologie. Ce ne sont que des mots!

FREUD : Oui, des mots!

FLIESS : Tes malades se couchent sur ton divan, ils racontent ce qu'ils veulent et toi, tu projettes dans leurs têtes les idées qui sont dans la tienne.

Ils arrivent près d'une voie de chemin de fer.
Un enfant de quatre ans sort d'une maison et court vers la gare qu'on aperçoit de loin.

Fliess le désigne en haussant les épaules.

> Ça, ce petit bout de chou, ça désire sa mère et
> ça rêve de tuer son père?
>
> *(Riant :)*
>
> Heureusement que ce n'est pas vrai : sinon, cela
> me ferait horreur.
> FREUD : Crois-tu que cela m'enchante? C'est ainsi.
> Et il faut le dire.

Fliess se monte peu à peu pendant ce dialogue.
Freud reste très calme.

> FLIESS : On n'a pas fini de rire de toi, à Vienne!
> Un jour, c'est le père qui viole sa fille, le lende-
> main, c'est la fille qui veut violer le père.
> FREUD : On rira.
> FLIESS : Où est la Science, dans tout cela? Ce
> sont des contes à dormir debout et je ne peux rien
> bâtir là-dessus : penser, c'est mesurer. As-tu fait
> des mesures? Établi des rapports de quantité?
> FREUD : Non.
> FLIESS : Alors, c'est du charlatanisme!
> FREUD : Méfie-toi, Fliess. Tu n'as que chiffres,
> rythmes, périodes à la bouche. Mais, dans le fond,
> je me demande si tu ne truques pas tes calculs pour
> retrouver à la fin les résultats que tu voulais obte-
> nir dès le début.

Fliess s'arrête net.

> FLIESS : Qu'est-ce que cela veut dire?

Il se trouve que le chemin monte doucement vers la gare. Comme
Freud a fait un pas en avant, Fliess se trouve un peu en dessous
de lui (ce qui rappelle, mais en sens inverse, la scène à la Faculté,
lorsque Fliess, debout sur l'estrade, dominait Freud de la tête).
Fliess regarde Freud de bas en haut, mais d'un air menaçant.

> Tu ne crois plus à... à ce que nous avons établi
> ensemble?
> FREUD, *doucement* : À ce que *tu* as établi? Je ne
> sais pas.
> FLIESS : La bisexualité, ses deux rythmes, leur

importance *absolue* dans toute vie humaine, tu n'y
crois plus?

*Freud le regarde avec douleur et un peu d'étonnement comme s'il
se réveillait d'un long rêve fascinant.*

FREUD : Si je n'y croyais plus... tout à fait... Ou
si mes recherches me conduisaient dans un autre
monde... Est-ce que nous cesserions d'être amis?

FLIESS, *ferme et net :* Oui. L'amitié, c'est le travail
en commun. Si tu ne travailles plus avec moi, je
ne vois pas ce que nous faisons ensemble.

FREUD : Si je ne travaille pas *sous tes ordres,* il
reste beaucoup de choses à faire : nous voir, nous
parler, nous encourager l'un l'autre...

FLIESS : Et tu crois que je viendrais, pour ces
papotages, de Berlin à l'Achensee?

FREUD *doucement :* Tu es mon ami, Fliess.

FLIESS : Je suis ton ami si tu crois en moi.

FREUD, *très amical :* Je crois en toi.

FLIESS : Moi, ce sont mes idées. Tu y crois ou tu
me perds.

Freud le regarde. Il hésite un moment.

FREUD, *avec tristesse :* je n'y crois pas.

FLIESS, *d'un ton qui tire les conséquences de la réponse
de Freud :* Très bien.

(Un temps.)

Il désigne la gare. Ironiquement :

Dépêche-toi. Tu vas manquer ton train.

FREUD, *tout naturellement :* Mais non. Il passe à
quinze heures vingt-deux.

Il tire sa montre.

Je suis en avance de dix minutes.

FLIESS, *interloqué :* Ah?

(Un temps.)

Il ne te restait plus qu'un père, Sigmund. Et je
me demande si tu n'es pas venu ici dans l'intention
de le liquider.

Freud veut protester. Fliess l'arrête :

(Ironiquement :)

Oh! une intention inconsciente, comme tu dirais.

Freud le regarde attentivement.

FREUD : Peut-être.

FLIESS, *très sec :* Eh bien, c'est fait. Adieu.

Il lui tourne le dos et redescend le chemin sous la neige. Freud le suit des yeux puis reprend sa marche vers la gare.

[33]

Dans le salon des Freud, le même jour. Freud, dans le même costume, vient de rentrer de voyage. Martha est seule. Elle l'embrasse.

FREUD, *tendrement :* Bonjour, ma chérie.

MARTHA : Cela s'est bien passé, ce congrès?

FREUD, *d'une voix absolument naturelle :* Mais oui. comme toujours.

(Un temps.)

Je voudrais un peu de café.

MARTHA : J'en ai préparé. Tiens.

Il la suit dans la salle à manger. Une tasse de café et une cafetière sur la table.
Il s'assied. Martha le sert.

FREUD : Quoi de neuf?

MARTHA : Pas grand-chose.

Elle a pris machinalement un chiffon et se met à frotter les meubles.
Freud la regarde avec inquiétude et tristesse.

FREUD, *souriant pour cacher son inquiétude :* Attention, Martha. La névrose te guette : comme toutes les femmes d'intérieur. Viens t'asseoir.

Martha se redresse.
Elle lui sourit, mais son visage reste fermé.
Elle ne s'assied pas.

Alors? Vraiment, rien de neuf?

MARTHA : Breuer a perdu son frère aîné, le jour de ton départ. Je crois qu'ils ne se voyaient plus guère. Je crois qu'on l'enterre en ce moment même.

FREUD, *sans aucune expression :* Ah?

Il finit posément de boire son café.
Puis il se lève et regarde par la fenêtre.

Il ne neige plus.

Il se retourne vers Martha.

À tout à l'heure.

MARTHA : Tu sors déjà?

FREUD : Je vais sur la tombe de Papa.

[34]

Le cimetière.

Freud marche entre les tombes.
Au loin, un groupe de gens près d'une tombe fraîchement creusée : on y descend le cercueil.
Freud s'arrête devant la tombe de Jakob Freud.
Il porte un bouquet qu'il dépose maladroitement sur la dalle, au milieu de fleurs encore fraîches et d'autres qui paraissent fanées.
Au loin, la cérémonie est terminée, la plupart des assistants se dispersent. Ils passent sur un chemin dallé non loin de Freud.
Breuer passe avec Mathilde Breuer. Il jette un coup d'œil vers la tombe de Jakob et voit que Freud, qui a levé la tête, le regarde.
Freud fait un pas vers lui. Mais déjà Breuer s'est engagé dans le sentier latéral qui mène à la tombe de Jakob.
Les deux hommes se serrent la main.

FREUD : J'ai appris...

BREUER : Laissez donc... Mon frère et moi ne nous parlions plus depuis trente ans. Je suis ici par convenance pure.

Il s'approche de la tombe et le regarde.

> J'aimais votre père. Sa mort m'a fait plus de peine que celle de Charles...
> Comment êtes-vous?
> FREUD : Changé.

Freud montre la tombe.

> Une partie de moi-même est enterrée là.
> Tout est de ma faute, Breuer.

Il se tourne vers Breuer calme, sans chaleur mais profondément sincère.

> BREUER : Non.
> Cecily nous a séparés.

Il regarde la tombe et pose une main sur la grille qui entoure la dalle.

> BREUER : Et puis...
> J'y ai souvent pensé, Freud : je me tenais pour votre père spirituel. Je ne suis pourtant pas envieux mais... quand j'ai senti que vous iriez plus loin que moi... J'ai... cela m'a indisposé contre vous et vos idées.
> *(Avec un rire d'ironie.)*
> Vous aviez l'air d'un jeune garçon et moi, je me sentais une vieille poule.
> Bah!

Il fait un mouvement de tête, pour signifier que tout est déjà fini.

> Comment va Martha?
> FREUD : Martha aime ses enfants, c'est une admirable femme d'intérieur, je crois qu'elle m'aime autant que le jour de notre mariage.
> Mais il y avait entre nous quelque chose... qui ne reviendra plus.
> Plus jamais.
> Breuer, je vous demande pardon.
> Savez-vous que, depuis l'enterrement, je n'avais pas osé revenir sur la tombe de mon père.
> J'y suis retourné aujourd'hui parce que j'espérais vous voir.

Breuer, je me suis appliqué votre méthode. Tout seul. Et je continuerai.

J'aimais mon père et j'étais jaloux de lui. Je ne pouvais pas même le voir sans que je sente en moi-même une agressivité terrible...

BREUER : De l'agressivité? Contre cet homme si doux?

FREUD : Justement. Sa douceur me désarmait. J'aurais voulu pour père un Moïse. La Loi!

BREUER : Pour vous révolter contre elle?

FREUD : Et pour lui obéir.

Meynert a joué ce rôle, un temps.

Il sourit :

C'était... un transfert.

BREUER : Et moi aussi, je l'ai joué?

FREUD : Oui. Pendant dix ans. Je haïssais Meynert qui m'avait maudit; pour vous, je n'avais que de l'amour et que du respect. Meynert est mort, il m'a demandé pardon, cela m'a délivré de lui; vous avez été mon seul père, l'objet de mes doubles sentiments.

Je vous ai cru faible, cela m'a rendu fou de rage. Mais ce n'est pas votre faiblesse que je détestais, c'était celle de Jakob Freud.

Il désigne la tombe.

BREUER, *sincère :* Je suis faible.

FREUD : Non. Vous êtes bon.

BREUER : Et Fliess?

FREUD : Un mirage. Je le prenais pour le Démon : ce n'était qu'un comptable. N'importe : j'ai respecté sa force – ce que je prenais pour sa force – et cela m'a permis de haïr ce que je prenais pour votre lâcheté.

BREUER, *souriant :* Que de pères! La plupart du temps, vous en aviez deux à la fois.

À partir de cette réplique les deux hommes disparaissent, on revoit Meynert, dans son cabinet, faible et usé, sous l'immense statue de Moïse.

FREUD, *voix off :* Oui. J'avais peur de moi, je refusais de devenir adulte. De regarder la vérité.

Breuer, je me déchirais sans cesse : je prenais tous ces pères pour me protéger contre moi-même et je n'avais pas de répit tant que je ne les avais pas détruits.

Vous me fasciniez tous et je voulais tuer mon père en vous!

On revient sur la tombe de Jakob Freud.

Il est mort. Et mes pères d'adoption sont enterrés avec lui. Je suis seul en face de moi-même et je ne hais plus personne.

BREUER : Pourrez-vous encore aimer?

FREUD : Oui. Mes enfants. Et des fils d'adoption : des hommes qui croiront ma parole, s'il s'en trouve. À présent, le père, c'est moi.

Breuer, je me suis servi de vous comme d'un moyen pour me perdre et pour me trouver. Me pardonnerez-vous?

Breuer lui prend affectueusement la main et la lui serre. Un silence.

BREUER, *doucement :* Nous ne nous verrons plus guère, j'imagine.

FREUD, *amicalement :* Non. Plus guère.

BREUER : Vous avez conquis le droit d'être seul.

FREUD, *avec une tristesse profonde :* Oui.

Il montre le ciel : les nuages ont disparu, aigre et froid soleil d'hiver.

Je suis seul et le ciel s'est vidé.

Je travaillerai seul, je serai mon seul juge et mon seul témoin.

Heureusement qu'on finit toujours par mourir.

Brusquement :

Breuer, je ne veux pas que ma femme soit victime de cette solitude.

Elle n'est pas heureuse; elle m'inquiète.

Est-ce que vous permettriez à Mathilde de la revoir?

BREUER : Mathilde ne demande que cela : c'est Martha qui ne l'a pas revue de crainte de vous déplaire.

FREUD : Cela m'aurait déplu... autrefois!

Jakob Freud a fait le bonheur de ma mère.

(Avec un sourire d'humour mélancolique :) Mais ça ne me paraît pas bien gai, à moi, d'être la femme de Sigmund Freud.

BREUER : Mathilde lui écrira dès aujourd'hui. Au revoir, Freud.

FREUD, *avec amitié, mais tristement, comme s'il s'agissait d'une très longue séparation :* Au revoir.

Breuer s'éloigne.

Freud reste seul devant la tombe. Il ne se retourne pas : son regard s'est fixé sur le nom de son père (gravé sur la pierre tombale). Au bout de quelques instants, sans qu'il fasse un mouvement pour les essuyer, les larmes coulent sur ses joues. Il reste encore quelques instants puis se détourne et marche vers la porte monumentale, entre les tombes, les yeux encore humides.

EXTRAITS
DE LA SECONDE VERSION
(1959-1960)

PREMIÈRE PARTIE

Dans la première version, Cecily Körtner n'apparaît qu'au moment où Freud est déjà établi comme médecin à Vienne. Dans la seconde version, Freud entre en rapport avec elle avant son séjour à Paris.

[8] *p. 79-91* [1].

Madame Körtner est restée parfaitement immobile, droite et implacable : une statue.

Mais elle profite de ce que Freud a baissé les yeux pour le détailler de haut en bas sans la moindre sympathie. Elle ne manifeste pas non plus de véritable curiosité.

Freud ne l'intéresse pas, voilà tout. C'est un pauvre. Elle l'examine par une habitude de méfiance (dont on sent qu'elle a des racines profondes).

Elle se tait. Il y a plus de quinze fauteuils et chaises dans la pièce, mais elle ne l'invite pas à s'asseoir.

Freud, de plus en plus mal à l'aise, s'efforce de trouver un sujet de conversation. Mais Madame Körtner sans plus le regarder est allée vers le piano.

Elle regarde les meubles — du même air qu'elle a pris pour regarder Freud, avec méfiance, et dans l'intention de voir si les cuivres brillent et si les meubles ont été époussetés.

Freud, trop absorbé par ses recherches, n'a pas remarqué qu'elle avait quitté sa place. Il lève la tête et dit (tourné vers le lieu où il la croit être) :

---

1. Dans ces Extraits les numéros des pages sont ceux du manuscrit. *(N.d.E.)*

FREUD : Votre mari... euh... est indisposé.

Madame Körtner continue son examen et répond sans lever la tête.

MADAME KÖRTNER : Oui.

Un silence. Freud est au supplice. Il a constaté que Madame Körtner était au fond de la pièce et il se tourne vers elle. Dans un dernier effort, il dit, d'un air compréhensif :

FREUD : Il doit beaucoup travailler.

Madame Körtner ne se soucie pas davantage de son hôte. Elle répond aussi laconiquement mais avec une sorte de méchanceté profonde qui — nous le saurons beaucoup plus tard — s'adresse en fait à son mari :

MADAME KÖRTNER : Non.

Freud, offensé, lève la tête et la regarde en face; son mécontentement efface sa timidité. Mais Madame Körtner n'est pas même sensible à cette colère : elle l'ignore.
Elle ajoute d'une voix froide et tranquille :

Je vais vous faire porter du café.

Elle se trouve près d'une porte. Elle l'ouvre, sort et de dos lance ses derniers mots :

Excusez-moi : j'ai à faire.

Freud est resté seul, hérissé de fureur. D'abord cloué sur place, il s'enhardit et traverse la pièce, en regardant les meubles et les bibelots avec le plus grand intérêt. Mais cet intérêt n'a rien d'esthétique : c'est plutôt celui d'un policier qui cherche des indices.
Un domestique — grand gaillard d'une quarantaine d'années, en livrée — ouvre la porte au moment où Freud a pris sur une table un petit vase de Chine.
Il porte un plateau (cafetière, sucre, une tasse) qu'il pose sous le nez de Freud, sur la table même où celui-ci a pris une potiche. En se redressant, le domestique voit la potiche entre les mains de Freud. Il fait une grimace d'avertissement et dit avec morgue :

LE DOMESTIQUE : Fragile.

Sur ce simple mot, il se retire.
Freud, furieux, mais intimidé, repose aussitôt la potiche à côté du plateau.

Cet incident met le feu aux poudres. Furieux de sa docilité, tout à coup, il empoigne la cafetière et se verse une tasse de café. Puis, délibérément — et pour répondre à ces impolitesses par une impolitesse — il tire un cigare de son étui, prend sa boîte d'allumettes et l'allume. Il reste, ensuite, avec l'allumette éteinte entre les doigts, cherchant un cendrier. Il n'y en a pas. Alors, très cavalier, il jette l'allumette dans le vase de Chine.

Depuis quelques instants, par la porte-fenêtre, Cecily est entrée dans la pièce. Elle observe Freud en silence, avec curiosité mais sans aucune sympathie : elle est choquée de le voir allumer un cigare et jeter l'allumette dans un vase.

Mais elle semble plus choquée encore quand Freud, plus intéressé, comme toujours, par les hommes que par les meubles, porte sa tasse pleine sur le piano, s'installe commodément dans un fauteuil, jambes croisées, et regarde le portrait de Monsieur Körtner en tirant de grosses bouffées de son cigare.

À cet instant, la caméra, comme Cecily elle-même, ne saisit plus de Freud qu'un crâne abondamment chevelu qui repose sur le bord du fauteuil. Au-dessus de ce crâne (Freud et le fauteuil sont de dos par rapport à Cecily) s'élèvent de grosses volutes de fumée.

Cecily s'approche sans bruit. C'est une curieuse créature, à la fois charmante et un peu monstrueuse. Mais on ne saurait dire exactement d'où vient son aspect monstrueux.

En fait, c'est que cette jeune fille, très belle, avec des formes pleines, est vêtue comme une adolescente. Elle se tient, elle-même, comme une petite fille et son visage ravissant indique une remarquable intelligence, une sensibilité exceptionnelle et, tout à la fois, un infantilisme un peu sournois. Elle tient, d'ailleurs, dans ses bras une énorme poupée.

Quand elle est tout près de Freud, mais toujours derrière lui, elle dit avec un mélange de fausse naïveté et de malice (son but est évidemment de faire sursauter le grossier personnage qui dévisage si impudemment Monsieur Körtner) :

CECILY : C'est papa!

Mais Freud ne sursaute pas. Il lève un peu la tête, se tourne vers la jeune fille, lui jette un regard froid et dit, avec une indifférence provocante et délibérée :

FREUD : Ah?

Visiblement les deux personnages ont un coup d'antipathie réciproque.

Elle s'approche et découvre Freud assis et renfrogné. Il se redresse un peu et la regarde avec un intérêt glacial. Elle, cependant, le regarde par en dessous, avec une curiosité sournoise (d'enfant plus que de jeune fille).

Elle désigne le tableau d'un coup de tête.

CECILY : Vous trouvez que je lui ressemble?

Freud répond au hasard (et avec un laconisme intentionnel) :

FREUD : Oui.

Cecily a un gentil rire moqueur (un rire d'enfant de treize à quatorze ans : ses manières semblent *enfantines. Autrement dit, elle* joue *l'enfant).*

CECILY, *ironique :* Voilà ce qu'il ne fallait pas dire. Je ne lui ressemble pas du tout. Regardez bien :

Ses yeux à elle sont noirs.

Il a les yeux bleus. Vous ne l'aviez jamais vu?

Freud fait signe que non et tire une bouffée de son cigare.

CECILY : Qu'est-ce que vous pensez de ce portrait?

Freud le regarde de nouveau.

FREUD : Il y a quelqu'un de très malheureux : si ce n'est pas votre père, c'est le peintre.

Sur ces mots, il se lève.

CECILY, *sèchement :* C'est le peintre.

Agacé, malgré tout, de fumer devant cette fille, il cherche de nouveau un cendrier, n'en voit pas, va éteindre son cigare dans sa tasse de café et le jette dans le vase chinois.

Il fait ces derniers gestes avec provocation, transformant en défi sa maladresse. Mais Cecily ne se laisse pas déconcerter. Elle le regarde en souriant.

Il se retourne vers elle et la regarde de haut en bas, toujours en policier mais un peu en imitant le regard de Madame Körtner. Elle n'est pas gênée. Mais, toujours hostile, elle lui parle d'une voix douce, enfantine et venimeuse :

CECILY : Je m'appelle Cecily.

Un temps.

(Cela signifie clairement : Vous avez le signalement, parfait, voici le nom.)

Je ne connais pas votre nom.

FREUD : Sigmund Freud.

Cecily se rapproche; elle le regarde candidement mais on sait qu'elle prépare une bonne « rosserie ».

CECILY : Je me demande quel est votre âge. Attendez, je vais deviner. Trente-cinq ans.

FREUD : Non.

CECILY, *un peu étonnée :* Trente-huit?

FREUD : Vingt-neuf.

Il tire une montre volumineuse de son gilet, regarde l'heure et lève machinalement les yeux vers le premier étage.

CECILY, *qui l'a regardé faire :* Vingt-neuf. Et vous avez déjà la montre de votre père?

Freud fait signe que non.

Il est mort, le pauvre?

Même jeu.

Non? Ni votre mère?

Même jeu.

Alors? Vous n'avez pas le droit d'être si sérieux!

FREUD : Je vais deviner votre âge, Mademoiselle.

Feignant de réfléchir :

Treize ans? Quatorze ans?

Cecily, offensée, fait un pas en arrière. D'une voix brève :

CECILY : Dix-sept.

FREUD : Dix-sept.

Regard médical sur Cecily.

Développement physiologique normal. Corps pubère. Vous n'avez pas le droit d'être si enfant.

Elle frappe du pied.

CECILY, *indignée :* Quelle insolence!

*Freud touche de l'index la poupée; Cecily, d'un geste brusque, la
retire et la serre contre soi.*

> FREUD : Vous jouez à la poupée.

Elle se redresse et joue la jeune fille.

> CECILY : Je parle couramment l'anglais, le russe,
> l'espagnol et le français.
> FREUD : On joue à la poupée dans toutes les
> langues.

*Cecily a l'air très légèrement égarée : on a mis le doigt sur sa
marotte.*

> CECILY, *hargneuse :* Quelle poupée?

*Elle dorlote la poupée (ou plutôt le poupon, c'est un gros garçon
qui ferme les yeux quand on le renverse).*

> **C'est mon fils.**

*Les yeux sont clos : elle redresse la poupée dont les yeux s'ouvrent
et la présente à Freud.*

> CECILY : Regardez ses yeux. Bleu faïence. Comme
> ceux de papa.

*Elle rit et se remet à la bercer. Le spectateur ne doit, à aucun
moment, la prendre pour une névrosée. Il doit mettre cette attitude
sur le compte de l'infantilisme et du défi.*
*Pourtant il y a quelque chose de très vaguement suspect dans son
air et dans le ton de sa voix lorsqu'elle dit : Ce sont ceux de papa.*
*Freud, à ce moment, l'examine avec plus de curiosité encore. Il
a l'air d'un détective diabolique.*
Cecily est gênée par ce regard. Elle change de ton. Maussade :

> Je dis ça pour plaisanter. Vous n'aimez pas la
> plaisanterie.
> FREUD : Au contraire : elle en dit toujours plus
> long qu'on ne pense.

Cecily hausse les épaules et fait la moue.

> CECILY : Et voilà : le sérieux vous perdra.

Très légère et très gaie :

> J'ai un cousin de votre âge qui rit tout le temps.
> FREUD : J'ai une sœur de votre âge qui ne rit
> jamais.

Ils sont en face l'un de l'autre et se défient.

CECILY : Je la plains. Pourquoi?
FREUD : Pas le temps. Elle s'était placée en France, l'an dernier, comme bonne à tout faire et elle envoyait ses gages à mes parents.

C'est un aveu qui d'ordinaire coûterait beaucoup à Freud. Mais il sent que tout le monde, de Madame Körtner au domestique, voit sa pauvreté et la lui reproche : par sadisme (plus encore que par masochisme) et par orgueil blessé, il renchérit, il veut contraindre ces gens à le mépriser tout à fait pour qu'il soit lui-même et intentionnellement cause de ce mépris (par ses révélations sur soi) et qu'il puisse à son tour les mépriser plus radicalement.

CECILY : Vous êtes pauvre?

Cecily ne paraît guère troublée.

Il fallait le dire.

Freud montre son vêtement (propre mais usé et un peu démodé).

FREUD : Cela se voit.
CECILY, *avec un peu de hauteur :* Je ne vois pas ces choses-là.

Cecily se détourne légèrement.

FREUD : Madame votre mère les remarque tout de suite.
CECILY : Avant son mariage, elle a été pauvre.
(Avec un rire légèrement suspect.)
Très pauvre.

Elle prend une aquarelle sur le piano et la montre à Freud.

La voilà. À vingt ans. Elle a votre air sérieux.
FREUD : Les pauvres n'ont pas de jeunesse.

Freud devient ici, par la force des choses, le porte-parole des pauvres.

CECILY : Vous n'en avez pas eu?
FREUD : Non.
CECILY, *désignant le portrait :* N'est-ce pas qu'elle est adorable?
FREUD, *humour noir, très discret :* Adorable : c'est le mot.

Freud s'incline très légèrement.

> CECILY : Si j'arrive à trente ans, je voudrais secourir les pauvres.
>
> FREUD : Merci pour nous.
>
> CECILY : Oh mais, en ce temps-là, vous serez riche. Vous êtes docteur, n'est-ce pas? Et l'ami du docteur Breuer : votre carrière est faite.

Elle regarde le portrait un instant et le repose.

> CECILY : C'est drôle les pauvres qui deviennent riches! Ils sont plus durs que nous.
>
> Le docteur Breuer a toujours eu de l'argent, lui. Et regardez comme il est bon. Pourtant, c'est un israélite.

Freud, qui avait fini par se détendre un peu, se redresse brusquement, sombre et dur.

> FREUD, *voix brève et glacée.* Moi aussi, j'en suis un. Après?
>
> CECILY : Mais justement : je voulais dire qu'il n'en a que plus de mérite. Ça ne doit pas être amusant d'être juif, avec tous ces gens qui vous détestent.

Cecily prend une voix naïve et enfantine, un peu trop perchée; elle se délecte de cette gaffe qu'elle est en train de faire (exprès, bien entendu). Elle regarde Freud avec des yeux purs et parle avec sollicitude, avec âme.

> Papa dit qu'il ne faut pas être antisémite, et qu'il y a des Juifs très bons : honnêtes, patriotes et tout; il cite toujours le docteur Breuer qui est si bien.

Le regard de Freud est devenu insoutenable. Elle se détourne, ravie mais effrayée.

> Vous avez de drôles d'yeux. Je ne voudrais pas vous avoir pour médecin.
>
> FREUD : Soyez tranquille, Mademoiselle, cela n'arrivera jamais.

Il s'incline; brusquement, il semble à son aise et prend ses « bonnes manières ».

> Aurez-vous l'obligeance de prévenir mon ami
> Breuer que je l'attends dans sa voiture?

Il lui prend la main, se penche et la lui baise.

> Adieu, Mademoiselle.

Cecily la lui retire, scandalisée et effrayée (on verra plus tard que ce baisemain lui rappelle un souvenir d'enfance).

> CECILY : On ne baise pas la main des jeunes filles.

Freud touche la poupée de l'index.

> FREUD : Naturellement. Mais vous êtes une jeune
> dame, n'est-ce pas?

Il caresse le crâne du poupon.

> Au revoir, petit riche. Au revoir, pauvre petit
> goy.

Il se redresse et sort rapidement.

*

Cette scène suit la précédente. Elle montre Freud réagissant à l'antisémitisme ambiant.

[9] *p. 92-103.*

La calèche de Breuer, devant la villa des Körtner.

Freud fume un cigare. Il a gardé l'air sombre et furieux qu'il avait chez les Körtner et semble plongé dans ses méditations.
Il ne s'aperçoit pas que la porte de la villa s'est ouverte et que Breuer arrive à pas pressés, avec Madame Körtner. Celle-ci garde son air revêche mais semble profondément gênée.
Breuer a l'air désolé mais il y a un éclair de malice dans ses yeux.

> BREUER, *désolé :* Mais qu'est-ce qui s'est passé,
> mon vieux? Il ne faut pas en vouloir à la petite :
> c'est une enfant.

Il s'efface devant Madame Körtner. Freud se découvre aussitôt.

Madame Körtner souhaite vous dire un mot.

Elle fait ses excuses avec superbe et sans rien perdre de sa sécheresse.

> MADAME KÖRTNER : Docteur, vous m'excuserez : l'état de mon mari me préoccupait et je n'avais pas compris que vous étiez l'ami...
> BREUER : Le *meilleur* ami.

Breuer l'interrompt avec une nuance de dureté, très rare chez lui. Il n'est pas mécontent (nous le verrons mieux tout à l'heure) de la façon dont les choses ont tourné mais il n'en est pas moins indigné (et stupéfait) de la manière dont Freud a été traité.
Visiblement, il a dû chapitrer Madame Körtner et lui demander de s'excuser.

> MADAME KÖRTNER, *docilement :* Le meilleur ami de notre cher docteur.
> *(Très femme du monde :)*
> La prochaine fois qu'il viendra déjeuner à la maison, nous serions ravis si vous vouliez bien vous joindre à lui.

Freud s'incline avec une politesse glacée.

> FREUD : Ce serait avec plaisir, Madame, mais je pars demain pour Paris. Pour le reste, c'est moi qui m'excuse : un Juif pauvre n'a rien à faire dans une famille de chrétiens riches.

Madame Körtner, visiblement blessée, elle aussi, reste immobile et muette.
Breuer se hâte de s'incliner. Il lui prend la main plus qu'elle ne la lui tend. Baisemain. Elle se détourne et rentre dans le jardin. Breuer monte en voiture.

> BREUER, *au cocher :* Continuez.

La voiture passe entre des villas toutes pareilles à celle des Körtner. Freud les regarde toutes avec une sorte de haine.

> FREUD : Tous pareils, tous. Je vous plains.
> BREUER : Les Körtner ne sont pas antisémites, mon cher Freud.
> FREUD, *ironie amère :* Vraiment?

(Un temps.)

Vous ferez bien de prendre garde à la petite.

BREUER, *étonné :* Pourquoi?

FREUD, *bref et vindicatif :* Névrose.

BREUER : Cecily?

Cette fois, Breuer rit franchement.

Vous dites cela parce qu'elle vous a taquiné.
C'est une enfant, voilà tout.

(Il rit affectueusement.)

Mettant la main sur l'épaule de Freud :

Vous ne connaissez pas encore les enfants.

Freud reste sombre. Breuer cesse de rire, jette un coup d'œil malicieux à Freud qui ne le voit pas et dit au cocher :

Arrêtez ici. Vous nous attendrez.

Il descend de voiture. À Freud :

Je vais chez le général Mathausen à trois cents
mètres d'ici. Allons à pied.

FREUD, *hérissé :* Breuer, je ne...

BREUER : Vous ferez ce que vous voudrez mais
regardez ce beau temps : accompagnez-moi au
moins jusqu'à la grille, vous ne prenez pas assez
d'exercice.

Freud descend de voiture. Ils marchent côte à côte le long des jardins et des villas. (Enfants dans les jardins, jardiniers.) Quelquefois, à une fenêtre ouverte, une bonne qui fait le ménage.

Un peu plus tard, une grande porte s'ouvre et une calèche sort d'un parc (deux chevaux), emportant un personnage officiel, en uniforme et avec des décorations.

Freud et Breuer s'arrêteront un moment pour la laisser passer.

Au bout d'un moment, Breuer se tourne vers Freud et lui dit affablement :

BREUER : Vous avez dit à Madame Körtner que
vous nous quittiez?

FREUD : En effet.

Freud a changé de physionomie : il n'a plus cette face tourmentée qui traduisait ses contradictions. Sa décision est prise, cette fois, dans l'ivresse joyeuse de la colère.

Il a l'air inflexible, mauvais et presque gai. Pour la première fois, nous voyons le vrai *Freud, celui que n'ont vu ni Meynert ni Martha.*

> BREUER, *amusé :* Vous avez encore changé d'avis.
> FREUD : Oui.

Il sourit à Breuer.

> Mais je n'en changerai plus.
> BREUER, *avec une tranquille certitude :* Je le sais.
> FREUD : Autrefois, ils ont chassé la famille d'Allemagne. Dans mon enfance, ils nous ont chassés de Moravie. Demain, ils peuvent nous chasser de Vienne.

Il regarde Breuer avec un air de passion rageuse.

> On n'a jamais assez de rancune.
> *(Plein d'ironie méchante contre lui-même :)*
> Et je voulais suivre la filière : étudiant, privat-dozent, professeur. Quand ils m'auraient donné leur titre, je croyais qu'ils m'accepteraient. Quelle jobardise!

Il désigne les villas d'un geste large.

> Ces gens-là nous tiennent en quarantaine; ils nous y tiendront toujours.

Il sourit et se désigne :

> Je serais Monsieur le Professeur lépreux, je me signalerais par une clochette.

La grille d'une villa. Il s'en approche : deux enfants jouent sur une pelouse avec un chien.

> FREUD : Leurs frères nous détestent, ils nous détesteront. Et quand ils auront des fils...

Un des enfants, aux éclats de cette voix rude lève la tête et regarde sans comprendre le doigt sévère que Freud pointe sur lui.
Il ne sait pas même – sans doute – ce qu'est un Juif mais il prend un air hostile et peureux à cause de l'hostilité de Freud.
Le chien, alerté, fait un bond vers la grille, tombe en arrêt et fixant son regard sur Freud, il commence à gronder. Freud rit sans gaieté :

Même leurs chiens sont dressés.

Breuer veut l'entraîner, il résiste un instant.
Au chien :

> N'est-ce pas, mon vieux, n'est-ce pas : un Juif
> pauvre, c'est un mets succulent. N'aie pas peur :
> un jour ils t'ouvriront les portes et tu auras le droit
> d'en manger.

Breuer réussit à l'arracher de la grille. Ils marchent en silence.
La grille d'une autre villa s'est ouverte; la calèche (dont il a été
parlé plus haut) sort lentement et traverse le trottoir précautionneu-
sement. À l'intérieur (elle est découverte) on voit un homme décoré
et en costume officiel (académicien). Visage de médiocre. Il confond
la morgue et l'autorité.
Les deux amis s'arrêtent pour le laisser passer.

> FREUD : Qui est-ce?
> BREUER : Hartmann-Asveet, professeur de droit,
> conseiller aulique, académicien.

Pendant que la voiture passe lentement devant eux, Freud éclate
de rire.

> FREUD : Voilà ma carrière qui passe.
> On l'admire?

Breuer, plus réservé, acquiesce en souriant.

> Parbleu! Les chrétiens ont le droit d'être
> médiocres : toute la terre leur appartient. Et qu'ont-
> ils à prouver : ils *sont* l'Humanité. En tout cas, ils
> croient l'être.

Se retournant sur la voiture qui fait son demi-tour pour s'engager
sur la chaussée en direction de la ville :

> Quel confort suprême! Je ne serai jamais *ça* : je
> ne le *peux pas*. Il a fallu deux mille ans de chris-
> tianisme pour produire ce légume blanc.

Voix off de Freud sur la calèche qui s'en va (chevaux au trot).

> Il est goy : les goys l'honorent parce qu'il leur
> reflète leur médiocrité.

On revient sur les deux amis qui reprennent leur marche.

FREUD : Moi, ils ne m'accepteraient pas. J'irais chez eux, dans ma calèche à deux chevaux, ils me feraient bon visage et, quand je les aurais quittés, ils se diraient entre eux : « Pour un Juif, il n'est pas trop mauvais. »

Violent :

Je ne serai pas un *bon* Juif, un goy d'honneur.

Sombre :

Être comme tout le monde : quelquefois c'est mon rêve. Interdit : tout le monde, c'est les goys.

Si nous ne sommes pas en tout les meilleurs, ils diront toujours que nous sommes les pires.

Savez-vous qu'un Juif est condamné au génie?

Maudit pour maudit, je leur ferai peur. Puisqu'ils me refusent, je les écraserai. Je me vengerai, je vengerai tous les nôtres. Mes ancêtres m'ont légué la passion qu'ils mettaient à défendre leur Temple.

Breuer l'écoute avec satisfaction, un sourire affectueux sur les lèvres.

Est-ce que vous me faites confiance?

BREUER : Oui.

Je suis le seul — avec Martha, sans doute — à connaître votre force.

Il pose la question par acquit de conscience :

BREUER : Et Meynert?

Freud s'assombrit légèrement et hausse les épaules.

FREUD : Nous verrons bien.

Il s'arrête un instant, frappé par une idée et regarde Breuer avec une stupeur admirative.

Breuer, vous m'avez emmené dans votre tournée de visites... pour me rappeler à moi-même!

Breuer sourit sans répondre : c'est un acquiescement.
Freud le regarde, admiratif.

Quelle intelligence merveilleuse! Vous ne parlez guère mais vous savez tirer nos ficelles.

Le sourire de Breuer s'efface; il parle avec une mélancolie discrète.

> BREUER : Que voulez-vous : je suis un goy d'hon-
> neur, moi.

Désignant les villas :

> Ces gens m'adorent mais, jusque dans les yeux
> de leurs valets de chambre, je lis la supériorité
> débonnaire du chrétien.
> Je ne suis jamais à mon aise. Et puis, quand je
> sers de *bon Juif* aux antisémites, j'ai le sentiment
> de trahir mes frères.
> Pour cela aussi, je regrette d'avoir abandonné
> la Science.
> Enfin voilà! J'ai voulu vous montrer ce qui vous
> attend. Vous n'avez pas mis longtemps à
> comprendre.

Freud le regarde, il a l'air agité mais presque gai.

> FREUD, *petit rire :* Oh non.

*Ils sont arrivés devant la villa du général. Au-dessus de l'entrée,
drapeau autrichien. Un soldat sur le perron de la villa, en sentinelle.*

> BREUER : Venez voir mon général. Un véritable
> antisémite, celui-là, un massacreur.

Se désignant :

> Mais c'est un Juif qui soigne sa goutte.
> FREUD : Non. Vos antisémites pour rire m'ont
> largement suffi.

*Il regarde Breuer sérieusement et avec une confiance profonde. Il
lui tend la main :*

> Souhaitez-moi bon courage.

Breuer lui prend la main.

> BREUER, *affectueusement :* Bon courage.

*Breuer garde la main de Freud pendant tout le temps qu'il lui
parle.*

> Il n'y a peut-être rien à trouver là-bas. Mais vous
> deviendrez ce que vous êtes : un aventurier, un

maudit. Vous choisissez le chemin difficile et je
vous en remercie.

FREUD, *avec angoisse :* Vous m'écrirez souvent?
Toutes les semaines?

Breuer promet d'un signe de tête, en souriant.

Je vais me sentir si seul, là-bas.

Freud se reprend.

Au revoir. Allez chez votre goutteux.

*Il sourit à Breuer, fait volte-face et s'en retourne à pied, le long
des villas.*

*Breuer a mis le doigt sur un bouton de sonnette et, avant de
presser sur le bouton, il regarde son ami (de dos) avec un sourire
affectueux.*

*

L'étudiant Wilkie, qui n'occupe qu'une place peu importante dans la version I, reçoit ici un rôle plus développé.
Exemple du foisonnement de la version II.

[16] *p. 161-172.*

Le parvis de Notre-Dame.

*Deux ou trois semaines plus tard, par un beau jour froid de
décembre, un omnibus s'est arrêté sur la place et les deux amis en
descendent.*

*Freud a toujours le même paletot. Il a maigri, il est nerveux mais,
en dépit des cernes qui marquent le dessous de ses yeux, il a l'air
en meilleure condition physique et morale que dans la scène précédente.*

*Wilkie, lui, a d'autres vêtements que ceux que nous venons de lui
voir. Il est évidemment très riche. Il rayonne d'assurance : il sera
soutenu jusqu'à la fin de la scène suivante par la certitude absolue
de détenir la vérité.*

Freud et Wilkie descendent de l'impériale. Freud marche vite : il est pressé de revoir les portails et les sculptures. Wilkie le prend par le bras et ralentit sa marche.

WILKIE : Quelle est cette église, docteur Freud? Et pourquoi m'y menez-vous?

Freud lutte à son tour pour l'entraîner. Ils avancent très lentement tous les deux.

FREUD : C'est Notre-Dame, Monsieur Wilkie.
WILKIE : Docteur Freud, vous êtes juif et je suis protestant : qu'avons-nous à faire de cet édifice catholique?

Freud, plein de sympathie pour Wilkie, lui répond avec une gravité dont l'humour échappe à son interlocuteur :

FREUD : Nous avons à le regarder.
WILKIE, *comprenant :* Ah! Comme un monument? Bien.

Il se laisse un moment traîner puis s'arrête au bord du terre-plein, encore assez loin. Il regarde Notre-Dame de haut en bas, les lèvres pincées.

Eh bien, je n'aime pas cela du tout.
Dieu n'a pas créé la pierre pour qu'on en fasse de la dentelle.

Freud se résigne à rester provisoirement sur le terre-plein. Wilkie regarde un instant puis il donne libre cours à son indignation. Désignant les statues du portail :

Ces... Oh!

Levant le doigt :

Quelle complaisance au mal : c'est le dernier sursaut du papisme; tout de suite après commence la décadence.
FREUD, *agacé par ce bavardage :* Vous avez des cathédrales en Angleterre, et de fort belles.
WILKIE, *avec un écrasant mépris :* Anglicanes, docteur Freud.

Fierté :

Et moi je suis presbytérien. Comprenez-vous?

FREUD, *ironique mais toujours poli :* Mal puisque
je suis juif.

WILKIE : C'est pourtant simple. Les anglicans
sont ceux qui vont en Enfer ; les presbytériens sont
ceux qui n'y vont pas.

FREUD : Je vois!

*Il fait traverser la chaussée à Wilkie et le promène d'un portail
à l'autre, profitant du sermon que celui-ci a commencé.*

WILKIE : Réjouissez-vous, docteur Freud!
Réjouissez-vous!
Dites : « Alléluia », car les Juifs seront élus. Soyez-
en sûr.

Freud regarde un des portails. Il répond, toujours distraitement :

FREUD : Pourquoi?

WILKIE : Si Dieu avait voulu vous damner, il vous
aurait fait anglican...

*Des passants les croisent. Une midinette les frôle, très provocante
(ils n'y prennent pas garde). Un vieux beau la serre de près.*
De nouveau les sculptures du portail.

VOIX OFF DE LA MIDINETTE : Vieux cochon!

*Wilkie se retourne. Le vieux a tenté de lui pincer la taille. Elle
s'en va, dans des frous-frous, vivante incarnation de la Pudeur
offensée.*
*Wilkie termine sa phrase en pointant l'index vers le vieux beau
déconcerté.*

WILKIE, *triomphant :* Ou catholique!

*Le vieux beau met son monocle et les regarde avec une morgue
appliquée. Il veut parler. Mais Wilkie s'approche de lui et le domine
de toute sa taille.*

(*Au vieux beau :*) Dieu exaucera vos vœux, Monsieur! Dans la bauge de l'Enfer, vous serez pour-
ceau *ad aeternum!*

Freud l'entraîne.

Qu'allons-nous faire?

FREUD, *désignant la première plate-forme de l'église :*
Monter *là-haut!*

Il l'entraîne.
Un escalier de pierre, peu avant qu'il atteigne le premier palier.
Freud est le premier. Wilkie le suit. Wilkie est hors d'haleine mais
parle. Freud a tout son souffle.

> WILKIE, *continuant son discours :* J'ai peur qu'elle
> ne soit une truie.
> FREUD : Hein?
> WILKIE, *soufflant toujours :* En Enfer.
> FREUD : Mais qui?
> WILKIE : Cette fille qu'un pourceau suivait.
> FREUD, *comprenant :* Ah!

Il se met à rire. Un rire plus jeune et plus spontané que tous ses
ricanements de Vienne (bien que l'ironie et la moquerie en soient
malgré tout l'origine).
Ils débouchent sur la plate-forme.

> WILKIE, *impressionnant d'assurance :* Sur cette terre
> il arrive que les futurs damnés se reconnaissent
> entre eux.
> FREUD : Ils devraient faire un club.

Wilkie saute à son tour sur la plate-forme. Le soleil les éblouit,
au sortir du sombre escalier de pierre. Il cligne des yeux.

> WILKIE, *désolé :* Docteur Freud, votre conduite
> est exemplaire. Je regrette seulement que vous ne
> croyiez pas à l'Enfer.
> FREUD : J'y crois profondément. Mais je ne le
> vois pas comme vous.

Il montre à Wilkie un groupe de visiteurs accoudés au parapet.
Nous ne les voyons que de dos; le vent joue avec les manteaux et
les jupes.

> En tout cas, je n'aime pas les Français. Trop
> petits, trop vifs, trop malins, trop avares. Des singes
> ou des cochons.

Un jeune garçon de dix ans joue à la balle avec sa bonne. Il la
lance, elle la rattrape, la relance et il la saisit adroitement au vol.
Cette scène, étant donné la hauteur et le caractère sacré du lieu,
semble au moins déplacée.
Freud et Wilkie aperçoivent le gardien de la terrasse, qui se trouve
juste à côté d'eux. Ils le regardent. Ce gardien (moustache grise,

*sans barbe. C'est un invalide : il boite) regarde mélancoliquement
les jeux du petit garçon.*

Il dit avec une indignation mélancolique :

> LE GARDIEN : C'est dangereux, n'est-ce pas?

Il hoche mélancoliquement la tête.

> *Très* dangereux. Et cet enfant revient tous les jours.

Wilkie l'écoute et voit son uniforme.

> WILKIE : Dites-le à sa bonne!
>
> LE GARDIEN : Je le lui ai dit.
>
> WILKIE : Eh bien?
>
> LE GARDIEN : Elle répond qu'il revient de la montagne et qu'il n'a plaisir à jouer que sur les hauteurs.
>
> WILKIE : Empêchez-les de venir.
>
> LE GARDIEN : Je ne peux pas, Monsieur, c'est ça qui est le pire!
>
> Je ne peux pas, parce qu'elle me paye cinq francs tous les jours. Et je suis invalide, moi : je n'ai pas le droit de refuser un secours.
>
> Oh!

*L'enfant a cessé de jouer depuis quelques instants : il les écoute,
furieux et indigné. Au bout d'un moment, il s'approche du parapet
d'un air déterminé, jette sa balle par-dessus la balustrade.*

*Le gardien saisit le petit garçon par le bras et lui parle avec
sévérité mais, malgré tout, comme un pauvre respectueux :*

> Mon petit Monsieur, comment avez-vous l'audace...
>
> LE PETIT, *rigolard :* Ma bonne en a deux autres.

*La bonne, en effet, montre de loin, en souriant de toutes ses dents,
une autre balle.*

*Le gardien lâche le garçon et va engager avec la bonne une
conversation animée (qui se terminera – que nous le voyions ou non
– par un don en argent qu'elle lui fera).*

*Cependant Wilkie a pris le gosse par les deux bras, il le soulève
et le montre à Freud.*

> WILKIE : On leur passe tout : voilà l'éducation catholique; chez nous, mon petit ami, on t'aurait fouetté au sang.

Le gosse, effrayé, recule la tête. Wilkie avance la sienne.

Regardez ses yeux : je vois les stigmates du vice.

(Terrifiant pour le petit garçon :)

Je vois le vieillard libidineux qu'il sera.

FREUD : Dans un demi-siècle.

WILKIE : Qu'importe le temps : cette bobine se déroulera comme elle doit se dérouler.

Le petit s'est mis à crier. La bonne se lève et vient, l'air calme et féroce, l'arracher aux mains de Wilkie, qui le lui donne sans résistance.

À Freud :

Êtes-vous convaincu ? Il faut réprimer ! réprimer ! réprimer ! Le fouet, le mors et l'éperon. Comment vivrait-on sans mater la nature ? Vous ne croyez pas au péché originel, évidemment.

FREUD, *sincère :* Si.

WILKIE : Mais vous ne croyez pas en Dieu ?

FREUD : Non.

WILKIE : Tiens !

FREUD : En tout cas, je pense que l'homme naturel est une bête sanguinaire...

WILKIE, *doigt levé :* Et luxurieuse, docteur Freud ! Et luxurieuse !

Une nouvelle balle, lancée par la bonne — et que l'enfant rattrape au vol — passe tout près de Wilkie.

Oh !

FREUD : Venez !

Il l'entraîne au bord du parapet, ils regardent Paris.

C'est beau.

WILKIE, *convaincu :* Oui.

Freud regarde de tous ses yeux.

FREUD : J'aime voir les choses de haut. Savez-vous que je suis un ascensionniste ? En Autriche, j'ai grimpé sur toutes les montagnes.

WILKIE, *avec un sourire complaisant :* Plus près de Dieu.

Freud s'est penché : en suivant son regard, nous découvrons de tout petits hommes noirs au pied de la cathédrale.

> VOIX DE FREUD, *ironique :* Ou plus loin des hommes!

Il parle sans cesser de regarder la place. Peu à peu, le vide sur lequel il se penche deviendra fascinant et vertigineux.
Il enchaîne sur la conversation qui, commencée, a été interrompue :

> FREUD : J'admire l'éducation anglaise. Vous écrasez les instincts, vous les reléguez dans la nuit, s'ils relèvent la tête, vous les bâillonnez ou vous leur cassez les reins. Cela fait de vrais hommes. Adultes. Dignes des libertés qu'ils ont conquises.

Avec une sorte d'exaltation :

> Mon frère, qui vit à Londres depuis des années, n'a pas rencontré un seul antisémite.
> Mais je me demande quelquefois... Au lieu de les *nier*, ces instincts, si on essayait de les connaître.

Wilkie saute en l'air.

> WILKIE : Les connaître? Et pourquoi?
> FREUD, *incertain :* Peut-être sont-ils utilisables...

La place, vue d'en haut, semble un véritable gouffre.

> WILKIE : Le talon de fer! Le talon de fer sur les reins de la bête. C'est tout. Celui qui se croit plus fort que les autres chrétiens, celui qui s'imagine qu'il peut regarder la bête en face, et la dompter, il sera doublement damné. Pour son orgueil, d'abord. Ensuite pour la fascination démoniaque qu'exerceront sur lui les voluptés païennes!

Freud ne répond pas; Wilkie se tourne vers lui : il est pâle, avec des yeux immenses et comme fascinés; il s'est affalé contre le parapet et s'y cramponne.

> WILKIE, *avec stupeur :* Qu'avez-vous?
> FREUD : Rien. Soutenez-moi : je ne peux plus rester devant le vide.

Wilkie le soutient : il le porte presque dans ses bras herculéens. Freud s'accote un instant contre une cabane de bois située au milieu de la plate-forme (c'est la cabane d'un entrepreneur de répa-rations). Il « récupère ». Au bout d'un moment, il rit de stupeur.

> Savez-vous ce que j'ai eu? Le vertige.
> Un alpiniste!
> C'est la première fois de ma vie.

Wilkie s'est mis entre Freud et le parapet, pour lui en masquer la vue.

> WILKIE, *solennel et triomphant :* Vous avez vu le Diable, docteur Freud. C'est le Seigneur des Abîmes.

Geste pour désigner la place, au pied de l'église.

> Il vous attendait, au fond de ce gouffre; comme il vous attend au fond de vous-même.
> Que cela vous serve d'avertissement.

Le visage de Freud se durcit et s'assombrit pendant le discours de Wilkie. Il serre les dents et dit d'un air brusque et déterminé — celui qu'il avait après sa visite aux Körtner :

> FREUD : Le Diable, vraiment?
> Voyons s'il est si fort qu'on le dit.

Il échappe à Wilkie stupéfait, saute sur le rebord du parapet et, malgré le vent, va d'un bout à l'autre de l'un des côtés.
Le petit garçon cesse de jouer, il s'amuse comme un fou.
Le gardien — qui est à l'autre bout du parapet — accourt dès qu'il aperçoit Freud en équilibre sur la balustrade.

> LE GARDIEN : Tout le monde est fou, cet après-midi.

Wilkie l'arrête de sa poigne de fer.

> Lâchez-moi : s'il tombe, je perds ma place.
> WILKIE, *à demi-voix :* Il tombera si vous lui parlez.

Freud saute à terre, lestement. Il semble satisfait. Ses yeux brillent, ses joues ont rougi.

> FREUD, *au gardien, très courtoisement :* Excusez-moi : c'était un pari stupide.

Il se tourne vers Wilkie qui n'est pas revenu de son étonnement.

> C'est le Diable qui a perdu.

*

Freud dans sa famille, inquiet de son avenir.

[24] *p. 219-226.*

Le soir du même jour.

La chambre principale, à la fois salon et salle à manger. Chez Jakob Freud.

C'est une pièce assez vaste mais triste et pauvre (ce n'est pas la misère mais la gêne). Les meubles sont rares et hétéroclites (des fauteuils d'osier voisinent avec une bergère défraîchie). Le buffet est au contraire un meuble banal et moderne. Au fond, deux fenêtres; non pas contre le mur mais un peu loin du centre géométrique de la pièce, entre les deux fenêtres, une table ovale, assez grande, recouverte d'une toile cirée à carreaux. Pas de tapis. Jakob est assis dans un grand fauteuil à bascule, orienté tangentiellement par rapport à la table sur laquelle il a déposé un almanach. De temps en temps il imprime très doucement au fauteuil un léger mouvement de balançoire. Une couverture entoure ses jambes et la moitié de son corps. Il a vieilli depuis que nous l'avons vu à la gare. Son teint est cireux. Son nez un peu pincé; il n'en a pas moins, avec sa barbe d'un blanc de neige sur ce visage très pâle, la majesté inconsciente d'un patriarche.

Mitzi, Madame Freud et Martha débarrassent la table et font la vaisselle : la porte ouverte leur permet d'aller constamment de la cuisine à la salle commune et réciproquement : elles ne sont nullement absentes et ne cessent d'écouter et de participer à la conversation. La caméra doit pouvoir les suivre jusqu'à la cuisine. C'est Mitzi qui débarrasse la table; elle ôte les dernières assiettes et la corbeille à fruits, puis, avec une brosse, elle fait tomber dans un récipient de fortune (par exemple une assiette ou la corbeille à pain) les miettes et les fragments de nourriture qui restent sur la table. Quand elle porte à la cuisine ce qu'elle vient d'enlever de la table, elle trouve Madame Freud qui fait la vaisselle pendant que Martha, au moins au début, assise sur un escabeau, un moulin à café entre ses genoux, est en train de moudre le café pour les Freud et pour Breuer, qui n'est pas encore arrivé.

Freud est seul — avec son père — à ne pas quitter «die gute Stube». En apparence, les deux hommes sont en conversation, pendant que les femmes travaillent. Mais en fait, Freud, gêné de rester près de son père assis et de le regarder dans les yeux, se promène devant le vieillard. Il raconte à toute la famille ses démêlés avec Meynert. Il a l'air profondément bouleversé, avec une nervosité très apparente : toute interruption, surtout quand elle vient de son père, le fait sursauter.

Mitzi emporte le récipient plein de miettes à la cuisine non sans avoir jeté un regard ironique sur son frère. Nous la suivons et nous découvrons, en même temps qu'elle les voit, Madame Freud à sa vaisselle (le dos tourné, debout devant l'évier) et Martha de profil en train de moudre. C'est à ce moment que la voix de Freud nous parvient.

VOIX OFF DE FREUD : Il me chassera de la médecine comme il m'a chassé de la science : c'est une excommunication.

Martha semble décomposée : elle croit ce que dit Freud. Mais la mère, toujours de dos, a un rire sonore et tranquille.

MADAME FREUD, *sans se retourner :* Il mettra dans les journaux : « malades autrichiens, n'allez pas chez le docteur Freud »?

(Avec ce calme et cette sécurité qui rendent sa présence si apaisante pour Freud :)

Il faudrait qu'il ait le bras bien long!

Mitzi vide le contenu de son récipient dans la boîte à ordures. Elle retourne dans la salle. Pendant la suite du dialogue, elle prendra les tasses à café, le sucrier, etc., dans le buffet et les posera sur la table (la première tasse est pour son père).

Son retour dans la salle commune nous fait découvrir Freud marchant devant son père, les mains jointes derrière le dos, le front bas.

VOIX OFF DE FREUD : Il peut tout!
Je quitterai Vienne!

Il est visible que Freud s'exagère à plaisir le pouvoir et la volonté mauvaise de Meynert. Mitzi par animosité, Madame Freud par confiance quasi mystique ne le croient pas. Martha le croit à moitié (c'est elle qui le comprend le mieux en cet instant). Mais le pauvre vieux Jakob prend les déclarations de son fils pour des articles de foi. Il va suivre la promenade de son fils comme un spectateur un match de tennis. Il a l'air consterné.

JAKOB, *atterré :* Il ne faut... Que deviendras-tu, mon pauvre enfant?

Freud qui arpente la salle est arrivé au mur de droite; il fait demi-tour et reprend, sans regarder son père :

FREUD : Je vendrai du drap.

Ces mots bouleversent Jakob, qui a tout fait pour que son fils devienne un intellectuel. Il crie en levant une main.

JAKOB : Pas ça!
C'était bon pour moi – et, tu vois, je n'y ai pas trop bien réussi.

Avec un geste pour désigner la pauvreté de la pièce.

Mais *toi!*

Freud est regardé par Mitzi avec colère. Elle hausse légèrement les épaules en revenant près de la table.

FREUD : Eh bien, je serai médecin de campagne. Plaignez Martha!

Dans la cuisine, Martha proteste un peu sèchement parce qu'elle sent l'exagération de ces propos.

MARTHA, *criant un peu pour se faire entendre :* J'aime la campagne, je ne serai pas à plaindre.
MITZI, *riant sans bonté :* D'autant moins que vous resterez à Vienne.

Freud se retourne vers Mitzi, furieux; il la regarde, les sourcils bas, comme un taureau. Jakob, qui n'a rien vu, interroge Freud doucement, presque humblement, avec une très grande inquiétude.

JAKOB : Explique-moi, mon enfant, ce Meynert sait tant de choses... S'il n'est pas bon, qui le sera?

Freud se détourne de Mitzi et renonce à lui parler. Mais il ne répond pas non plus à son père. Visiblement la bonté de Meynert est le cadet de ses soucis. Il hausse les épaules et reprend sa marche (du mur de droite au mur de gauche). Mitzi attend un moment, puis, convaincue qu'il ne répondra pas, elle fronce les sourcils, se place derrière le fauteuil de Jakob, et parle d'une voix claire et dure :

MITZI : Le père te parle, Sigmund.

Freud s'arrête sans se retourner. Agacé, et violent mais à Mitzi :

FREUD : Qu'est-ce que tu veux que je lui réponde ? Je n'en sais rien.

Jakob, avec un air un peu fat qu'il ne se permet que pour parler de son Sigmund.

JAKOB : De toute manière, il manque de jugement.

Freud, stupéfait et offensé, se retourne franchement, cette fois sur son père.

FREUD : Hein ?
JAKOB : Il n'a pas su reconnaître ta valeur.
FREUD, *violent :* C'est que je n'en ai pas.

Il se remet en marche. Le vieux Jakob se tait, interloqué. Freud a un vague remords : quand il atteint le mur de gauche, il fait demi-tour mais cette fois il se dirige vers le fauteuil de son père et se plante devant Jakob. Pourtant il ne peut prendre sur lui de le regarder. Plus conciliant :

Il faudrait que tu l'aies connu : sa sûreté de coup d'œil est célèbre. Et quant au jugement, il lui arrive, à l'hôpital, de faire son diagnostic à vue de nez : et le diagnostic est vrai.

Avec un respect pompeux :

C'est un grand esprit.

JAKOB : S'il te connaît, mon Sigmund, il faut qu'il soit jaloux de toi : tu es plus jeune que lui et tu iras plus loin.

Freud rit amèrement.

FREUD : Jaloux ! Jaloux de moi !

Un temps. Il fait demi-tour et reprend sa marche.

Je suis un rat ; lui, c'est un Golem. J'ai eu le tort de crier. Hier soir. Il m'a remarqué : tiens, un rat. Un coup de talon : écrasée, la bête ! bon débarras.

Jakob est atterré par cette crise de « self-depreciation » à laquelle il ne comprend rien.

JAKOB : Écoute...

FREUD, *l'interrompant :* C'est juste!

Mitzi met la main sur l'épaule de son père comme pour le protéger.

MITZI, *agacée :* Si tu laissais parler notre père au lieu de passer ton temps à le contredire!

Freud s'est arrêté, interdit. Le fait est qu'il ne peut supporter en cet instant ni qu'on attaque ni qu'on défende Meynert : l'humiliation et le respect le rendent presque fou; il est habité par les sentiments les plus contradictoires.

Mais Jakob ne s'est pas aperçu de cette violence ou bien il ne s'en soucie pas. Il lève sa main pâle et la pose sur celle de sa fille. Mitzi a posé sa main sur l'épaule gauche de Jakob. (Celui-ci a posé sa main droite sur la main de Mitzi. Jakob est complètement sincère. Il parle sans la moindre ironie.)

JAKOB, *calmant Mitzi :* Il faut écouter Sigmund, ma fille.

(Sa voix reste aimable, mais elle est plus froide quand il parle à Mitzi.)

Nous ne connaissons pas ces messieurs, Mitzi, et nous ne pouvons pas les comprendre : ce sont des savants.

(Avec un petit rire bon et simple, modeste sans humilité :)

Et nous, nous sommes des ânes.

Ce professeur Meynert, mon Sigi, tu l'aimais.

Freud a un mouvement nerveux de la tête et un grognement : cette conversation lui est insupportable. Sans la moindre amertume.

Une fois, tu l'as appelé ton père spirituel.

Freud perd le contrôle de lui-même, à ce souvenir : il oublie qu'il est devant Jakob.

FREUD, *rire amer et un peu fou :* Eh bien, je suis orphelin.

Écartant les mains comme s'il laissait tomber un objet :

Plus de père du tout!

Mitzi se redresse et regarde Freud avec des yeux indignés. La mère, à la cuisine, se retourne tranquillement, s'avance jusqu'au pas de la porte et, d'une voix calme mais sévère :

MADAME FREUD : Sigmund!

Freud se reprend : il comprend l'énormité de ce qu'il vient de dire et veut se rattraper. Mais c'est plus fort que lui : il ne peut pas se tourner vers le père et c'est à Madame Freud qu'il s'adresse :

FREUD : Le père m'excusera. Il sait que je ne suis pas sûr de moi : j'avais besoin d'un maître.

Jakob s'est tourné vers sa femme et lui parle doucement.

JAKOB, *à Madame Freud :* Il a raison. Engendrer ne suffit pas. Le vrai père prend le fils à la naissance et le guide jusqu'à l'âge d'homme.

Profondément ému, plein de remords, toujours doux mais pris par une terrible tristesse de vieillard :

Je n'ai pas su. Pas pu, je me suis marié trop vieux. Je suis devenu trop pauvre. Je suis resté trop ignorant.

Avec un petit geste désolé de la main gauche :

Et voilà.

Ses yeux se sont remplis de larmes qui ne coulent pas. Les trois femmes semblent bouleversées. Mitzi, avec une espèce de cri de colère, retire brusquement la main qu'elle posait sur l'épaule du père, traverse la pièce en courant, ouvre la porte de gauche et disparaît en claquant la porte.

Freud, les jambes écartées, immobile, le regard fixé sur le parquet n'a pas fait un mouvement.

Heureusement, un coup de sonnette vient rompre la tension. Madame Freud traverse rapidement la pièce et va ouvrir la porte d'entrée (qui donne directement sur le palier). C'est Breuer. Freud a sursauté et s'est retourné, mais son trouble est si profond qu'il n'a pas eu la présence d'esprit d'aller ouvrir. Breuer a son haut-de-forme à la main. Il se penche sur la main que Madame Freud lui tend et la baise respectueusement puis il va vivement vers Jakob. Il porte un paquet qu'il pose sur la table.

BREUER : Voilà du tabac hollandais pour votre pipe. Comment allez-vous ?

Jakob lui sourit avec un air de confiance et de reconnaissance.

JAKOB, *sincère :* Tout à fait bien. C'est Sigi qui m'inquiète.

Breuer a posé son haut-de-forme sur une chaise. Il se tourne vers Freud et lui sourit. Freud lui sourit affectueusement.

> BREUER : On m'a tout raconté.
> JAKOB, *très inquiet mais confiant :* Est-ce que... c'est grave?

Breuer vient pour rassurer toute la famille. Il parle avec douceur mais avec force et conviction.

> BREUER : Ma foi, non!
> JAKOB : Mon fils dit qu'il ne pourra plus exercer.
> BREUER : Est-ce que vous n'avez pas remarqué, mon vieil ami, que votre fils est un peu fou?
> Je ne sais ce qui arrive : tout Vienne est malade, les médecins ne savent plus où donner de la tête : j'ai deux fois plus de patients que je n'en puis traiter.
> Je suis heureux que votre fils ouvre un cabinet : c'est le seul confrère en qui j'ai confiance; nous nous partagerons les clients.

Il entoure de son bras les épaules de Freud.
Les deux femmes et Jakob le regardent avec reconnaissance.
Freud, ému, radieux soudain mais en même temps confus, se tourne vers Breuer. Ils sont très proches et face à face. Mais bien entendu, cette amitié doit exclure, au moins en apparence, toute tendresse homosexuelle.

> FREUD, *plein de gratitude et de trouble :* Breuer!
> (*Aux deux femmes :*) vous comprenez que je ne peux pas accepter.

Breuer lâche l'épaule de Freud, va vers Jakob, attire un tabouret (dont le siège est un peu plus bas que celui du père de Freud), et s'assoit près de lui (non pas face à lui mais à côté). C'est le seul, somme toute, qui parle à Jakob comme au vrai maître de la famille et en toute simplicité : les autres font semblant.

> BREUER : Mon vieux Jakob : écoutez-moi.

On dirait qu'il cherche à le convaincre comme si Jakob avait encore le droit de décider à la place de Sigmund.

> Je suis à l'origine de tout.
> J'ai poussé votre fils à partir pour la France.

Quand il a pris le train pour la France, je me
suis dit : quoi qu'il advienne, j'en répondrai!

Avec force :

J'en réponds!
Ma clientèle est la sienne. Quant à la science...

Vers Freud, avec un sourire de malice :

Ce laboratoire est un symbole et Sigmund le sait.
Tout à l'heure, je lui proposerai autre chose.

Il revient à Jakob. Chaleureusement :

Nous aurons du travail, n'en doutez pas.

*Un long silence. Sigmund, les yeux baissés, mordillant sa mous-
tache, a l'air furieux et heureux. Breuer semble gêné lui-même de
cette reconnaissance muette; il se jette sur le premier sujet venu.*

Et... Et votre jambe? Comment va-t-elle?

*Il veut se relever. Jakob lui pose la main sur l'épaule et l'oblige
à demeurer assis.*

JAKOB, *sans prêter attention à la dernière question :*
Sigmund, prends l'autre tabouret et viens t'asseoir
ici.

*Freud relève la tête, un peu égaré. Sa mère reprend, de la porte
de la cuisine, avec autorité et douceur :*

MADAME FREUD : Sigmund! Tu as entendu?

*Freud, absent — mais non sans répugnance — traîne un tabouret
près de son père et s'assied. Ces deux hommes de haute taille sont
un peu comiques, mais non pas ridicules, sur ces tabourets, avec
leurs longues jambes et leurs genoux qui sont à la hauteur de leur
menton. Le vieux Jakob les domine de la tête.*

*D'abord souriant et familier. Frappant sur l'épaule de Freud
qui supporte ce contact sans aucun plaisir :*

JAKOB : Dieu m'a trop gâté.
Quand il avait trois ans, j'avais déjà compris qu'il
y avait plus d'intelligence dans son petit soulier
que dans ma personne tout entière.
Je n'ai jamais pu le suivre.
Ce monde des savants me paraît si dur... et Sigmund est si jeune!

On va le briser!

Breuer, je vous donne mon fils. Traitez-le comme j'aurais voulu le traiter. Avec votre aide, il ne craindra rien.

Freud s'est raidi. Tout le monde est un peu gêné par cette trans- mission de pouvoir. Il y a chez Jakob en effet un mélange de sénilité et de bonté profonde qui rend ses paroles toujours intempestives et embarrassantes sans qu'elles soient jamais ridicules.

BREUER : Mon cher Jakob, vous me vieillissez : je n'ai que seize ans de plus que lui. *(Il rit.)* Meynert et Joseph Breuer, vous ne trouvez pas, mon vieil ami, que cela fait beaucoup de pères pour le fils de Jakob Freud?

Regard de Breuer vers Freud qui semble terriblement mal à l'aise et vers Madame Freud qui lui sourit comme pour l'engager à tran- quilliser Jakob en acceptant. Breuer prononce cette phrase dans l'intention évidente, s'il accepte, d'affirmer au préalable les droits inaliénables de Jakob.

JAKOB : Des trois vous êtes le seul digne. Accep- tez, je vous en prie. Je suis malade, vous le savez, et je me fais du souci pour lui. S'il est entre vos mains, j'aurai moins de remords.

Breuer cherche une formule pour rassurer le vieux sans revenir sur la cession de paternité. Mais, brusquement, après un regard vers sa mère, Freud se lève, raide et cérémonieux, plus blême que Jakob. Il s'incline, gourmé, claquant presque les talons et il parle péniblement, d'une voix entrecoupée mais qui reste jusqu'au bout déférente et courtoise.

FREUD : Mon père, je vous dois tout et je le sais. Quand je suis né vous étiez riche et ce sont les antisémites de Bohême qui nous ont chassés de Freiberg et qui vous ont pris votre argent. Vous avez été et vous serez toujours l'exemple des pères juifs, mais soyez tranquille : je vous obéirai.

Tourné vers Breuer — qui est resté assis — et souriant affectueu- sement.

Le docteur Breuer aura sur moi l'autorité que vous avez bien voulu lui donner.

*

Freud avec Karl, le fils du vieux général. La scène est
l'homologue de la scène [19] de la version I, mais le traitement
est très différent. Nous donnons cette scène comme exemple
de l'orientation divergente que peut prendre le travail de
Sartre, même si le sujet et les situations demeurent les mêmes.
Elle pourra aussi être rapprochée de certaines scènes des
Séquestrés d'Altona (Franz et le mannequin).

[29], *p. 245-258.*

Dans le même appartement : à un autre étage.

*Porte, au bout d'un couloir. Fritz, penché sur une serrure, y
introduit une clé, la tourne, ouvre la porte. Une grande salle apparaît, qui sert de bureau et de salle à manger.*
*Elle contraste avec la pièce que nous venons de quitter par le goût
discret et sûr, très féminin (est-ce le goût du jeune homme ou celui
de sa mère?) qui a présidé à l'ameublement (meubles et tentures
rococo allemand). L'ensemble, éclairé par trois lampes à huile, semble,
à tout prendre, très gai. Immense bibliothèque vitrée pleine de livres.
Un grand bureau.*

> VOIX OFF DU DOMESTIQUE : Quand Monsieur le
> Docteur voudra sortir, Monsieur le Docteur n'aura
> qu'à sonner.

*Devant le bureau, un objet parfaitement insolite, le seul : un
mannequin de femme (un buste sur une tige de bois noir et verni)
— au-dessus du buste, à l'emplacement du cou, une sorte d'appendice
en bois noir et verni, qui affecte la forme d'une poire renversée
reposant sur un disque.*
*Sur ce buste, une veste d'uniforme autrichien rouge (de général)
et un képi de général. La veste, beaucoup trop large des épaules,
tient à peine sur le mannequin. Un des boutons de l'uniforme est
passé dans une boutonnière, non pas celle qui lui correspond, mais*

celle qui vient immédiatement au-dessus, de manière à réduire l'embrasse et à permettre à la veste de tenir sur le mannequin.

Un homme d'une trentaine d'années, vêtu de noir, est assis sur une chaise et se rencogne dans l'angle droit du mur du fond, comme pour être le plus loin possible de la porte et aussi comme un enfant puni. Quand la porte s'ouvre, nous croyons voir Freud lui-même : les barbes sont taillées et les cheveux coupés chez les deux personnages, de manière à peu près identique mais à mesure que Freud s'approche de Karl, nous voyons les différences s'accuser et l'emporter sur les ressemblances. La chevelure et la barbe de Karl sont plus claires : châtain foncé. Les traits du visage sont fins mais un peu mous, les lèvres sont grasses et en d'autres circonstances pourraient paraître sensuelles. Mais surtout, les contenances sont différentes; les épaules de Karl sont voûtées, ses gestes sont aisés, adroits, courtois sans effort, mais il les fait par habitude et presque à contrecœur : on sent qu'à chaque instant, il a envie de laisser tomber les bras. Et surtout le regard de feu que Freud a fixé sur lui ne rencontre que des yeux mornes qui expriment une désolation infinie. Freud entre dans la pièce, cherchant Karl des yeux. Celui-ci se lève aussitôt et va courtoisement à sa rencontre. À part l'incurable tristesse de son regard, rien n'indique qu'il soit un malade mental.

(Bruit off d'une clé qui tourne et referme la porte.)

KARL, *s'approchant :* Docteur Sigmund Freud?

Il lui prend la main dans les deux siennes et la serre chaleureusement. Freud paraît étonné. Il parle avec affabilité : en reconnaissant Freud, il a pu échapper un instant au cercle de ses soucis.

Vous ne me reconnaissez pas mais je vous connais : je vous ai vu chez le professeur Brücke. Oh vous étiez déjà en seconde année. Il vous parlait de votre avenir; il vous conseillait de vous établir, de vous faire une clientèle. Et vous, vous refusiez.

Cela m'avait tellement frappé. Vous aviez de si bonnes raisons...

Et voilà.

Vous vouliez être savant et vous n'êtes que médecin; je voulais devenir médecin et je ne suis que votre malade.

(Lamentable sourire.)

C'est la vie.

Mais aussitôt il retombe dans sa désolation présente. le « vous n'êtes que médecin » n'est pas insolent : c'est une certaine façon, au contraire, de lier les déceptions supposées de Freud à sa propre misère.

Freud est resté impassible : il n'a même pas froncé les sourcils. Il regarde le malade avec intensité; il le détaille dans ses gestes et dans ses vêtements comme un policier examinant un suspect. De temps en temps son regard se détourne et fait le tour de la pièce comme pour y chercher des indices.

Mais ce qui le distingue d'un policier, c'est son air neutre, sans méfiance, presque bienveillant : il n'a pas affaire à un rival ou à un ennemi mais à un malade et on sent qu'il est décidé à lui consacrer le meilleur de lui-même. Pour la première fois nous devons sentir le rapport du couple malade mental-médecin.

Ses yeux sont attirés par l'uniforme et le képi du mannequin.

> FREUD, *désignant l'uniforme :* Qu'est-ce que c'est?

Karl répond avec négligence et sans se retourner :

> KARL, *très naturel :* C'est l'uniforme de mon père.
> FREUD : Il a été colonel?
> KARL, *imperceptible ironie dont on ne sait si elle vise Freud et son ignorance des grades ou Monsieur Schwartz :* Général, Docteur!
>
> *(D'une voix très simple :)*
>
> C'est un titre honorifique que l'Empereur lui a donné quand il assurait le sous-secrétariat de la Guerre.

Freud va jusqu'au mannequin et le regarde.

> *(Vivement :)* N'y touchez pas.
>
> *(Ton naturel. Pour s'excuser :)*
>
> Excusez-moi : il est trop large pour ce buste. Quand on y touche, il tombe.

Freud, le dos tourné, continue à regarder le mannequin. Sans se retourner :

> FREUD, *voix neutre :* Votre père m'a dit que vous aviez tenté de lui porter un coup de couteau.
> KARL, *voix faible et sombre, mais fermement :* C'est exact.

Freud se retourne avec rapidité. Comme Karl s'est tourné vers lui pour lui répondre, ils se trouvent face à face. Freud fait un pas vers Karl et le regarde dans les yeux.

FREUD, *sans dureté, mais avec intensité :* Pourquoi?

KARL : Je ne sais pas.

FREUD : Étiez-vous en colère?

KARL : Non. *(Avec bonne volonté :)* Si. Quand j'ai voulu frapper. Pas avant. Ni après. *(Un temps.)* C'était une... impulsion.

FREUD : Une impulsion? En avez-vous eu d'autres de cette espèce?

KARL : De quelle espèce?

FREUD : Homicides?

KARL : Jamais. Je ne suis pas un violent, Docteur. Bien sûr, je n'ai pas souvent la tête libre. Il y a des choses qu'il *faut* que je fasse.

(Avec une horreur sincère :)

Mais pas ça!

FREUD : Quoi par exemple?

KARL : Il faut que je compte.

(Petit rire d'excuse pour montrer la sottise de ses occupations.)

Quand vous êtes entré j'ai compté les boutons de votre veste.

FREUD : Et puis?

KARL : J'ai multiplié par 22 et divisé par trois. *(Rire sans gaieté :)* Je connais mon mal.

Il va à la bibliothèque, sort un gros ouvrage de pathologie mentale et montre un chapitre (pages cornées). Freud peut lire : « névrose d'obsession ». Freud rend le livre sans commentaire, Karl va le replacer dans la bibliothèque : on sent que c'est un homme méticuleux et rangé. Il interroge Freud, le dos tourné :

Vous venez pour me faire enfermer?

Freud ne répond pas. Karl se retourne vers lui. Il est blême.

Fritz m'a raconté. C'est ma sœur qui l'exige, n'est-ce pas?

Il attend la réponse de Freud qui ne vient pas. Une nuance de ressentiment :

Elle me déteste.

(*Mais tout de suite, il est repris par le sentiment de sa culpabilité.*)

Je sais que je mérite un châtiment. Le parricide, il n'y a rien de pire, n'est-ce pas?

Il a parlé avec fermeté en regardant Freud dans les yeux. Et c'est Freud, mal à l'aise, qui détourne le regard. Karl insiste :

N'est-ce pas?

FREUD, *sur un ton étrange, à la fois sévère et troublé :* Rien!

KARL, *très sincère :* Vous voyez, je plaide coupable, j'ai horreur de moi. Mais j'ai vu des asiles quand j'étais étudiant. Si l'on doit m'interner, dites-le-moi tout de suite : je me tuerai.

FREUD, *doucement :* C'est un chantage, Monsieur, et vous n'y gagnerez rien.

KARL : Est-ce qu'il ne suffit pas de m'enfermer à double tour?

FREUD : Et si vous frappez le domestique qui vous apporte vos repas? On vous internera sur l'heure avec cette circonstance aggravante que vous aurez tué pour de bon.

KARL, *étonné :* Le domestique? Pourquoi voulez-vous que je m'attaque au domestique?

L'étonnement de Karl doit frapper à la fois le spectateur et Freud. Celui-ci doit penser en somme : s'il ignore vraiment *pourquoi il a attaqué son père, si son geste lui paraît* vraiment *absurde, il ne devrait pas s'étonner à l'idée qu'il pourrait tuer* n'importe qui.

Freud regarde Karl attentivement. Cette fois, c'est à Karl de détourner les yeux. Il remonte vers la table, prend un coupe-papier d'ivoire et frappe de petits coups sur la table (des groupes de sons : on dirait du morse). Il prend sur sa table un journal déplié : c'est le Bulletin médical. *Un entrefilet de six lignes a été encadré par un trait d'encre rouge.*

Est-ce que vous ne pourriez pas me guérir?

Il tend le journal à Freud, qui refuse de le prendre.

FREUD : Je l'ai reçu.

KARL : C'est le résumé de votre conférence. Voilà dix ans que je n'ai rien lu de si passionnant.

> FREUD, *humour noir :* Six lignes : vous êtes bien bon.
>
> KARL : J'y trouve une raison d'espérer.

Les yeux de Freud brillent tout à coup. Il ne peut déguiser son excitation.

> FREUD : Souhaitez-vous que je vous hypnotise ?
>
> KARL : Je ne souhaite que cela.
>
> FREUD, *objectif :* J'ai assisté aujourd'hui même à des expériences qui prouvent que l'hypnotisme est une thérapie valable pour les hystériques.
> Je ne sais *absolument pas* si la méthode s'applique aux névroses d'obsession.

Ces mots sont dits d'une voix neutre : Freud veut prévenir le malade pour garder sa conscience en repos quoi qu'il arrive.

> KARL : Essayez sur moi : vous verrez bien.
>
> FREUD : C'était mon intention, avant même d'entrer dans cette chambre.

Cet aveu est fait très cordialement. Mais aussitôt le ton change : Freud s'approche du malade et sa voix impérieuse trahit son âpre besoin de dominer.

> Mais je vous préviens : je m'en vais à l'instant si vous ne me faites pas *totalement* confiance.
> Vous vous abandonnerez à moi comme un enfant.
>
> KARL, *soumis et plein d'espoir :* Comme un enfant, je le jure.

Pendant un instant Karl semble radieux : son angoisse et son sentiment de culpabilité lui donnent, inversement, le besoin d'être dominé. Il ne demande qu'à s'abandonner. Dans cet échange de regards, nous saisissons cette fois en profondeur le lien du malade et du psychiatre (et dans leur genèse, transfert et contre-transfert). Cette image doit être assez forte et, d'une certaine façon, assez gênante et désagréable, pour que nous nous la rappelions quand Freud, beaucoup plus tard, abordera le problème du transfert. Et ce qui déplaît, dans ce couple qui vient de se former, c'est justement l'apparence très légèrement homosexuelle de la domination et de la soumission.
Freud prend Karl par le bras, le mène au lit-divan, contre la

bibliothèque, et sans un mot, l'oblige par une pression légère de ses doigts à s'y asseoir puis à s'y étendre. Karl obéit.

FREUD : Desserrez le nœud de votre cravate.
Joignez vos mains.
Entrelacez vos doigts.

Freud pose l'index de sa main gauche contre le nez de Karl entre les deux yeux.

Regardez mon doigt.

Karl louche un peu; convergence binoculaire, vers l'index de Freud.

Bien.
À présent, vous allez dormir...
Dormez.
Dormez.
Vous avez sommeil.
Dormez.
Vos paupières sont lourdes, lourdes.

Karl bat lentement des paupières.

Elles vont se fermer.
Elles se ferment.

Karl a fermé les yeux.

Vous dormez.
Vous ne pouvez écarter vos mains.

Karl essaie et n'y parvient pas.

Vous ne le pouvez plus parce que vous dormez.
Dormez profond.
Plus profond.
Plus profond!

Freud s'est penché sur Karl depuis un moment : il lui donne des ordres à mi-voix. À cet instant, satisfait, il se relève, va chercher une chaise, l'approche du lit et s'assied. Il pose ses questions d'une voix pleine et assez forte, remplie d'une impérieuse douceur.

Avant-hier au déjeuner, où étiez-vous, Monsieur Karl?
KARL : À la salle à manger.
FREUD : Qu'avez-vous fait?

KARL : J'ai voulu le tuer.

FREUD : Pourquoi?

KARL, *comme gémissant :* Je ne sais pas! Je ne sais pas! Je ne sais pas!

FREUD : Monsieur Karl, vous le savez fort bien, vous savez pourquoi vous l'avez frappé.

KARL, *docilement :* Je le sais.

FREUD : Pourquoi?

KARL : Pour me défendre.

FREUD : Contre lui?

KARL : Je ne sais pas... Oui...

FREUD : Il vous menaçait?

Karl gémit et s'agite un peu. Freud s'agace.

Il vous menaçait?

Plus à lui-même qu'au malade :

Prenons les choses autrement. Qu'avez-vous mangé?

KARL : Il y avait des hors-d'œuvre.

FREUD : Et puis?

KARL : Du rôti de porc.

FREUD : Quand avez-vous frappé votre père? *(Un temps.)* Pendant que vous mangiez les hors-d'œuvre?

KARL : Pendant qu'il découpait le rôti.

FREUD : Vous rappelez-vous la scène?

KARL : J'ai tendu mon assiette. Il avait une fourchette dans la main gauche et dans la main droite un grand couteau. *(Violent et presque mécanique :)* Je te saignerai, sale porc!

Un temps. Les yeux de Freud brillent. Le visage de Karl est complètement changé. Une moue déplaisante et mauvaise lui tord la bouche, son front s'est ridé. Il parle à présent d'une voix canaille, rocailleuse et souvent obscène. Explicatif :

Il voulait me les couper, avec son coutelas! *(Arrêt brusque.)*

Freud se durcit légèrement, étonné. Mais il veut pousser l'épreuve jusqu'au bout.

FREUD, *doucement :* Continuez, Karl, continuez. Racontez-moi ce qui s'est passé.

KARL : Il voulait me les couper! me les couper.

D'une voix canaille et pleine de sous-entendus :

> Il voulait me couper... les oreilles! Et qu'aurais-je fait de mon nez, moi, si les oreilles avaient manqué?

De plus en plus vulgaire :

> Il est payé pour le savoir, la vieille ordure, depuis qu'il est sourdingue. Finie la rigolade : plus d'oreilles donc plus de nez.
>
> FREUD : Il veut vous châtrer?
>
> KARL : Oui! oui! oui!
>
> FREUD : Depuis quand?
>
> KARL, *tout à coup abattu :* Je suis fatigué.
>
> FREUD : Depuis quand?
>
> KARL, *s'agitant, marmottant :* Je suis fatigué, fatigué, fatigué...

Il a l'air sinistre et misérable. Il garde la bouche ouverte et respire difficilement, avec bruit.

> FREUD, *autoritaire :* Vous me répondrez, Karl, vous me répondrez!
>
> *(Il reprend la question avec une violence contenue.)*
>
> Depuis quand?
>
> KARL, *marmottant :* Vous... *(plaintes :)* Ah!
>
> *(D'une voix plus nette, comme pour s'en délivrer :)*
>
> Depuis toujours!
>
> FREUD : Et depuis quand voulez-vous le tuer?
>
> KARL : Depuis toujours... Depuis toujours!

Il retombe en arrière épuisé, et s'agite faiblement en râlant. Freud semble exaspéré. Il ouvre la bouche pour interroger Karl mais il se rend compte en se penchant qu'il ne tirera plus rien de celui-ci, même en poursuivant l'interrogatoire.

Le visage de Freud est durci par la volonté de dominer et par un dégoût croissant. Visiblement les injures de Karl à son père, aussi bien que l'aspect nettement sexuel de la névrose, lui ont fortement déplu. Il se penche sur Karl, lui relève une paupière, examine son œil blanc. Puis changeant d'attitude, mais en gardant son air tendu et mauvais, il lui parle d'une voix pénétrante et douce.

> FREUD : Calmez-vous, Karl. Tranquille! Tranquille!

Vous êtes tranquille.
Vous dormez!
Pro-fon-dé-ment.

Un temps.

Dormez!
Ouvrez les yeux.
Vous dormez toujours.
Asseyez-vous.
Levez-vous.
Vous dormez debout et les yeux ouverts.

Karl fait les mouvements au fur et à mesure.
Freud fouille dans sa poche. Il en retire le couteau suisse.

Tendez votre main.

Karl a tendu la main. Freud pose le couteau suisse sur la main tendue.

Qu'est-ce que c'est?

(Pas de réponse.)

Regardez!

KARL, *même voix canaille et endormie :* Mon couteau.

Freud prend Karl par les épaules et le tourne vers le mannequin qui supporte l'uniforme.

FREUD : Qu'est-ce que vous voyez?

Karl se met à rire d'un air inquiétant et mauvais.

KARL, *vulgaire :* Je vois le général.

Freud le lâche et s'éloigne d'un pas.

FREUD : Vous avez votre couteau, Karl.
Et le général est là.
Allez!

KARL : Que dois-je faire?

FREUD, *très appuyé :* Ce que vous voudrez.

Un temps. Karl regarde tour à tour le couteau et l'uniforme. Puis il se met à rire et ouvre le couteau d'un grattement maladroit des ongles de la main gauche. Il ferme la main droite sur le manche et marche sur le mannequin.

FREUD : Où alliez-vous?
KARL : Sus au vieux cochon!

Il est devant le mannequin.
Sa main gauche tient l'uniforme par un parement; sa main droite, en arrière de son corps, tient le couteau bas avec la pointe levée.

Je le tiens.
FREUD : Attendez! Pourquoi l'appelez-vous cochon?
KARL : Parce qu'il a violé une fillette.
FREUD : Qui? Votre père?
KARL : Vous ne le saviez pas? C'est public.

(Avec un dégoût scandalisé.)

Une fillette de dix-sept ans! Toutes les nuits!
Je suis payé pour le savoir : c'est ma mère.

Freud commence à comprendre.
Il a brusquement pâli et il paraît à présent plus agité que son malade : ses mains se meuvent maladroitement autour de lui comme s'il était partagé entre le désir d'arrêter l'expérience et la curiosité. À la dernière phrase de Karl, et plus précisément aux mots : c'est ma mère, une sorte de grognement s'échappe de sa bouche et il ferme les deux poings comme s'il allait se précipiter sur Karl.
Karl semble hésiter un moment, la main sur la veste.

Le produit d'un viol ne peut être qu'un monstre.
Dix-sept et cinquante!
Dix-sept et cinquante!

Freud s'est maîtrisé; il parle, les dents serrées :

FREUD : Alors? Qu'allez-vous faire? Continuez!

Tout d'un coup, Karl avance son couteau, le passe entre les deux revers de l'uniforme et coupe les fils de l'unique bouton passé dans une boutonnière. Le bouton tombe sur le sol et roule en tintinnabulant. Karl lâche l'uniforme qui s'ouvre et glisse le long du buste pour s'effondrer au pied du mannequin.
Le mannequin révélé par ce long glissement est un buste de femme. Une main maladroite, celle de Karl évidemment, a marqué au pinceau la pointe des seins. Des traits noirs tentent de représenter — au bas du buste — le triangle velu du pubis (en fait ce triangle est placé trop haut *car le buste s'arrête à la hauteur de l'aine).*
Pendant que l'uniforme glisse à terre, Karl parle de sa voix canaille. Désignant l'uniforme :

KARL : Cinquante sur dix-sept.

Ôtez cinquante, qu'est-ce qui reste? La sale vieille bidoche s'est effondrée.

Et qu'est-ce qu'elle couvrait, cette viande?

Ma mère!

Il envoie promener le képi d'une chiquenaude et saisissant la tête de bois noir, fait tourner le mannequin sur lui-même pour en présenter le dos à Freud. Le début de la raie des fesses est marqué par un trait noir (la forme et la nature du mannequin obligent ses dessous naïfs à garder un caractère de pur symbole).

Ma mère au naturel.

Freud regarde la scène, épouvanté. Il est pâle et en sueur. Il veut l'arrêter mais le mot franchit à peine ses dents serrées et Karl ne semble pas l'entendre :

FREUD : Assez!

Le malade s'est approché du mannequin. Il pose la main gauche sur l'un des deux « seins » figurés sur le mannequin. L'index se lève, les quatre autres doigts semblent presser un sein imaginaire (en fait ce genre de mannequin offre l'effigie d'un buste déjà corseté). L'index se pose sur la pointe du sein gauche, plus exactement sur le point noir qui la figure, et la titille doucement pendant que Karl avec un visage sensuel et troublé se lèche les lèvres.

KARL : Le sein qui m'a nourri!

Freud fait un pas en avant. À cet instant, le malade se pâme. Il renverse la tête en arrière. C'est un orgasme, et nous découvrons avec Freud que son couteau, resté ouvert et que tient toujours sa main droite, entre le pouce et l'index, touche par la pointe au triangle dessiné sur le mannequin et par le manche à la braguette de Karl d'où l'on pourrait même se figurer qu'il sort. Par de légers mouvements de reins, Karl s'écarte et se rapproche alternativement du mannequin. Quand il s'en rapproche, la pointe du couteau vient frapper le pubis. Freud, oubliant qu'il s'agit d'un malade en état de somnambulisme provoqué, se jette sur Karl et pour l'éloigner plus vite du mannequin, le frappe au défaut de l'épaule.

Karl recule, avec le visage brouillé d'un homme hypnotisé qui ne peut faire face aux incidents qui se produisent autour de lui. Freud le prend aux épaules. La main droite de Karl s'écarte et prend du recul comme pour frapper Freud à l'abdomen. Mais celui-ci, sans même s'en apercevoir, a déjà repris le contrôle de Karl.

FREUD : Assez!
Donnez-moi votre couteau.

*Sans regarder le couteau, Karl arrête le mouvement de son bras,
tend la main et donne le couteau.*

Vous dormez.
Profondément.
Vous êtes couché sur votre lit. Les yeux fermés.

Il soutient Karl jusqu'au lit-divan et l'y étend.
Karl s'est étendu.
*Karl gémit et ferme les yeux. Freud regarde le couteau avec dégoût,
ôte le cran d'arrêt, rabat la lame et met le couteau dans sa poche.
Le visage glacé, les yeux durs, d'une voix méprisante et dure :*

Vous n'avez dit que des sottises.
Vous entendez : des sottises.
Oubliez tout!
Je vous ordonne de tout oublier.
Rien ne s'est produit.
Rien.
Vous entendez?

*Karl a manifesté beaucoup d'agitation depuis qu'il est étendu.
La voix autoritaire de Freud le calme peu à peu. Il finit par
s'immobiliser comme s'il dormait d'un sommeil naturel.*

KARL, *bredouillements inintelligibles.*
FREUD, *avec autorité :* Jamais vous n'avez méprisé
votre père! Jamais vous n'avez songé à le tuer. *Vous
entendez?*

*Cette phrase et la suivante (sur la mère) sont dites avec une telle
force et trahissent une telle angoisse intérieure qu'il est impossible de
savoir si Freud veut convaincre l'obsédé ou se convaincre lui-même.*

KARL, *vague grognement d'approbation.*
FREUD : Il n'y a pas, il ne peut pas y avoir sur
toute la terre un enfant qui soit assez dénaturé
pour ne pas respecter sa mère. *Vous entendez?*
KARL : Oui.

Sommeil de Karl. Respiration plus tranquille.
Freud se détourne de lui.
*Il va au mannequin, sans le regarder, comme si c'était sa propre
mère et qu'elle soit nue. Il se baisse, ramasse l'uniforme et le jette*

autour des épaules du mannequin comme s'il voulait en couvrir discrètement la nudité. Mais l'uniforme glisse. Avec des gestes nerveux, comme s'il avait peur de la nudité du mannequin, Freud remonte l'uniforme et boutonne un autre bouton (de travers naturellement) de façon à resserrer la veste autour du buste. Puis il se baisse, ramasse le képi et en coiffe le mannequin. Toutes ces opérations sont faites avec précipitation et nervosité. Soulagé, Freud va vers une tablette (non loin du lit) qui supporte le timbre que le domestique lui a montré (en lui disant : vous me sonnerez). Il sonne puis revient vers Karl. Il lui passe la main sur le front (on sent qu'il surmonte son dégoût).

> FREUD : **Réveillez-vous!**
> **Réveillez-vous!**
> **Ouvrez les yeux.**

Un moment d'attente.
À ce moment, le domestique, au-dehors, introduit la clé dans la serrure.
Bruit off de la clé qui tourne dans la serrure.
Karl a ouvert les yeux.

> **Vous êtes réveillé.**

Sa tâche accomplie, Freud ne réprime plus son dégoût : il regarde son malade avec un mélange d'horreur et de sévérité.
Karl s'assied sur son lit et regarde Freud avec surprise. Puis son regard fait le tour de la chambre : il la reconnaît.

> KARL, *hésitant :* **Vous m'avez endormi?**
> **Qu'est-ce que j'ai fait?**

Freud fait un vague signe d'acquiescement.
Karl est **très** légèrement *inquiet. Il ne soupçonne pas la gravité du mal. Freud hausse les épaules sans répondre.*
Karl s'est levé. Il parle doucement, sincèrement : il ne demanderait qu'à manifester sa reconnaissance.

> **Il y a longtemps que je ne me suis pas senti si bien.** *(Avec un sourire timide :)* **Vous voyez bien : l'hypnotisme, cela sert aussi pour les névroses d'obsession.**

Freud le regarde dans les yeux, d'un air méprisant et glacé. Cette physionomie et le silence qui l'accompagne semblent déconcerter le malade. Son sourire s'efface et les coins de ses lèvres se mettent à trembler.

(D'une voix affable mais où l'on sent déjà percer l'angoisse :) Est-ce que la séance est terminée?
FREUD : Oui.

Karl fait un pas vers Freud comme s'il voulait s'accrocher à lui. Mais il n'ose pas. On sent qu'il redoute de le voir partir.
Ses mains se lèvent un peu. Il les laisse retomber.

KARL, *sur le même ton :* Quand reviendrez-vous?

Freud n'a pu s'empêcher de reculer. Il prend un air de profond dégoût.

FREUD : Je ne sais pas.
Au revoir, Monsieur.

Sèche inclinaison de la tête. Il fait demi-tour. Le domestique au bras bandé l'attend devant la porte. Il sort. Le domestique le suit. Au moment où Freud est sorti, comme le domestique s'apprête à fermer la porte sur eux, Karl lui parle du fond de la pièce.

KARL : Je vais un peu mieux, Fritz, inutile de m'enfermer.

Dans le couloir Fritz, qui vient de refermer la porte, a une clé dans la main — celle de la chambre de Karl — et se tourne vers Freud comme pour lui demander s'il faut obéir à son jeune maître.

FREUD, *avec une violence qui surprend Fritz, comme s'il voulait faire disparaître Karl à jamais :* À double tour! À double tour!

*

Un cauchemar de Freud. Cette scène suit la précédente dans la version II.

[30] *p. 259-262.*

Dans la montagne.

Un étroit sentier tourne autour d'un pic abrupt. À main gauche, un rocher bouche la vue; à main droite, un précipice vertical. Le sentier est taillé dans le roc. Comme dans les rêves précédents, le décor se fait remarquer par son schématisme : les contours de la montagne (ceux du rocher qui s'érige à gauche, ceux du précipice) sont parfaitement nets, réels.

Mais ce qui manque (comme dans certains dessins animés) c'est la matière rocheuse. Il ne s'agit pas de brume ou de visions brouillées, en fait il n'y a rien. La pellicule semble n'être pas oblitérée. Ce qui caractérise le décor, ce sont, à gauche, des lignes montantes, à droite, des lignes de chute. Il s'agit moins d'un décor d'ailleurs que d'ustensiles exigés par le contenu dramatique du rêve. Les autres ustensiles apparaissent à mesure que l'on a besoin d'eux — et ils n'existent jamais que dans la mesure où l'action onirique a besoin de leurs propriétés. Une voix éraillée et toute proche chante une tyrolienne, sans autres paroles que « la-la hi, la la hi tou », c'est la voix de Karl.

(Voix de Karl chantant.)

Celui-ci apparaît, gravissant le sentier aisément, le geste libre et sans prendre garde au précipice. Costume d'excursionniste tyrolien : chapeau à plume, veste verte, lederhosen. De gros bas, des souliers de femme à hauts talons qui n'entravent en rien la souplesse et l'aisance de sa démarche.

Il est d'abord seul. Mais la caméra qui l'a vu d'abord, tout entier puis qui s'est fixée sur un détail de sa personne (gros plan de cette tête barbue avec le trou noir de la bouche qui chante), découvre en s'éloignant un peu une grosse corde — qui n'existait pas une seconde auparavant et qui le ceinture, se noue derrière son dos et se prolonge, droite et tendue hors du cadre : comme s'il halait quelque chose ou quelqu'un.

De fait, au moment où le jeune homme tourne et disparaît sur la droite, nous voyons apparaître Freud en costume tyrolien identique à celui de Karl et que la corde ceinture de la même manière (sauf qu'elle ne se prolonge pas derrière lui après le nœud).

Mêmes souliers à hauts talons; les bas sont exactement semblables à ceux de Karl. Freud ne chante pas la tyrolienne mais il la siffle; il suit le sentier et disparaît au tournant.

Le même sentier, après le tournant. La corde qui reliait les deux hommes s'est singulièrement rétrécie, de même que la distance qui les séparait. Celle-ci, qui devait être de deux mètres environ, nous apparaît brusquement de cinquante centimètres.

Le sentier est toujours aussi étroit. Il fait un tournant quelques mètres plus loin; le précipice est aussi escarpé, la montagne aussi abrupte. Simplement Karl, en tournant la tête, découvre dans le rempart rocheux, à main droite, une anfractuosité profonde et obscure (un mètre quatre-vingts de hauteur sur deux mètres de large). Karl entre dans cette grotte. Freud se met à hurler.

FREUD : Non! non!

Karl semble posséder une force herculéenne : il entraîne Freud sans effort. Freud a beau résister, la corde tendue le hale malgré lui. Freud passe devant une chaire de professeur qui est apparue à l'intérieur de la caverne mais face à l'entrée. Meynert est assis à la chaire : haut-de-forme, habit, fleur à la boutonnière. Meynert regarde Freud sans dire un mot. Freud remarque des fourmis dans la barbe de Meynert et pousse un cri terrible.

(Cri de Freud.)

Heureusement pour lui, en se détournant de Meynert, il voit, en face de lui, au fond de la caverne, sa propre mère, Amalia Freud, assise sur un véritable trône, vêtue comme une impératrice byzantine, avec de nombreux bijoux, les bras, la gorge et les épaules nues. Le trône repose sur une marche taillée dans le roc.

Freud sourit à sa mère et, toujours halé par le jeune homme, lui fait un signe de la main. Mais la mère de Freud, qui l'a parfaitement reconnu, reste impassible et secrète, les mains posées sur les bras dorés du trône; un serpent vivant se tord à son poignet.

Karl s'approche de Madame Freud qui le voit venir et ne fait pas un geste pour le repousser. Il monte sur la marche qui accède au trône et commence à caresser très sensuellement les bras et les épaules de Madame Freud. Celle-ci, sans un mot, regarde Freud d'un air lointain et vaguement moqueur. Karl prend la tête d'Amalia Freud dans ses deux mains et veut l'embrasser.

FREUD, *à Karl* : je te saignerai, sale porc!

Il se jette sur lui, le tire en arrière et le frappe (au défaut de l'épaule, comme il l'a fait en réalité *dans la scène précédente). Karl se laisse faire : il a un sourire mauvais et ironique. Freud, furieux et profondément dégoûté, le repousse vers l'entrée de la caverne et frappe toujours, de toutes ses forces. On n'entend pas le bruit des coups mais simplement le rire bas et moqueur — d'abord très léger — de Meynert.*

(Rire off de Meynert.)

Ils passent devant Meynert, Freud poussant et battant Karl qui recule en souriant.

Meynert fourrage dans sa barbe, y cherche des fourmis, les attrape et les met sur son pupitre. Tout cela sans regarder ses mains : il ne quitte pas Freud des yeux et rit de plus en plus fort.

Rire de Meynert *(crescendo) : Freud pousse Karl hors de la caverne et le fait tomber dans le précipice (toujours souriant). Karl disparaît.*

Rire de Meynert *(très fort) : Mais la corde qui ceinturait les deux hommes, brusquement tendue par la chute de Karl, entraîne Freud et le précipite à son tour dans l'abîme. Le précipice est vertigineux : la muraille est en effet, sous le sentier, verticale. Il n'y a rien à quoi l'on puisse se rattraper. Pourtant Freud se retrouve cramponné à un rocher providentiellement apparu un peu au-dessous du sentier. La corde toujours tendue le tire avec une telle violence qu'il sera bientôt impossible de résister, pourtant Freud libère brusquement sa main droite qui se trouve tout d'un coup armée du couteau de Karl ouvert et au cran d'arrêt et il entreprend de scier la corde. Mais à peine la lame l'a-t-elle touchée, celle-ci se transforme en filin. À l'instant un disque de lumière rouge paraît dans le ciel (celui que nous avons vu dans le rêve du déraillement), le rire de Meynert devient assourdissant et Freud, lâchant le rocher, tombe la tête la première dans l'abîme en criant.*

> *(Rire de Meynert,* assourdissant. *Hurlement de Freud.)*

Martha, réveillée en sursaut par ce cri, allume une bougie sur sa table de nuit. Freud s'est réveillé, lui aussi. Il a les yeux grands ouverts et hallucinés. La chambre est spacieuse et encore peu meublée (lit, tables de nuit, une chaise, une pendule de Saxe sur la cheminée). Les deux époux ont l'air perdus dans ce grand lit et dans cette vaste chambre vide. Des ombres mouvantes au plafond (la flamme de la bougie est agitée par des courants d'air).

MARTHA, *inquiète :* Sigi!

Freud la regarde, d'abord sans la voir.

FREUD, *à demi conscient :* Il faut couper les ponts. J'ai crié?

Il la reconnaît.
Elle fait un signe de tête : elle a peur — Freud lui fait peur.
Il regarde la pendule pendant que Martha prend le bougeoir et le lève à bout de bras pour éclairer.

Quelle heure est-il?
Cinq heures. Je me lève.

MARTHA : Tu es fou?

FREUD : J'ai un dossier à lire. Un dossier de client.

MARTHA : Sigi! C'est ton *premier* client : rien ne presse.

Freud la regarde avec des yeux mauvais : il a l'air peureux et buté.

FREUD : Il faut que j'en finisse *tout de suite.*

DEUXIÈME PARTIE

Dans la version II, Dora est une jeune femme qui a des problèmes conjugaux. Son rôle a été étoffé.

[8] *p. 310-313.*

Dans le cabinet de Freud.

Le jour suivant, à cinq heures du soir. Dora est couchée sur le divan, endormie. Freud, assis à son chevet, fume un cigare. La séance cathartique est en cours. Freud tient un carnet dans la main gauche. Quand il prend des notes (avec un crayon) il met le cigare dans sa bouche et l'y laisse. Pour la cendre, il s'est avisé d'apporter à ses pieds le crachoir-cendrier, dont il use. Il regarde Dora comme s'il allait la manger, avec des yeux brillant d'excitation et de curiosité — d'où bien entendu toute concupiscence sexuelle est bannie.

> FREUD : Vous n'avez plus de flatulences?
> DORA, *endormie* : Non.
> FREUD : Mais vous avez racheté des bonbons.
> DORA : Oui.
> FREUD : Vous en avez dans votre sac?
> DORA : Oui.
> FREUD : Prenez-en un.

Dora prend son sac qui est sur le divan à côté d'elle (elle le prend sans se redresser, par un tâtonnement léger de la main gauche), elle en tire un sac de bonbons et, dans ce sac, elle prend un sucre d'orge.

Qu'est-ce que c'est ?
DORA : Du sucre de pomme de Normandie.
FREUD : Mangez-en un.

Dora ôte le papier qui enveloppe le sucre d'orge et commence à le sucer. De temps à autre, elle effleure à peine le sucre d'orge de ses lèvres, le mordille et même, sans l'introduire dans sa bouche, tire la langue pour le lécher à petits coups. D'autres fois, elle l'enfonce profondément dans sa bouche. Dans le premier cas, on a l'impression d'une sexualité un peu froide, curieuse, un peu vicieuse peut-être (symboliquement : clitoridienne) et dans le second d'une sexualité profonde qui est en passe de s'éveiller (vaginale).

Il s'agit de montrer comment Dora, perpétuellement excitée et perpétuellement inassouvie, reste entre les excitations superficielles de l'onanisme et le trouble profond du coït.

Freud l'observe et prend des notes (comme s'il décrivait cette attitude).

C'est bon ?
DORA, *avec respect :* Cela vient de France.

Freud la regarde, hésitant, puis semble décidé à s'engager dans une direction nouvelle. Au moins pour un instant.

FREUD : Et vous aimez la France, n'est-ce pas ?
DORA : Oui.
FREUD : Y êtes-vous allée ?
DORA : Non.

Freud répète intentionnellement les banalités courantes.

FREUD, *l'air sentencieux, presque sot :* Les Françaises sont si belles !
DORA : Pas plus que chez nous.
FREUD : Peut-être mais elles savent s'habiller.
DORA : Non.
FREUD : Elles ne savent pas ?
DORA : Elles sont fagotées : j'en ai vu l'an dernier pour notre Exposition.
FREUD : Heureusement, il y a les Français.
DORA : Oui.
FREUD, *se guidant sur ses réactions :* Ils ne sont pas plus beaux que les Autrichiens.

Dora sourit d'un air un peu complice en agitant la tête.

DORA, *avec complicité :* Non.

FREUD : Ni plus intelligents ni plus savants ni plus courageux ni plus forts.

Elle nie de la tête à chaque qualificatif. Elle reste une seconde la bouche entrouverte, souriante : à cet instant Freud risque le coup. Du même ton aimable :

Seulement, voilà : ce sont de merveilleux amants.

DORA, *d'une voix neutre :* Les meilleurs de l'Europe, n'est-ce pas?

Son succès obtenu, Freud laisse paraître son dégoût.

FREUD, *sévère :* Qui vous a dit cette bêtise?

DORA : Irma.

Dora enfonce profondément son sucre de pomme dans sa bouche ouverte en cul de poule.

FREUD : Irma a des imaginations sales. Elle vous fait du mal.

Avez-vous eu des amants français?

Elle secoue la tête en retirant un peu le sucre de pomme pour le réenfoncer dans sa bouche.

Et d'autres?

Elle a sorti le sucre de pomme de sa bouche. Elle le montre à Freud :

DORA, *sincère et indignée :* Jamais! Le voilà, mon amant. Je le mordille et je l'embrasse.

Il met vingt minutes à fondre.

Grand rire (qui trahit son ressentiment contre quelqu'un dont elle ne dit rien).

Vingt minutes! C'est si beau qu'on croit rêver.
Et quand je l'ai croqué, j'en prends d'autres.
Je recommence aussi souvent que ça me plaît.

Elle approuve à chaque élément nouveau de la nomenclature :

FREUD : Vous mangez aussi des viandes en sauce.
Des pâtés.
Entre les repas, des tartines de miel.

Ou de confiture.

Ou des gâteaux. Pourquoi?

DORA : Ça m'emplit. Ça me bourre.

Ça me comble.

Ça se change en mon sang; ça devient la chair de ma chair.

Freud feuillette le carnet.

FREUD : La boulimie commence six mois après votre mariage. Pourquoi?

DORA : J'avais de l'appétit.

FREUD : Avant votre mariage, vous n'en aviez pas?

DORA : Non. Oh! non.

FREUD : Qu'est-il arrivé?

DORA : On m'a ouvert l'appétit, et puis, quand j'ai eu faim, on ne s'est pas soucié de m'assouvir. *(Elle rit aux éclats.)*

FREUD : Pourquoi riez-vous?

DORA : Je pense à ce qu'il dit dans les dîners officiels : « L'industrie crée des besoins mais c'est pour les combler. »

FREUD : Les industriels ne ressemblent pas à l'industrie.

DORA : Non. Il m'a donné ce besoin – que je n'avais pas... il l'entretient par des caresses, par des baisers.

Mais il ne le comble jamais.

Coup de dents violent et sec sur le sucre de pomme qui se brise.

FREUD : Pourquoi?

DORA : Allez donc savoir!

Tout va toujours si vite. Il arrive avant que je sois partie.

FREUD : Alors vous mangez?

DORA : Tant que je peux. Je me fais plaisir.

FREUD : La nourriture, Dora, c'est le substitut de l'amour qu'il ne vous donne pas et de l'enfant qu'il ne vous a pas fait.

Il se lève, les yeux brillants, va s'asseoir à son bureau, écrit longuement sur un cahier. Nous ne lisons que le titre de son observation : Dora : frustration sexuelle. Soudain il relève la tête et s'aperçoit qu'il a tout à fait oublié Dora. Il se lève, va vers elle et la réveille.

> Réveillez-vous, Dora. Et rappelez-vous ce que vous m'avez dit.

Elle ouvre les yeux. Il est devant elle, austère et cérémonieux. Impérieux :

> Tout ira pour le mieux, Madame. Dites à votre mari que je veux le voir.
> Je l'attends demain à six heures.

*

Une cure de Freud. Magda et son père apparaissent aussi dans la version I.

[12] *p. 331-344.*

Le lendemain matin. Le cabinet de Freud.

Freud est penché sur Magda que nous voyons à peine et qui dort, étendue sur le divan.

C'est sur le conseiller d'État Schlesinger que l'objectif est dirigé. Cet homme — soixante ans environ — les cheveux entièrement blancs — est assis sur une chaise.

Son haut-de-forme est posé sur le sol à côté de lui, les deux mains appuyées sur une canne à pommeau d'ivoire et le menton sur ses mains. Le conseiller est grand et extrêmement maigre. Son visage est ascétique. Des yeux froids et bleu pâle, les joues creuses, les lèvres minces, pas de barbe; des favoris. Visage tourmenté mais froid, des rides; sur les tempes, des veines saillantes. Il semble mal à l'aise et outré, mais il prend l'attitude de l'homme loyal qui a promis de garder le silence et qui le gardera malgré son indignation. Nous entendons les questions de Freud que nous distinguons vaguement au fond (ou peut-être que nous ne voyons même pas).

Les réponses de Magda sont lentes, difficiles à comprendre. On mesurera ses résistances à ses retards. On sent que cette séance cathartique est troublée à la fois par les résistances de Magda et par la présence de son père.

> FREUD : Vos douleurs dans le dos, quand les avez-vous ressenties pour la première fois?
> MAGDA : Il y a dix ans.
> FREUD : Quand avez-vous commencé à vous courber en avant et à boitiller?
> MAGDA : Il y a dix ans.
> FREUD : Il était mort?
>
> *(Silence de Magda.)*
>
> Répondez, voyons!
>
> *(Silence. Entre ses dents :)*
>
> C'est insupportable.
>
> *(Plus fort :)* Était-il mort?

Freud se retourne à moitié. Il jette un coup d'œil irrité vers le conseiller qui regarde dans le vide, sans souffler mot.

> LE CONSEILLER, *de sa place, d'une voix terne et douce :* Oui.
> FREUD, *politesse exaspérée :* Monsieur le conseiller d'État, je vous serais obligé de ne pas répondre à la place de votre fille.
>
> *(À Magda :)*
>
> Depuis combien de temps?
> MAGDA : Quoi?
> FREUD : Mort depuis combien de temps?
> MAGDA : Six mois.
> FREUD : Comment est-il mort?
> MAGDA : Tombé.
> FREUD : Tombé où?
> LE CONSEILLER : Frantz est tombé dans un précipice au cours d'une ascension.

Freud s'est retourné vers le vieillard avec des yeux fulgurants. Mais au moment où il va éclater, il entend derrière lui la voix de Magda presque intelligible. Son visage s'éclaire immédiatement. Il fait demi-tour.

> MAGDA : La colonne vertébrale...
> FREUD, *se retournant vers elle :* Qu'est-ce que vous dites?

MAGDA : La colonne vertébrale... *(Rire presque mauvais.)* cassée. Il était tombé sur le dos.

FREUD, *il est sur une piste; il se penche sur Magda :* Vous a-t-il embrassée?

Le père est révolté par cette question et les suivantes. À chacune d'elles il fronce les sourcils ou bien il lève très légèrement le menton et frappe sa canne contre le plancher.

LE CONSEILLER, *indigné :* Embrassée? *(Petite toux de désapprobation. Sans élever la voix, pour lui-même :)* Allons! allons!

Freud ne tient aucun compte de ces interruptions.

FREUD : Vous a-t-il embrassée?

LE CONSEILLER, *un peu plus haut :* Mais non!

FREUD : Vous a-t-il embrassée?

MAGDA : Une fois.

FREUD : Une fois seulement?

MAGDA : Dix fois.

FREUD : Dix fois?

MAGDA, *rire ironique :* Dix mille fois. Souvent.

Elle reprend son calme. Sincère : Souvent.
Le père semble ébahi.

FREUD : Où?

(Silence.)

Où vous a-t-il embrassée?

Le père frappe sa canne sur le parquet.

MAGDA : Dans le jardin.

FREUD : Non, Magda. Je vous demande : sur quelle partie du corps?

MAGDA, *comme si elle répondait à la question :* Dans le jardin!

Le visage de Magda change. Sans ouvrir les yeux, elle sourit avec une sorte de malice perverse.

Le conseiller a retourné la tête; pour la première fois il regarde Magda et semble suffoqué par la surprise devant l'air vicieux de sa fille et sa sournoiserie.

L'indignation, chez lui, l'emporte sur les consignes qu'il s'impose. Il élève la voix pour la première fois.

LE PÈRE : Assez!

Il s'arrête, interdit, craignant d'avoir été trop loin. Magda s'agite; elle émet une série de petits jappements, comme si l'intervention de son père l'avait affectée jusque dans son sommeil. Aussitôt Freud se penche sur elle et la calme.

FREUD : Vous dormez, Magda.
Vous dormez tranquillement.
Vous êtes dans votre chambre, toute seule.
Il fait noir.
C'est le minuit profond du sommeil.

Magda se détend et s'enfonce dans le sommeil. Freud l'abandonne un instant pour aller vers le conseiller. Ce mouvement démasque entièrement Magda. Elle est vêtue de noir, curieusement enfoncée dans les coussins, comme si elle était à la fois bossue et tordue. C'est une vieille fille qui n'a pas, en fait, dépassé la trentaine mais qui paraît sans âge. Réellement laide, joues flasques et grises, nez trop fort, les lèvres minces de son père. On a posé près d'elle une ombrelle noire qu'elle touche souvent dans son sommeil d'un mouvement qui ressemble à une conjuration.

Freud s'arrête en face du conseiller. Il attend. L'homme que nous voyons aujourd'hui est débarrassé (du moins dans ses rapports avec ses malades et leurs proches) des doutes, des passions et de la timidité que nous lui connaissons (et qu'il retrouvera – mais moins intensément – quand il sera personnellement en jeu). Il fait preuve au contraire d'autorité calme et profonde (qui tire son origine de son travail et de son savoir) radicalement opposée à celle du conseiller (fondée sur l'habitude de commander et sur ses pouvoirs sociaux).

FREUD : Eh bien, Monsieur le conseiller?

Le conseiller, furieux, mais reprenant la maîtrise de lui-même, garde une voix sourde, comme s'il craignait malgré tout de réveiller sa fille. Il montre Magda d'un geste large et indigné.

LE PÈRE : C'est une jeune fille.
FREUD, *avec une brutalité calme :* Je n'en sais rien; vous non plus.

Le conseiller se lève, outré. Il s'appuie sur sa canne et il regarde Freud de ses yeux glacés.

LE PÈRE, *outré :* Vous dites?
FREUD : Je dis que pour affirmer d'une femme qu'elle est vierge, il faut l'avoir soumise à un exa-

men médical. Pour moi, vierge ou non, c'est une malade. Cela suffit.

Un temps.
Le conseiller le regarde du même air dur et furieux mais sans souffler mot.

Par ailleurs, je reconnais que nous perdons notre temps.

LE PÈRE : Je ne vous le fais pas dire.

FREUD : Monsieur le conseiller, vous n'avez rien à faire ici.

LE PÈRE : Si, Monsieur!

FREUD : Quoi?

LE PÈRE : Je vous surveille.

Freud est légèrement amusé par cette défiance.

FREUD, *léger sourire après un regard sur Magda, presque détendu :* Craignez-vous que je n'abuse d'elle?

LE PÈRE : Pourquoi pas?

FREUD, *nouveau regard sur Magda :* En effet, pourquoi pas?

Il redevient dur.

Quand Magda va chez le gynécologue, est-ce que vous l'accompagnez?

LE PÈRE : Naturellement.

FREUD : Jusque dans son cabinet?

Un bref silence. Freud regarde le conseiller en plein visage et ses yeux ont lancé des éclairs : c'est un policier qui met la main sur un indice encore indéchiffrable mais dont il soupçonne l'importance. Pendant un instant, ce n'est pas assez de dire qu'il regarde le conseiller, il l'observe (comme un détective ou comme un entomologiste : à froid).
Le conseiller semble déconcerté par l'attitude de Freud plus que par sa question. Il se croit obligé d'expliquer, ce qu'il fait avec majesté, de sa voix glaciale et coupante.

LE PÈRE : Vous êtes marié? *(Vague grognement de Freud qui peut passer pour un acquiescement; visiblement il pense que c'est à lui d'interroger et non à ses clients. Le père prend ce grognement pour un acquiescement.)*

Je vous souhaite d'ignorer toute votre vie que
le premier devoir d'un veuf est de servir *aussi* de
mère à ses enfants.

*Freud le regarde toujours comme la première fois, nous découvrons
dans ses yeux son insoutenable regard d'analyste. (Jusque-là, nous
ne l'avons presque jamais vu observer, rarement vu regarder. Ce
contraste — entre le regard aveugle de l'homme privé et cette impitoyable lumière — doit nous faire comprendre comment Freud est à
la fois celui qui déchiffrera plus tard le cas de Cecily et qui pourra
vivre sa vie entière auprès de Martha sans la connaître.)*
*Au bout d'un instant de silence, il se détourne du conseiller et
retourne à Magda.*
Freud a posé la main sur le front de Magda.

Qu'allez-vous faire?
FREUD : La réveiller.
Je renonce.

*Le conseiller a repris toute sa maîtrise de soi; il parle à Freud
avec sévérité.*

LE PÈRE : Attention, docteur Freud! Vous m'avez
dit ce matin que vous changiez vos méthodes. Que
vous endormiriez ma fille, que vous remonteriez
jusqu'à l'origine des symptômes et qu'au réveil elle
serait guérie.
Vous n'avez rien trouvé : qu'y puis-je?
Est-il honnête de rejeter sur moi la responsa-
bilité de votre échec?
FREUD : Jusque dans l'hypnose, votre fille se
contrôle parce qu'elle n'oublie pas que vous l'écoutez.

Avec regret :

Il fallait descendre! descendre! sonder les profondeurs...
LE PÈRE, *outré :* Docteur Freud. Une Schlesinger
n'a pas de profondeurs.

*Freud le regarde avec des yeux courroucés. Il est exaspéré par
l'incrédulité et l'obstination de Schlesinger — comme aussi par la
triste obligation d'abandonner une catharsis qui promettait beaucoup. Son orgueil lui fait faire un faux pas : il réagit au scepticisme*

*par un besoin d'écraser l'incroyant, c'est-à-dire par une vantardise
malheureuse.*

FREUD : Que savez-vous de votre fille? *(Perfide-
ment :)* Elle vous avait caché ses relations avec Frantz!

*Le conseiller hausse les épaules avec indifférence : en fait il est
ulcéré par cette découverte.*

Qui vous dit que je n'ai pas en main de quoi la
guérir?

LE PÈRE : Cette amourette... vous y attachez de
l'importance? Deux enfants se sont embrassés. Il
y a douze ans de cela.

Deux ans après, le garçon est mort...

FREUD : Mort, oui : la colonne vertébrale en
miettes et six mois après, les médecins appelés au
chevet de Magda diagnostiquaient une déviation
de la colonne vertébrale parce qu'elle en présentait
tous les symptômes. Et ils se trompaient : il s'agissait de contractures hystériques : elle imitait la
déviation. Comme si elle avait voulu réaliser *dans
son corps* la mort de celui qu'elle aimait pour le
garder toujours en elle.

Un silence. Le père n'aime pas du tout ces conjectures.

LE PÈRE, *ironie dure et déplaisante :* Sa maladie ne
serait qu'une manière... originale... de porter le
deuil de son cousin?

*(Avec la certitude profonde que Freud va perdre la
face.)*

Si vous avez raison, Magda sera guérie ce matin
même.

Freud se rend compte qu'il a fanfaronné.

FREUD, *battant légèrement en retraite :* Je n'ai pas
dit cela.

LE PÈRE : Vous venez de le dire.

*Freud regarde Magda, hésitant : il sait qu'il n'a pas été assez
loin; il a peur de la réveiller.*

FREUD : Je vous répète qu'il aurait fallu...

LE PÈRE, *franchement désagréable, avec autorité :*
Réveillez-la, mon cher; nous verrons bien.

Il frappe de sa canne sur le parquet : c'est un ordre.
Freud hausse les épaules et se décide à réveiller Magda. Penché sur elle :

> FREUD : Vous allez vous réveiller, Magda.
> MAGDA : Oui.
> FREUD : Vous vous rappellerez tout ce que vous m'avez dit, n'est-ce pas?
> MAGDA : Oui.

Freud appuie très légèrement sa paume sur le front de Magda.

> FREUD : Réveillez-vous.

Celle-ci ne doit pas être profondément endormie : elle se réveille instantanément. Tout aussitôt ses lèvres se pincent : elle prend l'air de famille Schlesinger; cet air – dur, puritain, morne et non sans distinction réelle – est précisément celui qu'affecte Schlesinger au même moment. Son premier regard n'est pas pour Freud mais pour son père, le père et la fille se regardent; on sent qu'il se passe entre eux quelque chose mais nous ne savons ce que c'est. Il s'agit évidemment des sentiments de Magda pour Frantz et du fait qu'elle les a cachés. Sitôt après, avec l'autorité que donnent la richesse et l'habitude du pouvoir, le conseiller prend la direction des opérations – comme s'il voulait éliminer Freud (et peut-être compromettre toute chance de guérison).

> LE PÈRE : Le docteur Freud croit que tu es guérie, mon enfant, assieds-toi.

Magda s'assied avec effort; nous la voyons : voûtée, courbée en avant, presque bossue. Sans quitter des yeux son père elle tâtonne pour retrouver son ombrelle, la prend et la pose à côté d'elle. Sa main droite se promène le long de l'ombrelle. Celle-ci semble être sa protection magique.

> FREUD, *agacé et répondant directement au conseiller bien qu'en regardant Magda :* Je ne crois rien.
> Laissez donc cette ombrelle.

Magda écarte quelques instants sa main de l'ombrelle mais elle y revient bientôt. Schlesinger lui parle avec une magnanimité démentie par la froideur de ses yeux bleus.

> LE PÈRE : Redresse-toi, Magda.
> Allons! Tiens-toi droite.

Elle fait de vains efforts. Le père, d'une voix de juge :

Tu m'as beaucoup menti, mon enfant, je viens de l'apprendre.

Mais si cela peut t'aider, tiens, je te pardonne.

Freud écoute, un peu en retrait, gêné, furieux, mais l'échec de sa tentative (échec qu'il a d'ailleurs provoqué par sa vantardise) lui ôte le goût et les moyens de protester avec virulence.

FREUD *dur, mais en faiblesse :* Permettez.

LE PÈRE : Je suis son père, Docteur. Elle m'obéira mieux qu'à vous.

Avec une pointe de cabotinage :

Lève-toi et marche.

Il se met ostensiblement devant Freud. Celui-ci ne dit rien : il observe les deux autres personnages. Magda prend l'ombrelle; elle s'appuie de toutes ses forces sur celle-ci pour se relever. Elle se tient sur ses jambes maintenant, la nuque et les épaules courbées, le torse dévié, le nez presque à la hauteur du pommeau de l'ombrelle. Elle commence à marcher, soutenue par l'ombrelle, à petits pas minuscules et inégaux, ouvrant à peine les jambes et traînant les pieds. Sans l'ombrelle, il paraît évident qu'elle tomberait la tête la première. Mais en même temps, il semble que cette ombrelle soit plutôt une conjuration magique, un talisman devenu indispensable, qu'une réelle béquille. Freud n'a d'yeux que pour l'ombrelle.

FREUD, *au comble de l'agacement :* Encore l'ombrelle! C'est de la comédie, Magda. Elle *ne peut pas* vous soutenir. Lâchez-la!

La position de Freud est devenue insupportable par sa faute : il sait très bien que c'est Schlesinger lui-même qui par sa présence a rendu la séance tout à fait inutile. Mais il sait aussi que celui-ci prendra prétexte de la vantardise de Freud pour démontrer avec mauvaise foi que la méthode cathartique est un échec. Freud voit en effet que tous les symptômes sont revenus et que Schlesinger oblige sa fille à marcher pour que le constat d'échec soit parfait.

LE PÈRE, *faisant exprès de prendre à son compte l'ordre de Freud pour montrer qu'il met son autorité paternelle au service de cette expérience :* Fais ce que te dit le docteur. Lâche ton ombrelle.

Magda a peur de lâcher l'ombrelle mais il semble que la voix blanche de son père la terrorise. Elle ouvre la main, l'ombrelle tombe au sol. Un instant Magda vacille, comme si elle allait marcher mais,

*pour finir, elle pique du nez et tomberait, tête en avant, si Freud
et Schlesinger, chacun de son côté, ne se précipitaient pour la rattraper au vol et pour la retenir. L'entraînant :*

>   Essaie encore. Nous te tiendrons. Jusqu'à la
> fenêtre.

*Arrivée devant la fenêtre, elle se débat un peu, son visage exprime
une angoisse intolérable et elle marmotte pour elle-même :*

> MAGDA : Je ne peux pas! Je ne peux pas!
> Je veux mon ombrelle. Je ne peux pas! *(Cri aigu
> et fou.)* Mon ombre-e-elle!

*Le conseiller semble curieusement réjoui de sa victoire : est-il content
que Magda reste malade ou que (à ses propres yeux du moins)
l'inanité de la méthode cathartique soit démontrée? Il parle à Freud
avec indulgence; il est un vainqueur magnanime.*

> LE PÈRE : Oui, ma chérie. *(À Freud :)* Ayez la
> bonté de la tenir un instant, docteur.

*Il va ramasser l'ombrelle et la tend à Magda qui s'en empare
avidement et s'appuie dessus.*
*Magda, rassurée par son ombrelle, s'éloigne de la fenêtre, pliée
en deux et boitillant.*

> Vous pouvez la lâcher.
> *(Sourire triste.)*
> Et voilà!
> Rien n'est changé.
> *(Un temps; magnanime.)* Je marche avec mon
> temps. Docteur : l'électrothérapie, je comprenais!
> Notre siècle a dompté l'électricité : tant mieux!
> qu'on s'en serve pour soigner.
> Mais l'hypnotisme! cette vieillerie! Et dans notre
> bonne ville de Vienne qui a eu l'honneur, il y a
> plus d'un siècle, de chasser Mesmer le premier
> magnétiseur.
> Vous donnez dans ces fantasmagories? Cela
> m'étonne : je connais les hommes et je suis assuré
> que vous n'êtes pas un charlatan.

*Freud subit cette mercuriale sans faire un geste ni dire un mot.
Mais il est visiblement fou de rage (et particulièrement contre lui-*

même qui s'est laissé prendre à un piège). Il sourit, salue rapidement de la tête et se gratte les paumes avec les ongles.
Il est à la limite de l'exaspération. Mais il la contient encore.

> FREUD, *d'une voix blanche et très calme :* Vous avez raison, Monsieur le conseiller. Un charlatan continuerait le traitement. Il vous éblouirait par des tours de passe-passe. Moi, je refuse. Je ne soignerai plus votre fille.

Magda, trottinant, boitillant, appuyée sur son ombrelle, revient vers eux. Elle regarde Freud avec ironie (l'air de dire : Et puis après?). Il surprend ce regard. Cette fois, le point de rupture est atteint. Il dit avec une autorité irrésistible :

> (*À Magda :*) Avancez!

Au conseiller qui souhaite protester, qui déjà ouvre la bouche, Freud ajoute, sans même le regarder :

> (*Au père :*) Silence!

Avec un vague geste de la main, mais d'une voix inflexible. Il met la main sur le front de Magda, toujours courbée, écrasée plutôt, sur son ombrelle. Avec force :

> Dormez.
> À l'instant, oui.
> Debout. Les yeux ouverts.
> C'est un ordre.

Magda s'endort comme un poulet, sur place.

> *Avec une extrême violence :* J'en ai par-dessus la tête de votre ombrelle.
> Je la déteste.
> Je lui ordonne de se casser net entre vos mains, *avant la nuit tombée.* Vous avez entendu?
> MAGDA, *en un soupir :* Oui.
> FREUD : Bon. Réveillez-vous.

Magda s'est brusquement éveillée. Son premier regard est de nouveau pour son père. Celui-ci, d'ailleurs, ne la quitte pas des yeux : on dirait qu'ils se défient. Le conseiller se tourne vers Freud, avec une affabilité ironique :

> LE PÈRE : Et vous hypnotisez aussi les objets?
> Qu'est-ce qui est plus suggestible?
> Les ombrelles ou les parapluies?

La force de Freud est d'avouer tranquillement ses erreurs.

> FREUD, *dur et sincère :* Monsieur le conseiller, j'ai fait deux imbécillités : la première, c'est d'avoir cru, fût-ce un instant, que le symptôme disparaîtrait après cette séance grotesque, la seconde est d'avoir perdu la tête au point de donner des ordres hypnotiques à une ombrelle. Mais vous m'avez exaspéré! Je ne ferai rien de bon avec Magda et c'est *par votre faute.* On dirait que vous ne souhaitez pas...

Le conseiller s'est redressé, superbe de majesté outragée. Tout d'un coup, un craquement sec, un cri de Magda, les deux hommes se retournent vers elle et nous apercevons, en même temps qu'eux, l'ombrelle cassée. Elle s'est à demi rompue au point précis où le manche de cuir se rejoint à la tige axiale – sur laquelle coulisse le dispositif à baleines. L'événement a eu lieu en dehors de notre champ visuel, en dehors du leur. Magda, courbée en avant, considère l'ombrelle avec stupeur. Celle-ci a, bien entendu, cessé de lui servir d'appui : elle est au bout du bras (horizontal) de Magda, comme un objet mystérieux, inquiétant, par rapport auquel on prend ses distances tout en l'examinant.

En même temps, la tête de Magda s'incline en avant et nous avons le sentiment qu'elle va tomber sur le nez. Son père veut se précipiter – comme tout à l'heure – pour la soutenir. Mais Freud étend le bras et lui barre le passage.

> LE PÈRE, *furieux d'être arrêté dans son élan :* Qu'est-ce que tu as fait, pauvre enfant?
>
> MAGDA : Je n'ai rien fait.

Elle se redresse tout d'un coup, lève *d'un beau mouvement rapide le bras qui tient l'ombrelle et la lâche; celle-ci va frapper le plafond et retombe près du chapeau haut de forme du père. La figure de Magda s'est éclairée. Sans être belle, elle est transfigurée par la passion qu'elle exprime. Le corps, lui, délivré de ses contractures, est beau. Beau selon les canons de l'époque, c'est-à-dire un peu gras mais grand, majestueux, la taille fine. On devine de belles longues jambes et de beaux seins un peu lourds. Magda sourit à son père, lui tire la langue d'un air enfantin et dépourvu – du moins en apparence – de toute hostilité; elle pince sa jupe entre deux doigts de la main gauche, la remonte – à gauche – jusqu'au début du mollet et se met à danser. Elle chante d'une voix de contralto*

*un refrain grivois, qui, s'échappant de cette grande femme passion-
née, semble étrange et presque sinistre.*

> Les rideaux de notre lit sont faits de toile rouge
> (*bis*).
> Et quand nous sommes dedans
> La danse du ventre nous prend
> Tout bouge
> Tout bouge
> Tout bou-ouge.

*En même temps qu'elle répète « tout bouge » elle se livre à une
danse frénétique de tout son corps.*
La première réaction du conseiller est le scandale.

> LE CONSEILLER, *impérieux :* Assez!

*Elle cesse de chanter mais elle le regarde dans les yeux sans
arrêter sa danse. Freud les observe tous les deux, les sourcils froncés,
passionnément.*

> D'où sais-tu cela?
> MAGDA, *éclatant de rire, d'une voix encore endormie :*
> D'où sait-on ce que l'on sait?

Cette phrase obscure semble bouleverser Schlesinger.
Dansant de plus belle — autour de son père cette fois.

> Vive la liberté!
> Vive la liberté!
> Entrez tous!

On frappe à la porte; elle va ouvrir en dansant.
*La porte s'ouvre et livre passage à Breuer qui contemple la scène
sans s'émouvoir (c'est une malade ; il en a vu d'autres). Elle s'incline
et se retourne vers son père, d'un pas très normal, sans danser. À
Schlesinger, les yeux dans les yeux :*

> Je suis guérie, père.

Sur un ton ambigu :

> Vous n'êtes pas content?
> LE CONSEILLER : Content n'est pas le mot, mon
> enfant : je suis *émerveillé!*

*Il appuie sur le mot « émerveillé ». Mais sa voix affable reste sèche
et triste.*
Il trouve une certaine chaleur pour parler à Freud.

(À Freud :)

Je suis un saint Thomas, Docteur, et je ne crois que ce que je vois.

Mais j'ai vu.

Je vous fais toutes mes excuses et je vous offre ma reconnaissance.

Freud s'est assombri. Il regarde Schlesinger avec une hostilité très nette — pour la première fois depuis le début de la scène. Il lui pardonne plus volontiers son scepticisme que sa crédulité présente.

FREUD, *sec et dur :* Qu'est-ce que vous avez vu? Qu'est-ce que vous avez vu?

Rien.

Une charlatanerie.

Voilà beau temps que je le sais : les sceptiques de votre espèce sont les premières victimes des charlatans.

À Magda qui écoute avec un sourire tranquille :

Vous n'êtes pas guérie, Magda. Et vous ne le serez pas tant que vous n'aurez pas vidé votre sac.

Le conseiller, agacé, veut couper court.

LE CONSEILLER : Vous aurez la bonté de me faire connaître...

Freud, terrible de rancune et véritablement méchant :

FREUD : Plus tard, Monsieur le conseiller. Quand vous serez revenu me voir. Car vous reviendrez avant six mois. Et ce jour-là, pauvre Magda, vous marcherez sur des béquilles.

MAGDA, *sourire épanoui :* Nous verrons. Père, votre chapeau.

Elle se baisse et prend le haut-de-forme que le conseiller a déposé près de la chaise qu'il occupait au commencement. Elle le lui tend. Le père prend le chapeau de la main droite et donne le bras gauche à sa fille. Breuer leur ouvre la porte. (Freud est resté près de la fenêtre.) Le conseiller le reconnaît au passage et s'incline.

LE CONSEILLER, *courtoisement :* Je ne vous avais pas reconnu, Docteur. Je vous salue.

Pour le remercier de tenir la porte ouverte :

Merci.

Ils sortent. Breuer referme la porte sur eux. Breuer et Freud, aux deux bouts de la pièce, se regardent sans souffler mot, attendant que la malade et son père aient quitté le bureau. On entend presque tout de suite le bruit de la porte de l'appartement qui s'ouvre et se referme.

À l'instant, Freud se plie en deux et – pour la première fois depuis le début du film – il éclate de rire. Ce fou rire, bien entendu, est aussi violent que rare : il est rocailleux et rapide comme un torrent, et l'on ne sait si Freud rit de colère ou d'amusement. En fait, on doit sentir qu'il est soulagé de la façon providentielle dont il a été tiré d'une situation terriblement délicate.

Breuer le regarde amusé et se met à rire aussi.

BREUER : Je ris de vous voir rire mais je ne sais pas de quoi je ris.

FREUD : Breuer, cette fille est admirable! Elle vaut votre Cecily.

Quand je suis en colère, je ne fais que des bêtises, voyez-vous. J'ai commencé par me vanter d'avoir guéri la malade et pour finir, j'ai hypnotisé une ombrelle.

Il riait sous cape, le vieux renard, et j'ai manqué perdre la face.

Avec une réelle exaltation :

Magda m'a sauvé avec un sens *admirable* de la situation et de sa maladie : elle a cassé son ombrelle, elle s'est libérée de ses chaînes... pour huit jours peut-être, mais c'est une victoire sur elle-même. Je la tiens, elle est mûre : quand elle reviendra, avec ou sans son père, je la presserai comme un citron.

Breuer entend ces déclarations avec malaise : cet homme doux et libéral préfère se dissimuler la violence tyrannique et le despotisme de son ami. Il sourit dans le vague et se hâte de détourner la conversation.

BREUER : M'accompagnerez-vous chez Cecily?

FREUD : À l'instant!

Il se détourne et jette un regard par la fenêtre. Nous voyons, au coin d'une rue, le père et la fille tourner et disparaître. Magda, droite et ferme, a la tête de plus que son père. Comme à lui-même :

Quel drôle de couple. Ils me font horreur.

*

Discussion entre Freud et Breuer sur Cecily.

[14] *p. 368-376.*

Breuer et Freud dans la voiture de Breuer.

Rue très animée. La voiture passe devant un joli café viennois dont le nom est inscrit en lettres d'or au-dessus des glaces : « Café d'Esculape et des médecins réunis. » Breuer fait un signe au cocher. La calèche s'arrête; Breuer en descend le premier.

BREUER, *à Freud :* Nous serons mieux pour causer.
FREUD, *résistance légère :* Ce sera plein de médecins.

Breuer regarde sa montre :

BREUER : À onze heures trois quarts?

Freud descend : ils entrent. En effet le café est encore désert. Au cours de la conversation, quelques médecins apparaîtront, salueront de la main les deux amis et iront s'asseoir assez loin d'eux. Au fond, au-dessus de quelques tables, une pancarte : club médical du whist.
Freud et Breuer vont s'asseoir dans un petit box isolé. Au-dessus d'eux, sur le mur, la tête d'un magnifique dix-cors. On a écrit, sous la tête empaillée : don du docteur Hergisheimer. 1870.

Freud, je vous fais mes excuses.

Le garçon s'est approché, respectueux et familier.

LE GARÇON : Ces messieurs les docteurs?
BREUER, *toujours affable :* Bonjour, mon ami. Donnez-nous deux capucins.

Le garçon s'éloigne. Freud regarde Breuer sans comprendre.

FREUD : Des excuses?

BREUER : Les symptômes ont bel et bien disparu.

Il rêve.

Je la connais trop, voyez-vous. Et puis après tout, c'est elle qui a trouvé la méthode.

En fait, je lui laisse dire ce qu'elle veut.

Il se penche. En confidence :

Madame Körtner m'a confirmé votre hypothèse : le père de Cecily est mort dans un bordel napolitain.

C'est inconcevable.

Haussant les épaules :

Toutes les femmes étaient folles de lui.

Un silence. Freud le regarde depuis le début avec appréhension et timidité comme s'il prévoyait et redoutait un blâme. Breuer regarde dans le vide mais son visage devient maussade et inquiet.

FREUD, *avec affection mais timidement :* Vous n'êtes pas content?

BREUER, *très cordial :* Moitié-moitié.

Il doit être visible qu'il ne reproche rien à Freud : il prend ses responsabilités et, s'il s'inquiète, c'est parce qu'il craint de nuire à Cecily.

Avons-nous eu raison de toucher à cette corde-là?

Breuer ajoute, sobrement et sans commentaires, le regard toujours fixe :

Elle a voulu se tuer plusieurs fois.

FREUD, *plus insinuant qu'affirmatif :* Plus il y a de suie, plus il faut ramoner.

Freud parle à Breuer avec beaucoup de circonspection. Il est, certes, content d'être intervenu mais Breuer continue à lui faire peur.

BREUER, *distrait, parlant pour lui seul :* Pas avec cette brutalité!

Freud prend cette phrase (qui, évidemment, s'applique aux deux amis), pour lui seul.

FREUD : Je... *(excuse un peu piteuse :)* elle résistait.

Breuer le regarde et la mine piteuse de Freud l'oblige à rire, très affectueusement d'ailleurs.

BREUER, *sans méchanceté :* « Elle me résistait, je l'ai assassinée. » C'est dans je ne sais plus quel mélodrame.

Il faut avouer, cher ami, que vous n'y êtes pas allé de main morte.

Freud a l'air très déconfit.

C'est votre manière, mon ami. Et surtout ne croyez pas que je vous le reproche, je vous ai laissé l'interroger. S'il y avait un coupable...

Freud accepte à la rigueur que Breuer le juge coupable mais il ne supporte pas que son maître s'accuse.

FREUD, *vivement, indigné :* En tout cas, ce ne serait pas vous, Breuer.

Un temps. Il réfléchit à son tour.
Tout d'un coup, les mots lui viennent presque à son insu, mais, à ses yeux, l'argument est capital.

Elle *refoulait* ses souvenirs. Jusque dans l'hypnose.

BREUER : Après?

FREUD : Il ne vous restait que la manière forte.

BREUER : Si elle les refoulait, c'est qu'ils lui étaient insupportables.

Est-ce qu'elle les supportera mieux à présent?

Il regarde Freud avec une incertitude triste.
Freud prend l'avant-bras de Breuer et le serre.

FREUD, *chaleureux et convaincu :* Mais, Breuer, c'est *votre* découverte, c'est *votre* méthode : la guérison par la vérité.

Faisons toute la lumière et partout!

BREUER, *avec un peu de violence :* Attention! Quand l'aube approche, je veux bien aider à la naissance du jour.

Mais je refuse de violer les âmes!

Il a honte de son éclat, et tout aussitôt, pose amicalement la main sur l'épaule de Freud.

N'est-il pas légitime qu'une enfant de vingt ans veuille respecter la mémoire de son père? N'a-t-elle pas eu raison d'ensevelir en elle un souvenir qui la déshonore?

FREUD : Pour oublier ce qu'elle a vu et entendu, elle s'est faite aveugle et sourde : c'est payer trop cher. À présent elle sait : elle voit, elle entend, elle va vivre.

BREUER : Espérons-le!

(Un temps. Avec une sincérité passionnée :)

Je le souhaite de toutes mes forces.

Ils finissent de boire leur café au lait, chacun réfléchissant, le regard fixe.

Ils saluent un ou deux arrivants. Breuer appelle le garçon. Freud lui met la main sur le bras et, d'un air pressant et plein de sous-entendus (non : pas vous; vous avez déjà réglé telle et telle addition, etc...)

FREUD : Je vous en prie.

BREUER, *avec délicatesse :* C'est votre tour? Parfait.

Pendant que Freud donne une pièce au garçon, Breuer, sûr que Freud est désabusé, ajoute avec un sourire :

Et vous, Freud? *(Freud le regarde :)*
Ce traitement par la vérité vous a-t-il guéri?

FREUD, *abasourdi :* Guéri?

BREUER, *toujours négligent :* Oui. De votre marotte...

Freud le regarde sans comprendre; Breuer insiste mais son but n'est pas de dénoncer une erreur scientifique : il voudrait simplement, contre Mathilde et Freud, prouver l'innocence de Cecily. Toujours souriant :

Cette fille est blanche comme la neige.

Freud, qui ne comprend toujours pas, jette un regard autour de lui pour chercher la fille dont parle Breuer, qui, légèrement agacé, attend que le garçon ait rendu la monnaie et se soit éloigné puis :

Cecily, le sexe n'a rien à voir avec ses troubles. Vous en avez vous-même établi l'origine : cette nuit terrible à Naples. Un bon vieux traumatisme à la Charcot.

Il se lève tranquillement, sûr de sa réponse. Il ajoute :

Nous aurions du mal à trouver dans cette histoire vos « désirs frustrés ou réprimés » et votre « sur-accumulation d'énergie nerveuse ».

Freud ne s'est pas levé ; il regarde Breuer de bas en haut avec un mélange de tristesse, de décision et de vraie tendresse. Breuer, qui ne regardait pas Freud, s'aperçoit que celui-ci reste à la table. Il se penche vers lui, très légèrement agacé.

Eh ?

FREUD, *chaleureux et pressant :* Rasseyez-vous, Breuer.

Un seul instant. Je voudrais vous dire...

Breuer fait une très légère grimace et se rassied.
Breuer n'est pas décidé à laisser parler Freud.
Il réexpose le cas pour aboutir à mettre Freud en contradiction avec Charcot.

BREUER : Une jeune fille de la haute société est réveillée la nuit dans une ville étrangère, par deux policiers qui l'emmènent au bordel, dans une voiture cellulaire. Elle découvre le cadavre de son père nu et souillé au milieu des filles.

Comme choc nerveux, cela ne vous suffit pas ?

Freud l'écoute très mal à l'aise. Il croit sincèrement au traumatisme mais il ne connaît pas assez Cecily pour décider si la mort du père est le traumatisme originel.

Il répond qu'il ne sait pas avec timidité pour ne pas contrarier Breuer en révélant sa pensée.

FREUD : Je ne sais pas...

BREUER, *un peu agressif :* Alors, vous abandonnez la théorie du traumatisme ?

Pour Breuer, il faut choisir : accumulation d'énergie nerveuse ou traumatisme.

FREUD, *sincère, avec force :* Jamais de la vie !

BREUER, *pressant :* Où est le traumatisme dans l'histoire de Cecily ?

FREUD : Je ne sais pas. *(Il se hâte d'ajouter :)* En tout cas, la mort du père a sûrement été *un* traumatisme.

Pour Freud, il peut y avoir une conciliation (il ignore laquelle) entre ces deux aspects de la question.
Freud lui met la main sur le bras et l'oblige, d'un air suppliant, à ne pas quitter son siège.

Les policiers l'ont convoitée. Elle l'a senti. Dieu sait ce qu'ils ont fait ou dit.
Ensuite elle a vu toutes ces femmes nues. Et pour finir le père, dans sa nudité de vieux mâle, entouré par les femelles qu'il avait caressées. *Et tué par le sexe.*

(Un temps puis Breuer trouve une réponse.)

Breuer, d'abord déconcerté, retrouve son animation dès qu'il a compris ce qu'il croit être la confusion commise par Freud. Il cligne des yeux, troquant son inhabituel air de majesté contre son expression ordinaire d'intelligence très vive et de finesse.

BREUER : Freud, je sais où est l'erreur.
Oui. L'histoire est tout entière *sexuelle.*
Mais pour qui?
Pour le père, qui aimait, Dieu sait pourquoi, les prostituées.
Pour ces demoiselles qui vivent de leurs charmes et qui en tirent parfois, dit-on, un certain plaisir.
Pour les policiers même, ces brutes obscènes.
Pour tout le monde *sauf* pour Cecily.
FREUD : Cecily? Croyez-vous qu'elle ait pu vivre au centre d'un événement dont la charge sexuelle était si forte sans en être elle-même pénétrée?
BREUER, *voyant que Freud n'est pas décontenancé et qu'il maintient ses positions, retrouve une irritation qui croîtra de réplique en réplique :* Charge sexuelle, décharge sexuelle, c'est très joli.
Pratiquement, qu'est-ce que cela veut dire? Croyez-vous qu'elle enviait les pensionnaires de l'établissement?

Cette ironie fait long feu. Freud, absorbé dans ses pensées, lui répond avec sérieux :

FREUD, *sérieusement :* C'est à vous de savoir : vous devriez l'interroger sur ces femmes. Très directement. Mais sous hypnose, bien entendu.

BREUER : Mais, Dieu me pardonne, vous me répondez sans rire ?

Un médecin entre et regarde de leur côté. Breuer signale le nouvel arrivant et se met à sourire dans sa direction.

Attention !
(Souriant au médecin, il glisse à Freud :) Souriez.

Le médecin sourit et salue ; Breuer fait un beau sourire et un geste de la main.
Le médecin va s'asseoir au fond.
À mi-voix, souriant encore, puis sérieux et même sévère, sans regarder Freud.

Ne soyez donc pas si têtu ! Essayez pour une fois de comprendre les autres.

La perfidie du « pour une fois » doit se sentir : Breuer songe sans doute à Martha.

Elle vient d'apprendre cette mort honteuse ; à présent, elle *voit* la honte : sur les visages, sur le cadavre. Elle est folle de douleur et d'angoisse ; folle de *solitude*. Les filles, pour elle, ce sont des criminelles : elles ont couvert de boue, elles ont tué l'homme qu'elle révérait.
Qu'y avait-il en elle ?
Une peine immense et de l'horreur. Ce ne sont pas des aphrodisiaques.

FREUD : Assurément non.

(Il rêve.)

De l'horreur, c'est cela.
Un mélange d'horreur et de trouble.

Un médecin vient d'entrer.
Breuer manque de renverser son verre.

BREUER, *d'une voix presque tonnante :* De trouble sexuel ?

Freud, pour conjurer l'orage, lui désigne le nouvel arrivant :

> FREUD, *très vite :* Souriez! Souriez! C'est Rum-
> pelmayer.

Breuer et Freud sourient au médecin. Les trois hommes échangent des saluts.

> RUMPELMAYER, *de loin, très haut :* C'était une
> paraplégie.
> BREUER, *aimablement :* Vous devez être content!
> RUMPELMAYER, *assez fier :* J'envoie une note à la
> Société médicale.

Il va s'asseoir au fond en face d'un des nouveaux arrivés. Ils entament une partie de dominos. Freud profite de cette accalmie pour continuer à mi-voix sans regarder Breuer.

> FREUD : Pas d'horreur sans un désir condamné.

Il a pris sa tasse vide par l'anse. Il l'incline à droite, à gauche, en avant, en arrière et en regarde le fond où coule une larme de café au lait sur un peu de sucre à moitié fondu. On dirait un précipice en miniature, vertigineux pourtant. Il parle sur un ton neutre, retenu, avec une voix appliquée et cela suffit pour nous faire comprendre qu'il effectue – peut-être à son insu – un retour sur lui-même, bien que le « je » qu'il utilise soit évidemment abstrait et universel.

> Ce désir croît puisqu'il est inassouvi; les forces
> de répression croissent avec lui : quand le nombre
> des émeutiers double, le gouvernement double les
> régiments.
> Un désir écrasé, maudit et *vivant!* Hors de moi,
> le fond du précipice, vertigineux, fascinant. En
> moi, cette lutte immobile et sans pitié, la certitude
> que je suis un monstre... Je me penche, je veux et
> je ne veux pas tomber : j'ai peur. Voilà l'horreur :
> le trouble, quand il se hait.
> *(Rire off de Breuer.)*

À la fin de ce développement, il est brusquement interrompu par un éclat de rire, d'ailleurs sans méchanceté, de Breuer, qui le regarde amicalement. Freud semble décontenancé.

> BREUER, *toujours amical :* Je vous demande par-
> don, mon cher ami, puis-je vous poser une ques-
> tion?

(Sur un signe d'assentiment de Freud :) Combien de fois, dans votre vie, avez-vous été au bordel?

FREUD, *net et ferme : affaire de principes :* Je vous l'ai dit : pas une seule.

BREUER : J'y suis allé trois fois entre dix-sept et vingt ans, par fanfaronnade. Ce sont mes trois plus mauvais souvenirs. Ces filles sont hideuses, Freud. Elles m'ont inspiré de l'horreur, d'accord; mais si peu de désir que je suis reparti; les trois fois, comme j'étais venu.

Il est calmé à présent et se montre aussitôt conciliant. Sans aucune hypocrisie : ses réserves viennent en effet — en dehors de ses relations avec Cecily — de la méfiance que lui inspirent les théories et les systématisations.

Il y a des traumatismes dont l'origine est sexuelle : j'en suis convaincu.

Mais pourquoi voulez-vous qu'ils le soient tous?

La Nature est variée, Freud, variée à l'infini. Et Cecily ne ressemble pas à votre Dora.

Freud regarde Breuer avec incertitude. Il finit par se décider à faire une confidence capitale :

FREUD, *d'une voix sourde :* Dora ne compte pas.

(Un temps.)

Breuer, étonné par la voix de Freud, le regarde attentivement. Celui-ci a repris l'air hagard qu'il avait à la fin de la première partie.

Vous rappelez-vous le fils Schwartz?

BREUER : Il voulait tuer son père, non?

FREUD : Il voulait...

Freud fait un brusque sourire : un client vient d'entrer. Le client, étonné, se découvre sans sourire et s'éloigne. Breuer s'est retourné un peu tard et ne voit que sa nuque.

BREUER : Qui était-ce?

FREUD : Personne. Je l'avais pris pour un médecin. *(Revenant à son récit :)* J'ai compris, ce jour-là.

Le sourire a disparu. Freud a retrouvé son air hagard.

BREUER : Quoi?

FREUD : Quelque chose d'horrible. Le monde

peut-être, ou peut-être moi. Aucune importance :
j'ai tout oublié.

BREUER : Vous l'avez hypnotisé.

FREUD : Je suppose.

BREUER : Qu'a-t-il dit ? Qu'a-t-il fait ?

Freud hausse les épaules.
Un temps.

FREUD : Je sais qu'il m'a fait horreur – parce
qu'il me fascinait...

Avec un drôle de rire :

Et puis j'ai vu le Grand Diable!

BREUER : Le *sexe*.

*Freud ne dit pas un mot, ne fait pas un geste, mais son silence
même est un assentiment.*

BREUER, *avec une affectueuse ironie :* En vous, puritain ?

FREUD : Un puritain, c'est un refoulé.

Ils se regardent. La discrétion de Breuer l'empêche d'insister.
Mais il est clair qu'il est un peu inquiet. Freud lui sourit.

J'essaierai de me rappeler. Je vous parlerai...

(Un temps.)

Freud s'est tourné vers Breuer, il est un peu moins sombre : son
visage exprime l'espoir et la confiance. Très grave :

Vous m'aiderez, n'est-ce pas ?

Breuer lui sourit et lui serre la main en silence. Des médecins
entrent pendant que les deux amis se regardent; ils envoient des
saluts et des sourires auxquels ni Freud ni Breuer ne répondent.
Freud se reprend et lâche la main de Breuer.

(Souriant :) Cecily, je vous l'abandonne : les
preuves manquent : il aurait fallu...

Surprenant l'exaspération renaissante de Breuer, il se hâte
d'ajouter :

Bon, bon, bon! Dites à Mathilde que c'est un
ange et que j'ai perdu mon pari.

TROISIÈME PARTIE

Le rêve « on est prié de fermer les yeux ». Freud tente de l'interpréter avec Breuer.

[5] *p. 449-460.*

Un terrain vague. Pas d'horizon. Il se termine par une sorte de brume ou de lucide inexistence. Seuls ou deux par deux, muets, les yeux clos, des hommes en noir, portant le haut-de-forme, se promènent. Ils ont tous la même caractéristique : ils traînent les pieds et cela produit le seul son que nous entendions : un raclement très désagréable. Des poteaux sortent du sol, en assez grand nombre, de dimensions inégales. Ils portent tous des écriteaux dont nous ne voyons que la face postérieure. L'envers de ces écriteaux comporte certainement des indications ou des signaux mais nous ne les voyons pas; les promeneurs les verraient sans doute, s'ils ouvraient les yeux, car ils se déplacent, pour la plupart, en direction de l'objectif. Mais toutes les paupières restent closes. Au premier plan, immobile, face à nous, nous reconnaissons Freud — il porte un haut-de-forme et ferme les yeux, comme tout le monde. Il s'est pourtant arrêté devant un écriteau — qui se trouve fixé à un poteau d'un mètre soixante environ — et il se penche un peu vers lui comme s'il lisait. Et de fait brusquement il ouvre les yeux et voit ce qui est écrit. Son visage n'exprime aucun sentiment particulier mais nous entendons au même instant un hurlement — sans que les lèvres de Freud aient remué.

VOIX OFF DE FREUD, *hurlement de dormeur terrifié par un cauchemar.*

*La scène que nous venons de décrire (les poteaux, les prome-
neurs, etc.) dure à peine plus qu'un flash. En fait, c'est presque un
tableau et nous voyons Freud* tout de suite *devant l'écriteau.*

*Ce qui dure un peu plus longtemps (à peine une seconde, pour-
tant), c'est le cri.*

*Sur le cri l'image disparaît mais le cri reste. C'est lui qui fait la
liaison du cauchemar de Freud avec la réalité vue par lui à son
réveil.*

En effet la disparition de l'image (qui se fait avec brutalité *et
sans transition : on était sur ce terrain vague, on est dans la chambre
de Freud) nous fait découvrir la chambre à coucher du jeune ménage
Freud, telle que le malade la voit de son lit – ou* presque. *Presque :
parce que nous voyons en premier plan Freud lui-même dans son
lit. Il vient de se redresser. L'objectif s'est placé à droite du lit, un
peu en arrière de Freud : ce qu'il voit, c'est ce que découvrirait un
témoin debout à la tête du lit, à droite, et adossé au mur. Freud
s'est tourné, lui, vers la gauche. Il s'est à demi redressé en s'appuyant
sur les avant-bras et les coudes : nous voyons sa nuque. Il regarde
évidemment Martha et Breuer qui, assis l'un à côté de l'autre, le
dos tourné à une fenêtre, guettaient son réveil et que ce hurlement
a fait sursauter. Martha se lève brusquement; elle semble très impres-
sionnée.*

MARTHA : Sigi!

*Freud nous apparaît à présent tel que Breuer et Martha le voient :
en chemise de nuit, les cheveux ébouriffés, des cernes de plus en plus
noirs sous ses yeux agrandis par l'égarement et la terreur. Il met
quelques instants à se retrouver. Quand il a compris qu'il est dans
sa chambre et quand il a vu le trouble de Martha, il se détend un
peu et fait un sourire d'excuse.*

FREUD : Un cauchemar...

*Martha est en noir. Elle a beaucoup pleuré, ses yeux sont gonflés.
Elle sourit tendrement à Freud.*

MARTHA : Breuer attend depuis une heure ton
réveil. Il voudrait t'examiner.

FREUD, *fausse bonne humeur* : Parfait! Parfait!
Approchez, tortionnaire!

*Breuer s'est levé : il a l'air sérieusement inquiet. Il ne songe pas
même à sourire. Il tient sa trousse d'une main et, de l'autre, il
transporte sa chaise jusqu'au chevet de Freud.*

MARTHA : Je vous laisse. *(À Breuer :)* S'il vous faut quoi que ce soit, vous sonnez : je suis dans la chambre de la petite.

Dès qu'elle a tourné le dos, le sourire de Freud disparaît. Il a l'air sombre et traqué (comme à la fin de la première partie). Mais on lit sur son visage sa décision énergique de regarder en lui-même et de débrouiller ses propres énigmes.

BREUER : Voyons le cœur.

Freud répond par un geste de refus. Et comme Breuer, étonné, veut l'interroger, le geste de refus se change en une prière impérieuse : que Breuer se taise tant que Martha n'a pas quitté la chambre. Breuer comprend et se tait. D'ailleurs, Martha a ouvert la porte. Elle sort et la referme sur elle.

Dès que Freud voit la porte se fermer, il parle. À voix basse :

FREUD, *avec un rire un peu égaré :* Je n'en ai pas. Je vois que vous me comprenez.

Breuer le regarde tristement et hoche la tête; il veut parler. Freud, d'un geste, lui demande le silence. Il s'est assis sur son lit, il a des gestes brusques et parle d'une voix nerveuse, un peu saccadée, qu'il a baissée – par précaution, non par fatigue.

Je viens de m'avouer la vérité.

BREUER : Quand?

Au début, Breuer le regarde avec inquiétude. Il croit que Freud délire.

FREUD : En rêve. C'était clair comme le jour.

BREUER : Quelle vérité?

FREUD : Attendez! Il faut retrouver ce qui était écrit : je l'ai un peu oublié.

(Il s'aperçoit de l'inquiétude de Breuer et rit.)

Je ne suis pas fou.

Je parle de mon rêve : il y avait des écriteaux.

À ces mots nous nous retrouvons dans le rêve de Freud (en réalité, dans le souvenir qu'il en garde et qu'il peut examiner selon plusieurs directions différentes).

D'abord les promeneurs en deuil sur le terrain vague. Ils ont toujours les yeux clos. Mais cette fois, Freud n'est pas parmi eux.

VOIX OFF DE FREUD : Le cimetière...

Suivant les mouvements de la pensée de Freud, l'objectif se rapproche d'un des poteaux (l'un des plus petits) portant un écriteau cloué aux trois quarts de sa hauteur. On dirait — assez vaguement — une tombe (ou ces étiquettes attachées à un piquet, dans les « jardins botaniques » et qui portent le nom des plantes).

        Il y avait des tombes... *(Humour noir.)* chrétiennes. Je me demande ce qu'elles faisaient là.

L'appareil tourne autour du poteau (vu d'abord par-derrière et de haut) en s'abaissant jusqu'à le prendre de face. Nous découvrons alors, sur la face antérieure de cet écriteau de bois blanc, des caractères et des signes tracés au pinceau (peinture noire).

        J'essaye de lire... de lire... Je n'y arriverai pas. Attendez! je vais prendre une voie indirecte.

On revient sur les hommes qui errent, les yeux clos, entre les écriteaux, dont certains sont de très grande taille et cloués fort au-dessus de leurs têtes. On insiste surtout sur les paupières — que chacun ferme par une contraction des muscles qu'on sent violente et volontaire.

        Il y avait des hommes... Des aveugles...

Nous découvrons Freud au milieu d'eux. Son visage : ses paupières se crispent — celles de l'œil droit se mettent à trembler. On dirait qu'il va ouvrir les yeux.

        Non. *(Impérieux :)* Défense absolue d'ouvrir les paupières.

À peine la voix off de Freud a énoncé cette défense (d'un ton important et officiel), les yeux de Freud (dans le souvenir du rêve) s'ouvrent tout grands. Il a l'air à la fois traqué et mauvais, ce que nous n'avions nullement remarqué dans le rêve. Il regarde quelque chose qui se trouve placé face à lui et un peu plus bas. Il se met la main devant la bouche comme s'il allait crier (geste qui doit être conventionnel).

        Voilà!

L'écriteau vu de face. On voit écrit : « On est prié de fermer les yeux. » L'écriteau reste un moment devant nous.

        RIRE OFF DE FREUD : Voilà.
        BREUER, *voix off :* Qu'avait-on écrit?
        FREUD : La Loi.

Aussitôt nous nous retrouvons dans la chambre de Freud. Breuer, intrigué malgré lui, se penche pour écouter.

On est prié de fermer les yeux. J'avais ouvert les miens, juste assez pour apprendre qu'il fallait les fermer.

Il s'aperçoit de l'étonnement maussade que ces prétendues révélations ont provoqué chez Breuer et se met à rire.

Vos rêves ne vous apprennent rien, vous?

Breuer secoue la tête.

J'ai le sentiment qu'on m'envoie des messages.
BREUER : Qui?
FREUD : Moi, je suppose. Moi à moi, à propos de moi. Seulement, neuf fois sur dix, au réveil, j'ai perdu la clé.
Les mots sont drôles en rêve. Ils ont plusieurs sens à la fois.
Fermer les yeux de qui? Les miens, d'abord : par respect. On est prié de *baisser* les yeux devant la mort.
Ceux de mon père aussi : il fallait lui fermer les yeux.
BREUER : Vous l'avez fait.

Breuer se retrouve un peu plus à l'aise sur ce terrain : car il a compris à sa manière et — en dehors de toute interprétation symbolique — ce que Freud va lui dire.
Freud lève les mains et fait un geste des deux pouces.

FREUD : Comme ça!
C'était un geste. Ça ne vaut rien. Le rêve me le dit : je n'étais pas digne.

Il se retourne de face vers Breuer et lui dit en le regardant avec des yeux de feu.

Je me suis évanoui, n'est-ce pas?
Savez-vous pourquoi?

Breuer hausse les épaules.

BREUER : Vos nerfs ont craqué. Il y a deux jours que je prévoyais cela.
FREUD : Mes nerfs sont d'admirables serviteurs.

Je me suis évanoui pour ne pas franchir le seuil du cimetière. Et pour ne pas voir la tombe où l'on allait ensevelir mon père.

Le souvenir du rêve : Freud est au premier rang des messieurs aux yeux clos. Il marche avec eux. Il a seul les yeux ouverts. Il tombe en arrière comme dans la réalité. Mais personne ne le retient. Les gens s'écartent légèrement sans cesser leur marche traînante et le cortège se dédouble : chaque rangée se divise en deux rangs qui passent de part et d'autre du corps raidi de Freud, allongé sur le dos, les yeux grands ouverts.

VOIX OFF DE FREUD : J'ai porté sentence sur moi du plus profond de moi-même.

Nous nous retrouvons à l'instant dans la chambre. Freud agrippe la main de Breuer et le regarde avec angoisse.

FREUD : Breuer!

Breuer le regarde : amitié profonde et triste.

BREUER : Je sais ce que vous allez dire. Taisez-vous : à quoi bon?

FREUD, *rire sombre :* Et nos principes, Breuer? Guérir par le savoir!

Il détourne la tête et dit en regardant droit devant lui, avec un dégoût de soi profond qui se mélange curieusement à de l'orgueil sombre :

Je n'aimais pas mon père.
Pour être franc, je crois même que je le détestais.

Breuer fait un très léger signe de tête : il n'a pas l'air étonné. Freud semble surpris de l'attitude de Breuer.

Comment le saviez-vous?
BREUER : C'est depuis quelques jours. Je savais que vous le pensiez.
FREUD : Mais, Breuer, *je ne le pensais pas.*
Est-ce qu'on *pense* ces... choses-là?
Quand il agonisait, Mitzi me l'a dit en face et... les mots ont glissé sur moi.

Il essaie de réfléchir.

Lorsqu'il était avec moi, je me sentais mal. C'est tout.

Très mal. De l'asthme. De la tachycardie. Des migraines.

Et l'autre jour... quand il m'a dit merci, j'ai cru que je suais du sang.

C'est le rêve...

Il se retourne vers Breuer et le regarde attentivement.

Je vous fais peur?

Breuer pose sa main libre sur la main de Freud qui lui tient toujours l'autre main.

BREUER : Mon ami!

Il le regarde avec beaucoup d'amitié. On sent qu'il voudrait lui montrer son estime. Mais Freud se contracte dès les premiers mots.

Avec un chaud sourire :

Quel orgueil!

Vous voulez commander à tout, même à vos sentiments.

Vous ne l'aimiez pas : bon. C'est un très grand malheur pour vous mais ce n'est pas une faute.

Il est mort heureux : voilà ce qui compte. Vous l'avez honoré...

FREUD, *violent* : Des comédies! Il est mort berné. Je ne le respectais pas dans mon cœur.

BREUER : Freud, je connais des hommes très honnêtes...

Il va évidemment dire : « qui se trouvent dans la même situation que vous ».

FREUD : Ce sont des chiens.

(Très dur, inflexible comme s'il enseignait la Loi :)

« Tes père et mère honoreras! »

(Un temps.)

Vous l'aimiez, vous?

BREUER : Mon père? Énormément.

FREUD : Non : je parle du mien.

BREUER : Oui, je l'aimais.

FREUD : Pourquoi?

BREUER : Je vous l'ai dit : la douceur juive. Il était bon.

FREUD : Donc, il était aimable. Et moi, je le détestais. Depuis dix ans, vingt, peut-être.

Il faut qu'il y ait un monstre : lui ou moi. Puisque
ce n'est pas lui...

*Il s'arrête brusquement, les yeux fixes. Breuer le regarde avec
inquiétude.*

Écoutez un peu... Il y a un double sens, j'en étais
sûr...

Dans le souvenir du rêve.
Nous nous retrouvons brusquement sur le terrain vague.

VOIX OFF DE FREUD : Dans le rêve.

*Mais cette fois, les hommes en deuil, seuls ou par petits groupes,
sont immobiles. Chaque individu ou chaque groupe se trouve devant
un écriteau, la tête inclinée (s'il est fixé au-dessous d'eux) ou levée
(s'il est au bout d'un grand poteau) : bref, ils ont l'air de lire. En
fait, ils ne lisent rien du tout puisque leurs yeux restent clos. Mais
cette fois, nous lisons sur chaque écriteau : « On est prié de fermer
les yeux. »*

VOIX OFF DE FREUD, *comme citant des exemples de
grammaire :* La police abuse de ses pouvoirs et le
gouvernement ferme les yeux. Je veux bien fermer
les yeux sur cette étourderie...

*La foule aux yeux clos. Brusquement, Freud est là, les yeux grands
ouverts. Il regarde un écriteau (sur le piquet d'un mètre dix que
nous avons décrit).*
Sur l'écriteau nous lisons :
« Fermer les yeux
SUR (en majuscules d'imprimerie). »
*Nous retrouvons la chambre de Freud. Freud, dressé, le front en
sueur, agité.*

FREUD : Sur quoi? Hein?
Les fils ferment les yeux sur les péchés des pères.
Cacher, cacher, enterrer! Quel joli travail!
Je n'ai dû le faire qu'à moitié. Un souvenir indi-
geste : il a dû rester en moi. Tout proche de ma
conscience. Il l'empoisonne.
Qu'a-t-il pu faire?
BREUER : Qui?
FREUD : Mon père.

BREUER : Il n'a fait que du bien.

FREUD : Alors mon dégoût, mes malaises, ma rancune, tout est sans cause. Entre lui et moi, il y a eu...

Avec une sorte de désespoir, comme à lui-même.

Mais *quoi*? Si ma mère veut parler...

BREUER, *indigné :* Vous n'allez pas...?

FREUD : Pas aujourd'hui. Ni demain. Plus tard. Je lui demanderai de me raconter notre vie... Est-ce que je me suis évanoui de honte? Est-ce que je me jugeais indigne d'entrer au cimetière?

Ou bien... était-ce un refus délibéré? Une sentence que je portais contre mon père : indigne d'être enterré?

Très pressant; il est pris d'une idée :

Breuer! *(Avec un léger sourire d'humour mais une conviction profonde :)* De tous mes pères, il ne me reste que vous. Aidez-moi.

Du même coup, il sort du lit et se lève, avant que Breuer ait dit un mot.

*

Rêve des joueurs de cartes. Freud a trois pères. Il fait la découverte de la signification du rêve.

[14] *p. 555-562.*

Une demi-heure plus tard, dans le cabinet de Freud, les persiennes sont ouvertes, le jour se lève, il fait encore sombre. Freud est assis au bureau. Il tombe de sommeil mais il s'acharne à écrire en bras de chemise sur une grande feuille blanche. Sous le titre « transfert » en majuscules on peut lire encore : « le transfert est la meilleure preuve de l'étiologie sexuelle des névroses ». Mais l'écriture se déforme peu à peu. Sous l'action du sommeil elle devient de plus en plus incompréhensible. La plume finit par tomber des mains de Freud pendant qu'une voix (très naturelle, semblable à celle de tous les joueurs de belote), émerge du brouhaha.

> BROUHAHA : *Tout simplement celui d'un café rempli de consommateurs. C'est la réédition non déformée des bruits du café d'Esculape. L'étrangeté du rêve est que ces bruits très normaux dans un café (soucoupes qui tintent, commandes, voix qui hèlent le garçon, conversations) aient lieu dans ce cabinet sans que Freud paraisse les entendre.*
>
> *Quand la plume tombe des mains de Freud, une voix se détache sur ce fond sonore :*
>
> VOIX OFF : Pique, repique et capot! *(Ces mots, plus modernes, peuvent être remplacés par l'argot de l'époque.)*

Freud lève la tête. Il voit un box de café (une table, trois joueurs) situé à la même distance de son bureau que le box des trois médecins l'était par rapport aux deux amis. Le décor n'est pas flou, au contraire : terriblement précis. Mais — comme toujours — des détails manquent. En particulier, deux murailles de nuit cachent les murs latéraux (celui de la fenêtre, celui du lavabo). Le reste du décor est parfaitement net et systématiquement organisé : le bureau de Freud subsiste, débarrassé des livres et des feuilles qui s'y accumulaient : c'est un bureau de ministre. Il reste un encrier de verre et un sous-main parfaitement neuf — buvard sans tache — sur une surface parfaitement vide. Le plancher qui le réunit au box des joueurs est sans solution de continuité. C'est le parquet même du cabinet réduit à une très large « chaussée » par les deux murailles de nuit et réduisant les dimensions de la pièce.

Le box est rigoureusement semblable à ceux du café des médecins. Il s'appuie contre le mur du fond; donc la salle de café a disparu. Mais sur le mur du fond, comme un symbole du café absent, un très grand tableau représente le café d'Esculape rempli de joueurs de cartes, avec des infirmiers en blouse blanche, des hauts-de-forme sur la tête.

Les trois joueurs, en habit, sont penchés sur la table. Freud ne voit que la nuque des deux premiers qui lui cachent le troisième. Quand ils se redressent, il reconnaît d'abord Meynert. À cet instant, les deux autres, vus latéralement, ont des têtes rigoureusement quelconques (par là il ne faut pas entendre qu'elles sont indéterminées ou floues mais qu'on aura choisi des figurants qui ne retiennent pas l'attention). À peine, cependant, se tourne-t-il vers le deuxième joueur (celui qui fait face à Meynert, assis sur le bord de la banquette) qu'il reconnaît en lui Jakob. *Il n'y a pas de transformation à vue. Le regard de Freud ira de Meynert aux mains du joueur opposé et remontera de celle-ci au visage qui, sans que la substitution se voie, sera devenu celui de Jakob. Le visage du troisième joueur reste insignifiant et inconnu. Freud ne semble d'ailleurs pas y attacher de l'importance.*

> MEYNERT, *avec sa voix :* La dernière?
> JAKOB : Oh oui, la dernière!

Les joueurs sont tête nue. L'inconnu fume nerveusement, pendant tout le rêve, des cigarettes à bout doré. Jakob semble tout animé. Ses mains tremblent, il chevrote. Il a l'air gâteux et méchant. Il n'y a pas de cartes sur la table. Mais les trois hommes aussitôt prennent, sur la surface supérieure des dossiers du box, trois hauts-de-forme et trois livres noirs (type courant de la vulgate) qui se trouvent à présent sur cette surface (horizontale, en bois brun, ciré). D'un seul geste, ils font passer le livre dans leur main gauche et de la main droite ils coiffent leurs chapeaux.

Ils tiennent leurs livres comme des jeux de cartes.

Le troisième joueur déchire une page de son livre et la pose sur la table.

> MEYNERT : Atout pique!
> LE JOUEUR INCONNU : J'en ai.

Meynert et Jakob déchirent chacun une page de leur livre respectif et la posent sur la feuille arrachée du livre de l'inconnu.

> MEYNERT, *autoritaire* : Ça ne va pas comme on dit, il nous faut un quatrième. Il nous faut un vivant.
>
> *(Hélant Freud :)*
>
> Vous, là! Venez donc jouer avec nous.

Freud se lève et va vers eux. Il est en costume tyrolien, avec un chapeau de feutre, à plume, sur la tête. Il s'approche des joueurs. Meynert se pousse contre le mur pour lui faire place. Jakob et l'inconnu le regardent méchamment.

> JAKOB : Il n'a pas de haut-de-forme.
> MEYNERT : Je lui en prêterai un.

De sa main droite libre, Meynert va chercher un haut-de-forme invisible (qui doit se trouver entre lui et le mur, sur la banquette). Sa main ressort avec un haut-de-forme qu'il tend à Freud.

Celui-ci change de chapeau. Dès qu'il a le chapeau sur la tête, le joueur inconnu lui parle.

> LE JOUEUR INCONNU, *de la voix de Meynert,* très désagréable : Vous ne savez pas jouer, bien entendu.
> MEYNERT, *d'une voix très indulgente, celle de Breuer :* Nous lui apprendrons!
> *(Présentant Freud aux deux autres :)* Mon fils!

Les deux autres regardent Freud sans amitié. Il salue et remet son chapeau sur sa tête. Ils répondent par un simple signe de tête.

> MEYNERT : Assieds-toi.

Freud s'assied.

> JAKOB : Je n'ai pas fait les présentations. *(Désignant Freud :)* Mon fils!

Freud se lève et salue. Signe de tête hautain et déplaisant de l'inconnu. Seul, Meynert, avec un grand sourire, se découvre largement. Freud se rassied.

> LE JOUEUR INCONNU, *même voix déplaisante :* Attends, petit impoli! Lève-toi, donc!

Freud se lève.

> LE JOUEUR INCONNU : Messieurs, je vous présente mon fils. Je n'en suis pas fier.

Freud salue. Signe de tête de Jakob; Meynert se découvre largement avec un grand sourire.
Freud se rassied.

> LE JOUEUR INCONNU : Voici la règle, petit sot. Tout le monde triche, personne ne doit le faire remarquer. Regarde.

Il arrache une feuille de son livre. Cette fois, c'est une gravure. Un as de cœur énorme y est dessiné.
Nouvelle carte : la dame de cœur.

> As de pique!
> Roi de trèfle!
> Tu ne dis rien. Tu fais comme si tu croyais ce que je dis.
> Compris?

Freud salue.
L'inconnu fait une contre-épreuve. Il lui montre la dame de cœur.

> Bon. Quelle est cette carte?
> FREUD, *voix enfantine mais butée :* Cecily!

La voix de Freud est celle d'un enfant,
Freud a l'air effrayé de ce qu'il vient de dire. Jakob et l'inconnu se déchaînent et le montrent du doigt.

> JAKOB ET L'INCONNU : Tu me fais honte! C'est un petit indiscret!
> Un petit touche-à-tout!

Jakob et l'inconnu, ensemble (ils sont tournés l'un vers l'autre et saluent) : Excusez-nous, messieurs!
Freud pleure avec de gros sanglots. Meynert lui met la main sur l'épaule. Il a la voix de Breuer mais elle est forte et funèbre :

> MEYNERT : Ne nous écoute pas, mon chéri, nous sommes morts.
> FREUD, *voix normale :* Morts?

Freud cesse de pleurer. Il regarde son père. À la place de Jakob il voit une statue de cire qui représente celui-ci. Il se retourne vers Meynert : c'est une statue de cire. L'inconnu est tombé en avant, le visage sur la table. Son haut-de-forme est resté sur sa tête. Une cigarette à bout doré achève de se consumer sur une soucoupe.

> *(Freud éclate d'un rire homérique.)*
> *(Le rire continue.)*

Le café d'Esculape. Une foule énorme. Freud seul assis à une table de marbre sur une plate-forme surélevée arrache victorieusement toutes les pages de son livre et les abat sur la table. Ce sont des gravures qui représentent des cœurs (7 de cœur, 10 de cœur, etc.).

> FREUD, *il parle, pendant que son rire continue off :*
> Cœur!
> Cœur!
> Cœur!
> Et recœur!
> Personne ne triche.
> *Abattant une carte encore :*
> La dame de cœur!

C'est la dame de pique. Le rire de Freud cesse brusquement.

Il est à son bureau, tel que nous l'avons vu quand le sommeil l'a pris. En bras de chemise. La plume a fait un pâté sur la feuille. La tête de Freud se redresse. Il prend la plume (pour écrire évidemment sur le transfert) mais il voit les gribouillages qui couvrent son papier et, d'un coup sec, arrache la page.

Sur la nouvelle page, il écrit : Trans... mais il pose sa plume, se lève, arpente un moment la pièce, revient à son bureau, éteint la lampe : c'est le jour.

Il va jusqu'à la fenêtre, rafraîchit son front en le posant contre les carreaux, réfléchit puis se retourne. Il est dépeigné, son visage est sali par cette nuit blanche, ses cernes se sont accusés; il a l'air fou mais fou de joie. Une exaltation gaie semble le soutenir. Il se détourne de la fenêtre et regarde la porte du fond. Fixement. En suivant son regard fixe, nous verrons la porte d'abord.

       VOIX OFF : Qui est-ce?

Il parle sans que ses lèvres bougent. À l'instant nous savons de qui il s'agit : contre la porte, dont on voit seulement, à présent, la partie supérieure, le box que Freud a vu en rêve sur l'autre mur a réapparu, éclairé par la lumière crue et nette du rêve. (Mais nous savons que Freud est éveillé et qu'il s'agit d'une image qui accompagne ses pensées.) L'inconnu nous apparaît comme à la fin du rêve. Il est tombé sur la table, face en avant. Nous ne voyons de lui que son haut-de-forme, sa nuque et un peu de son dos. Meynert et Jakob sont provisoirement absents de cette image qui a gardé le schématisme du rêve mais aussi sa netteté.

       VOIX OFF, *hésitante :* Au début il y avait la tête du docteur Grundgens.

L'homme au chapeau relève lentement la tête et nous revoyons sa figure banale décrite au début du rêve. À peine le visage est-il reconnaissable (en perspective plongeante) que nous revoyons Freud lucide, les yeux perçants, le dos à la fenêtre. Il parle sans remuer les lèvres.

Ce n'était pas sa vraie tête.

Nous revoyons le box, le joueur est retombé sur la face. Immobile.

Quand je ne vois que sa nuque, je sens que sa *vraie* tête est là, écrasée contre la table. C'était le docteur Grundgens et puis c'était un autre. Il est mort depuis dix ans et jamais je ne pense à lui.

Pourquoi?
Parce qu'il était mort.

Meynert et Jakob sont à leur place, sans livres, les bras au corps (souvenir du rêve plus simple que le rêve). Les deux joueurs (de profil, immobiles) sont devenus les statues de cire du rêve.

Trois pères.
Trois morts.
Et moi, ils m'ont dit que j'étais *vivant.*
J'ai pris Grundgens, le mort, pour me persuader que le troisième père était mort aussi.

Les deux joueurs ont disparu. L'homme au haut-de-forme se redresse très lentement : c'est Breuer. Il regarde dans la direction de Freud avec un air de reproche douloureux et désespéré.
Pendant que nous voyons cette tête vivante, la voix off de Freud continue :

Il me gêne.
Il me paralyse.
Alors j'ai désiré sa mort, sans me l'avouer.
Et je me la suis offerte, sans me l'avouer non plus.
Sournoisement.
Lâchement.
En rêve.

Nous revenons sur Freud, qui est toujours devant la fenêtre et qui a l'air lucide, presque gai. Ses lèvres ne bougent pas.
Un instant ce visage nous paraît triomphant.
Il traverse son cabinet et va s'asseoir à sa table de travail. Il déchire la page sur laquelle il avait écrit le début du mot : transfert. Il prend sa plume, il écrit sur la page blanche qui suit :
Ce vendredi matin, après des millénaires d'erreurs, moi, Sigmund Freud, j'ai compris le sens des rêves. *Pendant qu'il écrit, nous entendons sa voix off :*

Le sommeil est un instinct. Tout part de là.

Il pose sa plume, prend, sous une pile de carnets et de feuilles manuscrites un gros cahier relié en noir : Rêves. Ce mot est écrit sur une étiquette collée sur le dos du cahier. En dégageant le cahier, il fait crouler la pile mais ne semble pas s'en soucier. Il feuillette le cahier entièrement couvert de son écriture et dont les premières pages sont cornées et jaunies. On voit tout de suite que c'est une sorte de répertoire des rêves de Freud (et d'autres personnes qui les ont racontés).

Il y a *d'abord* l'envie de dormir.

Une page arrête son attention. Rêve du 22 mars 1882 (reconstitué en 1886 d'après mes souvenirs).

Nous revoyons avec Freud son rêve du 22 mars.

Freud est couché dans un lit-cage. Sa chambre est étroite et très pauvre, ses vêtements sont déposés avec soin sur une chaise.

Il dort. Il paraît beaucoup plus jeune qu'aujourd'hui. Surtout beaucoup plus sain et frais. Une peau ferme, un visage presque gras, pas de cernes. Le sommeil contribue à lui donner un air enfantin. C'est le matin; le soleil passe à travers les persiennes. Mais surtout le dormeur doit résister de toutes les forces de son sommeil à des coups qu'on frappe à la porte.

J'avais demandé qu'on me réveille : je ne voulais pas manquer le cours de Meynert.

Scène classique de l'individu qui se fait réveiller et qui, se révoltant contre ses propres ordres, veut continuer à dormir. Un flash suffit pourvu qu'il nous donne le sentiment que la résistance *du sommeil est profonde.*

Désir de dormir, désir d'entendre Meynert.

(Au moment où Freud se lève :)

J'ai trouvé un compromis.
Je suis allé chez Meynert en rêve.

Brusquement Freud se lève en chemise de nuit, va à la porte et l'ouvre; elle donne sur la salle d'hôpital que nous avons vue dans les premières scènes du scénario. Meynert est justement en train de faire sa visite. Freud (sortant en chemise de nuit de sa chambre) se trouve à l'instant aux côtés de Meynert. Celui-ci, bien entendu, est tel que nous l'avons vu pendant sa « visite » (haut-de-forme, canne et gants). Il prend le bras de Freud et continue tranquillement sa visite. Des étudiants, en blouse ou en veste ordinaire, suivent les deux hommes. Meynert s'arrête devant un lit. Ce lit est vide (comme tous les autres de la salle : schématisme du rêve). Mais Meynert n'en fait pas moins une démonstration et une interprétation clinique comme si le lit était occupé; il parle. On n'entend pas un mot de ce qu'il dit mais on entend les coups qu'il frappe avec le bout de sa canne sur le bord du lit. Ce sont tout simplement les coups qu'on frappe à la porte. Comme le rythme de ses coups s'exaspère, il en résulte que Meynert donne ses coups de canne de plus en plus vite. La canne s'emballe, ce qui donne à Meynert (dont le visage reste celui d'un professeur faisant une leçon), un air de précipitation furieuse et comique.

Sur Freud dans son lit-cage, réveillé par les coups frappés à la porte.

Heureusement, Mitzi frappait trop fort.

Freud — celui qui réfléchit aujourd'hui *sur le rêve* — feuillette toujours son cahier. Un nouveau titre retient son attention : rêve du petit Franz (cousin de Martha, quatre ans).

Le texte qui suit, serré, dense est indéchiffrable. Pendant un bref instant, nous ne voyons que ce titre et ce texte, pendant que la voix off de Freud explique :

Il était à Rome. Ses parents avaient été voir avec lui les jeux d'eau de Tivoli dans la journée.
La nuit...

Une fontaine baroque. Tout crache de l'eau (dauphins, néréides, etc.). Sur un socle, au milieu du bassin, un petit garçon de faïence (grandeur nature, quatre ans) habillé comme un jeune garçon de l'époque rend de l'eau par les narines, les oreilles, l'extrémité de chacun de ses doigts et le bout (percé) de ses souliers.

FOND SONORE : Dans le bassin, un clapotis frais et charmant.

Une nurse levant les bras au ciel devant le lit d'un petit garçon (celui-ci est invisible). La couverture est rejetée. Sur le drap découvert, une tâche humide.

VOIX OFF : Il avait rêvé qu'il était une fontaine pour satisfaire son besoin sans s'éveiller.

Freud a posé le cahier. Il écrit, sous la phrase : ce vendredi, etc. Rêve = satisfaction hallucinatoire d'un désir.

*

Freud avec Cecily. Les associations.

[16] *p. 565-585.*

Chez les Körtner.

Dans le hall du rez-de-chaussée. Freud et Madame Körtner. Celle-ci, glacée, vêtue de noir, le regarde sans trop de sympathie. Freud est froid et maître de lui.

MADAME KÖRTNER : Le docteur Breuer refuse?
FREUD : Il refuse.
MADAME KÖRTNER : Et vous voulez continuer?

Signe de tête de Freud.

Je ne sais pas si ma fille voudra vous recevoir. Hier, elle était très montée contre vous.
FREUD : Nous verrons bien.

Il se dispose à entrer chez Cecily. Elle l'arrête.

MADAME KÖRTNER : Il est préférable que je lui pose la question.

Elle entre chez sa fille et ferme la porte.
La sérénité froide de Freud disparaît : il est bouillant d'impatience. Pour se donner une contenance, il va jusqu'au piano et regarde le portrait de Monsieur Körtner. L'absence de Madame Körtner ne dure qu'une seconde. Il se retourne. Elle le regarde avec surprise puis, désignant la porte ouverte :

VOIX OFF DE MADAME KÖRTNER : Docteur Freud! Entrez.

Freud a repris son calme. Il entre. Madame Körtner referme la porte derrière lui. Nous voyons de loin Cecily, adossée à ses oreillers, comme dans les scènes précédentes. Elle est au lit; la poupée est invisible. Cecily regarde Freud avec un sourire malicieux.
Elle parle sur un ton de persiflage pendant que Freud s'approche d'elle.

CECILY : Et voilà l'esprit de sérieux. Entrée de ballet. *(Elle rit.)*

Quel danseur! Où avez-vous trouvé ce « pas du
médecin »? Voilà le génie.

Freud (mouvements toujours un peu compassés, mais très calmes)
s'approche du lit, salue d'une inclinaison de la tête, prend une
chaise et s'assoit familièrement au chevet de la malade.
Cecily feint la confusion.

Je vous taquine, Docteur, excusez-moi. Et quant
au sérieux, vous feriez bien d'en mettre trois grains
dans cette tête folle.
FREUD : Vous n'êtes pas physionomiste, Cecily :
regardez-moi. Je ne suis pas sérieux du tout.

Freud a fort bon air : la douche et le linge frais l'ont transformé.
Il a gardé, pourtant, son air de gaieté passionnée et un peu folle.
Il y a jusque dans sa voix quelque chose de léger et d'égaré. Il est
très sincère (bien qu'utilisant sa sincérité) : il veut dire qu'un aven-
turier de la science est tout *sauf « sérieux ». Cecily le regarde, cesse*
de sourire, mais ne fait aucun commentaire.

(Souriant :) Comment allez-vous, ce matin?

Cecily retrouve tout à coup son sourire.
Un peu d'agressivité :

CECILY : Très bien.
Je me demande si je veux guérir.
(Mondaine :)
Vous connaissez ce proverbe français? « Pour
vivre heureux, vivons couchés. »

Elle cite le proverbe en français. Freud ne peut s'empêcher de la
corriger. En français :

FREUD : « Cachés. »

Cecily prend l'air ennuyé :

CECILY : « Cachés! » *(En anglais :)* Mais oui, je
sais. Vous voyez bien que vous êtes sérieux! Et
surveillez votre français.
(Désignant sa bouche :) L'accent.
(Comme un professeur :)
Cachés! Ca-chés!

Elle répète en français.

FREUD, *sans relever ces remarques :* Vous resteriez au lit toute votre vie?

CECILY : J'y compte bien.

Je pourrais même gagner ma vie. Il y a des métiers qu'on peut faire au lit. *(Elle enchaîne très vite :)* Nous connaissions une pauvre dentellière, elle était paralysée...

(Un temps.)

Freud l'écoute avec attention. Elle s'arrête net. D'un ton de moquerie assez dure :

Le grand docteur Breuer refuse de me soigner?

Freud fait un signe d'acquiescement.

Comme si c'était Freud qui reprochait à Breuer d'abandonner Cecily :

Mais, Docteur, il faut le comprendre! Il soigne des ministres, des généraux! Pourquoi s'occupe-rait-il de cette malheureuse petite Ophélie?

Elle se désigne avec une humilité pleine de coquetterie.
Avec détachement et regardant sa main gauche qui trace des signes sur le drap :

Vous-même, ma mère m'avait dit que vous ne comptiez plus revenir.

Freud répond en souriant et d'une voix inexpressive :

FREUD : J'ai changé d'avis.

La main gauche de Cecily continue ses mouvements — dont le rythme se précipite — pendant que la jeune fille répond avec ironie et d'un ton très mondain.

CECILY : Tant mieux : vous m'auriez manqué. J'adore les visites : ça me distrait. Vous serez un ami de la maison.

FREUD, *sans élever la voix :* Je serai votre médecin.

Cecily cesse de sourire. Elle regarde Freud d'un air irrité.

CECILY : Je vous dis que je ne veux pas guérir.

FREUD, *avec indifférence :* C'est votre affaire.

CECILY, *mi-furieuse, mi-amusée :* Attention! Je me battrai.

FREUD : Un duel?

CECILY : Oui. Ce sera très amusant.

Une pensée lui vient : elle se rembrunit.

(Un temps.)

Et la méthode?

FREUD : Quelle méthode?

CECILY : La méthode de rechange : l'avez-vous trouvée?

Freud hausse les épaules. Évasivement :

FREUD : Bah!

Cecily trace des deux mains, sans prendre garde, des signes de conjuration sur le drap. Freud l'observe. Elle suit des yeux son regard, jette un regard à ses propres mains, arrête à l'instant leurs mouvements. Aussitôt après, les mains posées à plat sur le drap, elle se juge calmée, se compose un visage, relève la tête et se tourne vers Freud avec une agressivité un peu forcée.

CECILY : Alors? Qu'allons-nous faire ce matin?

FREUD : Jouer.

CECILY, *fronçant les sourcils :* À quel jeu?

FREUD : Je prononce un mot et vous me dites ce qu'il évoque pour vous.

Tout ce dialogue a la tension d'un duel verbal. Ils se penchent l'un vers l'autre sans cesser de sourire et s'épient.

CECILY : Et puis?

FREUD : C'est tout.

CECILY : Qui gagne?

FREUD : Moi, si j'en tire des renseignements sur votre maladie; vous, si je ne trouve rien.

Cecily, haussant les épaules :

CECILY : Vous ne trouverez rien. Pensez : des mots!

FREUD : Essayons.

CECILY : Et si je mens?

FREUD : Je le saurai.

CECILY : Voyons.

Cecily, les sourcils froncés, regarde Freud et se décide tout à coup. Freud se laisse aller contre le dossier de sa chaise, jouant la détente et dit négligemment :

FREUD : Premier mot : arbre.

Cecily le regarde, éberluée et puis elle pouffe de rire.
Il reste impassible.

> CECILY : Arbre? Ça m'évoque un arbre. Dame!
> À quoi voudriez-vous que ça me fasse penser?
> À une chienne? À une grue?
> FREUD : Vous voyez un arbre?
> CECILY : Dans ma tête? Oui.
> VOIX OFF DE FREUD : Quel arbre?

Nous voyons des peupliers assez loin, au bord de l'eau, puis tout à coup le tronc d'un chêne, de très près. À deux mètres du sol environ. Le regard glisse le long du tronc et le parcourt de bas en haut jusqu'à la frondaison.

> *(Bruit off de coups de cognée.)*
> CECILY, *off, avec orgueil :* Le plus beau. Le chêne.

Le chêne s'incline. Visiblement des bûcherons invisibles sont en train de l'abattre.

> *(Les coups off redoublent.)*

Pendant que le chêne s'abat avec un craquement :

> CECILY, *brusquement :* Je déteste les bûcherons.
> *(Craquement off.)*

Sur Cecily, riant au nez de Freud.

> *(Visible :)* Voilà tout.
> *(Très légèrement inquiète :)* Qui a gagné?
> FREUD : Vous. Je n'ai rien trouvé.
> CECILY, *souriante :* Je vous avais prévenu.
> *(Avec un vague regret :)* Rien du tout.
> *(Un peu fascinée — mais toujours agressive :)* Je vous offre la revanche.

Il secoue la tête.

> FREUD : Bon.

Il se laisse aller de nouveau contre le dossier de sa chaise, ferme à demi les yeux comme s'il allait dormir et laisse tomber d'une voix ensommeillée :

> Cygne.

Cecily le regarde brusquement d'un air traqué.

CECILY : Comment?

FREUD : Je dis : cygne.

Cecily se compose un visage. Elle a l'air faussement calme mais elle se tient.

CECILY : L'oiseau? Je n'avais pas compris. Bon. Ça m'évoque... *(Voix off – oppressée, mentant à mesure :)* Une fourrure blanche.

Les images passent très vite, la voix est rapide et oppressée.
Un homme de dos : cape noire, haut-de-forme noir, entrant dans un immeuble par une porte cochère qui s'ouvre sur les ténèbres absolues.
Le bas d'un mur sombre et gluant :

(La voix de plus en plus oppressée :) Des plumes blanches, des ailes qui volent...

Un rat qui rentre dans son trou à toute vitesse.
Une vieille mendiante édentée fait une danse obscène – relevant ses jupes sur ses cuisses flétries – pendant qu'un chien fait la quête debout sur ses pattes de derrière et la sébile dans la gueule.
Une patineuse apparaît en effet sur une piste de skating. Mais c'est la vieille mendiante et elle valse sur ses patins, jupes relevées.

(Péniblement :) La majesté, le calme. Une danseuse.

(Le mot de « danseuse » semble lui avoir échappé :)
Non!

(Elle corrige aussitôt :) Une patineuse! Une patineuse qui file sur la glace.

VOIX OFF DE FREUD : Vous mentez!

Nous nous retrouvons dans la chambre de Cecily. Freud et la jeune fille se regardent agressivement. Freud veut la dominer mais elle se rebiffe.

FREUD : Vous m'avez avoué que vous détestiez les cygnes.

Cecily lui échappe : elle s'évade dans le fou rire.

CECILY, *riant :* Mais oui, Docteur : parce qu'on les plume!

(Avec un peu de vulgarité :) Si vous plumez la volaille, il reste quoi? Un corps tout nu.

FREUD : Personne ne plume les cygnes.
CECILY : Tout le monde les plume tout le temps.

Elle déboutonne prestement sa manche et la fait glisser le long du bras (le bras le plus proche de Freud, donc en principe le bras droit) jusqu'au-dessus du coude.

Elle allonge les quatre doigts et leur oppose le pouce de la même main comme pour imiter un bec.

Cet animal m'évoque un bras.
À cause du cou, vous savez.
Il est satiné comme ma peau. Glisser, c'est voluptueux...

De son bras droit demi-nu et surélevé, elle imite le glissement du cygne sur l'eau (le glissement de la tête et du cou) et passe son bras nu très près des moustaches et de la barbe de Freud.

Le bras glisse, revient vers Cecily; la saignée du coude se trouve à la hauteur de la bouche de Cecily. Cecily penche un peu la tête, souriante, voluptueuse et pleine de défi. Elle tire un bout de langue et se lèche la saignée du coude avec une sensualité malicieuse. Elle s'arrête, redescend sa manche et tout en la boutonnant, elle regarde Freud entre ses yeux mi-clos avec un rire silencieux et plein de défi.

Que vous êtes sérieux!
Alors? Qui a gagné cette fois?
FREUD : Moi. J'ai deviné que vous avez menti.

Freud parle d'un ton léger et avec gaieté, comme s'il s'agissait d'un véritable jeu. Cecily s'enferre un peu parce qu'elle veut résister.

CECILY : Bon. Mais il faut trouver *pourquoi*.
FREUD, *négligemment :* Plus tard.
CECILY : Alors vous n'avez gagné qu'à demi.
FREUD : Soit.

Il se lève. Il fait quelques pas, le dos tourné à Cecily. Il regarde des livres sur l'étagère. Il en prend un. C'est une bible. Il l'ouvre. Sur la page de garde, il lit ces mots imprimés par un tampon : « ex libris Dr Joseph Breuer ».

Il referme le livre et demande en le reposant sur l'étagère, sans se retourner vers Cecily :

Et le poupon décapité?
Toujours caché dans votre lit?

Il y a un silence. Il croit avoir interloqué Cecily et se retourne brusquement : mais il voit un visage méprisant, nullement inquiet, et Cecily éclate de rire.

Elle plonge la main dans le lit et sort le poupon qu'elle brandit triomphalement. Elle le lui tend.

> CECILY : Toujours. *(Moquerie méchante :)* Le voilà! Prenez-le et n'espérez pas m'en imposer : c'est maman qui m'a trahie.
> Allons! Prenez.

Freud le prend et en refermant la main sur le poupon, paraît gêné. Cecily s'en aperçoit. Pour accentuer son désarroi elle ajoute d'une voix presque canaille :

> Il était bien au chaud le pauvre petit!
> Bon. Docteur, vous touchez la chaleur de mon sein.

Freud repose le poupon sur le lit de Cecily qui s'en empare aussitôt en riant silencieusement, comme en connivence avec elle-même.

Soit pour ne pas lui laisser prendre l'avantage, soit parce qu'il la juge dans l'état qui convient, Freud se penche brusquement vers Cecily, qui se rejette instinctivement en arrière (elle a d'étranges yeux, exaltés, méprisants et traqués). Il lui parle d'une voix sans intonation particulière mais rapide et assez dure :

> FREUD : Madame Körtner m'a dit autre chose.

Cecily a l'air brusquement épouvantée.

> CECILY, *voix rauque :* Quoi?
> FREUD : Elle n'a jamais été tuberculeuse.
>
> *(Plus doucement :)*
>
> Pourquoi m'avez-vous menti?

Cecily ne répond rien : ses mains se crispent sur le drap.

> CECILY, *sincèrement égarée :* J'ai menti?

Elle se projette en avant, brusquement enflammée de colère et pousse son visage menaçant contre celui de Freud qui recule un peu.

Brusque explosion de rage :

> *(Voix de prostituée arrêtée au cours d'une rafle :)*
> Flic! Sale flic! Poulet! Cogne!

Elle s'arrête aussi brusquement qu'elle a commencé. Freud la regarde avec stupeur.

> FREUD : D'où tenez-vous ces mots-là?
> CECILY : De toutes les pauvres filles comme moi que des sales types comme vous tourmentent des nuits entières au poste de police.

Avec violence, l'air fou :

> Des policiers! des juges! Toujours! Partout. Jamais un mot de tendresse.

Elle se met à sangloter.
Au milieu d'un déluge de larmes et de hoquets :

> Je ne suis pas une criminelle!
> Je ne suis pas une criminelle!
> Pourquoi me traite-t-on comme un assassin?
> Je n'ai pas tué!

Freud s'est rassis tranquillement. Il la regarde avec intérêt. Il dit d'une voix objective :

> FREUD : Non, vous n'avez pas tué.

Cecily le regarde avec des yeux brillants de colère et d'une indéfinissable passion. Son visage est enflammé; sa bouche est tordue par une moue dédaigneuse. Des larmes sont encore sur ses joues.

> CECILY : Qu'en savez-vous?

Freud la regarde sans répondre d'un œil parfaitement inexpressif. Elle se calme peu à peu, par un effort de volonté très visible : son sein se soulève avec violence, son souffle est rapide. Elle essuie ses larmes avec un mouchoir qu'elle a pris sur le lit, elle s'efforce de régulariser sa respiration. Elle finit par s'imposer de sourire. Montrant le poupon à la tête cassée :

> Vous voyez bien : je suis une infanticide.

Visiblement cette explication lui est venue (elle a tué un bébé de faïence) parce qu'elle redoutait d'avoir été trop loin. Il s'agit bien entendu du meurtre de sa mère; elle se le reproche — nous le verrons — en pleine conscience. Et ses résistances à Freud sont, dans ce cas particulier, tout à fait conscientes. Toutefois l'explication de son mensonge est sincère.

La tuberculose, ce n'est pas un mensonge, en
tout cas pas à vous. C'est une histoire que je me
suis racontée – et je finissais par y croire.

Mon pauvre papa était la bonté même. Mais
quelquefois il était... étourdi : il avait tant à faire!

Il a donné ce dîner, après l'accident de maman,
quand elle se trouvait encore à la clinique.

*Elle parle d'une voix très normale, confuse, sans regarder Freud,
avec beaucoup de charme et un peu de coquetterie (mais pas plus
qu'une jeune fille normale ne s'en permettrait à l'époque).*
Freud écoute d'un air compréhensif en opinant de la tête.

FREUD : Convalescente?
CECILY : Non.
FREUD : En danger?
CECILY : En danger de mort. Et moi, comme un
petit singe, j'en ai profité pour lui voler son rôle
de maîtresse de maison.

*Elle sourit et s'accuse, croirait-on, avec l'indulgence qu'on a pour
les étourderies d'un enfant.*

Ça me déplaisait; surtout pour la mémoire de
mon père. Alors, dans mes rêveries, je retouchais
un peu le passé. J'imaginais que ma mère faisait
de longues absences – six mois par an – pour
soigner un souffle au poumon. Mon père était bien
obligé de rendre les invitations – c'est indispensable, surtout dans son métier. Et moi, il fallait
bien que je remplace ma mère.

*Freud a pris l'air pénétré. Il hoche la tête; en fait il prépare sa
prochaine question.*
Elle semble à la fois calmée et un peu vague.

(*Souriant comme à elle-même :*)
Ce n'était pas un crime, n'est-ce pas?

Aimablement :

FREUD : Sûrement pas. Votre mère est restée
combien de temps à la clinique?

*Il l'interroge très doucement – pour mieux la surprendre; on
croirait qu'il demande des renseignements administratifs.*

CECILY : Deux mois.

FREUD : Et vous aviez?

CECILY : Quatorze ans.

FREUD : Alors, je ne m'explique pas ce que vous m'avez raconté l'autre jour.

Le visage de Cecily devient défiant et morose.

Dès l'âge de cinq ans, vous sortiez seule avec votre père et ses amis vous traitaient comme une petite dame. Où était Madame Körtner?

Freud met beaucoup de dureté dans la question qui termine son petit discours. Mais Cecily a déjà compris où il voulait en venir. Elle est sur ses gardes. Dès qu'elle entend la question, elle se laisse retomber la tête, sur l'oreiller et dit, très maussade :

CECILY : Je suis fatiguée.

Un silence. Freud ne cesse pas de l'observer.

FREUD : Pauvre Cecily! Voulez-vous que je m'en aille?

CECILY, *un peu sournoise :* Non, – parce que je m'ennuierais.

Mais vous ne m'interrogerez plus pour aujourd'hui.

FREUD : Une trêve : d'accord. On reprendra le duel une autre fois.

CECILY : Qu'allons-nous faire?

(Avec un reproche plein de mauvaise foi :)

Vous êtes tout de même ici pour me soigner.

FREUD : Vous ne voulez pas guérir.

CECILY : Je ne sais pas ce que je veux.

FREUD : Parlez-moi.

CECILY : De quoi?

FREUD : De tout ce qui vous vient à l'esprit.

CECILY : Et s'il n'y vient que des niaiseries?

FREUD : Va pour les niaiseries.

Ne négligez rien.

CECILY : Bon.

Vous allez me prendre pour une idiote, j'ai la tête complètement vide.

FREUD : On n'a jamais la tête vide.

CECILY, *s'interrogeant elle-même :* Qu'est-ce que je

pense en ce moment ? Que vous êtes ici, que vous
venez me voir. Que c'est le matin. La fin de la
matinée.

Elle ferme les yeux :

Attendez. Je pense que j'étais nerveuse hier soir.
Ah oui, tiens ! Je ne sais pas pourquoi. J'ai pris mon
soporifique et j'ai très bien dormi et j'ai été très
gentille avec ma bonne, ce matin, Marie, vous savez,
à cause d'un rêve.
FREUD : D'un rêve ?
CECILY : D'un rêve que j'avais fait cette nuit. Je
ne vais tout de même pas vous le raconter.

*Freud est enfin arrivé à son but : pendant un instant presque
imperceptible, il a les yeux presque impitoyables et passionnés du
chasseur. Mais il se maîtrise presque aussitôt ; Cecily n'est pas sur
ses gardes pour une fois : elle croit réellement que ses rêves n'ont
pas de sens. Elle se laisse prendre à l'air détaché de Freud.*

FREUD, *d'un air mou :* Un rêve !
Bah !
(Sans élan :) Pourquoi pas ?
CECILY : Parce que cela n'a pas de sens !
(Sans méfiance :)

Moi, j'aime bien me rappeler mes rêves, surtout
quand ils sont en couleurs, comme celui-ci.
Mais pour vous, ce sera tellement ennuyeux...
FREUD : Ma foi, peut-être, peut-être bien !

*Il s'installe sur sa chaise comme pour entendre une histoire qui
promet d'être assommante.*

Puis-je fumer, Cecily ?
CECILY : Cela dépend. Du tabac d'Orient ?
FREUD : Un cigare.
CECILY : Un cigare, oui. C'est plus viril que toutes
ces cigarettes...

*Freud tire son étui à cigares, en choisit un et l'allume pendant
que Cecily commence le récit de son rêve.*

Il y avait une tour.

*Il y aurait avantage à tourner ce rêve — et lui seul — en couleurs.
Les couleurs devraient se soumettre au schématisme des rêves. Elles*

*existeraient quand Cecily les mentionne (chez la femme et sur la tour).
Mais quand elles ne sont pas explicitement indiquées, les objets
demeurent en noir et blanc. En même temps, ces couleurs sont nettes et
tranchées. Aussi peu* naturelles *que possible. Des couleurs de peintre,
artificielles et très poussées. Avec une sorte de naïveté. Par exemple
la* tour rouge *est* rouge, *presque comme dans les albums coloriés
pour les enfants. La tour ressemble au phare que nous avons montré
quand Cecily parlait, pendant la séance précédente, des sept cygnes.*

    *Elle évoque aussi, toute ronde et assez élevée, un symbole phallique.
Derrière la tour, une mer merveilleusement calme et verte, avec un
peu d'écume blanche au sommet de petites vagues. Mais on ne peut
jamais localiser la mer et la tour l'une par rapport à l'autre : ou
l'on parle de la mer et c'est elle qu'on voit (la tour a disparu) ou
l'on parle de la tour et la mer disparaît.*

    *La tour apparaît au moment où Cecily commence son récit. Elle
est* en noir et blanc.

> VOIX OFF DE CECILY : Une tour ronde.
> Devant la mer.
>
> *(Extasiée :)*
> C'était une mer merveilleusement verte.

    On voit à ce moment *la mer (comme vue du haut de la tour)
mais la tour a disparu.*

> VOIX OFF DE FREUD : Et la tour? Quelle couleur?
> VOIX OFF DE CECILY, *furieuse :* Rouge. Mais lais-
> sez-moi parler!

    *La tour réapparaît, rouge. Une petite porte basse, au bas de
l'édifice. Au-dessus de la porte, une lanterne (comme dans les bordels)
mais dont la lumière, rouge et éblouissante, s'allume et s'éteint
régulièrement comme un phare.*

> CECILY : Je n'étais pas là mais je voyais tout.
> La femme.

    *Une femme paraît à la porte de la tour. Elle reste indistincte,
non pas à cause du rêve (ou pas immédiatement) mais à cause de
sa position : elle est dans l'ombre du couloir.*

> Peinte.

    *La femme jaillit du couloir. Elle est dehors. Entièrement nue et
couverte de peintures (ressemblant à des tatouages). Sur la poitrine
et jusqu'au ventre, une bête qui s'enfuit, lièvre ou rat, et des chas-*

seurs qui la visent). Sur le dos jusqu'aux reins, une foule de messieurs en haut-de-forme. Le sexe est couvert d'un pagne (rappelant vaguement les pagnes des statuettes ou des peintures égyptiennes). Sur les côtés, on a figuré au pinceau des lacets et des boucles comme si la femme portait un corset. Ces lacis rejoignent les chasseurs aux messieurs en haut-de-forme.

Le visage est badigeonné d'ocre — comme si une femme à peau blanche avait maladroitement essayé de se donner la peau dorée d'une Égyptienne. Le regard est d'une fixité gênante, les cheveux d'un noir de jais sont serrés en bandeaux lisses. Sur la tête, une couronne classique de reine d'Égypte (la femme d'Aménophis, par exemple).

VOIX OFF DE CECILY, *elle se tord de rire :* Un vrai tableau : c'était de la peinture à l'huile.

La femme se met en marche, très raide, — on dirait qu'elle fait l'exercice. Et du coup, les alentours se précisent (à mesure qu'elle marche) : elle est sur une plate-forme rocheuse (sur laquelle la tour est, elle aussi, bâtie).

Elle va et vient; elle s'écarte de la tour, elle s'en rapproche. Quand elle va vers *la tour, l'image est remplacée par celle de la mer, telle que nous l'avons vue plus haut. Quand elle s'en éloigne, nous ne voyons qu'elle — et le roc sous ses pieds.*

Ainsi n'avons-nous pas pu voir un homme, contre lequel, en s'écartant de la tour, elle se cogne brusquement.

Cet homme est très grand, beaucoup plus qu'elle, presque gigantesque mais voûté et, si grand soit-il, son costume est encore trop grand pour lui; ses manches descendent jusqu'aux deuxièmes phalanges de ses doigts. Même son haut-de-forme s'enfonce jusqu'aux oreilles.

Nous le voyons de dos, courbé, les bras ballants, les genoux fléchis (autant un orang-outang qu'un homme par l'attitude). Mais le peu qu'on voit de sa nuque laisse deviner une belle barbe blonde et soignée.

La femme se redresse majestueusement.

LA FEMME : Je suis la femme de Putiphar.

Elle prend la main droite du géant et l'élève vers elle. Elle se trouve avoir dans la main gauche un anneau d'or. Elle prend l'annulaire du géant qui se laisse faire et lui met la bague au doigt. Son regard reste fixe mais sa bouche sourit.

Elle lâche la main qui retombe — comme morte. L'anneau, trop large pour le doigt, roule sur le roc.

(Bruit du choc de l'anneau d'or contre le roc.)

L'homme s'enfuit. Toujours courbé comme un singe. Il heurte une pierre et tombe en avant comme un mannequin, sans même avoir le réflexe de se protéger avec ses mains. Il reste prostré sur le sol. Il est mort ou c'est un amas de vêtements. La femme le regarde avec un orgueil farouche, comme vengée.

VOIX OFF DE LA SERVANTE : Ça n'était vraiment pas la peine de me tuer.

La femme peinte disparaît. Nous revoyons la tour rouge. Au-dessus de la porte il y a une fenêtre ouverte; la lanterne a disparu. (La fenêtre, par contre, n'était pas visible jusque-là.)
Une femme est à la fenêtre. Elle a un visage vulgaire et mauvais (cinquante ans environ) mais très défini (il s'agit évidemment de quelqu'un qui existe dans la vie réelle). Ce qui frappe en elle, simplement, c'est que son tablier de femme de chambre cache à peine un corps très jeune revêtu d'une robe noire (dix-huit ans, semble-t-il) et que ses mains sont longues, fines, très belles, avec des bagues (ce sont les mains de Madame Körtner : nous les avons vues souvent. Mais ni Cecily ni Freud ne noteront ce détail et le spectateur ne pourra que l'observer en passant : aucune allusion n'y sera jamais faite). La femme répète d'une voix canaille et perfide, en menaçant du doigt l'épouse de Putiphar (qu'on ne voit plus).

LA SERVANTE : Pas la peine, pas la peine.

Elle semble jouir d'un triomphe haineux : elle est vengée.

CRI OFF DE CECILY, *comme le cri d'un dormeur qui a un cauchemar :*

Sur ce cri, tout disparaît. Nous retrouvons Cecily tout animée qui parle à Freud. Celui-ci écoute avec une attention profonde qui contraste avec la légèreté amusée de Cecily.

CECILY : Je dois vous avouer que j'ai crié. Cela m'a réveillée.
FREUD : C'était un cauchemar?
CECILY : Si l'on veut. J'en ai eu de pires.
Comme elle avait l'air méchante! Jamais je ne l'ai vue comme ça!
FREUD : Qui donc?
CECILY : Ma bonne. Marie.
C'était elle qui parlait de la fenêtre.
Ah! je sais pourquoi.

C'est ma faute.

Je l'ai dérangée hier après-midi, elle faisait la lessive, j'ai voulu un verre de lait. Tout de suite. Et puis je ne l'ai pas bu.

Le verre de lait sur la table de chevet. Cecily est en train de lire. Les rideaux sont tirés. Une lampe de chevet est allumée. La porte s'ouvre doucement.

Quand elle est venue me border pour la nuit...

La femme de chambre apparaît. Cinquante ans. Son corps est usé par le travail et sans charme. Son visage est en effet celui de la « femme à la fenêtre », à cette différence qu'il exprime simplement la fatigue et une discrète morosité. Elle s'approche de Cecily qui continue à lire. Elle va border le lit quand elle aperçoit le verre de lait que Cecily n'a pas touché.

MARIE, *offensée :* Et vous n'y avez même pas touché! (*Avec rancune mais poliment :*) Ce n'était vraiment pas la peine de me déranger.

Elle le prend et le pose sur un plateau pour l'emporter.
Elle se met à border le lit. Nous la voyons de dos, vieille et fatiguée. Cecily sans répondre poursuit sa lecture.

VOIX OFF DE CECILY, *s'adressant à Freud :* Cela m'est revenu en rêve.

Comme c'est amusant : cela prouve que j'avais du remords, non!

Nous regardions Cecily qui lisait et nous ne voyions plus la bonne. Tout à coup, nous la regardons de nouveau : c'est une très jeune fille au corps charmant (moulé dans la même robe noire – elle porte le même tablier et la même coiffe de dentelle). Elle apparaît en même temps que Cecily crie.

CRI OFF, *d'excitation amusée :* Attendez! Comme c'est drôle.

Elles étaient deux.

La femme au balcon.

C'était deux femmes en une.

À neuf ans, j'avais une petite bonne qui s'appelait Lucia. Qu'elle était jolie! (*Avec regret, sans blâme :*) Elle se conduisait très mal.

Nous n'avons vu que la jeune bonne. À présent nous voyons aussi Cecily. Elle a bien rajeuni : c'est une petite fille de neuf ans. Elle tourne vers la jeune servante un visage ravi, presque amoureux.

À l'instant, nous voyons Madame Körtner, profondément irritée. Ce n'est plus la femme froide que nous connaissons : elle est plus jeune mais son visage, bouleversé par une colère puritaine, est profondément déplaisant. Il y a dans sa voix une imperceptible vulgarité. On ne voit qu'elle.

MADAME KÖRTNER : Faites vos paquets! Je ne veux rien entendre. Vous êtes une prostituée, Lucia, et vous ne resterez pas une seconde de plus sous le même toit que ma fille : on ne souillera pas son innocence.

VOIX OFF DE FREUD, *reprenant la phrase de la femme à la fenêtre :* « Ce n'était vraiment pas la peine de me renvoyer. »

CECILY, *surprise :* Hein?

Nous nous retrouvons dans la chambre. Freud regarde Cecily d'un air innocent, Cecily a l'air stupéfaite.

FREUD : Il y avait deux bonnes en une. Et vous vous sentiez coupable envers chacune. C'est pour cela que vous les avez réunies. La première disait : « Ce n'était pas la peine de me déranger », et la deuxième : « Ce n'était pas la peine de me renvoyer. »

CECILY : Pourquoi disait-elle cela?

Il répète lentement et avec intention :

FREUD : Je ne sais pas. *(Un temps.)* Votre mère lui avait dit qu'elle la renvoyait pour ne pas souiller votre innocence par le voisinage d'une prostituée?

Pas de réponse. Le visage de Cecily a l'air vieux et las. Elle le regarde, se laisse aller sur ses oreillers et se met à rire, un rire bas, complice, méchant.

CECILY, *à voix presque basse :* Pas la peine! Ce n'était pas la peine.

Le rire cesse brusquement. Elle a peur. Elle regarde Freud avec des yeux presque implorants. Pour la première fois, elle lui demande secours. Pour la première fois aussi, Freud semble surpris et un peu ému par cette crainte implorante. Il se penche vers elle.

FREUD : Cecily! Qu'y a-t-il?

CECILY : Elles étaient trois. *(Rire un peu hagard :)*
Trois en une!

*La femme à la fenêtre. Elle ne dit rien. Simplement elle fait des
gestes qui mettent en valeur ses belles mains dont les bagues étincellent.*

VOIX OFF DE FREUD : Quelle était la troisième?

Mouvement menaçant d'une des mains baguées.

VOIX OFF DE CECILY, *étouffée :* Je ne sais pas. Je
ne *peux pas* savoir.
*(Elle répète, comme si elle sentait ses résistances
intérieures comme des forces ennemies :)* Je ne *peux
pas*.

*Freud et Cecily face à face. Elle a l'air anxieuse : ce qui l'inquiète,
ce n'est plus son duel avec Freud, c'est ce qui se passe au fond d'elle-
même. C'est une confidence à Freud.*
*Pour la première fois, Freud semble moins impitoyable. Il voit
Cecily faire une petite moue désolée et fermer les yeux. Il dit d'une
voix plus douce :*

FREUD : Vous êtes fatiguée.
Assez pour aujourd'hui.

*Il veut se lever. Elle ouvre les yeux et s'accroche à sa manche.
Avec une brusque irritation :*

CECILY : Jamais de la vie.
Je veux savoir.
Ne partez pas.
(Souriante :)
Mais qu'est-ce que c'est que ce maudit rêve?

Il se rassied. Elle se calme.

FREUD, *sourire d'humour :* Ils sont tous comme
ça : profonds comme la mer.
CECILY : Je vais le prendre par un autre bout.

La femme peinte devant la porte de la tour, dos tourné au public.

FREUD, *voix off :* Une femme peinte.
CECILY, *voix off :* Ne me dérangez pas! Je vois la
tour.

La femme peinte rentre dans la tour, et se perd dans l'obscurité.
La tour. Une nappe de liquide rouge glisse sur son mur circulaire :
on la croirait enduite de sang.

> (*Furieuse :*) Je n'ai pas versé le sang.
> FREUD, *voix off :* Qui vous accuse de cela?
> CECILY, *voix off :* Les profondeurs de la mer.

La tour redevient semblable à ce qu'elle était lors de la première
description : peinte en rouge vif.

> FREUD, *off :* Elle est rouge?
> CECILY, *off :* La tour? Oui.
> FREUD, *off :* connaissez-vous la rue de la Tour
> Rouge?
> CECILY, *off :* Naturellement.

La rue de La Tour Rouge à quatre heures de l'après-midi. Rue
commerçante et très achalandée. Cecily, plus jeune (dix-sept ans)
passe avec une gouvernante.

> FREUD, *off :* Qu'est-ce que c'est?
> CECILY, *off :* Une rue de Vienne.
> FREUD, *off :* Et puis?
> CECILY, *off :* C'est une rue très commerçante.
> Quand je pouvais marcher, j'y faisais mes achats.
> FREUD, *off :* C'est tout?
> CECILY, *off, une hésitation :* Oui.

La rue de La Tour Rouge, la nuit, telle que nous l'avons vue au
premier acte : ses prostituées qui font le trottoir sous un réverbère.
Les magasins sont clos (naturellement les mêmes que dans la première
évocation).

> FREUD, *off :* Et la nuit?
> C'est le rendez-vous de toutes les prostituées.
> Vous ne le saviez pas?
> (*Un silence.*)
> CECILY, *off :* Je le savais.

L'image de la rue nocturne s'efface peu à peu en laissant trans-
paraître la tour rouge du rêve.
La tour rouge, avec la lanterne.

> FREUD : Dans votre rêve, il faisait nuit?
> CECILY, *de nouveau exaltée par la recherche :* Nuit!
> Nuit! Nuit!

(Même exaltation :) Je sais ce que vous allez me dire!

La femme de Putiphar sort lentement de la tour. Elle s'approche de l'écran, son image grandit démesurément. Son regard reste fixe mais elle cligne de l'œil, grossièrement, comme pour attirer l'attention d'un client.

La femme s'éloigne; elle revient vers la tour. Nous la voyons de dos.

VOIX OFF DE FREUD : La femme qui sort de la tour...
Elle était peinte à l'huile comme vous vous peignez à l'aquarelle chaque année, le 7 janvier. C'était vous!

La femme revient brusquement sur ses pas : quand elle se retourne, nous reconnaissons le visage de Cecily, encadré de ses cheveux blonds. Ce qui semblait, de dos, une chevelure noire, paraît, vu de face, un ornement de la couronne qui encadre les cheveux blonds à droite et à gauche.

Le visage de Cecily est barbouillé, comme nous l'avons vu dans l'autre séance, de coups de pinceaux d'aquarelle (du rouge sur les lèvres, deux taches de vermillon sur les joues, du noir sous les yeux).

Cecily, déguisée, vient vers nous.

CECILY, *off, d'une voix ferme :* Oui.
FREUD, *off :* Vous avez rêvé que vous étiez une prostituée, la nuit, rue de la Tour Rouge.

Cecily va et vient; elle finit par entrer dans la tour.

CECILY, *off :* Oui.
FREUD, *off :* Réfléchissez bien : quel rapport y a-t-il entre la prostitution et cette histoire d'aquarelle?
CECILY, *off, voix haineuse :* Elle m'a traitée de prostituée.

L'image éclate.
La petite Cecily, assise par terre : cinq ans. Autour d'elle, des godets remplis d'eau, des couleurs d'aquarelle, dans une boîte de fer noir et blanc. Elle a installé une petite glace devant elle et se barbouille consciencieusement les joues, les lèvres (rouges), les paupières (noires).

voix off de madame körtner, *vulgaire et méchante :* Qu'est-ce que tu fais? Qu'est-ce que tu fais?

J'interdirai à ton père de te conduire au théâtre.

On voit tout à coup près de l'enfant terrorisée le bas de la jupe noire de Madame Körtner. Le regard de la petite découvre Madame Körtner de bas en haut.
Cecily est soulevée par les aisselles. Madame Körtner la couche sur son genou.

(Hurlements de Cecily.)

voix off de madame körtner : Tu peux crier, tu l'auras ta fessée, petite roulure.

Une fille de ton âge qui rêve de se farder. C'est de la graine de putain.

Une grande et belle main d'homme enserre le poignet de Madame Körtner et l'empêche de frapper Cecily.

monsieur körtner, *calme et autoritaire :* Non.

Le poupon de Cecily, énorme, avec sa tête, dans la vitrine d'un magasin de jouets.

voix off de cecily, *aujourd'hui :* Il m'a consolée, il m'a promis une poupée. Il a été si gentil.

Sur Cecily qui parle à Freud dans sa chambre. Elle est souriante mais un peu solennelle.

cecily : C'était un 7 janvier.

La première fois que je me suis passé de la couleur sur les lèvres. La première fois que ma mère m'a traitée de putain.

La première fois que mon père m'a donné une poupée. Un jour de fête, non?

Rire un peu provocant.
Freud reprend sans faire attention à cette provocation.

freud : Aquarelle et prostitution : bon. Voilà le lien. Donc vous avez imaginé que vous étiez devenue...

Cecily lui coupe la parole par un petit rire.

Là-dessus l'image de votre jeune bonne s'est mêlée à celle de votre vieille femme de chambre et les paroles de la vieille ont exprimé les secrets de la jeune.

La femme à la fenêtre. Même costume, même corps, jeune et beau. Mais la tête a changé : c'est celle d'une très jeune et très jolie prostituée (le visage est encore tout frais. Mais beaucoup trop fardé).

Elle se penche à la fenêtre et rit. En suivant son regard, nous voyons la femme égyptienne. Mais, si son corps resté nu sous les peintures est brun, son visage — sans le moindre maquillage mais avec quelques barbouillages à l'aquarelle — est celui de Cecily. Cette fois, Cecily, femme de Putiphar, fait très clairement le métier de prostituée. Elle a l'air las et fané. Beaucoup plus vieille qu'elle ne paraît en réalité, et surtout que la très jeune femme de chambre qui la montre du doigt.

Avec éclat :

LUCIA, *vulgaire :* Votre fille fait le trottoir, Madame.

On la paie moins cher que moi. *(Triomphante :)* C'est-y moi qui l'ai souillée, la petite? Il y a onze ans que je ne l'ai plus vue.

Ivre de la joie de se venger :

Faut croire qu'elle avait ça dans le sang, Madame! Et c'était pas la peine de me renvoyer.

L'image éclate : Cecily et Freud dans la chambre de Cecily. Elle regarde Freud d'un air à la fois très calme et complètement égaré. Elle ne semble pas surprise.

CECILY, *un peu provocante, comme tout à l'heure :* Vous avouerez, Docteur, que c'est un rêve étrange pour une jeune fille?

Elle rit. Elle humecte du bout de la langue ses lèvres sèches. Elle a l'air amusée et vaguement libertine. Freud se hâte de donner une explication rassurante. Il est un peu gêné par l'attitude de la malade. C'est ce qui le conduit à faire des conclusions erronées.

FREUD : Sait-on à quoi les jeunes filles rêvent? Dans votre cas, d'ailleurs, nous connaissons le traumatisme originel. C'est cette nuit de Naples. Vous rêvez de prostitution depuis que vous avez trouvé votre père mort entre des filles.

Cecily se rembrunit dès qu'il est question de son père. Finalement elle répond coléreusement à Freud.

> CECILY, *furieuse :* Vous n'allez pas mélanger ce rêve idiot...
> *(Emportée par le désir de prouver qu'il faut aban-donner cette piste :)* D'abord je le fais pour la pre-mière fois depuis la mort de mon pauvre papa!
> FREUD : Vous l'aviez déjà fait? *Avant* la mort de votre père?

Elle s'arrête, interdite. Freud la regarde avec stupeur : il comprend à la fois qu'il s'est trompé et qu'il vient de découvrir une piste plus importante. Cecily paraît elle-même déconcertée : elle savait sans aucun doute qu'elle avait fait très souvent ce rêve mais il ne doit pas être douteux non plus que ce savoir est resté (peut-être depuis la mort du père) à la lisière du préconscient. Elle le réalise *au moment où elle l'exprime.*

> CECILY : Ma foi, oui!

Ainsi le docteur et sa malade se regardent, pareillement décon-certés, avec une réciprocité d'étonnement et de curiosité. Un peu de flottement dans leurs rapports : Freud a repoussé légèrement la chaise. Cecily a repris le poupard et le serre contre elle. C'est Cecily pourtant qui rompra le silence : elle est passionnée par cette nouvelle recherche — et puis elle veut fuir l'angoisse qu'elle sent renaître en elle.

Elle fait sa confession d'un air mondain et en même temps elle baisse les yeux comme une première communiante.

Freud reste impassible.

> Depuis des années.
> Quand j'avais quinze ans, je rêvais de ça tous les soirs.
> *(Avec force :)* Non! Je sais ce que vous pensez! Vous vous trompez complètement. Mon père n'*al-lait pas* chez les prostituées. Il n'y allait *jamais.*
> *(Plaidoyer passionné :)* Je vous ai menti : il était léger quelquefois et je pense qu'il a un peu fait souffrir maman : c'est le tort que je ne lui par-donne pas. Mais, réfléchissez, Docteur : il était beau comme un Adonis. Il *refusait* les femmes les plus désirées. On dit que le demi-monde est plus amu-sant que le nôtre : je le crois volontiers. Mais s'il

avait voulu d'une lorette, il avait assez de fortune pour prendre leurs maîtresses aux archiducs. Qu'avait-il à faire de ces misérables créatures que je déteste? Ce sont des laiderons, de vraies horreurs, les rebuts de notre sexe!

La tour rouge. Cecily en femme de Putiphar, mais avec sa tête blonde, attrape par la manche le monsieur au haut-de-forme et veut lui mettre une bague au doigt.

CECILY, *voix off :* J'ai dû faire une mauvaise lecture quand j'avais douze ans; j'ai appris dans l'horreur l'existence de ces femmes et le dégoût qu'elles m'inspirent est tel que je me punis en rêvant que je suis l'une d'entre elles.

FREUD : De quoi vous punissez-vous? Il faut que ce soit d'un crime pour que le châtiment soit si dur.

L'image éclate. Freud est debout au chevet de Cecily. Elle le regarde avec des yeux remplis d'angoisse. Elle essaie de rire.

CECILY : J'ai la conscience délicate. Et puis, en rêve, on exagère toujours.

Freud sourit et s'incline pour prendre congé.

(*Brusquement inquiète :*)
Vous partez? Mais nous n'avons pas terminé.
FREUD : La séance est terminée.

Freud est amical mais réservé. Cecily s'énerve. Gestes des mains sur le drap. Elle a peur de rester seule.

CECILY : Et le rêve? Il reste beaucoup à dire.
FREUD, *calme :* Nous reprendrons demain.
CECILY, *boudeuse :* Mais je vais tout oublier, moi.
FREUD, *souriant :* Ce jeu vous plaît donc tant?
CECILY : Ce n'est pas un jeu mais cela me plaît.
(*Impérieuse :*) Revenez cet après-midi.
FREUD : À demain matin, Cecily.

Freud lui sourit largement. Il répond avec une autorité tranquille : il sait qu'il vient de gagner une manche. Il lui tend la main; elle se détourne de lui, furieuse, et ne serre pas la main tendue.

APPENDICES

APPENDICES

LE SYNOPSIS (1958)

« FREUD »
Scénario original
de Jean-Paul Sartre

Premier travail
Paris, 15 décembre 1958

I

Freud, à soixante ans, entouré de ses disciples (les « Sept »). Ils parlent de l'autoanalyse. Freud la déconseille (à moins qu'elle ne soit le complément d'une analyse normale). Jones fait remarquer à Freud qu'il a commencé la sienne depuis bien des années (1897). Freud : « Qui m'aurait analysé? Il n'y avait qu'un analyste au monde et c'était moi. » Interrogé par ceux qui l'entourent (l'autoanalyse de Freud est à l'origine de sa découverte du complexe d'Œdipe) il entreprend de leur raconter l'histoire de cette autoanalyse. (Le sujet du scénario est en effet : un homme entreprend de connaître les autres parce qu'il y voit le seul moyen de se connaître lui-même et s'aperçoit qu'il doit mener à la fois ses recherches sur les autres et sur soi. On se connaît par les autres, on connaît les autres par soi. La voix « *off* » de Freud résonnera par la suite chaque fois qu'un bref commentaire des événements paraîtra nécessaire.)

ou
I bis

La voix « *off* » : tout a commencé à la mort de mon père. La scène précédente est supprimée et la voix prend immédiatement sur les images de II.

II

Automne 1896. Vienne. Un homme en deuil, d'une quarantaine d'années – c'est Freud – pénètre dans la boutique d'un coiffeur et veut se faire raser. Il est pressé, nerveux; il considère avec mécontentement les nombreux clients qui attendent leur tour et qui passeront avant lui. Il parle au patron : « Qu'est-ce qui se passe, aujourd'hui? À cette heure-ci, d'ordinaire, il n'y a personne. » « À cette heure-ci? répond le patron. Mais c'est toujours plein. D'ordinaire vous venez plus tôt. » Cette remarque paraît troubler Freud qui regarde sa montre et se résigne à s'asseoir à côté des autres clients.

Pendant ce temps, la famille Freud s'impatiente : c'est le jour de l'enterrement du père, Jakob Freud, et Freud est en retard. On lui reproche aussi, très âprement, d'avoir voulu que « les obsèques se fassent sans bruit, très simplement ». Il arrive. Réflexions désagréables. La mère apaise la querelle. Le départ pour l'enterrement.

La nuit. Sigmund travaille dans son cabinet (appartement du rez-de-chaussée 19 Berggasse). Nerveux et surmené. Allume un nouveau cigare, hésite, le jette, se lève et, par l'escalier extérieur, regagne son appartement privé au troisième étage. Sa femme dort déjà. Il entreprend de se déshabiller. Sans bruit. Il est couché, les yeux ouverts et fixes.

Une boutique (topographiquement *identique* à celle du coiffeur. Mais on y vend des objets ronds et enveloppés de papier blanc). Pas un client. Les vendeurs se passent les objets de main en main et ces marchandises finissent par parvenir jusqu'à la caissière qui colle sur chacun l'étiquette « vendu » et les jette sur le sol. À tous les murs d'énormes plaques en émail.

ON EST PRIÉ DE FERMER LES YEUX

(Les rêves analysés par Freud – et dont nous utiliserons ici quelques-uns des plus significatifs – paraissent absurdes ou saugrenus avant l'analyse *mais ils restent très quotidiens;* le fantastique ou le mystérieux y apparaissent rarement. Il paraît donc nécessaire de les traiter avec *plus de réalisme encore* que les scènes de la vie éveillée. C'est par l'absurdité des comportements et le conflit visible de cette absurdité avec le réalisme des lieux et des objets qu'on rendra la *surréalité* particulière et la « surdétermination » des rêves rapportés par Freud.)

Freud assis dans son lit, réveillé en sursaut. Sa femme dort.

Voix de Freud : « La phrase de l'écriteau avait un double sens. Elle voulait dire : il faut fermer les yeux *aux morts*, il faut faire son devoir envers eux. Donc je me sentais coupable. Pourquoi ? Qu'avais-je fait ?

« Il y a des années que je me sens coupable. Quelle est ma faute ? *Qui suis-je ?* »

Il revient en arrière, des souvenirs apparaissent, incompréhensibles et rapides, un train qui passe près de hauts fourneaux, un enfant de trois ans dans un compartiment de ce train regarde les feux rouges dans la nuit et sanglote ; une cuisine misérable, deux hommes robustes apportent un grand baquet de bois et des récipients pleins d'eau chaude ; la mère de famille (Madame Freud) les verse dans le baquet pour y laver les enfants qui attendent, à demi déshabillés (le plus âgé a trois ans) ; Jakob Freud ramassant sa casquette dans un ruisseau ; Jakob Freud dans un fauteuil (c'est un vieillard) et sa femme et ses filles, amaigries et malades (les filles sont des adultes à présent) autour de lui. Ce sont presque des photographies. Une gravure revient trois ou quatre fois ; elle représente Hamilcar faisant prêter serment à son fils Hannibal et l'on entend une voix : « Je jure de nous venger des Romains. » Tout ce kaléidoscope finit par s'arrêter sur une image.

III

31 août 1885. À Vienne. Nous sommes dans un hôpital. Une chambre misérable, pour un jeune médecin. On voit de dos, accroupi, devant un poêle de faïence, un jeune homme qui brûle des piles de manuscrits avec un acharnement presque joyeux. Il fait une chaleur torride et la fumée emplit la chambre. Nous le voyons de profil, à présent. C'est Sigmund Freud ; il a vingt-neuf ans. Il transpire et ses yeux clignotent à cause de la fumée. Mais il est tellement absorbé dans sa besogne qu'il n'entend même pas les coups qu'on frappe à sa porte. Il finit par se lever et par aller à la porte. Avant d'ouvrir il demande : « Qui est là ? » On répond de l'autre côté de la porte « Martha ». Alors seulement il tourne la clé et ouvre à sa fiancée. Elle – une jeune fille frêle (et gracieuse plutôt que jolie) – regarde avec stupeur cet autodafé. Qu'est-ce qu'il fait ? Il brûle des manuscrits, toutes les traces de son passé avant de partir pour Paris. Il a détruit entièrement le Journal de ses quatorze dernières années. Pourquoi ? demande-t-elle. « Pour donner du mal à mes biographes futurs. » Il déclare qu'il ne peut s'en aller de l'hôpital avant d'être débarrassé de la crainte que quelqu'un puisse jeter un coup d'œil sur ces papiers. Nous apprenons en effet qu'il est titulaire d'une bourse qui lui permettra de passer un trimestre à Paris et de suivre les cours du célèbre Charcot. Il parle en brûlant les dernières feuilles et les derniers cahiers. Il se relève, tout noirci, elle le brosse, il se lave le visage, elle l'entraîne. Couloirs de l'hôpital. Ils sortent.

Dans le couloir, elle demande :

« Pourquoi cette peur? Pourquoi donner tant de mal à tes biographes? »

Il ne répond pas. Elle – vive et assez susceptible – s'agace de ce silence et lui dit, avec un peu de méchanceté :

« D'abord tu n'auras pas de biographes. Pourquoi en aurais-tu? »

Il ne répond toujours pas. Elle s'effraye :

« Tu n'as pas besoin d'être un grand homme. »

Il répond entre ses dents :

« Si. »

Le *Ring*, à Vienne. Ils marchent côte à côte dans la foule, très corrects, sans se donner le bras. Un marchand ambulant vend des libelles contre les Juifs. En vers. Il en récite quelques passages. Un groupe s'est formé autour de lui. Des badauds se mettent à rire; certains achètent des « Histoires juives » ou des chansons. Le visage de Freud se durcit. Un homme passe devant lui, il vient d'acheter un petit livre au marchand et le lit en riant tout seul. Freud lui arrache le livret, le déchire et disperse les feuilles au vent. Stupeur du badaud qui regarde Freud avec une sorte de peur. Freud lui dit simplement : « Imbécile!» Martha entraîne Freud pendant que le badaud considère sans comprendre les feuillets épars à ses pieds.

Un café sur le *Ring*. Freud et Martha assis. Freud silencieux et tendu. Martha attend, paisiblement. Freud regarde les consommateurs. Ils sont paisibles, ils jouent aux cartes ou aux échecs. Brusquement, il parle, sans regarder Martha : la plupart de ces gens si tranquilles sont des ennemis. Ils auraient pu acheter les Chansons et les recueils d'Histoires juives que vendait le marchand ambulant. Comprend-elle pourquoi il a brûlé ses manuscrits? Il ne faut rien laisser derrière soi : on vit en pays ennemi; les « goys » s'emparent de tout, déforment tout. « Nous sommes juifs; nous devons être circonspects : tout ce que les goys découvrent de nos vies sera retenu contre nous. » Ne pas se livrer. Même aux biographes futurs. Elle lui sourit doucement; qu'il reste obscur, qu'il soit un bon médecin, qu'il vive comme tout le monde : il échappera aux regards. Il secoue la tête : « Impossible. Nous, Juifs, on nous oblige à *prouver* notre valeur. » Il raconte l'histoire du jeune Hannibal jurant à son père Hamilcar de tirer vengeance des Romains. Les Juifs ressemblent aux Carthaginois : il faut qu'ils s'imposent ou qu'ils soient écrasés. Et chacun a son père à venger. Elle lui demande si le doux Jakob Freud lui a fait prêter serment comme le vieil Hamilcar à Hannibal. Il tord la bouche, comme si la question le touchait au vif et répond simplement : « Non. »

Ils sont interrompus par l'arrivée de Minna, sœur de Martha Bernays, du fiancé de Minna, Schönberg et du « cousin Max », ami très intime et très tendre de Martha. Ils allaient s'asseoir à une autre table mais Martha leur fait signe de venir à la sienne. Freud, furieux, lui dit que c'est leur dernier jour : « Tu ne dois t'occuper que de moi. » Elle s'irrite : c'est sa sœur. Nouveau signe : cette fois les trois jeunes gens l'ont vu ; ils s'approchent. À l'instant Freud se lève : il a rendez-vous avec le professeur Meynert, un célèbre médecin qui le protège, il est obligé de partir. « Mais, dit Martha, tu n'as rendez-vous qu'à cinq heures. » Il ne répond pas, s'incline, sort du café, ivre de colère. Il erre dans les rues, marchant avec difficulté, respirant péniblement ; il sort un cigare d'un étui, l'allume et se met à fumer en toussant.

IV

Chez Meynert. Il est cinq heures. Meynert a cinquante ans. Beaucoup d'élégance physique ; c'est un homme du monde, il a des « manières ». (Freud paraît plus franc et plus brutal mais il semble qu'il ait peur de Meynert et, en même temps, qu'il l'admire.) Barbe rousse, visage ravagé qui contraste avec un corps resté jeune. Il se félicite d'avoir pu, avec l'aide du vieux maître de Freud, Brücke, obtenir pour son élève cette bourse d'ailleurs bien insuffisante, mais il s'étonne que Freud veuille assister aux cours de Charcot.
« C'est un naïf, dit-il, ou un charlatan. On prétend que ses étudiants s'amusent à ramasser des filles et à les lui envoyer pour qu'elles fassent semblant d'être hystériques. » De toute manière le terrain n'est pas solide. Freud ne croit-il plus aux sciences exactes ? À la neurologie ? Il a pourtant fait d'excellents travaux, le dernier, en mars de cette même année, sur l'anatomie du cervelet. Freud répond qu'il est troublé par le problème de l'hypnose et de la thérapie par suggestion. Meynert paraît écœuré : c'est de la mystification. Il s'énerve et se livre à son tic favori : tirer sur sa moustache et la mordiller tout en frappant de l'index sur sa narine gauche. Freud, hypnotisé par ce tic, essaye de s'expliquer : il lui semble que ni la physiologie ni la psychologie (toutes deux entièrement mécanistes) ne peuvent rendre compte de ce qu'il y a en chacun de nous. Meynert le regarde éberlué, fourrageant dans sa barbe et tirant sur sa moustache. Freud bafouille : « Il y a en nous des forces... » « Quelles forces ? » « Je ne sais pas. Je n'arrive pas à me comprendre. Est-ce que vous, vous vous comprenez tout à fait ? » La moustache, la barbe, l'index contre le nez. Meynert rit : « Je ne perds pas mon temps à m'épier. D'ailleurs je suis clair à mes yeux, transparent comme de l'eau de roche. » Freud ne dit rien : le tic le fascine. Un silence. Meynert, tout à coup, s'aperçoit de son tic et pose les deux mains à plat sur son bureau : « Ce n'est pas moi que je veux connaître, c'est le cerveau humain. En tout cas, si j'avais la fantaisie de comprendre ce qui se passe en moi, je n'irais pas étudier des hystériques, des femmes à demi névrosées, à demi simulatrices. » Freud se demande au contraire s'il ne

faut pas d'abord étudier les malades pour comprendre les conduites des hommes normaux : la maladie souligne et grossit certains traits.

Meynert, agacé, clôt la discussion par une offre : « Allez à Paris, puisque cela vous amuse. Mais si vous reconnaissez, en revenant, que votre grand homme n'est qu'un charlatan, si vous vous consacrez à la neurologie, vous ferez *à ma place* mon cours sur l'anatomie du cerveau. Car je me sens déjà trop vieux pour enseigner les nouvelles méthodes expérimentales. » Un silence. Ils se regardent. Meynert touche sa narine et mordille sa moustache.

Voix off de Freud :

« Je l'avais aimé comme un père. À présent il me faisait peur; j'avais peut-être déjà deviné que cet homme génial n'était pas bien disposé envers moi. »

Rompant le silence, Meynert déclare qu'il ne demande pas une réponse immédiate et qu'on verra quand Freud reviendra de Paris. Freud se lève pour partir.

V

Le crépuscule. Freud dans les rues, fumant et toussant. Il entend retentir à ses oreilles la voix de Meynert : « Je suis clair comme de l'eau de roche! Je suis clair comme de l'eau de roche! » Max et Schönberg, qui sont partis à sa recherche et qui l'aperçoivent, courent à lui et le prennent chacun par un bras. Schönberg est très amical, Max très aigre. « Qu'est-ce qui t'a pris? Pourquoi nous as-tu quittés sans un mot? Etc. » Freud ne répond pas mais il se laisse entraîner dans un petit café avec un billard. Café désert et pauvre. Ils l'interrogent de nouveau. Freud finit par leur répondre. « Vous avez manqué de tact : il ne fallait pas venir. » Il ajoute en regardant Max : « Et surtout toi, qui lui fais la cour dans mon dos. » Max est furieux : « Je ne lui fais pas la cour; je la connais depuis sa naissance et mieux que toi : je suis de sa famille, moi. » Freud se monte à son tour : « Sa famille! Elle n'en a plus qu'une : la mienne; elle laissera sa mère et sa sœur, et mon père sera son père. Elle est à moi. » Max, soudain furieux, frappe sur la table : « Elle est à toi et tu l'abandonnes pour aller à Paris faire je ne sais quoi! Si tu la rends malheureuse, je te tue. » Freud rétorque aigrement, malgré Schönberg : « De quoi te mêles-tu? Tu es son cousin, tu n'es pas chargé de son bonheur et tu ne comptes pas. » Et l'autre, debout et furieux : « Ah! Je ne compte pas! Eh bien, je pourrais, si je voulais, la faire renoncer au mariage. » Schönberg intervient pour condamner l'attitude de Max; finalement, tard dans la nuit, après une interminable discussion qu'on nous laisse simplement soupçonner, Max explique qu'il aimait Martha et se met à pleurer. Freud, ému, très énervé, pleure à son tour et les deux amis vont se réconcilier lorsque Sigmund, s'apercevant qu'il pleure, se durcit brusquement, furieux d'avoir donné des signes d'émotion et laissé voir sa sensibilité : « Malheur à qui me fait pleurer. Tu n'es pas de ma trempe, je puis être impitoyable si je te rencontre sur ma route. » Il s'en va, laissant Max stupéfait et Schönberg indigné du procédé. Freud marche dans la nuit, un peu égaré, la voix de Meynert résonnant à ses oreilles : « Je suis clair comme de l'eau de roche. » (La scène de la dispute, tout en révélant la violence contenue de Freud, reste légèrement comique, à cause de la nervosité de chacun, des brusques changements d'attitude et, malgré les barbes, à cause de la jeunesse des personnages.)

VI

Le lendemain vers onze heures. La gare. Un quai désert. La voie est vide. Freud sur le quai, portant une valise usée et visiblement bourrée. Il demande à un employé qui passe, très pressé : « Le train pour Paris ? » « Il n'est même pas formé ; regardez l'heure. » La montre de Freud et l'horloge de la gare s'accordent à marquer onze heures. L'employé s'en va, en ajoutant, dédaigneux : « Vous en serez quitte pour attendre une heure et demie. » Freud s'assied sur un banc.

Martha Bernays. Elle traverse rapidement le hall de la gare. Elle cherche Freud et finit par le trouver. Il lui reproche d'arriver si tard. Elle lui reproche d'être arrivé si tôt. Pourquoi faut-il qu'il soit toujours en avance, quand il doit voyager ? Il répond qu'il a une véritable phobie des voyages. Il a peur de mourir dans le train – et c'est pour cela qu'il a brûlé ses papiers, la veille. Et quand la peur de mourir disparaît, c'est la peur de manquer le train qui la remplace.

Martha n'est pas de bonne humeur. Elle lui reproche, elle aussi, de partir pour Paris. Il semble désemparé et ne répond pas. Elle ajoute à cela d'autres reproches : pourquoi les avoir quittés si brusquement, la veille ? En outre Schönberg a rapporté ce matin même à Minna la dispute de la nuit passée ; Minna a tout raconté à sa sœur. Pourquoi s'est-il brouillé avec Max ? Max n'est pas vraiment épris d'elle : il se l'imagine, il prend une amitié d'enfance pour de l'amour ; elle l'a toujours tenu à distance, Freud le sait bien. Ils auraient pu, cette nuit, à la fin de la dispute, se réconcilier : c'est Freud qui ne l'a pas voulu. Pourquoi ? Pendant qu'elle lui fait ces reproches, Freud regarde dans le vide et ne répond toujours pas. Le train se forme sous leurs yeux. Freud et Martha montent dans un compartiment de troisième désert, où il marque sa place en posant sa valise. Ils sont seuls ; il se retourne vers elle et l'embrasse passionnément. Elle lui rend ses baisers avec une passion égale. Tout d'un coup, il s'excuse : « Il y a en moi quelque chose d'insolite. Des diables sous un couvercle. Quand le couvercle se soulève... D'où cela vient, je ne sais pas : je n'ai pas été jeune dans ma jeunesse ; ou peut-être il y a une autre raison. Quand Max parlait de toi, hier, j'ai perdu entièrement le contrôle de moi-même et j'aurais détruit l'univers y compris toi et moi. Tout changera quand nous serons mariés ; quand j'aurai une situation indépendante. » Elle lui sourit et se laisse aller dans ses bras. Il est en train de l'embrasser quand midi sonne à l'horloge de la gare. Il se redresse brusquement et, comme elle le regarde avec stupeur, il la prend par la main et l'oblige à descendre sur le quai. Il a l'air profondément contrarié. Devant le wagon de troisième. Il regarde vers le hall avec agacement. « J'attends Breuer. » Elle s'écarte de lui, furieuse. Les voyageurs arrivent peu à peu et commencent à monter dans les wagons. Il est midi dix et le train part à midi vingt. Enfin Breuer paraît. C'est un homme d'une quarantaine d'années, avec une grande barbe noire. Il est de haute taille et fend les groupes d'arrivants. Il prend Freud par les bras et les serre très fort en le secouant un peu. « Je suis en retard, un malade m'a retenu. Bonne chance, Freud ! Bonne chance. » Freud semble se détendre, tout d'un coup ; il a un visage tranquille et heureux. « Je m'en vais vite ; je vous laisse à votre fiancée. Non, non : vous me présenterez à elle quand elle sera votre femme. » Il lui tend une enveloppe. Avant qu'il ait pu remercier son ami, Freud se retrouve seul. Freud revient vers Martha, après avoir suivi Breuer des yeux. Il lui donne l'enveloppe. « Voilà pourquoi je l'attendais. C'est de l'argent. 500 guldens. Tu les porteras à ma mère ; elle n'a plus un sou. » Elle le regarde tendrement, elle a compris. Il ajoute : « Breuer, je l'aime comme si c'était mon père ; de lui cela ne me gêne pas. Mais j'ai vingt-neuf ans, je travaille douze heures par jour et je fais des dettes pour vivre. Si tu veux me comprendre, rappelle-toi cela. » Ils se regardent, il lui prend la main et la serre de toutes ses forces. Sifflet du chef de train. « Tu es à moi. » Et tout de suite, impérieux : « Jure-moi de ne plus revoir Max ! » Elle se cabre. Sifflet du chef de train. Un employé crie : « En voiture ! » Sous le regard de Freud Martha finit par céder : « Je ne le reverrai plus. » Freud lui prend les deux mains et les serre passionnément. Le train s'ébranle et Freud, qui est arrivé avec une heure et demie d'avance, doit courir pour le rattraper.

VII

À Paris. L'hôpital de la Salpêtrière, un jour de novembre 1886. Une salle de l'hôpital. Charcot fait une leçon sur l'Hystérie devant un nombreux auditoire. Freud est parmi les assistants.

Charcot étudie le cas d'une vieille hystérique. Il explique en quelques mots :

1) que l'hystérie n'est pas une « simulation » ou une « imagination » : c'est une maladie réelle et digne d'une étude sérieuse. Qu'elle n'atteint pas seulement les femmes mais aussi les hommes ;

2) la différence entre les troubles hystériques (par exemple la paralysie et les insensibilités) et les troubles organiques de même apparence ;

3) la possibilité de provoquer chez certains sujets par l'hypnotisme la disparition ou l'apparition des troubles hystériques.

Séance d'hypnotisme : la vieille paralytique, en état d'hypnose, parvient à marcher. Réveillée, elle tombe : la paralysie revient.

Conclusion de Charcot : Quel que soit le fondement neurologique inconnu de l'hystérie, les symptômes peuvent être supprimés par des moyens psychologiques.

À la fin du cours, Freud suit Charcot et l'aborde pendant qu'il se lave les mains, dans une petite salle voisine. Il dit, non sans timidité, à quel point le problème de l'hystérie l'intéresse et demande si les révélations obtenues par l'hypnotisme ne pourraient pas servir de base pour édifier une « psychologie des profondeurs ». L'apparition et la disparition des symptômes chez les sujets en état d'hypnose ne prouvent-elles pas l'existence en nous d'une réalité intermédiaire entre les états de conscience et les faits purement physiologiques ?

Mais Charcot, petit homme affable et chauve, qui se lave les mains avec lenteur et soin, se borne à hocher la tête et à répéter en souriant : « N'allons pas trop vite. Ne généralisons pas. Doucement. »

Cela n'empêche pas Freud de le quitter dans la joie et l'enthousiasme. Et, pendant qu'il marche à travers les rues, dominant les passants de toute sa taille, la voix « off » de Freud vieilli se fait entendre : « Je pensais que j'avais trouvé la voie pour connaître les autres et pour me connaître. J'étais assuré *enfin* qu'il y avait une réponse aux questions que je me posais depuis si longtemps. »

VIII

On voit sur l'écran un journal viennois. Et cette annonce :

« Le docteur Sigmund Freud, chargé de cours de neurologie à la Faculté de Vienne est de retour, après un séjour de six mois à Paris et habite maintenant Nathanstrasse 7. »

Chez Breuer. Sa femme Mathilde, charmante, excellente amie de Freud. On introduit Freud en militaire. Il a eu la malchance de devoir faire une « période » en tant que réserviste au moment où il commençait sa carrière de médecin pratiquant. Il passe à Vienne (retour de manœuvres) pour y quitter l'uniforme et part pour Wandsbeck (près de Hambourg) pour se marier. Martha est, en effet, retournée en Allemagne avec sa mère pendant le séjour de Freud à Paris.

Mathilde est enchantée de revoir Freud. Mais Freud paraît très embarrassé : il souhaiterait s'entretenir avec Breuer seul à seul. Mathilde multiplie les questions ; Freud est au supplice. Finalement Breuer entre et s'aperçoit aussitôt de sa gêne. Il fait un clin d'œil à Mathilde qui comprend et se retire. Freud, seul avec Breuer, lui avoue qu'il n'a pas un sou : sa solde est en effet beaucoup moins élevée qu'il n'avait cru. Il faut que Breuer lui prête l'argent du voyage. Breuer y consent aussitôt. Mais on sent combien cette démarche est pénible à Freud. Freud prend l'argent : il ne remercie pas, il le met furtivement dans sa poche. Il dit simplement : « Vous êtes beaucoup trop jeune pour être mon père. Mais, si je n'aimais le mien comme je l'aime, c'est un père comme vous que je souhaiterais. » Cependant il est loin d'être abattu : il a dit à Mathilde son impatience et sa joie de revoir Martha et de pouvoir enfin l'épouser ; à Breuer il parle de ses espoirs et de son enthousiasme pour Charcot : dans un mois, après son voyage de noces, il fera une communication à la Société médicale. Il voit dans cette communication (lecture d'un mémoire sur « L'Hystérie masculine ») une contribution d'une importance capitale pour la psychiatrie et l'étude des névroses. Ce sera, en même temps, un brillant départ pour sa propre carrière médicale : il y gagnera de la notoriété et par suite une nombreuse clientèle. Il dit à Breuer : « Vous pouvez me comprendre, vous : j'ai besoin de croire en moi. Je ne sais comment je suis fait : il me faut votre soutien et votre protection et je ne rêve que d'arriver à l'indépendance complète. » Breuer le rassure. Freud lui serre la main dans les deux siennes ; il hésite un instant et se jette dans ses bras et puis il se raidit brusquement et s'enfuit.

IX

Le cabinet du docteur Freud en octobre 1886. Il attend les clients, qui ne viennent pas. Il marche de long en large. Il s'assied. Il croit avoir entendu sonner. Va lui-même à la porte d'entrée, ouvre : personne. Il se rassied, il rêvasse : la Société des Médecins, il parle, applaudissements tumultueux ; il est de nouveau dans son cabinet, un vieil homme imposant – un ministre – le remercie : « Vous m'avez sauvé la vie. » Freud sourit, le ministre lui offre sa protection : il aura grâce à celle-ci une carrière exceptionnelle, il sera professeur à l'Académie de Médecine. Toute la haute société viennoise viendra se faire soigner par lui : « Considérez-moi comme votre père ! » Freud – qui se retrouve brusquement assis à son bureau – déclare avec force : « Je ne suis pas homme à me laisser protéger comme un enfant ! »

En fait le cabinet est désert. (Il s'agit ici d'une rêverie, d'un « fantasme » qui se déroule dans le monde réel et conserve tous les caractères de la réalité.)

Martha ouvre la porte du fond qui donne sur les chambres « privées » et se glisse dans le cabinet de son mari. Il lui fait les gros yeux mais elle l'embrasse et se met à rire : elle s'en ira dès qu'un client sonnera. Freud rit : alors, elle risque de rester toute sa vie dans ce cabinet. Elle venait lui montrer un dessin. C'est une image humoristique trouvée dans un illustré : un lion dans le désert bâille : « Deux heures et pas de nègres. » Les nègres sont les clients. Freud explique qu'ils viendront, les nègres : après la séance de ce soir à la Société médicale, quand il aura lu son mémoire, ils viendront.

X

La Société médicale. De nombreux médecins, Meynert et Breuer sont dans l'assistance. Freud termine la lecture de son manuscrit. Une dernière phrase sur les conséquences thérapeutiques des découvertes de Charcot : l'habitude est de traiter les névroses par l'électrothérapie, les bains et les massages. N'y aurait-il pas lieu d'examiner si l'on peut guérir les malades par l'hypnotisme et la suggestion ? Il se tait, pose son manuscrit, attend. Pas un applaudissement. Il regarde Breuer, au premier rang, dont les mains vont pour applaudir et, brusquement, arrêtent leur mouvement. Un neurologue, Rosenthal, fait observer que tout cela est bien connu à Vienne. Un autre qu'il n'y a rien de nouveau dans la communication de Freud et qu'il n'avait pas besoin d'aller à Paris si c'était pour en rapporter cela. Un troisième : « Tout est faux ; l'hystérie est exclusivement féminine. La preuve c'est qu'elle vient d'un mot grec qui signifie utérus ! » Toutes ces interventions sont plus méprisantes qu'hostiles. Freud les écoute sans broncher. Un silence : il fixe les yeux sur Meynert qui mordille sa moustache. C'est celui-ci, brusquement, qui éclate. Avec une violence qui détonne au début : « Je vous mets au défi de nous présenter un hystérique mâle, présentant les symptômes décrits par Charcot. » Il se monte : « Je trouve d'autant plus singulière votre défense de la thérapie par suggestion que vous étiez un vrai savant en partant pour Paris, et que vous connaissiez assez bien la physiologie. » Et enfin : « L'hypnotisme ? Je plains ces confrères qui, peut-être par altruisme, s'abaissent jusqu'à assumer le rôle de bonnes d'enfant en assommant les gens par la suggestion pour les faire dormir. » Il prend à témoin Breuer « qui fait autorité dans tout ce qui concerne la neuropathologie » et qui pourra témoigner que les symptômes décrits par Freud viennent pour la plupart de lésions cérébrales. Freud attend avec espoir une réponse de Breuer. Les assistants se tournent tous vers celui-ci. Mais il se tait. Freud accuse le coup. Meynert, après un bref silence, conclut en rappelant la valeur des méthodes éprouvées et particulièrement de l'électrothérapie. Vifs applaudissements. Breuer n'applaudit pas.

Devant la façade de la Société médicale, un moment plus tard, sortie d'un groupe de médecins irrités.

« Meynert l'a bien remis à sa place ! »

« Voilà un jeune médecin, presque un étudiant, qui a été l'élève de tous ces hommes illustres et qui prétend leur faire la leçon. »

« Qu'est-ce que vous voulez, c'est un Juif. Oh ! Je n'ai rien contre les Juifs mais il faut être israélite pour aller chercher à Paris des théories que tout le monde connaît à Vienne et qui sont depuis longtemps abandonnées. Ces gens-là n'ont pas de patrie. »

Tout le monde a quitté la salle, à présent. La rue est déserte. Un homme attend Freud, dans l'ombre. Celui-ci sort le dernier. L'homme sort de l'ombre, avec circonspection, il s'approche de Freud : c'est Breuer. Il lui met la main sur l'épaule ; il l'encourage à persévérer : « Moi aussi, il y a quelques années, j'ai eu recours à l'hypnotisme. Et cela m'a réussi dans certains cas. Il faut chercher. » Freud le regarde avec un mélange d'affection et de défiance ; il lui en veut sans se l'avouer de n'être pas intervenu pendant la séance. Il le remercie sans chaleur. Breuer lui propose sa voiture qui attend un peu plus loin ; Freud refuse : il rentre à pied. Il a besoin de réfléchir.

XI

Quelques jours plus tard. Le cabinet de Freud. Il est à son bureau, très sombre. On sonne. La première cliente. Mais il ne donne aucun signe de joie. Elle entre : ses premiers mots sont pour lui dire qu'elle est envoyée par Breuer. Elle expose son cas : au fur et à mesure qu'elle parle, nous comprenons qu'il s'agit d'un des cas typiques que la psychanalyse a su traiter plus tard. Freud l'écoute. Au bout d'un moment – il est encore très gauche et timide – il donne sa médication : électrothérapie, bains, massages.

Martha l'attend dans la pièce voisine, toute joyeuse : enfin un client ! Il entre, très sombre. Il dit : « Martha, sois contente : je me range. Plus d'ambitions : je n'étais pas l'homme qu'il fallait. » Il essaiera d'être un bon médecin et de gagner la vie de sa famille. Il revient sur l'attitude de Breuer avec amertume : « Il était bien mou, l'autre soir. Il m'envoie des clients mais il m'a laissé tomber. Cette cliente, sais-tu pourquoi il l'adresse à moi : c'est sûrement pour me dire de renoncer aux théories et de faire mon métier. Je lui obéirai. » Elle est dans ses bras, souriante et tendre, on sent qu'elle ne partage pas sa déconvenue, et même qu'elle est soulagée. Il regarde le mur :

deux images sont fixées contre la paroi : une reproduction en couleurs d'un tableau figurant le Serment d'Hannibal et la photo célèbre représentant le cours de Charcot à la Salpêtrière (tel que nous l'avons vu précédemment) et il ajoute (en pensant évidemment à l'interprétation qu'il a donnée de la conduite de Breuer) : « Et pourtant j'étais doué pour interpréter. » Martha lève la tête et le regarde avec surprise.

XII

Six ans plus tard. En 1892. Breuer n'a pas cessé d'aider Freud, de lui envoyer des clients, de lui prêter de l'argent. Il l'a emmené souvent dans ses voyages professionnels. C'est à lui – presque autant qu'à son propre travail – que Freud doit ses clients (encore bien peu nombreux). Mais, depuis six ans, Freud n'a plus jamais écrit ni sur les névroses ni sur leur traitement : il gagne la vie du ménage et de ses trois enfants (Mathilde cinq ans, Jean-Martin trois ans, Oliver, un an); il traduit en allemand les *Leçons* de Charcot.

Ce soir de mars 1892, il va dîner chez Breuer avec Martha. Nous voyons le couple Freud dans sa toute récente installation (deux appartements dans le même immeuble, l'un au rez-de-chaussée, l'autre à un étage supérieur, reliés par l'escalier extérieur de la maison). Freud joue un moment avec Mathilde sa fille aînée (ainsi nommée à cause de Mathilde Breuer) avant de s'habiller pour aller dîner. Il semble plus sombre et plus dur qu'auparavant, sauf avec ses enfants. Il parle moins. Il conserve toute son affection et toute son admiration pour Breuer; il reste très petit garçon devant lui. Est-il satisfait de cette situation précaire et encore très modeste? Sûrement pas. Il répondra à Mathilde qui l'interroge : « Nous sommes heureux parce que nous avons renoncé à être très exigeants : le sourire de notre petite Mathilde nous suffit. »

Le dîner chez Breuer. Les relations de Mathilde Breuer et de son mari, contrairement à ce qui se produit d'ordinaire entre eux, semblent un peu tendues. Mathilde est nerveuse. Breuer est de plus en plus paternel avec Freud. Il lui dit, au milieu du dîner, négligemment : « Est-ce que vous vous intéressez toujours à l'hypnotisme et à l'hystérie, Freud? » Freud répond qu'il n'a jamais cessé de s'y intéresser. Alors Breuer lui dit qu'il soigne depuis près de six mois une hystérique, Anna O... et que cette malade – qui est non seulement pleine de charme mais remarquablement intelligente – lui a inspiré d'elle-même une nouvelle méthode thérapeutique où l'hypnose joue son rôle. Pourquoi il n'en a pas parlé plus tôt? Il n'était pas sûr de lui. À présent, la malade est en voie de guérison : « Voulez-vous la voir? Bon! Eh bien, je passerai vous prendre demain soir à cinq heures. »

Il rit et ajoute : « Mais prenez garde, Martha ; elle est redoutable. »
Martha dit qu'elle ne craint rien. Freud dit en riant qu'il n'a rien
pour attirer l'attention des femmes et qu'elle est bien tranquille. Il
ajoute : « Mais quand on est la femme d'un Breuer, Mathilde, il faut
se méfier : cet homme est trop beau pour ne pas séduire toutes ses
clientes. » Tout le monde rit. Mathilde plus fort que les autres.
Martha la regarde : « Mathilde, qu'est-ce que vous vous êtes fait ? »
Mathilde regarde sa main qui saigne : « Tiens, je ne m'en étais pas
aperçue. J'ai dû me couper avec ce couteau. » L'entaille est profonde,
elle s'excuse et se lève ; Martha se lève aussi, les deux femmes sortent.
Breuer la regarde sortir. À Freud : « Un peu de neurasthénie, je
crois : nous voudrions avoir un enfant. » Et Freud, comme à lui-
même : « Elle s'est tailladé le doigt et ne s'en est pas aperçue. »

XIII

Breuer et Freud dans la voiture de Breuer. Ici comme la veille,
pendant le repas, le contraste entre la richesse de Breuer et la gêne
de Freud doit être visible. Dans le coupé, ils parlent d'Anna O.
Maladie qui date de la mort du père. En ce moment contracture des
deux bras. C'est un symptôme très ancien mais qui disparaît souvent,
cède la place à d'autres et puis revient. « Cette fois nous sommes en
train de le supprimer complètement. » « Mais quelle est cette
méthode ? » « Vous verrez, vous verrez. »

La chambre d'Anna O. Chambre payante dans un hôpital. À bon
marché : visiblement Anna O. est pauvre. Elle est en noir, très pâle,
très belle, assise sur une chaise longue, les deux bras collés au corps
et les avant-bras relevés, les mains un peu crispées, les paumes en
dehors, comme si elle portait quelque chose de lourd. Immobile, les
yeux mi-clos, on ne sait si elle rêve ou si elle attend. La porte s'ouvre
doucement. Breuer entre, Freud le suit. Elle n'ouvre pas les yeux.
Breuer la regarde un moment et lui passe très légèrement la main
sur le front. Elle ouvre les yeux et les tourne vers lui. Elle parle.
Doucement, sans s'adresser à lui : mais en répondant à toutes ses
questions. Elle parle de la mort de son père. La contracture est
apparue tout de suite après. Le lendemain. Elle s'est réveillée dans
son lit avec les mains et les bras dans cette position. Elle ne voulait
pas aller à l'enterrement, bien sûr. Il y avait trop d'ennemis. Breuer
demande doucement : « Quels ennemis ? » « Des gens qui savaient. »
« Qui savaient quoi ? » Elle se lève, ses mains restent crispées mais
lentement les bras s'allongent. Elle s'approche du lit, lentement. Elle
s'agenouille, racle le dos de ses mains par terre comme si elle cher-
chait à ramasser un objet très lourd, son visage exprime l'effort, elle
s'y reprend à plusieurs fois. Elle tombe à moitié de côté. Breuer la

regarde, avec un visage étrange : il semble bouleversé. Freud, plus froid mais stupéfait, regarde tour à tour la jeune femme et Breuer. On dirait que Breuer l'étonne autant que la jeune femme elle-même. Anna se relève péniblement comme si elle portait quelque chose de trop lourd pour elle, elle touche le lit et puis tout d'un coup, elle pousse un cri et tombe en arrière. Breuer s'élance, la prend dans ses bras pour l'empêcher de tomber et la reconduit à sa chaise longue. Il l'étend. Elle a les yeux grands ouverts et elle respire fortement mais les bras et les mains ont repris leur ankylose première. Breuer la regarde avec angoisse et dit comme pour lui-même : « Je crains toujours d'avoir été trop loin. » Il est penché sur elle : elle lui sourit, il se relève vivement. Elle dit, très naturellement : « Bonjour, Docteur. » Désignant Freud : « Qui est-ce ? » « Le docteur Freud, mon meilleur ami. » Elle incline la tête. Elle serait parfaitement normale sans une toux nerveuse qui la secoue fréquemment. Elle demande ce qu'elle a fait. Breuer le lui rappelle : peu à peu elle se souvient de s'être agenouillée devant le lit. Elle a l'air effrayée. « Qu'est-ce que j'ai dit ? » Il lui rappelle qu'elle ne voulait pas assister à l'enterrement de son père ni rencontrer certaines personnes qui avaient connaissance d'un certain fait. Elle rit : « Je dois mentir en rêve : vous savez bien que cette paralysie est venue six mois plus tard. Quant à l'enterrement, j'y étais. » « Et comment est-ce venu, cette paralysie ? » « Je ne sais pas. » « Essayez de vous rappeler, comme d'habitude. » « Je ne me rappelle plus. » Elle semble effrayée et rétive. Breuer demande : « Alors ? Pas de ramonage de cerveau, aujourd'hui. » « Non. » Il lui parle avec une douceur tout à fait inhabituelle chez lui ; il devient presque suppliant : « Je vous en prie : nous touchons au but. » Elle reste butée : « Je veux dormir. » Son coussin glisse, Breuer le ramasse et pour réinstaller la malade sur la chaise longue, il la prend par les épaules presque tendrement. Freud a perdu son air sombre et dur ; rajeuni, détendu, il semble aux aguets et considère cette scène avec une extraordinaire avidité. Il semble fasciné par les deux personnages à la fois. Comme Anna refuse, une fois encore, de parler, il demande à regret : « Est-ce parce que je suis là ? Souhaitez-vous que je m'en aille ? » Elle déclare gentiment que non. Mais Breuer se tournant vers Freud lui jette un coup d'œil impérieux. Freud sort. Il reste devant la porte, nerveux, impatient : on sent qu'il meurt d'envie d'écouter la conversation. Il s'éloigne par discrétion et se met à arpenter le couloir. Breuer sort presque aussitôt, profondément peiné : elle n'a rien voulu dire. « Je croyais avoir gagné sa confiance... Vous êtes déçu ? » Freud secoue la tête : « Non. » Breuer s'explique : c'est un cas de double personnalité (elle est tantôt capricieuse et enfantine, tantôt intellectuellement normale) accompagné de paralysie des deux bras, de troubles de la vue, de l'ouïe, toux nerveuse, etc. En passant d'une personnalité à l'autre, elle traverse un état d'autohypnose pendant lequel ses troubles se modifient, – comme Freud vient de le voir. D'ordinaire, dès qu'elle se retrouve dans son état normal, on lui rappelle ce qui vient de se passer (qu'elle n'a pas véritablement oublié) et elle raconte les circonstances qui ont accompagné l'apparition des symptômes. Et, chaque fois qu'elle parle en toute confiance, le symptôme se réduit : au bout de quelque temps ses troubles de la vue, puis ceux de l'ouïe, ont fini par disparaître. Elle est tellement intelligente qu'elle a compris l'importance de ces conversations qu'elle nomme elle-même « cure par la parole » et « ramonage du cerveau ». Depuis des mois, elle parle librement : il ne reste que cette paralysie des bras et cette toux. Et la paralysie va disparaître. Mais elle a peur : il y a quelque chose là-dessous dont elle ne peut pas se délivrer. Voilà une semaine qu'elle élude les questions. « Je croyais bien qu'aujourd'hui... » « J'étais là », dit Freud. « Oui. J'ai espéré que c'était votre présence. Mais après votre départ, elle s'est obstinée à se taire. Je reviendrai demain matin et j'essaierai par l'hypnose. Elle a dit que vous pouviez revenir quand vous voudriez. » Il ajoute avec une sorte de satisfaction rêveuse : « Elle a dit : puisque c'est votre ami. »

XIV

Le lendemain matin. Freud et Breuer dans le hall de l'hôpital. Breuer présente Freud à un homme étrange : le docteur Fliess, otorhino-laryngologiste de Berlin, qui demande à suivre le cours de physiologie du cerveau que Freud fait, comme privat-dozent, à la Faculté, pour se perfectionner dans cette partie des sciences biologiques. C'est un homme un peu plus jeune que Freud (celui-ci a trente-six ans et Fliess en a trente-quatre) mais avec des yeux de feu (sont-ce les yeux d'un fou? d'un génie?), un air à la fois buté et impérieux. Freud et Fliess se serrent la main et se donnent rendez-vous à la Faculté. Breuer entraîne Freud : « Comment trouvez-vous votre nouvel élève? » Freud répond : « Impressionnant. »

La chambre d'Anna. Elle est d'abord capricieuse et hostile. Elle se moque de Breuer et lui tire la langue. Visiblement, elle est dans cet « état second », dont Breuer parlait la veille. Mais cela n'empêche que Breuer soit visiblement peiné par cette hostilité. Cependant dès qu'il s'approche d'elle pour la plonger dans l'hypnose, elle semble s'abandonner. Petit à petit, elle s'abandonne. Au bout d'un moment, elle est toute calme, les yeux grands ouverts. Breuer lui parle d'une voix basse, insistante et tenace. Il lui commande de leur faire confiance, de parler librement de sa paralysie, de recommencer la scène de la veille et de l'expliquer. Il se tait, ils attendent en silence. Au bout d'un moment ses bras se tendent, elle se lève, elle va vers le lit, elle s'agenouille. « Qu'est-ce que vous faites? » demande Breuer. « J'essaie de le relever. » « Qui? » Elle racle le sol avec ses mains, elle gémit :

« Je ne peux pas, je ne suis pas assez forte. » Elle se relève péniblement comme si elle portait un corps très lourd. « Que faites-vous ? » Elle se retourne brusquement vers eux et les regarde avec des yeux étincelants : « J'étais seule et je l'ai porté comme s'il était mon enfant. » Breuer est tout près d'elle : il la reconduit doucement à sa chaise longue et lui parle à l'oreille. « Réveillez-vous. Parlez-nous. » Elle les regarde avec étonnement. Elle dit : « Je me rappelle tout. » Elle était seule au chevet de son père agonisant. Il a fait un sursaut violent au moment de mourir et il est à moitié tombé hors du lit. Nous revoyons la scène à mesure qu'elle la décrit. Nous voyons ses efforts pour remettre son père dans son lit : elle y parvient enfin, mais il est mort. Freud demande tout à coup : « Vous avez parlé d'ennemis. De qui s'agissait-il ? » La question est posée timidement, pourtant Breuer semble choqué que Freud ose prendre la parole : il lui jette un mauvais regard. Mais Anna répond paisiblement : « Ceux qui savaient... » « Ceux qui savaient quoi ? » demande Breuer, reprenant son rôle de thérapeute. « Que ma mère nous avait laissés seuls tous les deux. » « Où était-elle ? » « Dans sa famille. Elle n'aimait pas mon père. » « C'est pour cela que vous n'avez pas voulu parler, hier ? » « Oui. J'avais honte pour elle. » Les bras ont repris leur place contre le corps, les mains sont crispées. Une attente interminable : le symptôme va-t-il disparaître ? Non. Alors, doucement, timidement, Freud demande : « Cette scène, vous l'avez souvent revécue ? » « Pendant six mois, presque toutes les nuits. C'était... horrible. » « Et puis le symptôme est apparu : vous vous êtes sentie paralysée. » « Oui. » « Eh bien, dit-il, cette paralysie est apparue pour vous empêcher de vous relever la nuit et de recommencer la scène. » À cet instant, sans même qu'elle ait paru entendre, ses bras et ses mains se décontractent, s'allongent et retombent mollement le long de son corps. Freud semble illuminé de joie ; Breuer aussi : mais il paraît aussi très agacé par la nouvelle intervention de Freud. Il félicite Anna qui regarde ses mains avec étonnement mais il l'invite à ne pas nourrir de trop grands espoirs : peut-être la paralysie reviendra, peut-être n'est-elle pas guérie ; les choses ne sont pas si simples, il faut du temps, beaucoup de temps.

Dehors, Breuer laisse paraître son agacement : « Qu'avez-vous fait ? demande-t-il à Freud. Qu'est-ce que cela signifie ? » Freud explique qu'il se demande depuis quelque temps si les malades *ne se défendent pas* par leurs maladies contre des souvenirs et des sentiments ou contre des tentations. Nous avons en nous des forces terribles, d'attaque et de défense. Elle se défendait : puisque la méthode de Breuer est « cathartique », il fallait aussi qu'elle comprenne cette auto-défense. Breuer hausse les épaules ; elle ne se défendait pas. L'hystérie naît d'un état spécial voisin de l'hypnose ; sa paralysie, avec les bras qui *portent quelque chose* ou *quelqu'un*, c'était, au contraire, le résumé permanent de la scène vécue. Il s'éloigne, agacé. Et la voix « off » de Freud nous dit :

« Pendant deux ou trois mois, il ne m'emmena plus chez Anna. »

XV

Le cabinet du docteur Freud. Une femme; jeune et jolie, étendue sur un divan. Voix « off » : « J'essayais la méthode cathartique sur mes malades. Celle-ci n'ose pas entrer seule dans les magasins. Des vendeurs ont ri d'elle quand elle avait treize ans. » Une boutique. On ne voit pas la fillette de treize ans mais on voit la boutique comme si la caméra était l'œil de la malade (cadrage d'une adolescente de treize ans d'une taille assez élevée, presque celle d'une adulte). Des jeunes gens rient entre eux, ils échangent des clins d'œil : « Quelle touche! Elle a bonne mine, la môme, avec ses frusques. » Rires. Voix « off » de Freud : « Je l'interrogeai après hypnose. » Le décor ne change pas mais, brusquement, les comptoirs s'élèvent, ils sont vus par en dessous. La caméra glisse comme un regard le long des comptoirs et (pendant que le rêve devient celui d'une seule personne) découvre, entre des bocaux de bonbons (alors que primitivement il s'agissait d'une boutique de chapelier) un homme d'une soixantaine d'années, qui est vu de bas en haut (comme pourrait le voir une enfant) et qui rit d'un air bonasse, avec des yeux terribles. Il fait le tour du comptoir et s'approche en disant de temps à autre : « On a peur du loup? du grand méchant loup? » Il approche toujours et la voix de la malade dit simplement : « J'avais huit ans. »

Sur Freud et la malade : « Est-ce que vous vous rappeliez cette scène? » « Non, je me la rappelle maintenant. » « Et l'autre scène est-ce qu'elle est vraie? » « Laquelle? » « Ces commis qui riaient de vous quand vous aviez quinze ans? » « Elle est vraie aussi. » « Et c'est elle que vous vous rappeliez? » « Oui, parce que l'autre est trop... atroce. » « Mais c'est l'autre qui comptait? » « Je ne sais pas. Probablement... » Elle s'assied sur le divan, elle dit qu'elle est soulagée, elle remercie Freud avec des yeux presque amoureux; elle se relève et, tout d'un coup, lui jette les bras autour du cou. Il reste poli et indifférent, il la repousse avec beaucoup de courtoisie. Elle le regarde avec stupeur, comme si elle ne le reconnaissait pas ou comme si elle ne se comprenait plus. Elle balbutie des mots indistincts en se rejetant en arrière, il lui dit doucement : « Ce n'est rien. Un effet d'hypnose : n'en parlons même pas. »

Fliess, Freud et Breuer dans le cabinet de travail de Breuer. Fliess est venu par hasard. Freud remercie Breuer : la méthode cathartique a une valeur exceptionnelle. Une vraie délivrance pour les malades; il l'a appliquée dans six cas différents : hystérie, névrose d'angoisse, obsessions, et les résultats sont remarquables. Mais ce qui le surprend, c'est l'importance du problème sexuel pour ses malades. Il s'était demandé souvent si la sexualité n'était pas à l'origine de toutes les névroses : la méthode inventée par Breuer lui apporte de nouvelles confirmations. À son grand étonnement, ces conceptions déplaisent souverainement à Breuer. C'est tout à fait absurde; que vient faire la sexualité dans cette affaire? Freud explique que les malades se défendent contre des désirs sexuels ou des souvenirs sexuels et c'est précisément leur maladie. Breuer frappe sur la table : C'est du roman. D'ailleurs comment expliquer le cas d'Anna O... dans cette hypothèse? Cette jeune fille n'a jamais ressenti ni désir ni trouble sexuel, elle est parfaitement froide. Il martèle les derniers mots en regardant Freud en face. Fliess n'a rien dit. Mais quand ils redescendent l'escalier de Breuer, il l'arrête à un palier et lui dit : « Freud, vous avez raison. » Freud le regarde ahuri, Fliess continue : « Ne vous laissez pas briser et morigéner par Breuer : ce n'est pas votre père. Il risque de vous arrêter dès le départ. » Freud répond, très gêné, qu'il n'est pas sûr de ce qu'il avance : il faudrait du temps, multiplier les observations, etc., etc. Fliess ne répond pas. Ils continuent à descendre l'escalier en silence. Dans la rue, Fliess lui déclare : « Continuez : vous allez réussir. » Freud, subjugué, lui demande : « Pourquoi me dites-vous cela? Pourquoi à moi? » Fliess le lui explique : Freud est un visionnaire, comme Fliess lui-même. Ce sont les visionnaires qu'on peut appeler le sel de la terre : ceux d'entre les hommes qui conçoivent une hypothèse avant d'avoir en leur possession les moyens de la vérifier. Freud et Fliess *sont de la même espèce*. Il y a quelque chose en eux, une force cachée. Ou peut-être, ajoute-t-il en riant, ont-ils fait un pacte avec le Diable. Freud semble subjugué. Mais Fliess avec ses gros yeux impérieux ressemble au Diable lui-même plutôt qu'à un ange gardien. « Ce sont vos yeux qui m'ont attiré, dit Fliess. Ils voient loin. » Et montrant les siens : « Le visionnaire se reconnaît à ses yeux. » Freud demande à Fliess s'il a, lui aussi, une hypothèse à défendre. Et Fliess répond d'un air à la fois têtu et mystérieux qu'il en a plusieurs. Et il déclare qu'il a découvert un syndrome (migraines, troubles circulatoires et digestifs, neurasthénie) qui peut être soulagé par une application de cocaïne à l'intérieur du nez et dont l'origine est sûrement sexuelle. Il ajoute : « Je devine bien d'autres mystères : il y a un rythme dans les phénomènes biologiques : 23-28, 23-28. » Il se met à rire et quitte Freud brusquement après avoir ajouté : « Ce rythme est d'origine cosmique. » Freud est abasourdi. Resté seul dans la rue, près d'un magasin pourvu d'un grand miroir, il s'approche et ne peut s'empêcher d'y regarder ses yeux.

Le même soir. Les enfants de Freud sont couchés. Freud et Martha se déshabillent. Quelques mots de Freud à Martha laissent voir son agacement : l'attitude de Breuer lui déplaît, il ne la comprend pas. Manquerait-il de courage? Il oscille toujours entre le « oui » et le « non ». En opposition avec cette prudence (qu'il rencontre partout : Meynert, Breuer et même Charcot), il vante l'intelligence et l'audace de Fliess, cet homme fascinant. Martha ne partage pas cet enthousiasme; elle aime le calme et la modération de Breuer et de Mathilde.

Freud rêve. Un rêve de rancune contre Breuer et de passion pour la liberté : il veut s'émanciper. En même temps, vague crainte de Fliess. (À choisir dans *La Science des rêves*. Peut-être le rêve sur le livre de Botanique. Ou à inventer.)

Voix « off » de Freud vieilli : « Mes rêves avaient un sens : je le savais depuis mon adolescence. »

Tout de suite après, rêve sur le père de Freud. Il a un glaucome de l'œil. Freud s'approche de lui en disant : « Quand je t'opérerai, tu seras visionnaire. » Le père est couché, il a d'abord sa vraie tête puis celle de Fliess qui crie : « Au lieu de m'opérer, tu dois sauver Anna O... qui est aveugle. »

XVI

Chez Breuer. Mathilde et Breuer prennent leur petit déjeuner, Breuer s'apprête à partir visiter ses malades. Ils sont d'assez mauvaise humeur l'un et l'autre. Mathilde reproche à Breuer un manque d'attention : celui-ci, absorbé dans ses pensées, s'est versé du café sans même en offrir à sa femme ; il s'excuse aussitôt et lui en verse. Mais elle ne s'apaise pas pour autant : il vient d'agir comme si elle n'était pas là ; ce n'est pas la première fois ; il voudrait qu'elle soit partie pour les antipodes, n'est-ce pas ? Sur ces derniers mots, on introduit Freud. Il semble très déterminé ; il a perdu la timidité qu'il manifestait la veille encore envers Breuer, bien qu'il conserve au moins les dehors d'un profond respect. Il vient solliciter une faveur : que Breuer l'emmène ce matin même auprès d'Anna O... Breuer, gêné, lui répond de façon presque désagréable qu'elle est guérie depuis une quinzaine de jours et qu'il ne la voit plus. Freud, très surpris, répond qu'il a vu son confrère Rosenfeld qui était à l'hôpital la veille et qui a vu Anna O... en compagnie de Breuer. C'est la gaffe. Mathilde se lève brusquement : son mari lui a menti ! Il prétendait la veille encore qu'il n'était pas retourné à l'hôpital ; qu'est-ce donc qu'elle lui a fait, cette femme ? Il ne peut plus la quitter. Breuer, très penaud, s'explique ; il ne mentait pas : c'est bien vrai qu'Anna O... est guérie, il ne l'avait pas revue la veille quand il a parlé d'elle à Mathilde mais l'idée lui est venue de retourner à l'hôpital qu'elle doit prochainement quitter et de constater que sa guérison était définitive. Mais Mathilde n'est pas du tout calmée par ces explications. La jalousie qu'elle a longtemps dissimulée éclate brusquement devant Breuer stupéfait : voilà six mois que Breuer ne fait que parler d'Anna, Mathilde en est obsédée, ils ne sont jamais seuls, Anna est toujours entre eux ; tout à l'heure encore, Mathilde en est sûre, il rêvait à elle. Elle ne peut plus supporter cette vie, elle quittera la maison si la situation ne change pas. Freud, terrifié par la violence qu'il a déchaînée, s'en va, à reculons, vers la porte, quand la voix de Breuer le cloue sur place : c'est un malentendu, Freud *doit* rester pour entendre ses explications. Il se tourne vers Mathilde : elle s'est trompée; si Breuer s'est passionné pour le cas d'Anna O..., c'est qu'il a découvert une nouvelle méthode psychiatrique. Son intérêt pour la jeune fille était exclusivement scientifique. Il est tout à fait à son aise, à présent, il rit : il compte revoir Anna O... ce matin même, mais ce sera pour lui faire ses adieux : ce voyage en Italie qu'il a depuis si longtemps promis à sa femme, pourquoi ne pas le faire tout de suite? Il dispose d'un certain loisir, il lui faut trois ou quatre jours pour expédier les affaires courantes, Mathilde peut prendre les billets pour jeudi prochain. Et, quant à cette dernière visite à Anna, il emmène Freud avec lui à l'hôpital pour délivrer sa femme de tout soupçon. Mathilde semble enchantée et stupéfaite : il la cajole comme une enfant et quand elle semble tout à fait détendue, il la quitte en emmenant Freud avec lui. Sur le palier, quand il est sûr que Mathilde ne l'entend pas, il dit à Freud : « Du diable si je me serais douté... Voyez-vous, Freud, la jalousie est une névrose. »

Dans la chambre d'Anna : elle semble en effet guérie, elle attend la venue de sa mère qui habite à Graz et qui vient la chercher pour s'installer avec elle à Vienne. Breuer, un peu guindé, très paternel, lui annonce son départ pour l'Italie. Elle ne semble guère émue : elle lui dit adieu et le remercie. Sur le seuil, au moment de prendre congé, elle tousse plusieurs fois. Ils sortent, Breuer semble très satisfait, il se frotte les mains, il dit d'un air détaché : « Eh bien, Freud, voilà un beau cas, tout à fait concluant, n'est-ce pas? » Freud répond simplement : « Elle tousse encore. » Breuer hausse les épaules et l'entraîne sans dire un mot.

XVII

Devant l'immeuble des Breuer, le jour de leur départ pour l'Italie. On charge valises et malles sur un camion; le coupé attend devant la porte; les Breuer sortent avec les Freud qui sont venus leur faire leurs adieux. Freud n'ira pas jusqu'à la gare : il a horreur des départs et surtout des trains. Martha les accompagnera. Au moment où Freud leur souhaite bon voyage, une ambulance de l'hôpital s'arrête derrière le coupé, un infirmier en sort et court vers Breuer : « Anna O... est dans un état très inquiétant, elle souffre, elle l'appelle, il faut qu'il vienne d'urgence. » Breuer blêmit, le visage de Mathilde se durcit; Breuer se tourne vers elle comme pour la consulter, elle répond simplement : « Il y a un autre train qui part pour Innsbruck dans trois heures. » Breuer saute dans l'ambulance, Freud le suit;

l'ambulance part en emmenant les deux hommes. Mathilde en sanglots dans les bras de Martha.

Dans l'escalier de l'hôpital : on entend des cris de femme. Cris énormes qui partent du grave pour finir en aigu. Freud demande : « Qui est-ce qui accouche? » à un interne qui passe. Celui-ci répond : « Personne. C'est Anna O... qui crie. C'est ainsi depuis sept heures du matin. » Breuer, bouleversé, se met à courir.

Dans la chambre d'Anna : elle hurle. C'est un accouchement nerveux, suite d'une grossesse nerveuse. Breuer presque tremblant dit à Freud : « Calmez-la, mettez-la en hypnose : moi, je ne peux pas la toucher. » Freud s'approche d'elle, il la regarde fixement, il lui parle avec douceur, il lui appuie une main sur le front, elle crie toujours; Breuer s'approche à son tour, il répète doucement et lentement une phrase, toujours la même : « Dormez, Anna, je suis là; Dormez, je suis là. » Peu à peu, elle se détend, elle finit par dormir. Breuer dit à l'infirmière : « C'est fini. Elle sera très calme, au réveil. » Il se tourne vers Freud : « Allons-nous-en. » Freud sort avec lui, indigné : « Vous la laissez dans cet état? » « Je ne veux pas manquer mon train. D'ailleurs, elle est guérie. » « Guérie? Pendant que vous guérissiez ses troubles et sa paralysie, elle faisait une grossesse nerveuse : et c'est de vous qu'elle se croyait enceinte; elle est plus malade que jamais. Vous devez rester pour la soigner. » Breuer s'obstine : « Je ne la reverrai de ma vie; je lui ai fait trop de mal. Cette méthode est terrible... On remue de la boue. » Freud le regarde d'un air étrange : « Oui, on ôte le couvercle; les démons sortent. » Breuer ne l'entend pas, il répète d'un air las : « Je suis coupable envers elle, je n'aurais pas dû... je n'aurais pas dû... » Freud s'énerve : « Vous serez coupable si vous vous en allez. Au point où en sont les choses, vous pouvez seul la guérir! » Un fiacre passe. Breuer l'arrête et saute dans la voiture, sans même demander à Freud s'il veut l'accompagner : « À la gare! » Le fiacre s'ébranle et Freud le regarde partir, consterné.

XVIII

Freud chez lui. Martha est très sombre. Mathilde lui a tout raconté. On sent que la jeune femme s'identifie à Mathilde. Elle fait – peu s'en faut – une scène de jalousie à Freud : est-ce qu'il ne lui a pas raconté qu'une jeune femme lui avait jeté les bras autour du cou. Elle ne tolérerait pas de subir le sort de Mathilde. Freud lui explique que cette jeune patiente venait d'être hypnotisée. Il renoncera d'ailleurs à l'hypnotisme parce que les malades se laissent aller à la suggestion pour plaire au médecin – et pour beaucoup d'autres raisons qu'il n'expose pas. Quant à Anna O..., Breuer ne l'a pas rendue amoureuse de lui : c'est un moment nécessaire de la cure.

« Crois-tu que mes malades pourraient tomber amoureuses de *moi*? »
« Et pourquoi pas? dit Martha. Est-ce que je ne t'aime pas? » « Mais
elles, ce n'est pas *moi* qu'elles aiment. Et Anna O... ce n'était pas
Breuer. » « Et qui, alors? » Freud s'embarrasse d'abord : « Je ne sais
pas... Elles transportent... il y avait un sentiment en elles... » Et,
brusquement, il s'illumine : « C'est un transfert. » Il comprend et
explique qu'elles transfèrent sur le médecin un sentiment défendu
ou impossible qu'elles nourrissaient pour un autre. « Pour qui? » Il
ne sait pas : ce qu'il sait, c'est qu'il est trop conscient de ne pas *mériter*
ses effusions et trop amoureux de Martha pour y céder. Il s'agit
d'une certaine espèce de rapport entre le médecin et le malade; et
ce rapport est nécessaire à la cure, voilà tout. Il a pris Martha dans
ses bras, elle se détend, elle a confiance. Elle finit par lui dire : « En
ce cas, retourne demain à l'hôpital et va soigner Anna O... Tu ne
peux pas la laisser seule. »

À l'hôpital, le lendemain : Freud va entrer chez Anna O... quand
des infirmiers passent devant lui, portant une malade sur une civière.
Ils ouvrent la porte : le lit d'Anna O... est vide. Freud demande où
est Anna? Elle semble guérie : elle a dormi longtemps, épuisée; sa
mère est venue la chercher aux premières heures du jour et elles
sont parties sans laisser d'adresse.

XIX

Le départ de Fliess pour Berlin. Deux mois se sont écoulés : Breuer
n'est toujours pas revenu. Freud vient de finir son cours. Les étudiants sortent de la salle, Fliess va rejoindre Freud. Ils vont se promener au bord du Danube. Ils parlent peu : Freud est très ému. Il
regrette profondément le départ de Fliess. « Je ne sais toujours pas
comment j'ai pu vous intéresser, lui dit-il très modestement, presque
humblement. Quoi qu'il en soit, vous m'avez fait une profonde
impression. » Il aurait aimé travailler à Berlin, encouragé par Fliess.
« Vous seul m'avez encouragé. » Il montre Vienne, autour d'eux. (Ils
sont sur un pont au-dessus du Danube et, en parlant, regardent l'eau
couler.) Cette ville est molle, insouciante, vaniteuse, incrédule, elle
n'a qu'une foi : l'antisémitisme. On ne peut pas y travailler sérieusement. Fliess propose qu'ils aient à eux deux des « congrès » : ils se
tiendront au courant de leurs découvertes. Ces « congrès » auront
lieu plusieurs fois dans l'année en Allemagne ou en Autriche. Fliess
conseille à Freud d'abandonner Breuer et de poursuivre ses travaux
tout seul. Freud paraît extrêmement troublé. Il répond que Breuer
s'est toujours conduit admirablement avec lui; il rappelle que pendant plusieurs années, Breuer lui a prêté de l'argent à la fin de
chaque mois. Il faut tenter un dernier effort. Pour Breuer lui-même.

Celui-ci a traversé une crise, très grave, dans ces derniers temps ; il faut l'aider coûte que coûte... Quand un garçon atteint sa majorité et gagne sa vie, c'est à lui d'aider son père. Fliess écoute sans répondre. Freud ajoute que c'est à Fliess de lui donner du courage : « Vous êtes plus jeune que moi mais il me semble que vous êtes de beaucoup mon aîné. » Brusquement il ajoute : « Nous devrions nous tutoyer. » Et Fliess répond : « Je suis d'accord mais tu ne devrais plus fumer. » Freud va pour obéir et jeter son cigare dans le fleuve. Mais il se reprend : « Ce serait trop pénible : j'ai trop de choses à faire pour m'imposer une nouvelle contrainte. »

XX

Automne 1895. Le cabinet de Freud. C'est la nuit. La pièce, très éclairée, semble déserte. La fumée la remplit. Quelqu'un – que nous ne voyons pas – tousse de temps à autre. Nous découvrons enfin Freud en train de fumer un cigare. Bouts de cigares sur un cendrier. Freud écrit ; il a terminé la page, il la pose sur un gros manuscrit, à sa droite, commence la page suivante, s'arrête, rêve un moment, attire une feuille de papier à lettres et se met à écrire à Wilhelm Fliess. Il tousse et jette son cigare. Une voix « off » (celle de Freud) nous récite la lettre à mesure qu'il l'écrit.

Nous apprenons que Breuer et Freud écrivent en commun un livre sur l'hystérie. La voix « off » disparaît quand nous voyons les scènes qu'elle décrit. Elle reparaît aux transitions et pour les commentaires.

Freud et Breuer dans le cabinet de Breuer, discutant. Breuer croit que les troubles hystériques tirent leur naissance d'un état semblable à celui des hypnotisés et qu'il nomme hypnoïde. Freud, agacé, interprète les névroses tout autrement : « Ce sont des mécanismes de défense. » Il met la défense du moi au centre des névroses, il explique le cas d'Anna O... comme une défense contre un souvenir intolérable (la nuit qu'elle a passée auprès de son père, la mort du père et la nécessité de juger sa mère). La paralysie était une défense contre un souvenir qui tendait à renaître. Pour tout dire, c'était un compromis entre une représentation intolérable et les « mécanismes de défense » qui refoulaient cette représentation. Breuer reste mou et assez morose ; ce qui le gêne, c'est d'abord cette conception dynamique : le psychisme apparaissant comme un jeu de forces qui s'opposent. Mais surtout il est contrarié de voir son protégé, son « fils spirituel » s'opposer à lui avec tant de conviction. Les deux hommes sont visiblement irrités, presque hostiles. Cependant, malgré l'indifférence morne et le scepticisme de Breuer, on voit qu'il est fasciné par la nouvelle autorité de Freud. Il objecte que si ces conflits de forces existent chez les malades, il faut admettre qu'elles existent aussi chez les hommes normaux, quoique à un moindre degré. Freud lui répond aussitôt qu'elles existent nécessairement. Il va jusqu'à parler de lui-même : il sait qu'il y a en lui des forces sauvages et qu'elles sont contenues par de puissantes inhibitions. À quoi le sait-il? « À tout : j'ai, comme tout le monde, des troubles légers mais d'origine psychique. J'ai des toux nerveuses, des palpitations cardiaques, des troubles intestinaux qui annoncent régulièrement des périodes de dépression. Et puis il y a mes rêves. Je les note depuis l'âge de seize ans. » « Et que veulent-ils dire? » « Je ne sais pas encore : mais ce sont des rêves de coupable. » Il est troublé, excité; il y a en lui une violence contenue qui finit par impressionner Breuer. Celui-ci déclare que cette conception est tout à fait étrangère à sa propre expérience : ses rêves ne veulent rien dire, il ne se sent pas coupable, il ne refoule rien. Et, sans transition, brusquement, – sous l'œil attentif et presque moqueur de Freud – il ajoute : « J'ai revu la mère d'Anna O... Elles habitent rue de la Gare, au numéro 12. » « Est-elle guérie, Anna? » « Non. » Il hoche la tête : « Mieux vaudrait qu'elle fût morte. »

Freud le regarde en silence mais la voix « off », violente et insultante : « Pour qui cela vaudrait-il mieux? Pour lui! Seulement pour lui! Et il dit qu'il ne refoule rien! » Sur le rire « off » de Freud, nous voyons une antichambre, dans un appartement bourgeois. La voix « off » : « C'était lui. Je l'avais appelé pour une consultation. » On sonne à la porte d'entrée; une bonne ouvre à Breuer (chapeau haut de forme, pelisse, gants) qui se débarrasse de son manteau et de son chapeau que la bonne accroche à un portemanteau. La porte d'une des pièces attenantes s'ouvre doucement : c'est Freud. Il déclare à Breuer : « C'est une jeune fille. Elle est malade depuis six mois. » « Qu'est-ce que c'est? » Il répond : « À mon avis, c'est une grossesse nerveuse. » « Quoi? » demande Breuer en changeant de visage. « Une grossesse nerveuse. » À l'instant le visage de Breuer se couvre de sueur, il reprend gants, manteau et chapeau, il s'enfuit, cependant que sa voix de la veille résonne aux oreilles de Freud : « Moi, je ne me sens pas coupable et je ne refoule rien. » Et, quand la porte d'entrée se referme, Freud a un rire bref et méchant avant de rentrer dans la chambre de la malade.

Sur Freud, écrivant à Fliess : « Quoi qu'il en soit, j'ai avancé. Dans la connaissance de mes malades et dans ma connaissance de moi-même. Non seulement de l'hystérie mais de toutes les névroses. Je sais à présent que ce sont des mécanismes pathologiques de défense contre une représentation intolérable qui veut s'imposer à la conscience. Le symptôme délirant est destiné à la masquer. Le malade s'accroche à ce symptôme, il aime son délire comme il s'aime lui-même. Mais si l'on parvient à lui faire découvrir la représentation qu'il rejette, il la voit en pleine lumière, le refoulement devient sans objet et le symptôme disparaît. »

Il vient encore d'allumer un cigare. Il tousse, il l'éteint et ajoute : « La grande nouvelle, ici, c'est la mort de Meynert. Quant à nous, toute la famille va bien sauf moi qui ai la gorge en feu. Au prochain congrès, mon cher Wilhelm, il faudra que tu m'examines; je me confie à toi corps et âme. Ton Sigmund. »

[*Scènes à tourner* [1] :

Les dernières relations de Meynert et de Freud. Freud devant le malade. Il regarde cet homme qu'il a si longtemps révéré comme son père et qui s'est finalement tourné contre lui. Meynert lui dit seulement : « Je suis le plus beau cas d'hystérie mâle que vous pourrez rencontrer. »
Vues de l'enterrement de Meynert. Freud très sombre.
Freud avec Martha après l'enterrement. Elle lui reproche son humeur. Il disait autrefois qu'il serait tout à fait normal quand il aurait Martha toute à lui : mais ses dépressions sont pires depuis son mariage. Freud, très sombre, explique qu'il n'aimait plus Meynert mais qu'il a cru enterrer son père. Il ne se comprend pas : il a besoin à la fois d'amis et d'ennemis. Quelquefois, la même personne joue les deux rôles. Il pense à Breuer.]

XXI

Le père de Freud est malade. Freud se rend chez lui avec Martha et les enfants. Freud retrouve sa mère et l'embrasse passionnément. Il reste assis au chevet du père qui dort. Martha et les enfants restent avec la mère. Freud regarde son père d'un air sombre et presque surpris. On entend des bribes de conversation, dans la pièce voisine : la mère parle : « C'est un bon malade... il est si doux. Il ne se plaint jamais. » Freud revoit son père à Freiberg, trente ans plus tôt : un gros homme passe à côté de lui sur le trottoir et lui jette la casquette dans le ruisseau : « Descends du trottoir, Juif, et va chercher ta casquette. » Le père regarde l'homme qui s'éloigne, descend du trottoir et ramasse sa casquette. On revient dans la chambre du malade qui gémit et se retourne sur le dos. Freud regarde sa tête : c'est celle de Breuer. Il se lève brusquement et va dans la pièce voisine; il s'excuse auprès de sa mère : il faut qu'il retourne à son cabinet; il laisse Martha et les enfants. Tramway. Freud descend devant la maison de Breuer. (Une plaque d'émail sur la porte : Breuer, médecin.) Il va pour entrer et puis il fait demi-tour et s'en va.
De retour dans son cabinet. Une bonne lui ouvre la porte d'entrée : « Non. Personne n'est venu. » Il entre dans son cabinet. Derrière

1. Feuillet retrouvé, sans doute ajouté par Sartre à la relecture de la dactylographie du synopsis. (*N. d. E.*).

son bureau, au moment où il s'assoit; on voit la vieille gravure : Hamilcar fait prêter serment à Hannibal. Freud s'assied, prend son manuscrit et se met à écrire.

La voix « off » de Freud vieilli : « Il y avait Fliess, à Berlin; mais à Vienne j'étais seul. Parfaitement seul. »

Une malade entre (Lettre 60 à Fliess : le dialogue est à y prendre avec quelques coupures [1]). Femme de trente ans, très maniérée. Elle est en traitement depuis quelques jours. Elle déclare, en ôtant son chapeau : « Ça m'est égal de dire tout le mal que je pense de moi-même mais je tiens à ménager les autres. Il faut que vous m'autorisiez à ne nommer personne. » Puis en s'étendant sur le divan : « Avant, je ne voyais pas le mal. J'aurais été plus facile à soigner. Aujourd'hui, je vois clairement que certaines choses sont criminelles, etc., etc. » À la fin Freud la pousse franchement : « Parlons net : ce sont les proches parents de la victime qui sont les coupables. Les pères, les frères... » Elle, vivement : « Mon frère n'a rien à y voir. » Et Freud : « Alors c'est votre père. » Elle se met à sangloter. Freud ne l'écoute plus : il voit Breuer couché dans un lit (le lit de Jakob Freud) et disant à une fillette (qui ressemble à Mathilde Freud) : « Viens voir ton papa, mon enfant. Est-ce que tu as peur de ton papa? » La fillette contre la porte, terrorisée. La tête de Breuer, riant, apparaît entre des bocaux de bonbons (la boutique décrite par l'autre malade). Sur Freud – le rire de Breuer s'entend toujours – qui se lève, met la main sur le front de sa malade et dit : « Alors? Qu'a-t-il fait votre respectable père? », d'un ton vraiment mauvais et grinçant. Elle dit : « J'avais neuf ans... »

XXII

Un « congrès » à Berchtesgaden. Fliess et Freud se sont rejoints. Ils marchent sur un sentier de montagne. Fliess parle, Freud l'écoute avec une admiration timide. Il se retrouve comme il était devant Breuer dix ans plus tôt. Fliess a l'air d'un voyant; il explique que la vie humaine est conditionnée par des phénomènes périodiques en relation avec notre constitution bisexuée; le développement de l'organisme se produit par saccades au cours de ces périodes; le psychisme est le résultat d'intoxications intermittentes. Tout individu est à la fois mâle et femelle : un sexe domine et l'autre, caché, constitue notre inconscient. « Le nombre! s'écrie-t-il. Le nombre! Tout est là. » Du fait de ces périodes le jour de notre mort est parfaitement déterminable. « J'ai calculé le tien, dit-il à Freud, tu mourras à cinquante et un ans, tu as encore onze ans à vivre. » Il se

1. Cf. in *La Naissance de la psychanalyse*, P.U.F., un passage de la lettre du 28-4-1897, pp. 172-173. *(N. d. E.)*.

retourne sur Freud : Freud est pâle et défait, il a l'air très sombre. Fliess s'étonne : Freud a-t-il peur de mourir ? Freud s'assied sur un tronc d'arbre, au bord du chemin. Ce n'est pas cela : c'est sa brouille avec Breuer. En fait, ils ne sont pas entièrement brouillés : Freud lui doit de l'argent et puis ils n'ont pas terminé leur livre sur l'hystérie. Mais, de toute façon, il n'estime plus son ancien protecteur. « Pour échapper à mes propres critiques j'ai toujours eu besoin de subir l'influence de quelqu'un. À présent... heureusement, il y a toi. » Il se met en rage contre Breuer, il dit que la seule présence de celui-ci suffirait pour l'inciter à quitter Vienne. Il irait vivre à Berlin, près de Fliess, si seulement il pensait se faire une clientèle. Il se lève brusquement : il dit à Fliess qu'il se trouve en pleine dépression nerveuse. En plus de cela, des troubles cardiaques : arythmie, oppression, brûlure dans la région du cœur. Tout cela par accès. Il s'écrie : « Quelle tristesse pour un psychiatre, de ne pas savoir s'il est atteint ou non de dépression névrotique ! » Il allume un cigare et tousse. Fliess qui est resté assez indifférent aux confidences de Freud se redresse brusquement : « Jette ce cigare, malheureux ! Ou tu rapproches la date de ta mort. » Freud le jette docilement. Il paraît subjugué : « Qui me dira pourquoi j'ai besoin d'un tyran ! » Fliess lui examine la gorge : en plein air et sur-le-champ. « Affection nasale, semble-t-il. Cas d'intoxication par la nicotine. Les troubles cardiaques, la dépression, tout vient du nez. » Freud pourra fumer modérément.

À la gare de Berchtesgaden. Fliess, de mauvaise humeur : le train pour Vienne passe dans trois quarts d'heure, pourquoi arriver si tôt ? Il finit tout de même par demander à Freud s'il a poursuivi ses recherches avec succès. Freud répond : « Je suis sur le point de tout découvrir. » Des enfants courent dans la gare. Un enfant de quatre ans près de Freud. « Je suis à peu près certain d'avoir trouvé la clé de l'hystérie et des névroses obsessionnelles. » Il se décompose peu à peu. « Qu'y a-t-il ? » « Le train. Crise d'angoisse. J'ai toujours eu la phobie des trains. Ne t'inquiète pas. » Il est pâle, il transpire, le cœur s'emballe. Malgré cet état presque insupportable pour lui, il expose à Fliess sa découverte : la névrose est un choc sexuel subi dans l'enfance et dont le souvenir est refoulé. Si le choc s'est accompagné de terreur, c'est l'hystérie qui en résulte ; s'il s'est accompagné de plaisir, il se transforme plus tard en sentiment de culpabilité et il est remplacé par des idées obsessionnelles (névrose obsessionnelle). Fliess écoute, sans grand enthousiasme, il déclare simplement : « Tu devrais chercher pendant quelle période le choc s'est produit. » Freud répond vivement : « Ce n'est pas cela qui m'intéresse. J'y viendrai. » « C'est le principal », dit Fliess sèchement. « Non, ce n'est pas le principal. Le principal c'est la nature du choc. J'ai mon idée là-dessus. Mais je t'en parlerai plus tard. » Fliess a l'air mécontent, il lui reproche de quitter le domaine proprement physiologique. Freud dit qu'il n'en fait rien et qu'il compte sur Fliess pour lui fournir plus tard un terrain physiologique solide. Il ajoute : « Pour l'instant j'ai des incertitudes touchant le rôle du père dans l'enfance. À propos as-tu interrogé ta femme ? » Fliess demande : « Sur quoi ? » Freud s'impatiente ; son angoisse redouble : « Je te l'ai demandé au moins cinq fois, tu oublies toujours, personne ne m'aide, ta femme t'appelle : mon petit chat. » Sur Fliess qui, avec ses gros yeux féroces, a l'air de tout sauf d'un petit chat ; Freud continue : « Quelqu'un l'appelait ainsi dans son enfance. Je t'ai prié de lui demander qui était cette personne. » Fliess ne répond pas. Un léger froid.

Le train arrive enfin. Freud y monte péniblement, aidé par Fliess. Leurs adieux « jusqu'au prochain congrès ». Ils s'écriront. Le train part. Freud se calme peu à peu. Il tire son étui à cigares, le considère un moment comme s'il voulait l'ouvrir et, pour finir, il le jette par la portière.

Sur Freud, assis dans un coin du compartiment, les yeux fixes. La voix « off » : « Douze cas de névrose, douze cas d'inceste dans l'enfance. Il aurait fallu une expérience cruciale. » On revoit Anna O... essayant de hisser son père mourant dans le lit dont il vient de tomber. Le père a la tête de Jakob Freud. La voix « off » : « Celle-là adorait son père. Rien ne semblait s'être passé entre eux. Était-ce vrai ? Je décidai de revoir Anna O... »

XXIII

Une maison dans les faubourgs de Vienne. Immeuble assez pauvre. Freud y entre. Il sonne à une porte du troisième étage. Une femme vient lui ouvrir. C'est la mère d'Anna O... Elle a l'air austère et dur. Qu'est-ce qu'il veut ? Freud explique qu'il est médecin : Anna le connaît. Breuer lui a donné leur adresse. Il sait qu'Anna ne va pas bien, il est psychiatre (il montre sa carte) et voudrait la soigner. La mère ne le laisse pas entrer. « Nous n'avons plus d'argent ; nous ne pouvons pas payer les visites à domicile d'un médecin. D'ailleurs, il n'y a plus rien à faire. Et surtout pas d'hypnotisme. » Freud la rassure : il a renoncé à l'hypnotisme. Et si elles n'ont plus d'argent, il soignera Anna gratuitement. La mère le considère avec défiance : Pourquoi le ferait-il ? Les médecins se font payer. Freud répond que le cas d'Anna est très intéressant. D'autant plus qu'elle est remarquablement intelligente. Il repousse presque la mère ; il entre dans une pièce assez pauvre qui sert à la fois de salle à manger et de salon. Ils causent un moment et il en arrive à rappeler à la mère la nuit terrible où Anna seule au chevet de son père... Elle l'interrompt : « La nuit de sa mort ? Mais j'étais là ! » Freud tombe des nues. Ils sont tous les deux stupéfaits. Freud demande si elle a eu des différends avec son mari ; la mère jure que non. Elle n'a aimé qu'un homme dans sa vie, c'était son mari, le père d'Anna, il est mort dans ses bras. La petite n'était même pas là : on attendait la mort du père d'un jour à l'autre, et Madame O... depuis deux nuits envoyait sa fille coucher chez une voisine. Madame O. paraît sincère et indignée : « Comment avez-vous pu croire le récit d'une folle? Ma pauvre fille est folle. Folle à lier!» Freud déclare qu'il ne l'avait justement pas crue : c'est Breuer qui la croyait. Dans son indignation Madame O... ouvre la porte de la pièce voisine. Anna est dans son lit, recroquevillée, hagarde. Ses bras se meuvent librement mais elle a une jambe paralysée, à présent. Madame O... lui demande si elle reconnaît Freud. Anna fait un signe d'assentiment. La mère lui demande : « La nuit où ton père est mort, où étais-tu?» La malade répond docilement : « Chez Madame Rosengarten ». « Et moi?» « Tu étais chez nous, près de papa. » Elle répond tout cela avec une innocence parfaite. Madame O... lui dit : « Qu'est-ce que tu as été raconter à ces Messieurs les Docteurs?» Anna répond sans avoir l'air d'attacher beaucoup d'importance à ce qu'elle dit : « Oh! c'était un rêve. » Madame O... l'accuse de ne pas épargner sa mère dans ses rêves. Elle parle durement et froidement. Elles sont au bord de la dispute. Freud les calme. Visiblement les deux femmes ne s'aiment pas. Anna O... regarde sa mère avec une sorte de haine froide. Freud demande à parler seul à seule avec Anna. La mère répond : « Faites-en ce que vous pourrez!» et s'en va en claquant la porte. Freud seul avec Anna. Elle le regarde avec méfiance : « Vous êtes avec l'autre qui ne m'a fait que du mal!» Il lui parle doucement, il lui promet de ne pas l'hypnotiser. Mais il n'a pas l'air bon. On voit briller dans ses yeux une étrange curiosité. Il s'assied sur une chaise, un peu en retrait, de manière à ce qu'Anna ne puisse plus le voir. Elle gémit : « Qu'allez-vous encore faire de moi? Qu'allez-vous me demander?» Il répond très doucement : « Simplement de parler. Dites tout ce qui vous vient à l'esprit. Même les idées les plus saugrenues. Tout m'intéresse. Je ne vous demande qu'une chose, c'est de me dire sincèrement tout ce que vous pensez. » « À propos de quoi?» « Eh bien, de n'importe quoi. Par exemple de la mort de votre père. » Elle se laisse retomber sur le lit, ferme les yeux et gémit doucement; on voit qu'elle se prépare à parler. Freud, derrière elle, se dispose à l'écouter; il a toujours dans les yeux cette lueur de curiosité démoniaque.

La voix« off » : « Le Père! Toujours le Père! J'avais de l'angoisse; je ne savais pas pourquoi. Mais je voulais en avoir le cœur net et je savais que j'irais jusqu'au bout, cette fois. »

XXIV

Freud dans son appartement. Sa fille Mathilde (neuf ans, à présent) joue avec lui. Il semble l'adorer. Il est très doux avec elle. Martha contemple la scène. Mathilde se pend au cou de Freud et se met à l'embrasser. Brusquement il l'écarte de lui. Le geste a été si brutal que l'enfant le regarde avec stupeur et se met à pleurer. Martha semble stupéfaite. « Je ne t'ai jamais vu comme ça avec les enfants. Qu'est-ce qu'il y a ? » « Il n'y a rien. Je suis pressé, voilà tout. » Il a un air étrange : une sorte de peur. Il sort de la chambre rapidement.

Nous le retrouvons chez Anna O... Voilà déjà quinze jours que le traitement est commencé. Il lui fait des visites quotidiennes. La mère le regarde avec défiance et animosité mais elle le laisse seul avec sa fille. Cette fois, il la presse de questions ; il n'est pas l'analyste patient et silencieux qui écoute le malade, il intervient au contraire, il la pousse dans une direction bien définie. Il essaie de lui faire dire que cette chute du père, le jour de sa mort, était inventée comme un symbole d'une autre déchéance. Elle essaie de résister mais faiblement. Quelle déchéance ? demande Freud. Anna ne sait pas : la fortune peut-être ? Le père a été ruiné par la faillite d'un frère de sa femme. « C'est bête ! » « Quoi ? » « Rien. » « Dites. Rien n'est bête, tout peut me servir. » « J'ai pensé que j'étais tombée quand j'étais petite. » « À quel âge ? » « À dix ans. » On voit la petite fille entrant en courant dans un salon qui donne par une porte-fenêtre sur un jardin. Elle s'est fait mal. Elle crie. Le père est seul dans le salon. Il se lève, il la prend dans ses bras. « J'ai toujours détesté ce salon, par la suite. » « Décrivez-le. » Elle le décrit : nous le voyons au fur et à mesure. Il y a un meuble, à côté de l'horloge. Un meuble dont elle ne se souvient pas. Pendant qu'elle prononce ces mots, on voit un lit-divan, dans un coin. Freud lui demande si ce n'était pas un lit-divan. Elle dit brusquement que c'était bien cela, que son père se couchait sur ce lit pour y faire la sieste. Freud lui demande si son père ne l'a pas transportée sur le lit-divan, quand elle est tombée. Elle dit que si et se met à pleurer. Freud lui explique ce qu'est un souvenir de couverture. « Il y a quelque chose, derrière. Quoi ? » Elle cesse de pleurer : elle a l'air d'avoir peur. Freud aussi ; leurs deux visages disparaissent. On voit le marchand qui est entre les deux bocaux de bonbons. Mais, cette fois, il n'a pas le visage de Breuer ni celui de Jakob Freud : il a celui de Sigmund Freud lui-même.

XXV

Dans le cabinet de Freud. On finit d'y installer le téléphone. Il s'en amuse. Toute la famille est là, pendant que les ouvriers de la poste terminent l'installation (l'un d'eux a décroché le cornet acoustique et appelle la postière dans le téléphone pour s'assurer qu'il marche bien). Brusquement, on sonne. La bonne annonce Monsieur Breuer. Il entre. Il a l'air vieilli et gêné. Il demande très gentiment aux enfants de le laisser parler seul à seul avec Freud. Les enfants s'en vont. Breuer commence par expliquer à Freud qu'il ne veut pas accepter la somme que Freud lui a envoyée à titre de remboursement partiel de ses dettes. Il n'ignore pas que Freud est toujours gêné ; il ne veut ni considérer qu'ils sont brouillés ni augmenter la relative pauvreté où vivent Martha et les enfants de Freud. Freud aura bien le temps, plus tard, de le rembourser. Freud se fâche : il est à l'aise, il veut de faire installer le téléphone, etc. Breuer ne se laisse pas convaincre et dépose une enveloppe sur le bureau. Freud, encore intimidé par Breuer, finit par laisser l'enveloppe sur le bureau.

Breuer d'ailleurs n'est pas venu pour « cette vétille » mais pour deux questions d'une plus grande importance. D'abord la mère d'Anna est venue le trouver hier pour l'interroger sur ce Freud qui met de si étranges idées dans la tête de sa fille. Naturellement Breuer s'est porté garant de la compétence et du sérieux de son confrère. Mais il n'a pu s'empêcher de trouver que Freud s'est montré « professionnellement incorrect » en s'occupant d'une malade que Breuer a traitée. Freud lui répond vertement que Breuer l'a depuis longtemps abandonnée. Et que, d'ailleurs, ce qui justifie tout à ses propres yeux, c'est qu'elle est en voie de guérison rapide. Depuis deux jours elle a recouvré l'usage de sa jambe paralysée. Breuer paraît profondément troublé : jaloux et inquiet. Il demande à Freud s'il a profité de la pauvre malade pour vérifier ses nouvelles théories. Freud répond que ses théories se sont vérifiées d'elles-mêmes. Et Breuer demande, d'une voix blanche : « Et c'était ?... » « Le père, naturellement. »

Breuer n'est pas venu seulement à ce sujet. Il vient le supplier de ne pas faire sa conférence sur « l'Étiologie des Névroses ». Freud, en effet, depuis le succès de la cure d'Anna estime avoir la preuve de sa théorie : la névrose vient d'un traumatisme sexuel dont le souvenir est refoulé ; ce traumatisme est la séduction du malade, quand il était enfant, par un membre adulte de sa famille, la plupart du temps par le père.

Breuer trouve la théorie insuffisamment fondée. Puisque les cas de névrose sont si nombreux, il devrait y avoir un nombre incroyable d'adultes « séducteurs ». Aucun père ne pourrait être insoupçonnable. « Même nos propres pères... » Avec quelle légèreté Freud accepte cette accusation qui rend suspect jusqu'à son père. Freud répond qu'il a treize cas. Breuer répond que ce n'est pas assez. Il rappelle à Freud l'histoire de la cocaïne. Freud répond qu'il n'est pas vraiment médecin ni expérimentateur à la petite semaine : « Je suis un aventurier. » Thèmes évoqués par Breuer : le qu'en-dirat-on – et, surtout, cette boue que Freud est en train de remuer ne peut que nuire aux gens. Freud répond : il se moque du qu'en-dirat-on. Quant à cette boue, il ne la remue pas chez les autres seulement mais en lui-même. Il a peur, il repousse les caresses de ses propres enfants, il doute même de son propre père : mais tant pis ; il *veut savoir* la vérité et il la saura. Breuer le supplie, en tout cas, au nom de leurs travaux communs, de ne pas faire sa conférence. Freud lui répond : « C'est donc cela! Vous avez peur. » Il lui reproche avec une âpreté excessive son manque de courage moral. Breuer lui reproche sa légèreté. Cette fois, c'est la rupture : Freud accuse Breuer de l'abandonner au moment même où il a besoin de son aide, où il est en passe de découvrir une psychologie nouvelle. « Je continuerai seul », ajoute-t-il. Breuer montre sa jalousie en répliquant : « Seul? Pas du tout. Vous travaillez quand on vous influence. Vous passez sous l'influence de Fliess : voilà tout. » Et il sort en claquant la porte. Freud reste seul : il jette sur le sol l'enveloppe et la piétine.

Le soir, couché près de Martha : « Je ne peux même pas me libérer de mes dettes! Je suis condamné à rester sous la domination d'un Breuer qui m'écrase. Je les défierai tous : je ferai cette conférence, je sais que je les scandaliserai : tant mieux. S'il le faut nous plierons bagage et nous irons à l'étranger. »

Un rêve : Fliess vient sans prévenir à Vienne : il rencontre Breuer – et Freud s'assoit avec eux à une petite table. Fliess parle de sa sœur : « Elle est morte en trois quarts d'heure. » Comme Breuer ne le comprend pas, Fliess se tourne vers Freud : « Qu'as-tu dit de moi à Breuer? » À ce moment Meynert apparaît et dit : « Il a tout dit. Tout! Tout! » Freud répond : « Non vixit », pour signifier qu'il n'a rien pu dire à Breuer puisque Breuer est mort. Ensuite il regarde Meynert d'une manière pénétrante, il devient pâle, évanescent, ses yeux deviennent d'un bleu maladif – enfin il se dissout. Freud exulte. Il se tourne vers Fliess et Breuer mais ils ont aussi disparu. Freud déclare : « On les évoque quand on veut. »

Le réveil en sursaut. On voit Freud se lever, s'habiller à tâtons et nous le retrouvons à son bureau, écrivant.

La voix « off » de Freud nous dit ce qu'il écrit au fur et à mesure.

« Le rêve est la réalisation d'un désir. Il cherche à réaliser un événement agréable ou à nous délivrer d'événements désagréables. Il fonctionne exactement comme une névrose. C'est, à proprement parler, une névrose abrégée. Par ce rêve j'ai profité de la mort de Meynert qui fut mon protecteur et mon ennemi pour imaginer que Breuer et même Fliess, mes protecteurs, étaient morts à leur tour et que j'étais enfin libre, et seul. »

XXVI

La conférence sur « l'Étiologie des névroses ». En s'y rendant, Freud passe devant une librairie médicale. Une affiche collée sur la vitrine annonce la conférence de Freud. Parmi les ouvrages qui viennent de paraître, en bonne place, nous découvrons *Études sur l'hystérie* par les docteurs Breuer et Freud. Freud continue sa marche.

La salle de la Société médicale. Elle n'a pas changé depuis 1886. Même public : des médecins. La place de Meynert et celle de Breuer sont vides. Freud termine son exposé. Il conclut par un bref résumé qui nous rappelle que, à ses yeux, les névroses ont pour origine un traumatisme sexuel infantile, le plus souvent la séduction par le père. Il assimile rêve et névrose en donnant un aperçu de la méthode analytique plus complète (les libres associations, mais surtout à propos des rêves). Au moment où il a parlé de la séduction des enfants par les adultes, il y a eu dans la salle un véritable grondement d'indignation. Quand il a parlé des rêves, certains assistants se sont mis à rire très fort. Lorsqu'il se tait, silence et quelques sifflets. Sur Freud, très pâle mais décidé et presque satisfait. Il quitte l'estrade cependant que les assistants, en se levant pour sortir, se confient les uns aux autres leur indignation scandalisée : « C'est honteux... Conte de fées scientifique. Et quelles fées!... Psychiatrie vague et sale, imaginations de vieille fille », etc., etc...

XXVII

Le cabinet de Freud. Il est onze heures du soir, il écrit à Fliess. Il a recommencé à fumer. La voix « off » récite la lettre à mesure qu'il l'écrit : « Mon cher Wilhelm, etc. etc. » Il commence par s'étonner que Fliess lui permette à présent de fumer : « C'est la première fois que tu te contredis. » Serait-ce parce que son cas est désespéré, comme lorsqu'on permet tout à un malade que l'on sait perdu? Fliess pense-t-il que le cœur de Freud est vraiment malade? Il saurait supporter un diagnostic de myocardite. La mort n'a rien qui l'effraie ; il est las. Que Fliess lui dise la vérité : Freud en profitera pour organiser le mieux possible ses dernières années.

Le téléphone sonne. Freud le décroche. Quelqu'un l'insulte : c'est, dit son interlocuteur, « un âne et un cochon ». Freud raccroche en riant et reprend sa lettre. Ses meilleurs amis lui tournent le dos depuis sa conférence. Le scandale s'étend à toute la ville, on lui téléphone la nuit pour l'insulter, le ministre de l'Instruction publique, à qui l'Université avait proposé l'année précédente de donner à Freud le titre de professeur, a déclaré qu'il s'y refusait. Il prend prétexte des théories freudiennes, en fait, tout le monde sait que c'est un antisémite. Freud tient tête à l'orage. Ce qui l'affecte le plus, c'est que ses malades, après avoir avoué les attentats qu'ils ont subis dans leur enfance, ne reviennent plus. De nombreuses cures sont interrompues. Les nouveaux clients sont rares.

La voix « off » est interrompue par une sonnerie de téléphone. Cette fois, Freud se borne à sourire et continue sa lettre. Mais la sonnerie se fait si insistante qu'il finit par décrocher. C'est la mère d'Anna O. Depuis quelques jours, dit-elle, sa fille donnait des signes de surexcitation aiguë; elle prétendait être une prostituée. Ce soir même, elle disait qu'elle voulait reprendre son ancien métier et gagner de l'argent en se prostituant. Il y a un quart d'heure environ, la mère a été réveillée en sursaut par un bruit de pas; la porte d'entrée s'est fermée doucement. Elle s'est levée, elle a constaté que sa fille n'était plus dans sa chambre. Anna s'est habillée de noir, elle a laissé un mot sur son lit : « N'aie pas peur. Je vais gagner beaucoup d'argent. » Freud demande à Madame O... si elle a la moindre idée de l'endroit où a pu se rendre sa fille. Madame O... pense que ce peut être sur le *Ring* (l'avenue la plus fréquentée de Vienne, nombreux cafés, théâtres, etc.) car Anna avait dit l'avant-veille : « Si je recommence à me prostituer, je trouverai toujours des clients sur le *Ring*. »

Freud se hâte de remettre son faux col et sa cravate abandonnés pour être plus à l'aise; il se précipite dans la remise où on lui loue une vieille calèche pour aller visiter ses clients à domicile. Encore faut-il réveiller, en frappant contre la porte à coups de poing, le cocher qui le conduit à l'ordinaire. Celui-ci s'habille en hâte. Freud lui donne l'ordre d'aller au trot et de faire le tour du *Ring*. Stupéfaction du cocher lorsque Freud lui donne l'ordre de s'arrêter devant un café du *Ring*, le premier qu'il rencontre, et surtout lorsqu'il descend du fiacre pour aller regarder sous le nez les prostituées qui attendent des clients. En fait, Freud entreprend d'entrer systématiquement dans tous les cafés du *Ring*. Dans l'un d'eux, il finit par trouver Anna. C'est, en effet, une taverne remplie de prostituées. Anna, en noir, sans fard ni rouge à lèvres, très pâle, fait des avances si marquées aux consommateurs que les autres femmes commencent à s'en formaliser : d'où vient-elle, celle-là? Elle n'a rien à faire ici, etc. Mais elle a l'air si tragique que les hommes ont peur de ses avances : ils s'éloignent d'elle. Elle reste seule à sa table, lançant des clins d'œil aux clients mais en vain : le vide s'est fait autour d'elle.

Freud s'approche. Elle lui fait de l'œil sans le reconnaître; il s'assied à sa table comme s'il était un client. Il lui dit à voix basse : « Venez avec moi. » « Où? » « Chez votre mère. » Elle le reconnaît à présent mais elle résiste : « Vous savez bien que je suis une putain. C'est ma mère qui m'envoie faire le trottoir. » Il finit par la persuader de monter avec lui dans le fiacre : il sera son client, ils iront à l'hôtel. Stupéfaction du cocher : Freud ramène une prostituée qu'il tient par la taille et il la fait monter dans la calèche. « Où allons-nous? » « Je ne sais pas, dit Freud. Allez où vous voudrez! » Freud, dans la voiture, essaie de convaincre Anna de rentrer chez elle. Elle refuse : Freud sait bien qu'elle est une prostituée. Il finit par lui faire avouer qu'elle veut se prostituer pour se punir d'avoir calomnié son père; celui-ci ne l'a jamais touchée, c'était l'homme le plus noble, etc. Freud, pour obtenir qu'elle retourne chez sa mère, lui déclare qu'elle n'a jamais *voulu* faire cette calomnie et que c'est lui-même qui l'a contrainte à la faire par ses questions. Elle se calme un peu, mais ne consent à rentrer chez elle qu'après qu'il lui a déclaré qu'il agissait ainsi en fonction de certaines hypothèses auxquelles il ne croit plus.

Freud retourne chez lui, dans la calèche. Il a le regard fixe, les yeux durs. Le cocher cherche en vain à lui faire la conversation. Tout à coup, Freud s'écrie : « Je ne me suis pas trompé. Il *faut* que je ne me sois pas trompé. »

Dans l'appartement de Freud – où il rentre avec précaution et à pas de loup – il trouve toutes les pièces éclairées. Sa femme est levée et tout habillée : elle lui apprend que Jakob Freud vient de mourir.

XXVIII [1]

On revoit le rêve du commencement (la boutique et les inscriptions : « On est prié de fermer les yeux »).

Voix « off » de Freud :

« Était-ce vraiment le simple remords des survivants? Avais-je une autre sorte de remords? Étais-je vraiment coupable envers mon père? »

Sur Freud vieilli parlant aux « Sept » : « C'est ce matin-là que je commençai mon autoanalyse. »

Associations libres à partir du rêve.

On revoit des fragments du rêve.

La boutique du coiffeur réapparaît comme elle était en songe.

Elle évoque la boutique de Jakob Freud à Freiberg. La voix « off » de Freud : « La boutique de mon père à Freiberg. J'avais moins de trois ans. »

La chambre des parents, le lit nuptial (vu d'en bas par un enfant de trois ans). Le père, Jakob Freud, sautant du lit en chemise de nuit. Il crie « Sors d'ici! » On ne voit pas l'enfant, on voit seulement, du dehors, la porte qui se referme, on entend un tour de clé.

La porte de la boutique du coiffeur se referme sur Freud. On le voit (âgé de quarante ans) qui sort de la boutique. Il arrive à la gare.

Voix off : « Je partais en voyage. » Un train : on entend un enfant de trois ans qui pleure dans un compartiment. Des hauts fourneaux, au-dehors. Fumées, feux rougeâtres.

« Ils nous ont chassés parce que nous étions juifs. » Il revoit le baquet plein d'eau, les enfants tout nus, la cuisine misérable : « C'est l'appartement de Vienne. La misère nous y attendait. » Ses sentiments pour son père sont liés à ce voyage.

Sur Freud écrivant à Wilhelm, à sa table de travail. « Mon cher Wilhelm. Je ne sais plus où j'en suis. Est-ce que tout est perdu. Anna O... mentait. Son père ne l'a pas touchée. Et pourtant, elle paraissait si sincère. Est-ce moi qui l'ai fait mentir? Pourquoi? Est-

---

1. Mots ajoutés de la main de Sartre en tête de cette page : « Fliess est là pour l'enterrement » *(N. d. E.).*

ce que mon père était coupable? Ou est-ce moi qui crois les pères coupables parce que je détestais mon père?» Il se lève, il arpente son bureau. La voix « off » : « Treize cas! Est-ce que tous les malades mentent?... Est-ce qu'il faut *tout* recommencer?»

Il revient à son bureau, il continue d'écrire : « Et si mon père avait abusé de mes sœurs? Si c'était pour cela que je lui gardais rancune. Fermer les yeux, cela veut dire aussi : fais exprès de ne pas remarquer. *Il convient de fermer les yeux,* cela veut dire : le respect dû aux morts m'oblige de fermer les yeux sur les fautes que mon père a pu commettre. » Dans ce cas, son hypothèse serait vraie. Il laisse tomber sa plume, son cœur bat trop fort, il souffre. A-t-il donc une névrose d'angoisse, lui aussi [1]?

XXIX

Le lendemain. Il va chez Anna. La rue. Il voit des pères avec leurs enfants. Il n'a d'yeux que pour eux. Il les considère avec une sorte d'horreur. Une petite fille court vers son père qui la prend dans ses bras. Freud est fasciné par ce spectacle. Il s'en détourne brusquement cependant qu'on entend sa voix « off » dire : « Qu'est-ce qui est vrai? »

Sur Anna O... couchée dans son lit. Elle l'attend. Il veut lui dire qu'il renonce à la soigner : il croyait avoir trouvé la cause de son mal : tout est remis en question. Il veut lui faire ses adieux. Elle lui demande de rester encore un peu. Elle a fait un rêve qui l'a effrayée, elle ne veut pas rester sans secours. Il lui demande de quel rêve il s'agit. Elle parle de son rêve. Associations libres. Ce rêve trahit évidemment une hostilité flagrante contre sa mère. Freud ne lui dit rien mais son visage s'éclaire.

XXX

Freud, à son bureau, poursuivant la lettre à Fliess. Anna O... a raconté le jour même un rêve qui trahissait son hostilité envers sa mère. Pourquoi? Sa mère s'est-elle réellement mal conduite? Ou s'agit-il d'une hostilité très ancienne? Il dit à Fliess qu'il est mort de fatigue et que la mort de son père l'a bouleversé : c'est l'événement le plus important dans la vie d'un homme. Pourtant il poursuit son autoanalyse mais il ne progresse pas. Il est si las que nous voyons qu'il lutte contre le sommeil : ses paupières s'appesantissent à plu-

---

1. Mots manuscrits ajoutés : « Insuffisance de Fliess » (*N. d. E*).

sieurs reprises. Sur la porte qui s'ouvre doucement : la petite Mathilde (dix ans environ) apparaît. Elle a un air étrange. Tout à coup, Freud est près d'elle. Il la regarde avec des yeux terribles et se met à rire (mais sans bruit) comme le marchand de bonbons. La petite a l'air terrorisée et fascinée à la fois. Freud tend les bras. À cet instant retentit un énorme éclat de rire. Freud et l'enfant disparaissent, la porte est fermée. Nous nous apercevons que c'est Freud lui-même qui rit dans son fauteuil, à son bureau : c'était un rêve. Il réfléchit un moment puis il écrit : « Wilhelm, je viens de rêver. J'ai *besoin* que les adultes et spécialement les pères commettent des agressions sexuelles sur les enfants. J'en ai besoin au point que je me suis vu tentant d'en commettre une contre ma propre fille. Il faut que je nourrisse d'étranges sentiments contre mon père... Et, justement, Anna O... tout à l'heure avait tant d'hostilité contre sa propre mère... Je ne comprends rien encore à tout cela mais le voile va se déchirer. Je suis sûr que je connaîtrai les autres et moi-même. Ne le dis pas dans le pays des Philistins mais plutôt que d'une défaite, j'ai le sentiment d'une victoire. »

XXXI

Chez Anna. Un rêve. Et des associations à ce sujet. Elle avait six ou sept ans. Elle se rappelle s'être baignée dans un lac avec son père. Elle revoit le père. Freud demande où était la mère ? Elle se baignait aussi ; elle nageait bien, elle s'était éloignée du rivage. Tout à coup Anna sanglote : « Je voulais qu'elle se noie. » Elle commence à raconter toute sa vraie histoire : son amour pour son père, sa jalousie contre sa mère. Elle *découvre* ces sentiments qu'elle repoussait. La chute de son père mourant signifiait pour elle que sa mère (coquette et jolie quand Anna était enfant) entraînait le père vers la ruine. Mais cela même n'était pas vrai ; Anna l'imaginait par rancune. Et ses mains s'étaient crispées, ses bras s'étaient paralysés dans une position qui réalisait son désir d'être seule à empêcher son père de tomber dans la déchéance. Quant au fantasme de la séduction par le père, si elle l'a facilement accepté, c'est qu'il correspondait à des rêveries de son enfance et même de son adolescence.

Elle semble bouleversée. Mais Freud l'est autant qu'elle. Il lui explique qu'elle n'est pas un monstre. « Personne n'est pareil à moi », dit-elle. « Si, répond-il. Tout le monde. » « Vous ? » « Oui. Moi. » On revoit le voyage de Freiberg à Vienne. Les pleurs, les hauts fourneaux. La famille Freud s'est arrêtée à l'occasion d'un changement de train dans un hôtel. L'enfant, couché dans un lit de fortune, voit sa mère faire ses ablutions (les épaules nues). Freud explique à Anna ce qu'il découvre subitement : s'il s'est toujours senti coupable, c'est qu'il a désiré sa mère et que – tout en aimant et en respectant son père – il lui a toujours reproché d'être trop vieux, de n'avoir pas su l'aider dans sa carrière de médecin, de l'avoir laissé dans la misère. Et ces reproches cachaient sa jalousie et son sourd désir de le voir mourir.

Anna le regarde, à demi rassurée. Il lui explique qu'il ne faut pas avoir peur : ce qui se passe dans l'inconscient doit vaincre tous les refoulements et paraître en pleine lumière. Alors on peut juger selon la vraie morale et tous les fantômes se dissipent.

Il appelle la mère – qui a eu beaucoup de torts, elle aussi, et qui était jalouse de sa fille. Les deux femmes n'osent rien dire mais Anna prend timidement l'avant-bras de sa mère, un peu au-dessus du poignet et le serre. La mère se détend un peu. Elles finissent par se sourire. Freud s'en va.

XXXII

Freud avec Fliess, au bord d'un lac, près d'Achensee. Freud lui expose en quelques mots ses progrès : méthode analytique, interprétation des rêves et surtout complexe d'Œdipe. Fliess est buté. Il n'écoute guère; en tout cas, ne témoigne guère d'intérêt. Il est tout occupé de son problème des périodes auquel, lui semble-t-il, Freud ne croit plus guère. Et il lui fait le même reproche que Meynert lui faisait autrefois : que Freud se défie, qu'il n'abandonne pas le terrain sûr de la physiologie pour les spéculations psychologiques. La vérité, c'est le nombre, les périodes de la vie humaine. Freud reste évasif et Fliess finit par lui poser un *ultimatum* : est-il, oui ou non, décidé à poursuivre ses recherches dans le cadre des périodes déterminées par Fliess? Freud lui répond évasivement : les médications psychologiques n'ont qu'un caractère provisoire; un jour on trouvera des remèdes d'ordre physiologique, quand on sera plus avancé dans la connaissance du chimisme des cellules. Pour l'instant il faut renoncer à un langage physiologique insuffisamment fondé : il faut agir sur le psychisme et utiliser un langage psychologique. Fliess se fâche : Freud ne croit donc plus aux périodes? Freud ne répond pas directement : il explique les résultats de son autoanalyse. Mécontent de son père qui n'a pu refaire sa fortune à Vienne, il a transféré son affection filiale sur Meynert puis sur Breuer. Ambivalence des sentiments. Après la brouille avec Breuer, il lui fallait encore une image paternelle : bien que Fliess fût plus jeune que lui, il lui a donné inconsciemment ce rôle. Sans lui, il n'aurait jamais entrepris son autoanalyse; Fliess lui a donné le courage de descendre jusqu'aux «profondeurs». À présent, il aime toujours Fliess mais autrement. Freud est enfin libre, tout à fait libre; il n'a plus besoin d'un tuteur, il travaillera seul. À quarante-deux ans, il commence à vivre. De fait, il a profondément changé : ses yeux sont toujours durs, pénétrants et un peu soupçonneux mais il se tient plus droit et paraît beaucoup plus calme.

Fliess est profondément blessé. Il l'accuse de prêter aux malades ses propres sentiments. Freud sourit sans répondre. Cependant Fliess presse le pas. Freud : « Pourquoi cours-tu ? » L'autre répond ironiquement : « À cause de ton train. Tu vas faire une crise d'angoisse si tu n'arrives pas en avance. » Et Freud en modérant leur allure répond qu'il a bien le temps. La phobie des trains, il en est guéri. Il s'arrête même pour lui parler ; dans son autoanalyse, il a compris : le premier train qu'il a pris, celui qui est passé devant les hauts fourneaux, c'était le train de l'exil et de la rupture : il emmenait Sigmund tout enfant de Freiberg, où il vivait dans l'aisance, à Vienne, où il devait trouver la pauvreté. Par la suite les trains signifièrent mort et malheur mais cela voulait dire tout simplement : passage de l'aisance à la misère. La crainte de la mort se transforma plus tard en crainte de manquer le train. Pendant qu'il parle, un sifflement : on voit au loin le train qui arrive. Fliess dit : « Courons ! Tu vas le manquer. » Et Freud lui répond : « Tant pis, je prendrai le suivant. »

À la gare : la nuit tombe. C'est Fliess qui prend le train. Celui qui doit le mener à Berchtesgaden, de là à Munich et à Berlin. Le train de Vienne passera vingt-cinq minutes plus tard. Fliess prend congé, assez froidement. Il monte, le train s'ébranle, Freud attend qu'il paraisse à la fenêtre du couloir mais le train disparaît sans que Fliess se soit montré. Freud se promène sur le quai, avec une certaine mélancolie mais sans réelle tristesse. Voix « off » de Freud : « Je savais bien que c'était fini : j'étais seul. »

À ce moment un jeune médecin s'approche. Freud le connaît de vue. Il suit les cours de Freud, il a lu les *Études sur l'hystérie* et tous ses articles : il admire Freud profondément, c'est son maître ; le jeune disciple entrevoit dans quelle direction les travaux du Maître vont s'engager, le profit extraordinaire que la connaissance des hommes pourra en tirer. Le train pour Vienne arrive en gare. Est-ce que le disciple peut y monter avec son Maître : il a tant de questions à poser ? Freud accepte, sans aucun enthousiasme, très gentiment mais avec un pli ironique au coin des lèvres. Et comme le jeune homme s'efface pour le laisser monter dans un compartiment, la voix « off » de Freud ajoute :

« J'avais quarante et un ans. C'était à mon tour de jouer le rôle du père. »

F I N

APPENDICE B

TABLEAU COMPARATIF
DES DEUX VERSIONS

Pour la version I, les numéros des pages sont ceux du présent livre.
Pour la version II, les numéros des pages sont ceux du manuscrit.
Les scènes marquées d'un astérisque sont reproduites dans les Extraits qui précèdent.

I = version I   II = version II

PREMIÈRE PARTIE

Version I

[1] p. 27. À l'hôpital de Vienne, brancardiers, une paralytique; Freud apparaît à la fin.

[2] p. 31. Meynert visite ses malades, avec des étudiants et des assistants, parmi eux Freud. Examen de deux hystériques.

[3] p. 39. Conversation Freud-Meynert sur l'hypnose. Octroi d'une bourse.

[4] p. 46. Freud et sa fiancée Martha à l'hôpital de Vienne. Freud brûle des cahiers de notes. La scène se transporte dans la cour de l'hôpital, dans la rue (camelot antisémite), devant une patinoire du Ring.

[5] p. 57. Freud chez ses parents avec Martha. Doit-il partir pour Paris ou rester à Vienne? (Manque dans II.)

[6] p. 62. Dispute avec Martha. (Manque dans II.)

[7] p. 64. Martha sonne chez les Breuer. (Manque dans II.)

[8] p. 65. Rêve de Freud sur François-Joseph et Hannibal. (Manque dans II.)

[9] p. 66. Départ pour Paris. Freud, Martha, puis Breuer sur le quai de la gare de Vienne.

[10] p. 72. Avant le cours de Charcot à la Salpêtrière, l'étudiant Wilkie, rencontre Freud-Charcot.

[11] p. 76. Le cours de Charcot, examen des hystériques, hypnotisme. Wilkie hypnotisé.

[12] p. 89. Après le cours, à la Salpêtrière, Freud avec Wilkie puis avec Charcot. Intérêt de Freud pour les expériences de celui-ci.

[13] p. 91. Freud et Martha jeunes mariés, dans leur appartement, ils sont pauvres.

[14] p. 96. Freud se rend avec Breuer à la Société médicale. (Manque dans II.)

[15] p. 97. Conférence de Freud à la Société médicale. Scandale, intervention de Meynert.

[16] p. 103. Après la conférence, Freud dans la rue avec Breuer; il est désespéré par son échec.

[17] p. 106. Rupture avec Meynert.

[18] p. 112. Freud chez le vieux général von Schroeh.

[19] p. 113. Freud avec Charles, le fils du vieux général.

[20] p. 124. Freud avec le général. Son diagnostic.

[21] p. 125. La nuit, avec Martha : renoncement de Freud, découragé; il sera médecin de quartier.

Version II

[1] p. 1-14. Même scène que [1] I, plus développée. Texte identique au début.

[2] p. 15-31. Même scène que [2] I, texte partiellement identique.

[3] p. 31-47. Même situation, même sujet que [3] I, mais la scène est plus développée.

[4] p. 47-59. Même scène que [4] I, mais texte différent.

[5] p. 60-63. Freud chez Breuer avec Mathilde et Martha. (Manque dans I.)

[6] p. 64-74. Freud avec Breuer en calèche. Ils vont visiter les malades de Breuer. (Manque dans I.)

[7] p. 74-78. Freud, Breuer et Madame Körtner chez celle-ci. (Manque dans I.)

[8]* p. 79-91. Freud seul avec Madame Körtner, puis la fille de celle-ci, Cecily. Provocation réciproque. (Manque dans I.)

[9]* p. 92-103. Freud, Breuer, Madame Körtner, puis Freud avec le seul Breuer en calèche. Ils s'entretiennent de la maladie de Cecily. Antisémitisme. (Manque dans I.)

[10] p. 104-117. Freud et Martha à l'hôpital de Vienne. Freud fait ses valises. (Manque dans I.)

[11] p. 118-125. Freud, à l'hôpital, fait deux rêves qu'il note, puis brûle des écrits personnels. (Ce dernier événement se trouve dans [4] I, le reste manque dans I.)

[12] p. 126-145. Départ pour Paris, sur le quai de la gare de Vienne. Freud, Martha (sans Breuer), puis père, mère et sœur de Freud. (Même situation que dans [9] I, mais la scène est beaucoup plus longue.)

[13] p. 146-148. Avant le cours de Charcot à la Salpêtrière, Wilkie. (Correspond à [10] I, mais autre texte.)

[14] p. 148-155. Cours de Charcot (début) : examen des hystériques, hypnotisme. (Correspond à [11] I.)

[15] p. 156-160. Après le cours de Charcot, dans la rue. Rencontre de prostituées, Wilkie. (Correspond partiellement à [12] I.)

[16]* p. 161-172. Freud avec Wilkie, sur le beffroi de Notre-Dame de Paris. Comparses. (Manque dans I.)

[17] p. 173-189. Cours de Charcot (fin), Wilkie hypnotisé. (Reprend certains éléments de [11] I.)

[18] p. 190-195. Breuer vient accueillir Freud à la gare de Vienne. Il rentre chez lui, projets. (Manque dans I.)

[19] p. 196. Mariage de Freud avec Martha. (Manque dans I.)

[20] p. 197-206. La conférence de Freud à la Société médicale. Le scandale, Meynert. (Même situation que [15] I.)

[21] p. 207-210. Après la conférence, Freud dans la rue avec Breuer ; il est désespéré par son échec. (Même situation que [16] I.)

[22] p. 211-212. Freud est exclu de son laboratoire. (Manque dans I.)

[23] p. 213-218. Rupture avec Meynert. (Même situation que dans [17] I.)

[24]* p. 219-226. Freud dans sa famille avec Breuer, il est inquiet pour son avenir. Transfert de paternité : Jakob lui donne Breuer comme père. (Manque dans I.)

[25] p. 227-229. Freud, Breuer et Martha dans un café de Vienne. « Nous sommes des explorateurs », déclare Breuer. (Manque dans I.)

[26] p. 230-236. Freud et Breuer chez les Körtner ; la mère et sa fille Cecily. (Manque dans I.)

[27] p. 237-241. Freud et Breuer discutent du cas de Cecily. (Manque dans I.)

[28] p. 241-244. Freud chez le vieux général Peter Schwartz. (Correspond à [18] I.)

[29]* p. 245-258. Freud avec Karl, le fils du vieux général. (Correspond à [19] I, mais la scène est traitée très différemment.)

[30]* p. 259-262. Cauchemar de Freud : ascensionniste, il fait partie d'une cordée. (Manque dans I.)

[31] p. 263-264. Freud avec le général, son diagnostic. (Correspond à [20] I.)

[32] p. 265-270. Freud s'entretient avec Breuer, il est effrayé de ce que lui révèle la méthode de l'hypnotisme (idées de parricide). (Manque dans I.)

[33] p. 271-276. La nuit avec Martha : renoncement de Freud, découragé. (Correspond à [21] I.)

DEUXIÈME PARTIE

À partir de la deuxième partie les divergences entre les deux versions sont si importantes qu'il n'est plus possible de procéder à une comparaison séquence par séquence. Nous nous bornerons donc à noter la succession des scènes, d'abord dans la version I puis dans la version II.

Version I

[1] p. 129. 1892. Freud dans son cabinet avec Dora. Il lui fait des massages et de l'électrothérapie. Il apprend d'elle que Breuer pratique toujours l'hypnotisme.

[2] p. 133. Arrivée de Martha. Dora s'en va. Le couple Freud s'apprête à partir chez les Breuer; leur enfant, Mathilde, a six ans. Freud est de mauvaise humeur.

[3] p. 140. Les Freud se rendent chez les Breuer. Fliess, encore inconnu de Freud, demande son chemin à celui-ci. Breuer est absent. Arrivée des Freud et de Fliess.

[4] p. 144. Breuer s'attarde chez une jeune patiente, Cecily Körtner.

[5] p. 146. Suite de [3]. Chez les Breuer : Mathilde, femme de Breuer, Martha, Freud, Fliess. Breuer se fait attendre. Fliess veut suivre le cours que Freud donne à Vienne; il croit aussi à l'influence de la sexualité sur les névroses. Arrivée de Breuer. Discussion sur la valeur de l'hypnotisme. Un domestique vient appeler Freud.

[6] p. 154. Freud au chevet de Meynert, mourant. Celui-ci confesse sa névrose.

[7] p. 159. Suite de [5]. Les mêmes, moins Freud d'abord. Puis retour de Freud qui exprime le désir d'examiner aussi Cecily. Mathilde est jalouse de cette patiente de son mari; à la fin du dîner elle se blesse avec un couteau.

[8] p. 163. Freud, Breuer et Fliess, en calèche, se rendent chez Cecily Körtner.

[9] p. 165. Chez les Körtner. Fliess attend. Breuer et Freud interrogent la jeune Cecily, qui vient de perdre son père et a été traumatisée par cette perte. Breuer l'hypnotise. « Ramonage mental. »

[10] p. 173. Retour en arrière. Cecily évoque, en les travestissant, les circonstances de la mort de son père.

[11] p. 177. Freud, Breuer, Cecily, suite du traitement. Freud interroge à son tour. Second retour en arrière. Aveu de la vérité : le père de Cecily est mort dans un bordel. Fureur de la jeune fille.

[12] p. 187. Freud, Breuer, Fliess, en calèche, parlent des névroses et du cas de Cecily.

[13] p. 191. Freud et Fliess, en calèche. Projets de collaboration. Freud va donner son cours.

[14] p. 195. Quelque temps après. Freud avec Dora dans son cabinet. Il lui propose de l'hypnotiser.

[15] p. 199. En même temps : appartement de Freud, on attend Fliess. Freud est absent.

[16] p. 200. Suite de [14]. Freud, dans son cabinet, soigne Dora. Elle se souvient, sous hypnose, de tentatives de séduction sexuelles dont elle a été l'objet, enfant.

[17] p. 203. Dans le salon de Freud, avec Freud, Martha et Fliess. On boit. Discussion sur Breuer qui refuse toujours l'hypothèse de l'origine sexuelle des névroses.

[18] p. 206. Même lieu, après le départ de Fliess. Martha n'aime pas Fliess, n'aime pas l'hypnotisme. Le père de Freud va mal.

[19] p. 211. Nuit du même jour. Freud écrit dans son cabinet. Rêve dans lequel Breuer et Fliess apparaissent en « pères ». Le lendemain matin, Freud sort pour aller voir Breuer.

[20] p. 214. Même jour. Breuer et sa femme Mathilde prennent le petit déjeuner. Arrivée de Freud. Mathilde fait une scène à son mari à cause de Cecily. Le couple décide de faire un voyage à Venise.

[21] p. 220. Freud et Breuer chez Cecily. On annonce à celle-ci le départ de Breuer. Préludes de sa grossesse nerveuse.

[22] p. 226. Quelques jours plus tard. Les Freud et les Breuer dans la rue. Préparatifs de départ. Breuer a oublié les billets de chemin de fer. Une ambulance vient chercher Breuer.

[23] p. 229. Freud et Breuer se rendent auprès de Cecily et de sa mère. Faux accouchement de Cecily.

[24] p. 232. Freud et Breuer un peu plus tard, dans la rue. Breuer est bouleversé par ce qu'il vient de voir. Il condamne sa méthode par hypnose. Il partira, mais ne laissera pas ses malades à Freud, dont les théories ne lui plaisent toujours pas.

Les scènes qui terminent la deuxième partie de la version I manquent dans la version II.

[25] p. 237. Freud avec Fliess. Freud va donner une conférence à la faculté de médecine; Fliess est son auditeur. Fliess veut que Freud reprenne le traitement de Cecily, pour ses recherches à lui, pour la Science.

[26] p. 241. Freud et Fliess se rendent chez les Körtner. La mère et la fille ont déménagé.

[27] p. 243. Freud dans son cabinet avec Dora, qui parle sous hypnose et lui met les bras autour du cou. Pendant ce temps, Martha au chevet de la petite Mathilde, atteinte de laryngite. Arrivée de Fliess qui soigne l'enfant.

[28] p. 248. Encore dans la chambre de l'enfant. Freud avec Martha. Mathilde est sauvée. Martha n'aime pas les méthodes de son mari, l'hypnotisme. Freud parle du transfert.

[29] p. 255. Quinze jours plus tard, Fliess et Freud sur le Ring. Fliess retourne à Berlin. Désormais Freud sera seul. Le pacte, l'échange des anneaux. On apprend que Breuer revient à la neurologie, qu'il abandonne la psychiatrie.

Version II

[1] p. 277-281. 1888, dans le cabinet de Freud. Il est avec Dora à qui il fait des massages.

[2] p. 280-290. Arrivée de Martha. Le couple Freud s'apprête à se rendre auprès de Jakob. Mauvaise humeur de Freud. Meynert le fait appeler à son chevet. Martha s'en va seule chez ses beaux-parents. Freud tente d'écrire; finalement il se rend à la convocation de son ancien maître.

[3] p. 291-296. Freud au chevet de Meynert. (Correspond à [6] I.)

[4] p. 296-299. Le même soir, Freud se rend au domicile de Karl; il apprend que le jeune homme est mort d'une pneumonie.

[5] p. 300. Freud rentre chez lui.

[6] p. 301-307. Quelques jours plus tard; Freud soigne Dora. Elle a des flatulences que Freud interprète comme un désir insatisfait de maternité.

[7] p. 308-309. Freud télégraphie à Breuer qu'il pressent une nouvelle théorie.

[8]* p. 310-313. Freud avec Dora. Elle parle de son mari qui souffre d'éjaculation précoce.

[9] p. 314-315. Même soir chez les Breuer. Mathilde, Martha, Freud. On attend Breuer; sa femme se montre jalouse d'une de ses patientes, Cecily Körtner.

[10] p. 316-317. Breuer chez Cecily; il l'hypnotise.

[11] p. 318-330. Suite de [9]. Arrivée de Breuer. Freud parle de sexualité à table, au scandale des femmes. Mathilde se blesse involontairement.

[12]* p. 331-344. Le lendemain, dans le cabinet de Freud qui soigne une célibataire de trente ans, Madga, en présence de son père, dont elle est très dépendante. Hypnotisme. Freud en difficulté. La patiente se libère. Arrivée de Breuer.

[13] p. 345-367. Freud et Breuer chez Cecily. Anamnèse sous hypnose. (Correspond à [9], [10], [11] de la version I.)

[14]* p. 368-376. Breuer et Freud discutent du cas de Cecily dans une calèche, puis dans un café. Breuer ne veut toujours pas entendre parler de sexualité. Il est amoureux de Cecily à son insu.

[15] p. 377-387. Un mois plus tard. Freud dans son cabinet avec une jeune femme, puis chez lui avec Martha et Mathilde. Celle-ci s'en va. Martha apprend à Freud que Mathilde est jalouse et demande à Freud d'intervenir auprès de Breuer. Freud refuse. Arrive Breuer. Il va faire un voyage avec sa femme à Venise et confie ses malades à Freud.

[16] p. 387-394. Freud et Breuer chez Cecily dont le comportement est étrange. Breuer lui annonce qu'il va s'absenter pendant quelques jours. (Correspond à [21] I.)

[17] p. 394-406. Breuer et Freud discutent du cas de Cecily. Freud doute qu'elle soit guérie comme l'affirme Breuer. Elle conserve au moins un symptôme hystérique, sa toux.

[18] p. 407-414. Freud et Martha assistent aux préparatifs de départ des Breuer. (Correspond à [22] I.)

[19] p. 414-420. Breuer et Freud dans la chambre de Cecily; son faux accouchement. (Correspond à [23] I.)

TROISIÈME PARTIE

Version I

[1] p. 260. Freud dans son cabinet. Il soigne Magda, célibataire de trente-cinq ans, que son père accompagne. Le père, très critique, intervient

pour l'agacement de Freud. Madga, sous hypnose, se souvient d'avoir été violée. (Correspond à [12] de la partie II, version II.)

[2] p. 264. Freud en famille. Il attend un télégramme, pour un « congrès » avec Fliess.

[3] p. 267. Arrivée de Breuer, qui apporte l'introduction du livre qu'il écrit en collaboration avec Freud.

[4] p. 269. Freud dans son cabinet, avec Doelnitz, dont il soigne la femme. Celui-ci est outré de n'avoir plus le droit d'avoir des relations sexuelles avec sa femme à cause de Freud.

[5] p. 275. Freud et Breuer ; on apprend que Madga vient de faire une tentative de suicide. Breuer prend peur des résultats de sa méthode telle qu'elle est utilisée par Freud. Le Conseil de l'ordre des médecins pourrait intervenir.

[6] p. 279. Freud seul chez lui. Il reçoit un télégramme de Fliess, s'apprête à partir.

[7] p. 280. Freud et Fliess à Berchtesgaden, en costume tyrolien. Fliess demande à Freud des données précises, des dates.

[8] p. 286. Freud expose à Fliess sa théorie sur l'origine sexuelle des névroses. Fliess demande encore des dates.

[9] p. 290. Fliess annonce à Freud la date de sa mort. Il veut que Freud reprenne le traitement de Cecily pour avoir des données précises. Freud se rend compte qu'il a un nouveau père en la personne de Fliess.

[10] p. 296. Freud et Fliess sur le quai de la gare. Freud fait une crise de phobie.

[11] p. 300. Dans le train qui le ramène à Vienne, Freud rêve ; il joue aux cartes avec Meynert, Breuer et Fliess, il redevient un enfant ; apparition de Jakob.

[12] p. 304. Freud chez ses parents, le lendemain. Aperçus rétrospectifs de scènes d'enfance : antisémitisme, humiliations, le serment d'Hannibal.

[13] p. 311. Freud se rend chez Madame Körtner ; il veut reprendre le traitement de Cecily. Madame Körtner le reçoit très mal, d'ailleurs elle est ruinée. Freud accepte de soigner Cecily gratuitement.

[14] p. 316. Freud dans la chambre de Cecily, paralysée des deux jambes. Freud ne l'hypnotise plus ; elle dira ce qu'elle voudra. Cecily accepte.

[15] p. 321. Traitement de Cecily, son rêve : elle sort dans la rue vêtue en prostituée, à la recherche d'un client. Elle est Madame Putiphar.

[16] p. 327. Installation du téléphone chez Freud. Il embrasse sa fille Mathilde.

[17] p. 328. Le lendemain, Freud chez Cecily, reprise du traitement. Cecily rapporte qu'elle a fait une chute à l'âge de huit ans. Horreur de la jeune fille, se rendant compte qu'elle a été violée par son père. Faux souvenir masquant le vrai.

[18] p. 333. Freud télégraphie à Fliess. (Correspond à [7] de la partie II, version II, où Freud télégraphie à Breuer.)

[19] p. 334. On finit d'installer le téléphone chez Freud. Arrivée de Breuer, fâché de ne pas être au courant de la communication que Freud fera le soir même à la Société de Médecine. Breuer recommande la prudence à Freud ; le ton monte, brouille. Freud révèle que Cecily aussi a été violée par son père.

[20] p. 338. Dans l'appartement de Freud, Mathilde et Martha, puis Freud et Breuer, rupture entre les deux hommes.

[21] p. 339. Communication de Freud à la Société de Médecine. Scandale, chahut.

[22] p. 342. Freud écrit à Fliess pour l'informer de la rupture avec Breuer, du scandale qu'il vient de faire, de la perte de tous ses clients. Coup de téléphone de Madame Körtner : Cecily a disparu.

[23] p. 345. Freud à la recherche de Cecily sur le Ring. Il la retrouve dans une taverne avec des prostituées.

[24] p. 352. Freud ramène Cecily. Elle avoue avoir calomnié son père. Elle parle de se suicider.

[25] p. 356. Même nuit, Freud rentre chez lui. Son père vient de mourir.

[26] p. 356. Freud chez le coiffeur. Il arrive en retard aux obsèques de son père. Fliess et Breuer sont là aussi. Rêve de Freud (« on est prié de fermer les yeux »). (Correspond à [5] partie III, version II.)

[27] p. 360. Freud et Fliess, le lendemain. Freud s'interroge sur l'ambivalence de ses sentiments à l'égard de son père. Il interprète son rêve devant Fliess.

[28] p. 367. Un peu plus tard, Freud dans la chambre de Cecily. Il est découragé, malade lui-même. Offre d'une collaboration ; on procédera par la méthode des associations.

[29] p. 377. Arrivée de Madame Körtner ; elle chasse Freud qui commence à en savoir trop. Cecily veut étrangler sa mère. Retour sur Madame Körtner en danseuse. Körtner n'aimait que les prostituées.

[30] p. 387. Freud dans la chambre de Cecily, suite. Il se voit avec sa fille Mathilde, s'interroge sur ses sentiments de père, se souvient d'un voyage qu'il a fait avec ses parents quarante ans plus tôt.

[31] p. 390. Dans la chambre de Cecily, suite. Découverte du complexe d'Œdipe. Cecily voulait se prostituer pour que son père l'aime, elle a voulu tuer sa mère.

[32] p. 395. Freud avec Fliess, au bord d'un lac autrichien, six mois plus tard. Désaccord, rupture.

[33] p. 399. Soir du même jour, Freud chez lui. Breuer a perdu un frère. Freud se rend au cimetière sur la tombe de son père.

[34] p. 400. Freud au cimetière rencontre Breuer. Réconciliation. Liquidation des pères d'adoption : Meynert, Breuer, Fliess, en même temps qu'émancipation du vrai père. « A présent le père c'est moi. » Solitude. Martha et Mathilde se reverront.

Version II

[1] p. 421-424. Onze mois plus tard. Freud et Martha chez les Breuer qui viennent d'avoir leur premier enfant.

[2] p. 424-440. Freud apporte à Breuer des pages destinées à leur livre. Il y traite de la sexualité. Breuer n'en veut toujours pas entendre parler. Breuer lit ces pages. Freud est mal portant. On apprend que son père va très mal.

[3] p. 441-444. Freud au chevet de son père qui se dit fier de lui.

[4] p. 445-448. Freud à l'enterrement de son père. Il a un malaise. Breuer l'emmène.

[5]* p. 449-460. Cauchemar de Freud. Breuer l'examine. Freud se souvient de son rêve et tente de l'interpréter (« on est prié de fermer les yeux »). (Correspond à [26] partie III, version I.)

[6] p. 461-464. Freud et Breuer retournent au lieu de l'enterrement. Breuer confie Cecily aux soins de Freud.

[7] p. 465-498. Freud chez les Körtner, avec Cecily qui le reçoit très mal, ne veut pas de lui comme médecin. Très longue scène. Cecily est de nouveau paralysée. Hypnotisme, mais la jeune fille ne s'endort pas et se moque de Freud. Elle tient une poupée qui n'a plus de tête. Freud, découragé, a envie d'abandonner.

[8] p. 499-514. Le lendemain, suite de la scène précédente. On commence à approcher du passé de Madame Körtner, mère de Cecily.

[9] p. 514-522. Les époux Freud dans la nursery, avec la petite Mathilde. Freud souhaite que Breuer reprenne le traitement de Cecily.

[10] p. 522-536. Freud avec Dora. Il l'hypnotise. Elle lui met les bras autour du cou. Martha est témoin de la scène. Dora s'en va. (Correspond à [27] partie II version I.)

[11] p. 537-539. Freud et Martha chez eux. Martha, nerveuse, casse un verre.

[12] p. 540-552. Dans un café de Vienne. Longue discussion entre Freud et Breuer au sujet du transfert, que Freud vient de découvrir.

[13] p. 552-555. Un peu plus tard, Freud chez lui avec Martha. Dispute. Martha n'approuve pas les méthodes de son mari, le transfert, ce à quoi il conduit Dora.

[14]* p. 555-562. Freud dans son cabinet de travail. Rêve des joueurs de cartes (qui sont trois pères). Ensuite interprétation, autoanalyse. Le transfert. (Correspond partiellement à [19] de la partie II version I.)

[15] p. 562-564. Dora est partie. Freud traitera Cecily par sa nouvelle méthode du transfert.

[16]* p. 565-585. Freud dans la chambre de Cecily. Anamnèse par associations libres. Rêve de la Tour Rouge. La jeune fille se voit en prostituée.

[17] p. 586-587. Brève rencontre de Freud et de Breuer; ils effacent leurs différends.

[18] p. 588-596. Freud avec le conseiller Schlesinger et sa fille Madga, qui a eu une rechute (voir [12]* partie II, version II). Freud hypnotise sa patiente, qui se souvient d'avoir été violée, enfant. Ses contractures disparaissent.

[19] p. 597-601. Suite de [16], le lendemain. Freud dans la chambre de Cecily, suite de l'anamnèse.

[20] p. 602-610. Le lendemain, dans le cabinet de Freud. Celui-ci s'entretient de leur livre avec Breuer.

[21] p. 610-616. Arrivée de Doelnitz, mari d'une patiente de Freud, que celui-ci a condamnée à la continence sexuelle; le mari se plaint. (Cor-

respond à [4] de la partie III version I, texte partiellement repris.)
L'homme, venu en accusateur, est retourné par Freud.

[22] p. 616-617. Suite de la conversation Freud-Breuer entamée dans [20].

Le manuscrit s'achève en cet endroit.

TABLE

CRITIQUES LITTÉRAIRES.

QU'EST-CE QUE LA LITTÉRATURE?

SAINT GENET, COMÉDIEN ET MARTYR (Les Œuvres complètes de Jean Genet, tome I).

LES MOTS.

LES ÉCRITS DE SARTRE, de Michel Contat et Michel Rybalka.

L'IDIOT DE LA FAMILLE, *Gustave Flaubert de 1821 à 1857*, I, II et III.

PLAIDOYER POUR LES INTELLECTUELS.

UN THÉÂTRE DE SITUATIONS.

LES CARNETS DE LA DRÔLE DE GUERRE (novembre 1939-mars 1940).

LETTRES AU CASTOR :
I. 1926-1939.
II. 1940-1963.

Philosophie

L'IMAGINAIRE, *psychologie phénoménologique de l'imagination.*

L'ÊTRE ET LE NÉANT, *essai d'ontologie phénoménologique.*

CRITIQUE DE LA RAISON DIALECTIQUE, *précédé de* QUESTIONS DE MÉTHODE.

CAHIERS POUR UNE MORALE.

Essais politiques

RÉFLEXIONS SUR LA QUESTION JUIVE.

ENTRETIENS SUR LA POLITIQUE, avec David Rousset et Gérard Rosenthal.

L'AFFAIRE HENRI MARTIN, textes commentés par Jean-Paul Sartre.

ON A RAISON DE SE RÉVOLTER, avec Philippe Gavi et Pierre Victor.

Scénario

SARTRE, *un film réalisé par Alexandre Astruc et Michel Contat.*

Entretiens

Entretiens avec Simone de Beauvoir, *in* LA CÉRÉMONIE DES ADIEUX
de Simone de Beauvoir.

Iconographie

SARTRE, IMAGES D'UNE VIE, album préparé par L. Sendyk-Sie-
gel, commentaire de Simone de Beauvoir.

Composé et achevé d'imprimer
par l'Imprimerie Floch
à Mayenne, le 30 avril 1984.
Dépôt légal : avril 1984.
Numéro d'imprimeur : 21714.
ISBN 2-07-070159-X / Imprimé en France.